ЦА ПОДБЕЛЬСКОГО
КИЗОВСКАЯ
ЖЕНСКАЯ ПЛОЩАДЬ
ЩЕЛКОВСКАЯ
ПЕРВОМАЙСКАЯ
Д
ИЗМАЙЛОВСКАЯ
ПАРТИЗАНСКАЯ
СЕМЕНОВСКАЯ
ЭЛЕКТРОЗАВОДСКАЯ
АУМАНСКАЯ
Д
НОВОКОСИНО
НОВОГИРЕЕВО
ПЕРОВО
ШОССЕ ЭНТУЗИАСТОВ
АВИАМОТОРНАЯ
ДАДЬ ИЛЬИЧА
ЛЕТАРСКАЯ
ВОЛГОГРАДСКИЙ ПРОСПЕКТ
ТЕКСТИЛЬЩИКИ
ВЫХИНО
ЛЕРМОНТОВСКИЙ ПРОСПЕКТ
МИНКИ
РЯЗАНСКИЙ ПРОСПЕКТ
Д
ЖУЛЕБИНО
ВОЛЖСКАЯ
ЛЮБЛИНО
БРАТИСЛАВСКАЯ
МАРЬИНО
БОРИСОВО
ШИПИЛОВСКАЯ
ЗЯБЛИКОВО
БРАТЕЕВО
РАСНОГВАРДЕЙСКАЯ

УСЛОВНОЕ ОБОЗНАЧ

- СОДРУЖЕСТВО СТАНЦИЙ КОЛЬЦЕВОЙ ЛИНИИ ("ГАН
- КРАСНАЯ ЛИНИЯ
- "ПОЛИС"
- "АРБАТСКАЯ КОНФЕДЕРА
- "СОДРУЖЕСТВО ВДНХ"
- "КОНФЕДЕРАЦИЯ 1905 ГОДА"
- "БАУМАНСКИЙ АЛЬЯНС"
- "ЧЕТВЕРТЫЙ РЕЙХ"
- ЧЕРВЕПОКЛОННИКИ
- МГУ ("ИЗУМРУДНЫЙ ГОРОД")
- ФЕРМЫ И ФАКТОРИИ
- ЯСЕНЕВСКАЯ ОБЩИНА
- СЕВАСТОПОЛЬСКАЯ ИМПЕРИЯ
- "ВОЙКОВСКОЕ СОДРУЖЕСТВО"
- КОНФЕДЕРАЦИЯ ПЕЧАТНИКОВ
- ТОРГОВАЯ ЗАСТАВА
- ТЕХНИКИ
- БАЗЫ ТРОЦКИСТОВ
- САТАНИСТЫ
- СОЛНЦЕПОКЛОННИКИ
- НЕЗАВИСИМЫЕ СТАНЦИИ
- ЖИЛЫЕ СТАНЦИИ
- ОРГАНИЗОВАННАЯ ПРЕСТУПНОСТЬ

УСЛОВНОЕ ОБОЗНАЧЕНИЕ СТАНЦИЙ, ТОННЕЛЕЙ И КОММУНИКАЦИЙ:

- НЕИССЛЕДОВАННЫЕ СТАНЦИИ
- СТАНЦИИ, ЗАХВАЧЕННЫЕ МУТАНТАМИ
- ТРАНЗИТНЫЕ СТАНЦИИ
- ЗАБРОШЕННЫЕ СТАНЦИИ
- ЗАТОПЛЕННЫЕ СТАНЦИИ
- РАЗРУШЕННЫЕ СТАНЦИИ
- ОПАСНЫЕ ТОННЕЛИ
- Д - ДЕПО
- НАЗЕМНЫЕ УЧАСТКИ ПУТЕЙ
- МОСТЫ
- ТЕХНОЛОГИЧЕСКИЕ ПУТИ И ТОННЕЛИ
- Д-6 - РАЙОНЫ РАСПОЛОЖЕНИЯ ПРАВИТЕЛЬСТВЕННЫХ КОММУНИКАЦИЙ

УСЛОВНОЕ ОБОЗНАЧЕНИЕ ОПАСНОСТЕЙ:

- РАДИАЦИОННАЯ УГРОЗА
- БИОЛОГИЧЕСКАЯ УГРОЗА
- МЕНТАЛЬНАЯ УГРОЗА
- УГРОЗА ОБРУШЕНИЯ ТОННЕЛЯ
- РАЗЛИЧНЫЕ УГРОЗЫ
- ЧЕРВЕПОКЛОННИКИ
- КРИШНАИТЫ
- СВИДЕТЕЛИ ИЕГОВЫ

GLUKHOVSKY.RU

METRO2035.RU

METRO2033.RU

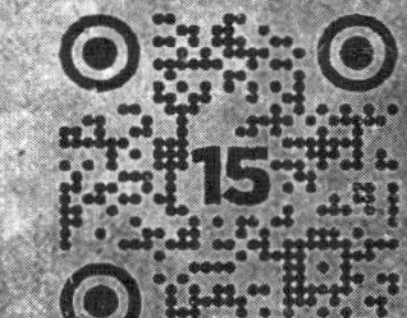

ДМИТРИЙ ГЛУХОВСКИЙ

Издательство «АСТ»
представляет книги
Дмитрия Глуховского:

МЕТРО 2033

МЕТРО 2034

МЕТРО 2035

СУМЕРКИ

БУДУЩЕЕ

РАССКАЗЫ О РОДИНЕ

glukhovsky.ru

ДМИТРИЙ ГЛУХОВСКИЙ

МЕТРО 2033

роман

Издательство АСТ
Москва

УДК 821.161.1-312.9
ББК 84(2Рос=Рус)6-44
Г55

Оформление обложки, форзаца, нахзаца — *Илья Яцкевич*

Глуховский, Дмитрий Алексеевич.

Г55 Метро 2033 : [роман] / Дмитрий Глуховский. — Москва: Издательство АСТ, 2019. — 384 с. — (Знаменитая трилогия).

ISBN 978-5-17-114425-8

Двадцать лет спустя Третьей мировой войны последние выжившие люди прячутся на станциях и в туннелях московского метро, самого большого на Земле противоатомного бомбоубежища. Поверхность планеты заражена и непригодна для обитания, и станции метро становятся последним пристанищем для человека. Они превращаются в независимые города-государства, которые соперничают и воюют друг с другом. Они не готовы примириться даже перед лицом новой страшной опасности, которая угрожает всем людям окончательным истреблением. Артем, двадцатилетний парень со станции ВДНХ, должен пройти через все метро, чтобы спасти свой единственный дом — и все человечество.

«Метро 2033» — культовый роман-антиутопия, один из главных российских бестселлеров нулевых. Переведен на 37 иностранных языков, заинтересовал Голливуд, превращен в атмосферные компьютерные блокбастеры, породил целую книжную вселенную и настоящую молодежную субкультуру во всем мире.

УДК 821.161.1-312.9
ББК 84(2Рос=Рус)6-44

Фото Игоря Мухина

Дмитрий Глуховский, 2007

Дорогие москвичи и гости столицы!
Московский метрополитен –
транспортное предприятие, связанное
с повышенной опасностью.

Объявление в вагоне метро

Тот, у кого хватит храбрости
и терпения всю жизнь вглядываться
во мрак, первым увидит в нем
проблеск света.

Хан

Глава 1

КРАЙ СВЕТА

— Кто это там? Эй, Артем! Глянь-ка!

Артем нехотя поднялся со своего места у костра и, перетягивая автомат со спины на грудь, двинулся во тьму. Стоя на самом краю освещенного пространства, он демонстративно, как можно громче и внушительней, щелкнул затвором и хрипло крикнул:

— Стоять! Пароль!

Из темноты, откуда минуту назад раздавались странный шорох и глухое бормотание, послышались спешные, дробные шаги. Кто-то отступал вглубь туннеля, напуганный сиплым Артемовым голосом и бряцанием оружия. Артем спешно вернулся к костру и бросил Петру Андреевичу:

— Да нет, не показалось. Не назвался, удрал.

— Эх ты, раззява! Тебе же было сказано: не отзываются — сразу стрелять! Откуда тебе знать, кто это был? Может, это черные подбираются!

— Нет... Я думаю, это вообще не люди... Звуки очень странные... Да и шаги у него не человеческие. Что же я, человеческих шагов не узнаю? А потом, если бы это были черные, разве они хоть раз вот так убегали? Вы же сами знаете, Петр Андреевич, в последнее время черные вперед сразу бросаются — и на дозор нападали уже с голыми руками, и на пулемет шли в полный рост. А этот удрал сразу... Какая-то трусливая тварь.

— Ладно, Артем! Больно ты умный! Есть у тебя инструкция — и действуй по инструкции, а не рассуждай. Может, это лазутчик был. Увидел, что нас здесь мало, и — превосходящими силами... Может, нас сейчас здесь прихлопнут за милую душу, ножом по горлу, и станцию всю вырежут вон, как с Полежаевской вышло, а все потому, что ты вовремя не срезал гада... Смотри у меня! В следующий раз по туннелю за ними бегать заставлю!

Артем поежился, представляя себе туннель за семисотым метром. Страшно было даже помыслить о том, чтобы показаться там. За семисотый метр на север не отваживался ходить никто. Патрули доезжали до пятисотого и, осветив пограничный столб прожектором с дрезины, убедившись, что никакая дрянь не переползла за него, торопливо возвращались. Разведчики, здоровые мужики, бывшие морские пехотинцы, и те останавливались на шестьсот восьмидесятом, прятали горящие сигареты в ладонях и замирали, прильнув к приборам ночного видения. А потом медленно, тихо отходили назад, не спуская глаз с туннеля и ни в коем случае не поворачиваясь к нему спиной.

Дозор, в котором они сейчас стояли, находился на четыреста пятидесятом, в пятидесяти метрах от пограничного столба. Но граница проверялась раз в день, и осмотр закончился уже несколько часов назад. Теперь их пост был крайним, а за часы, прошедшие со времени последней проверки, твари, которых патруль мог спугнуть, наверняка снова начали подползать. Тянуло их на огонек, поближе к людям...

Артем уселся на свое место и спросил:

— А что там с Полежаевской случилось?

И хотя он уже знал эту леденящую кровь историю — рассказывали челноки на станции, его тянуло послушать ее еще раз, как неудержимо тянет детей на страшные байки о безголовых мутантах и упырях, похищающих младенцев.

— С Полежаевской? А ты не слышал? Странная история с ними вышла. Странная и страшная. Сначала у них разведчики стали пропадать. Уходили в туннели и не возвращались. У них, правда, салаги разведчики, не то что наши, но у них ведь и станция поменьше, и народу там не столько живет... Жило. Так вот, стали, значит, у них пропадать разведчики. Один отряд ушел — и нет его. Сначала думали, задержало его что-то, у них там еще туннель петляет, совсем как у нас, — Артему стало не по себе при этих словах, — и ни дозорам, ни тем более со станции ничего не видно, сколько ни свети. Нет их и нет, полчаса нет, час нет, два нет. Казалось бы, где там пропасть — всего ведь на километр уходили, им запретили дальше идти, да они и сами не дураки... В общем, так и не дождались, послали усиленный дозор, те искали, искали, кричали, кричали — все зря. Нету. Пропали разведчики. И ладно еще, что никто не видел, что с ними случилось. Плохо, что слышно ничего не было... Ни звука. И следов никаких.

Артем уже начал жалеть, что попросил Петра Андреевича рассказать о Полежаевской. Тот был то ли лучше осведомлен, то ли сам что-то додумывал, только рассказывал он такие подробности, какие и не снились челнокам, уж на что те были мастера и любители рассказать байку. От подробностей этих мороз шел по коже и неуютно становилось даже у костра, а любые, пусть и совсем безобидные шорохи из туннеля будоражили воображение.

— Ну, так вот. Стрельбы слышно не было, те и решили, что разведчики, наверное, ушли от них — недовольны, может, чем-то были и сбежали. Ну, и шут с ними. Хотят легкой жизни, хотят со всяким отребьем мотаться, с анархистами всякими, пусть себе мотаются. Так проще было думать. Спокойнее. А через неделю еще одна разведгруппа пропала. Те вообще не должны были дальше полукилометра от станции отходить. И опять та же история. Ни звука, ни следа. Как в воду канули. Тут на станции забеспокоились. Это уже непорядок, когда за неделю два отряда исчезают. С этим уже надо что-то делать. Меры, значит, принимать. Ну, они выставили на трехсотом кордон. Мешков с песком натаскали, пулемет установили, прожектор — по всем правилам фортификации. Послали на Беговую гонца — у них с Беговой и с Улицей 1905 года конфедерация. Раньше Октябрьское Поле тоже было с ними, но потом там что-то случилось, никто не знает точно что, авария какая-то: жить там стало нельзя, и оттуда все разбежались, ну, да это неважно. Послали они на Беговую гонца — предупредить, мол, творится что-то неладное, и о помощи попросить в случае чего. Не успел первый гонец до Беговой добраться, дня не прошло — те еще ответ обдумывали, — прибегает второй, весь в мыле, и рассказывает, что их усиленный кордон погиб поголовно, не сделав ни единого выстрела. Всех перерезали. И словно во сне зарезали — вот что страшно-то! А ведь они и не смогли бы заснуть после пережитого страха, не говоря уж о приказах и инструкциях. Тут на Беговой поняли, что, если ничего не сделать, скоро та же петрушка и у них начнется. Снарядили ударный отряд из ветеранов — около сотни человек, пулеметы, гранатометы... Времени, конечно, это заняло порядком, дня полтора, но все же отправили группу на помощь. А когда та вошла на Полежаевскую, там уже ни одной живой души не было. И тел не было — только кровь повсюду. Вот так вот. И черт знает, кто это сделал. Я вот не верю, что люди вообще на такое способны.

— А с Беговой что случилось? — не своим голосом спросил Артем.

— Ничего с ними не случилось. Увидели такое дело и взорвали туннель, который к Полежаевской вел. Там, я слышал, метров сорок засыпано, без техники не разгребешь, да и с техникой-то, пожалуй, не очень... А где ее возьмешь, технику? Она уже лет пятнадцать как сгнила, техника-то...

Петр Андреевич замолчал, глядя в огонь. Артем кашлянул негромко и проговорил:

— Да... Надо, конечно, было стрелять... Дурака я свалял.

С юга, со стороны станции, послышался крик:

— Эй там, на четыреста пятидесятом! У вас все в порядке?

Петр Андреевич сложил руки рупором и прокричал в ответ:

— Подойдите поближе! Дело есть!

Из туннеля, от станции, светя карманными фонарями, к ним приближались три фигуры, наверное, дозорные с трехсотого метра. Подойдя к костру, они потушили фонари и присели рядом.

— Здорово, Петр! Это ты здесь? А я думаю, кого сегодня на край света отправили? — произнес старший, улыбаясь и выбивая из пачки папиросу.

— Слушай, Андрюха! У меня парень видел здесь кого-то. Но выстрелить не успел... В туннель спряталось. Говорит, на человека похоже не было.

— На человека не похоже? А как выглядит-то? — обратился Андрей к Артему.

— Да я и не видел... Я только спросил пароль, и оно сразу обратно бросилось, на север. Но шаги не человеческие были — легкие и очень частые, как будто у него не две ноги, а четыре...

— Или три! — подмигнул Андрей, сделав страшное лицо.

Артем поперхнулся, вспомнив истории о трехногих людях с Филевской линии, где часть станций лежала на поверхности и туннель шел совсем неглубоко, так что защиты от радиации не было почти никакой. Оттуда и расползалась по всему метро трехногая, двухголовая и прочая дрянь.

Андрей затянулся папиросой и сказал своим:

— Ладно, ребята, если мы уже пришли, то почему бы здесь не посидеть? Если у них тут опять трехногие полезут, поможем. Эй, Артем! Чайник есть у вас?

Петр Андреевич встал сам, налил в битый, закопченный чайник воды из канистры и повесил его над огнем. Через несколько минут чайник загудел, закипая, и от этого звука, такого домашнего и уютного, Артему стало теплее и спокойнее. Он оглядел сидящих вокруг костра людей: все крепкие, закаленные непростой здешней жизнью, надежные люди. Таким можно было верить, на них можно было положиться. Их станция всегда слыла одной из самых благополучных на всей линии — и все благодаря собравшимся тут и таким, как они. Всех их связывали теплые, почти братские отношения.

Артему было уже за двадцать, на свет он появился еще там, наверху, и был не такой худой и бесцветный, как все родившиеся в метро, не осмеливавшиеся никогда показываться на поверхности, опасаясь не только радиации, но и испепеляющих, губительных для подземной жизни солнечных лучей. Правда, Артем и сам в сознательном возрасте бывал наверху всего раз, да и то только на мгновенье — радиационный фон там был такой, что чрезмерно любопытные изжаривались за пару часов, не успев нагуляться вдоволь и насмотреться на диковинный мир, лежащий на поверхности.

Отца своего он не помнил совсем. Мать была рядом с ним до пятилетнего возраста, и жили они на Тимирязевской. У них все было хорошо, и жизнь текла ровно и спокойно, пока Тимирязевская не пала под нашествием крыс.

Огромные, серые, мокрые крысы хлынули однажды безо всякого предупреждения из одного из темных боковых туннелей. Он нырял в сторону незаметным ответвлением от главного северного перегона и спускался на большие глубины, чтобы затеряться в сложном переплетении сотен коридоров, в лабиринтах, полных ужаса, ледяного холода и отвратительного смрада. Туннель этот уходил в царство крыс, место, куда не решился бы ступить самый отчаянный авантюрист. Даже заблудившийся и не разбирающийся в подземных картах и дорогах скиталец, остановившись на его пороге, чутьем определил бы черную, жуткую опасность, исходившую оттуда, и шарахнулся бы от зияющего провала входа, как от ворот зачумленного города.

Никто не тревожил крыс. Никто не спускался в их владения. Никто не осмеливался нарушить их границ.

Но они пришли сами.

Много народу погибло в тот день, когда живым потоком гигантские крысы, такие большие, каких никогда не видели ни на станции, ни в туннелях, затопили и выставленные кордоны, и станцию, погребая под собой ее защитников и население, заглушая массой своих тел их предсмертные вопли. Пожирая все на своем пути: и мертвых, и живых людей, и своих убитых собратьев — слепо, неумолимо, движимые непостижимой человеческому разуму силой, крысы рвались вперед, все дальше и дальше.

В живых остались всего несколько человек. Не женщины, не старики и не дети — никто из тех, кого обычно спасают в первую очередь, а пятеро здоровых мужчин, сумевших опередить смертоносный поток. И только потому обогнавших его, что стояли с дрезиной на дозоре в южном туннеле. Заслышав крики со станции, один из них бегом бросился проверять, что случилось. Тимирязевская уже гибла, когда он увидел ее в конце перегона. Уже на входе он понял по первым крысиным ручейкам, просочившимся на перрон, что случилось, и повернул было назад, зная, что ничем больше не сможет помочь тем, кто держит оборону станции, как вдруг сзади его схватили за руку. Он обернулся, и женщина, с искаженным от страха лицом тянувшая его настойчиво за рукав, крикнула, пытаясь пересилить многоголосый хор отчаяния:

— Спаси его, солдат! Пожалей!

Он увидел, что протягивает она ему детскую ручонку, маленькую пухлую ладонь, и схватил эту ладонь, не думая, что спасает чью-то жизнь, а потому, что его назвали солдатом и попросили пожалеть. И, таща за собой ребенка, а потом и вовсе схватив его под мышку, рванул наперегонки с первыми крысами, наперегонки со смертью — вперед, по туннелю, туда, где ждала дрезина с товарищами по дозору. Уже издалека, метров за пятьдесят, он закричал им, чтобы заводили. Дрезина у них была моторизованная, одна на десять ближайших станций такая, и только поэтому они смогли обогнать крыс. Дозорные мчались вперед и на скорости пролетели заброшенную Дмитровскую, на которой ютились несколько отшельников, успев бросить им: «Бегите! Крысы!» — но понимая, что те уже не успеют спастись. Подъезжая к кордонам Савеловской, с которой у них, слава богу, было в тот момент мирное соглашение, они уже заранее сбавляли темп, чтобы при такой скорости их не расстреляли на подступах, приняв за налетчиков, и изо всех сил кричали дозорным: «Крысы! Крысы идут!» Они готовы были продолжать бежать через Савеловскую и дальше, дальше по линии, умоляя пропустить их вперед, пока есть куда бежать, пока серая лава не затопит все метро.

Но, к их счастью, оказалось на Савеловской нечто, что спасло и их, и станцию, а может, и всю Серпуховско-Тимирязевскую ветку: они еще только подъезжали, взмыленные, крича дозорным о смерти, которую им удалось ненадолго опередить, а те уже спешили, расчехляли на своем посту какой-то внушительный агрегат.

Это был огнемет, собранный местными умельцами из найденных частей, кустарный, но невероятно мощный. Как только показались передовые крысиные отряды и, нарастая, донесся из мрака шорох и скрежет тысяч крысиных лап, дозорные врубили огнемет и не отключали, пока не кончилось горючее. Ревущее оранжевое пламя заполнило туннель на десятки метров и жгло, жгло крыс, не переставая, десять, пятнадцать, двадцать минут. Туннель наполнился мерзкой вонью паленого мяса и диким крысиным визгом... А за спиной дозорных с Савеловской, ставших героями и прославившихся на всю линию, замерла остывающая дрезина, готовая к новому прыжку, и на ней — пятеро мужчин, бежавших со станции Тимирязевская, и еще один — спасенный ими ребенок. Мальчик. Артем.

Крысы отступили. Их слепая воля была сломлена одним из последних изобретений человеческого военного гения. Люди всегда умели убивать лучше, чем любое другое живое существо.

Крысы схлынули и вернулись в огромное царство, истинные размеры которого не были известны никому. Все эти лабиринты, лежавшие на неимоверной глубине, были так таинственны и, казалось бы, совершенно бесполезны для работы метрополитена, что не верилось даже, несмотря на заверения авторитетных людей, будто все это было сооружено обычными метростроевцами.

Один из этих авторитетов даже работал раньше, еще тогда, помощником машиниста электропоезда. Таких людей почти не осталось, и были они в большой цене, потому что на первых порах оказались единственными, кто не терялся и не поддавался страху, оказавшись вне удобной и безопасной капсулы поезда в темных туннелях Московского метрополитена, в этой каменной утробе мегаполиса. Все на станции относились к нему с почтением и детей своих учили тому же, оттого Артем, наверное, и запомнил его, на всю свою жизнь запомнил: изможденного худого человека, зачахшего за долгие годы работы под землей, в истертой и выцветшей форме работника метрополитена, уже давно потерявшей свой шик, но все еще надеваемой с той гордостью, с какой отставной адмирал облачается в парадный мундир. И Артему, тогда совсем еще пацану, виделась в тщедушной фигуре помощника машиниста несказанная стать и мощь...

Еще бы! Работники метро были для всех остальных его обитателей тем же, что проводники-туземцы для научных экспедиций в джунглях. Им свято верили, на них полностью полагались, от их знаний и умений зависело выживание остальных. Многие из них возглавили станции, когда распалась единая система управления и метрополитен из комплексного объекта гражданской обороны, огромного противоядерного бомбоубежища, превратился во множество не связанных единой властью станций, погрузился в хаос и анархию. Станции стали независимыми и самостоятельными, своеобразными карликовыми государствами, со своими идеологиями и режимами, лидерами и армиями. Они воевали друг с другом, объединялись в федерации и конфедерации, сегодня становясь метрополиями воздвигаемых империй, чтобы завтра оказаться поверженными и колонизированными вчерашними друзьями или рабами. Они заключали краткосрочные союзы против общей угрозы, чтобы, когда эта угроза минует, с новыми силами вцепиться друг другу в глотку. Они самозабвенно грызлись за все: за жизненное пространство, за пищу — посадки белковых дрожжей, плантации грибов, не нуждающихся в дневном свете, курятники и свинофермы, где бледных подземных свиней и чахлых цыплят вскармливали бесцветными подземными грибами, и, конечно, за воду — то есть за фильтры. Варвары, не умевшие починить пришедшие в негодность фильтрационные установки и умирающие от отравленной радиацией воды, со звериной яростью бросались на оплоты цивилизованной жизни, на станции, где исправно действовали динамо-машины и маленькие кустарные гидроэлектростанции, где регулярно ремонтировались и чистились фильтры, где, взращенные заботливыми женскими руками, буравили мокрый грунт белые шляпки шампиньонов и сыто хрюкали в загонах свиньи.

Их вел вперед, на бесконечный отчаянный штурм инстинкт самосохранения и извечный революционный принцип — отнять и поделить. Защитники благополучных станций, организованные в боеспособные соединения бывшими профессиональными военными, до последней капли крови отражали нападения вандалов, переходили в контрнаступления, с боем сдавали и отбивали каждый метр межстанционных туннелей. Станции копили военную мощь, чтобы отвечать на набеги карательными экспедициями, чтобы теснить своих цивилизованных соседей с жизненно важного пространства, если не удавалось достичь договоренностей мирным путем, и наконец, чтобы давать отпор той нечисти, что лезла изо всех дыр и туннелей. Всем тем странным, уродливым и опасным созданиям, каждое из которых вполне могло бы привести Дарвина в отчаяние своим явным несоответствием законам эволюционного развития. Как разительно ни отличались бы от привычных человеку животных все эти твари, то ли под невидимыми губительными лучами переродившиеся из безобидных представителей городской фауны в исчадий ада, то ли всегда обитавшие в глубинах, а сейчас потревоженные человеком, они все-таки тоже были частью жизни на земле. Искаженной, извращенной, но все же частью. И подчинялись они все тому же главному импульсу, которым ведомо все органическое на этой планете.

Выжить. Выжить любой ценой.

Артем принял белую эмалированную кружку, в которой плескался их собственный, станционный чай. Был это, конечно, никакой не чай, а настойка из сушеных грибов с добавками, потому что настоящего чая всего-то и оставалось ничего. Его экономили и пили только по большим праздникам, да и цена на него была в десятки раз выше, чем на грибную настойку. А все-таки свое варево у них на станции любили, и гордились им, и называли «чай». Чужаки, правда, с непривычки сначала отплевывались, но потом ничего, привыкали. И даже за пределами станции пошла об их чае слава — и челноки двинулись к ним. Сначала рискуя собственными шкурами, поодиночке, однако вскоре чай пошел влет по всей линии, даже Ганза заинтересовалась им, и за волшебной настойкой на ВДНХ потянулись большие караваны. Потекли деньги. А где деньги — там и оружие, там и дрова, и витамины. Там жизнь. И с тех пор как на ВДНХ стали делать этот самый чай, станция начала крепчать, сюда перебрались хозяйственные люди с окрестных станций и перегонов, пришло процветание. Свиньями своими на ВДНХ тоже очень гордились и рассказывали легенды о том, что именно отсюда они и попали в метро: когда еще в самом начале какие-то смельчаки добрались до полуразрушенного павильона «Свиноводство» на самой Выставке и пригнали животных на станцию.

— Слышь, Артем! Как у Сухого-то дела? — спросил Андрей, прихлебывая чай маленькими осторожными глотками и усердно дуя на него.

— У дяди Саши? Все хорошо у него. Вернулся недавно из похода по линии с нашими. С экспедицией. Да вы знаете, наверное.

Андрей был лет на пятнадцать старше Артема. Вообще-то, он был разведчиком и редко стоял в дозоре ближе четыреста пятидесятого метра, да и то командиром кордона. Вот поставили его на трехсотый метр, в прикрытие, а его все-таки тянуло вглубь, и он воспользовался первым же предлогом, первой ложной тревогой, чтобы подобраться поближе к темноте, поближе к тайне. Любил он туннель и знал его хорошо со всеми ответвлениями. А на станции, среди фермеров, среди работяг, коммерсантов и администрации, он себя чувствовал неуютно — ненужным, что ли. Не мог он себя заставить рыхлить землицу для грибов или, еще хуже, пичкать этими грибами жирных свиней, стоя по колено в навозе на станционных фермах. И торговать он не мог, сроду терпеть не мог торгашей, а был он всегда солдатом, воином и всей душой верил, что это единственно достойное мужчины занятие. Горд был тем, что он, Андрей, всю свою жизнь только и делал, что защищал и провонявших фермеров, и суетливых челноков, и деловых до невозможности администраторов, и детей, и женщин. Женщины тянулись к его пренебрежительной, насмешливой силе, к его полной, стопроцентной уверенности в себе, к его спокойствию за себя и за тех, кто был с ним, потому что он всегда мог их защитить. Женщины обещали ему любовь, они обещали ему уют, но он начинал чувствовать себя уютно лишь после пятидесятого метра, когда за поворотом скрывались огни станции. А женщины туда за ним не шли. Почему?

И вот, разгорячившись от чая, сняв свой старый черный берет и вытирая рукавом мокрые от пара усы, он принялся жадно расспрашивать Артема о новостях и сплетнях, принесенных из последней экспедиции на юг Артемовым отчимом — тем самым человеком, который, девятнадцать лет назад вырвав Артема у крыс на Тимирязевской, не смог бросить мальчишку и воспитал его.

— Я-то, может быть, и знаю кое-что, но и по второму разу с удовольствием послушаю. Жалко тебе, что ли? — настаивал Андрей.

Долго уговаривать не пришлось: Артему самому было приятно вспомнить и пересказать истории отчима, ведь внимать все будут с открытыми ртами.

— Ну, куда они ходили, вы, наверное, знаете... — начал Артем.

— Знаю, что на юг. Они же там шибко засекреченные, ходоки ваши, — усмехнулся Андрей. — Специальные задания администрации, сам понимаешь! — подмигнул он одному из своих людей.

— Да ничего секретного в этом не было, — отмахнулся Артем. — Целью экспедиции у них поставлена разведка обстановки, сбор информации... Достоверной информации. Потому что чужим челнокам, которые у нас на станции языком треплют, верить нельзя, — они, может, челноки, а может, и провокаторы, дезинформацию распространяют.

— Челнокам вообще верить нельзя, — буркнул Андрей. — Корыстные они люди. Откуда ты его знаешь: сегодня он твой чай продает Ганзе, а завтра тебя самого со всеми потрохами кому-нибудь продаст. Они, может, тоже тут у нас информацию собирают. Я и нашим-то, честно говоря, не особо доверяю.

— Ну, на наших — это вы зря, Андрей Аркадьич. Наши — все нормальные. Я сам почти всех знаю. Люди как люди. Деньги только любят. Жить хотят лучше, чем другие, стремятся к чему-то, — попытался вступиться за местных челноков Артем.

— Вот-вот. И я о том же. Деньги они любят. Жить хотят лучше всех. А кто их знает, что они делают, когда в туннель выходят? Можешь ты мне с уверенностью сказать, что на первой же станции их чьи-нибудь агенты не завербуют? Можешь или нет?

— Чьи агенты? Чьим агентам наши челноки сдались?

— Вот что, Артем! Молод ты еще и многого не знаешь. Слушал бы старших, глядишь, проживешь подольше.

— Должен же кто-то выполнять эту работу! Не было бы челноков, и куковали бы мы тут без боеприпасов, с берданками, шмаляли бы солью в черных и чаек свой попивали, — не отступал Артем.

— Ладно, ладно, экономист нашелся... Ты поостынь. Рассказывай лучше, что там Сухой видел. У соседей что? На Алексеевской? На Рижской?

— На Алексеевской? Ничего нового. Выращивают грибы свои. Да что Алексеевская? Так, хутор... Говорят, — Артем понизил голос ввиду секретности информации, — присоединяться к нам хотят. И Рижская вроде тоже не против. Там у них давление с юга растет. Настроения пасмурные: все шепчутся о какой-то угрозе, все чего-то боятся, а чего боятся — никто не знает. То ли с той стороны линии империя какая-то возникла, то ли Ганзы опасаются, что захочет расшириться, то ли еще чего-то. И все эти хутора к нам начинают жаться. И Рижская, и Алексеевская.

— А чего конкретно хотят? Что предлагают? — интересовался Андрей.

— Просят объединиться с ними в федерацию с общей оборонной системой, границы с обеих сторон укрепить, в межстанционных туннелях постоянное освещение устроить, милицию организовать, завалить боковые туннели и коридоры, дрезины пустить транспортные, проложить телефонный кабель, свободное место — под грибы... Хозяйство чтобы общее, работать, помогать друг другу, если надо будет.

— А раньше где они были? Где они были раньше, когда с Ботанического сада, с Медведкова вся эта дрянь лезла? Когда черные нас штурмовали, где они были? — ворчал Андрей.

— Ты, Андрей, не сглазь смотри! — вмешался Петр Андреевич. — Нет черных пока что — и хорошо. Не мы их победили. Что-то у них там свое, внутреннее, вот они и затихли. Они, может, силы пока копят. Так что нам союз не помешает. Тем более, объединиться с соседями. И им на пользу, и нам хорошо.

— И будут у нас свобода, и равенство, и братство! — иронизировал Андрей, загибая пальцы.

— Вам не интересно слушать, да? — обиженно спросил Артем.

— Нет, ты продолжай, Артем, продолжай, — сказал Андрей. — Мы с Петром позже доспорим. Это у нас с ним вечная тема.

— Ну, вот. И говорят, что главный наш вроде соглашается. Не имеет принципиальных возражений. Детали только надо обсудить. Скоро съезд будет. А потом — референдум.

— Как же, как же. Референдум. Народ скажет да — значит, да. Скажет нет — значит, народ плохо подумал. Пусть народ подумает еще раз, — язвил Андрей.

— Ну, Артем, а что за Рижской творится? — не обращая на него внимания, выспрашивал Петр Андреевич.

— Дальше у нас что идет? Проспект Мира. Ну, Проспект Мира — понятно. Это у нас границы Ганзы. У Ганзы, отчим говорит, с красными все так же: мир. О войне никто и не вспоминает уже, — рассказывал Артем.

«Ганзой» называлось Содружество станций Кольцевой линии. Эти станции, находясь на пересечении всех остальных веток, а значит, и торговых путей, объединенные между собой туннелями, почти с самого начала стали местами встреч коммерсантов из всех концов метро. Они богатели с фантастической скоростью и вскоре, понимая, что их богатство вызывает зависть слишком у многих, решили объединиться. Официальное именование было слишком громоздким, и в народе Содружество прозвали Ганзой — кто-то однажды метко сравнил их с союзом торговых городов в средневековой Германии, словечко было звонкое, так и пристало. Ганза поначалу включала в себя лишь часть станций, объединение происходило постепенно. Был участок Кольцевой линии от Киевской до Проспекта Мира, так называемая Северная Дуга, и заключившие с ней союз Курская, Таганская и Октябрьская. Потом уже влились в Ганзу Павелецкая и Добрынинская и сформировалась вторая Дуга, Южная. Но главная проблема и главное препятствие к воссоединению Северной и Южной Дуг было в Сокольнической линии.

«Дело тут вот в чем, — рассказывал Артему его отчим. — Сокольническая линия всегда была особая. Взглянешь на карту, сразу на нее внимание обратишь. Во-первых, прямая, как стрела. Во-вторых, ярко-красного цвета на всех картах. Да и названия станций там тоже: Красносельская, Красные Ворота, Комсомольская, Библиотека имени Ленина и Ленинские, опять же, Горы. И то ли из-за таких названий, то ли по какой-то другой причине тянуло на эту линию всех ностальгирующих по славному социалистическому прошлому. На ней особенно хорошо принялись идеи возрождения советского государства. Сначала одна станция официально вернулась к идеалам коммунизма и социалистическому типу правления, потом соседняя, потом люди с другой стороны туннеля заразились революционным оптимизмом, скинули свою администрацию, и пошло-поехало. Оставшиеся в живых ветераны, бывшие комсомольские деятели и партийные функционеры, непременный люмпен-пролетариат — все стекались на революционные станции.

Создали комитет, ответственный за распространение новой революции и коммунистических идей по всему метрополитену, под почти ленинским названием: Интерстанционал. Он готовил отряды профессиональных революционеров и пропагандистов, засылал их все дальше во вражий стан. В основном обходилось малой кровью, поскольку изголодавшиеся люди на бесплодной Сокольнической линии жаждали восстановления справедливости, которая, по их пониманию, кроме уравниловки, никакой другой формы принять не могла. И вся ветка, запылав с одного конца, вскоре была охвачена багряным пламенем революции. Благодаря чудом уцелевшему метромосту через Яузу сообщение между Сокольниками и Преображенской площадью оставалось налаженным. Сначала короткий участок на поверхности приходилось преодолевать только по ночам и в движущихся на полной скорости дрезинах. Потом силами смертников на мосту возвели стены и крышу. Станциям возвращали старые, советские названия: Чистые Пруды снова стали Кировской, Лубянка — Дзержинской, Охотный Ряд — Проспектом Маркса. Станции с нейтральными названиями рьяно переименовывали во что-нибудь идеологически более ясное: Спортивную — в Коммунистическую, Сокольники — в Сталинскую, а Преображенскую площадь, с которой все началось, — в Знамя Революции. И вот эта линия, когда-то Сокольническая, но в массах называемая «красной» — принято тогда было у москвичей между собой все ветки называть по цвету, обозначенному на карте метро, — совершенно официально стала Красной Линией.

Дальше, однако, не пошло.

К тому времени как Красная Линия уже окончательно оформилась и стала предъявлять претензии на станции других веток, чаша терпения всех остальных переполнилась. Слишком многие люди помнили, что такое советская власть. Слишком многие видели в агитотрядах, рассылаемых Интерстанционалом по всему метро, метастазы опухоли, грозившей уничтожить весь организм. И сколько ни обещали агитаторы и пропагандисты из Интерстанционала электрификацию всего метрополитена, утверждая, что в совокупности с советской властью это даст коммунизм (вряд ли этот ленинский лозунг, так бессовестно эксплуатируемый, был когда-либо более актуален), люди за пределами линии обещаниями не соблазнялись. Интерстанционных краснобаев отлавливали и выдворяли назад, в советское государство.

И тогда красное руководство постановило, что пора действовать решительней: если оставшаяся часть метро никак не занимается веселым революционным огнем, ее следует поджечь. Соседние станции, обеспокоенные усилившейся коммунистической пропагандой и подрывной деятельностью, тоже пришли к похожему выводу. Исторический опыт ясно доказывал, что нет лучшего переносчика коммунистической бациллы, чем штык.

И грянул гром.

Коалиция антикоммунистических станций, ведомая Ганзой, разрубленной пополам Красной Линией и жаждущей замкнуть кольцо, приняла вызов. Красные, конечно, не рассчитывали на организованное сопротивление и переоценили собственные силы. Легкая победа, которой они ждали, не предвиделась даже в далеком будущем.

Война, оказавшись долгой и кровопролитной, изрядно потрепала и без того немногочисленное население метро. Шла она без малого полтора года и состояла большей частью из позиционных боев, но с непременными партизанскими вылазками и диверсиями, с завалами туннелей, с расстрелами пленных, с несколькими случаями зверств с той и с другой стороны. Было все: войсковые операции, окружения и прорывы окружений, свои подвиги, полководцы, герои и предатели. Но главной особенностью этой войны было то, что ни одна из воюющих сторон так и не смогла сдвинуть линию фронта на сколько-нибудь значительное расстояние. Иногда, казалось, одним удавалось добиться перевеса, занять какую-нибудь смежную станцию, но противник напрягался, мобилизовывал дополнительные силы — и чаша весов склонялась в противоположную сторону.

А война истощала ресурсы. Война отнимала лучших людей. Война изнуряла.

И оставшиеся в живых устали от нее. Революционное руководство незаметно сменило первоначальные задачи на более скромные. Если вначале главной целью войны было распространение социалистической власти и коммунистических идей по всему метрополитену, то теперь красные уже хотели хотя бы взять под контроль то, что почиталось у них за святая святых, — станцию Площадь Революции. Во-первых, из-за ее названия, во-вторых, из-за того, что она была ближе, чем любая другая станция метро, к Красной площади и к Кремлю, башни которого все еще были увенчаны рубиновыми звездами, если верить немногим храбрецам, идеологически крепким до такой степени, чтобы выбраться наверх и посмотреть на него. Ну, и, конечно, там, на поверхности, рядом с Кремлем, в самом центре Красной площади, находился Мавзолей. Было там тело Ленина или уже нет — не знал никто, да это и не имело особого значения. За долгие годы советской власти Мавзолей перестал быть просто гробницей и стал чем-то самоценным, сакральным символом преемственности власти. Именно с него принимали парады великие вожди прошлого. Именно к нему более всего стремились вожди нынешние. И поговаривали, что как раз со станции Площадь Революции, из служебных ее помещений, шли потайные ходы в секретные лаборатории при Мавзолее, а оттуда — к самому гробу.

За красными оставалась станция Площадь Свердлова, бывший Охотный Ряд, укрепленная и ставшая плацдармом, с которого совершались броски и атаки на Площадь Революции.

Не один крестовый поход был благословлен революционным руководством, чтобы освободить эту станцию и гробницу. Но защитники ее тоже понимали, какое она имеет значение для красных, и стояли до последнего. Площадь Революции превратилась в неприступную крепость. Самые жестокие, самые кровавые бои шли именно на подступах к этой станции. Больше всего народу полегло там. Были в этих битвах свои александры матросовы, грудью шедшие на пулеметы, и герои, обвязывавшиеся гранатами, чтобы взорваться вместе со вражеской огневой точкой, и использование против людей запрещенных огнеметов... Все тщетно. Станцию отбивали на день, но не успевали закрепиться, и погибали, и отступали на следующий день, когда коалиция переходила в контрнаступление.

Все то же, с точностью до наоборот, творилось на Библиотеке имени Ленина. Там держали оборону красные, а коалиционные силы неоднократно пытались их оттуда выбить. Станция имела для коалиции огромное стратегическое значение, потому что в случае успешного штурма позволила бы разбить Красную Линию на два участка, и потому еще, что давала переход на три других линии сразу, и все три такие, с которыми Красная Линия больше нигде не пересекалась. Только там. То есть была она этаким лимфоузлом, который, будучи поражен красной чумой, открыл бы ей доступ к жизненно важным органам. И, чтобы это предотвратить, Библиотеку имени Ленина надо было занять, занять любой ценой.

Но насколько безуспешными были попытки красных завладеть Площадью Революции, настолько бесплодны были и усилия коалиции выдавить их с Библиотеки.

А народ тем временем уставал все больше и больше. И уже началось дезертирство, и все чаще бывали случаи братания, когда и по ту и по другую сторону фронта солдаты бросали оружие... Но, в отличие от Первой мировой, красным это на пользу не шло. Революционный запал потихоньку сходил на нет. Не лучше дела шли и у коалиции: недовольные тем, что им приходится постоянно дрожать за свою жизнь, люди снимались и уходили семьями с центральных станций на окраины. Пустела и слабела Ганза. Война больно ударила по торговле, челноки находили обходные тропы, важные торговые пути пустели и глохли...

Политикам, которых все меньше поддерживали солдаты, пришлось срочно искать возможность закончить войну, пока оружие не обернулось против них. И тогда, в обстановке строжайшей секретности и на обязательной в таких случаях нейтральной станции, встретились лидеры враждующих сторон: товарищ Москвин — с советской стороны, от коалиции — ганзейский президент Логинов и глава Арбатской конфедерации Колпаков.

Мирный договор подписали быстро. Стороны обменивались станциями. Красная Линия получала в полное распоряжение полуразрушенную Площадь Революции, но уступала Арбатской Конфедерации Библиотеку имени Ленина. И для тех и для других этот шаг был нелегок. Конфедерация теряла одного члена и вместе с ним владения на северо-востоке. Красная Линия становилась пунктирной, поскольку прямо посередине ее теперь появлялась станция, ей не подчиняющаяся, и разрубала ее пополам. Несмотря на то что обе стороны гарантировали друг другу право на свободный транзитный проезд по бывшим территориям, такая ситуация не могла не беспокоить красных... Но то, что предлагала коалиция, было слишком заманчиво. И Красная Линия не устояла. Больше всех от мирного соглашения выигрывала, конечно, Ганза, которая теперь могла беспрепятственно замкнуть кольцо, сломав последние препоны на пути к процветанию. Договорились о соблюдении статуса-кво, о запрете на ведение агитационной и подрывной деятельности на территории бывшего противника. Все остались довольны. И теперь, когда пушки и политики замолчали, настала очередь пропагандистов, которые должны были объяснить массам, что именно их сторона добилась выдающихся дипломатических успехов и, в сущности, выиграла войну.

Прошли годы с того памятного дня, когда было подписано мирное соглашение. Соблюдалось оно обеими сторонами: Ганза усмотрела в Красной Линии выгодного экономического партнера, а та оставила свои агрессивные намерения: товарищ Москвин, генсек Коммунистической Партии Московского Метрополитена имени В.И. Ленина, диалектически доказал возможность построения коммунизма на одной отдельно взятой линии и принял историческое решение о начале оного строительства. Старая вражда была забыта.

Этот урок новейшей истории Артем запомнил крепко, как старался запоминать все, что ему говорил отчим.

— Хорошо, что у них резня кончилась... — произнес Петр Андреевич. — Полтора года ведь за Кольцо ступить было нельзя: везде оцепление, документы проверяют по сто раз. У меня там дела имелись в то время, и, кроме как через Ганзу, никак было не пройти. Пошел через Ганзу. И прямо на Проспекте Мира меня остановили. Чуть к стенке не поставили.

— Да ну? А ты ведь не рассказывал этого, Петр... Как это с тобой вышло? — заинтересовался Андрей.

Артем слегка поник, видя, что переходящее знамя рассказчика беспардонно вырвано из его рук. Но байка обещала быть интересной, и он не стал встревать.

— Как-как... Очень просто. За красного шпиона меня приняли. Выхожу я, значит, из туннеля на Проспекте Мира, на нашей линии. А наш Проспект тоже под Ганзой. Аннексия, так сказать. Ну, там еще не очень строго — там у них ярмарка, торговая зона. Вы же знаете, у Ганзы везде так: те станции, которые на самом Кольце находятся, — это вроде их дом; в переходах с кольцевых станций на радиальные у них граница — таможни, паспортный контроль...

— Да знаем мы все это, что ты нам лекции читаешь... Ты рассказывай лучше, что с тобой произошло там! — перебил его Андрей.

— Паспортный контроль, — повторил Петр Андреевич, сурово сводя брови и идя на принцип. — На радиальных станциях у них ярмарки, базары... Туда чужакам можно. А через границу — ну никак. Я на Проспекте Мира вылез, было у меня чая с собой полкило... Патроны мне нужны были к автомату. Думал сменять. А там у них — военное положение. Боеприпасов не отпускают. Я одного челнока спрашиваю, другого — все отнекиваются и бочком-бочком в сторону от меня отходят. Один только шепнул мне: «Какие тебе патроны, олух... Сваливай отсюда, да поскорее, на тебя, наверное, настучали уже». Сказал я ему спасибо и двинул потихоньку обратно в туннель. И на самом выходе останавливает меня патруль, а со станции — свистки, и еще один наряд бежит. Документы, говорят. Я им паспорт свой, с нашим станционным штампом. Рассматривают они его так внимательно и спрашивают: «А пропуск ваш где?» Я им удивленно: «Какой такой пропуск?» Выясняется, что, чтобы на станцию попасть, пропуск надо обязательно получить: при выходе из туннеля столик стоит, и там у них канцелярия. Проверяют личность и выдают в случае необходимости пропуск. Развели, крысы, бюрократию...

Как я мимо этого стола прошел, не знаю... Почему меня не остановили эти обормоты? А я теперь патрулю объясняй. Стоит этот стриженый жлоб в камуфляже и говорит: проскользнул! Прокрался! Просочился! Листает мой паспорт дальше, видит у меня там штампик Сокольников. Жил я там раньше, на Сокольниках... Видит он этот штамп, и у него прямо глаза кровью наливаются. Просто как у быка на красную тряпку. Сдергивает он с плеча автомат и ревет: руки за голову, падла! Сразу видно выучку. Хватает меня за шиворот и так, волоком, через всю станцию — на пропускной пункт в переходе, к старшому. И приговаривает: подожди, мол, сейчас мне только разрешение получить от начальства — и к стенке тебя, лазутчика. Мне аж плохо стало. Оправдаться пытаюсь, говорю: «Какой я лазутчик? Коммерсант я! Чай вот привез, с ВДНХ.» А он мне отвечает, что, мол, он мне этого чая полную пасть напихает и стволом утрамбует еще, чтобы больше вошло. Вижу, что неубедительно у меня выходит и что, если сейчас начальство его даст добро, отведут меня на двухсотый метр, поставят лицом к трубам и наделают во мне лишних дырок по законам военного времени. Нехорошо как получается, думаю... Подходим к пропускному пункту, и жлоб мой идет советоваться, куда ему лучше стрелять. Смотрю я на его начальника — прямо камень с души: Пашка Федотов, одноклассник мой, мы с ним еще после школы долго дружили, а потом вот потеряли друг друга...

— Твою мать! Напугал как! А я-то уже думал, что все, убили тебя, — ехидно вставил Андрей, и все люди, сбившиеся у костра на четыреста пятидесятом метре, дружно захохотали.

Даже сам Петр Андреевич, сначала сердито взглянув на Андрея, а потом, не выдержав, улыбнулся. Смех раскатился по туннелю, рождая где-то в его глубинах искаженное эхо, не похожее ни на что жутковатое уханье... И, прислушиваясь к нему, все понемногу затихли.

Тут из глубины туннеля, с севера, довольно отчетливо послышались те самые подозрительные звуки: шорохи и легкие дробные шаги.

Андрей, конечно, был первым, кто все это расслышал. Мгновенно замолчав и дав остальным знак молчать тоже, он поднял с земли автомат и вскочил с места. Медленно отведя затвор и дослав патрон, он бесшумно, прижимаясь к стене, двинулся от костра в глубь туннеля. Артем тоже приподнялся: любопытно было посмотреть, кого он упустил в прошлый раз, но Андрей обернулся и сердито на него шикнул.

Приложив приклад к плечу, он остановился на том месте, где начинала сгущаться тьма, лег плашмя и крикнул:

— Дайте свет!

Один из его людей, державший наготове мощный аккумуляторный фонарь, собранный местными мастерами из старой автомобильной фары, включил его, и яркий до белизны луч вспорол темноту. Выхваченный из мрака, появился на секунду в их поле зрения неясный силуэт: что-то совсем небольшое, нестрашное вроде, стремглав бросившееся назад, на север. Артем, не выдержав, закричал что было сил:

— Да стреляй же! Уйдет ведь!

Но Андрей отчего-то не стрелял. Петр Андреевич поднялся тоже, держа автомат наготове, и крикнул:

— Андрюха! Ты живой там?

Сидящие у костра обеспокоенно зашептались, послышалось лязганье затворов. Наконец Андрей показался в свете фонаря, отряхивая куртку.

— Да живой я, живой! — выдавил он сквозь смех.

— Чего ржешь-то? — настороженно спросил Петр Андреевич.

— Три ноги! И две головы. Мутанты! Черные лезут! Всех вырежут! Стреляй, а то уйдет! Шуму сколько понаделали. Это надо же, а! — продолжал смеяться Андрей.

— Что же ты стрелять не стал? Ладно, еще парень мой — он молодой, не сообразил. А ты как проворонил? Ты ведь не мальчик. Знаешь, что с Полежаевской случилось? — спросил сердито Петр Андреевич, когда Андрей вернулся к костру.

— Да слышал я про вашу Полежаевскую уже раз десять! — отмахнулся Андрей. — Собака это была! Щенок даже, а не собака... Он тут у вас уже второй раз к огню подбирается, к теплу и свету. А вы его чуть было не пришибли и теперь еще меня спрашиваете: почему это я с ним церемонюсь? Живодеры!

— Откуда же мне знать, что это собака? — обиделся Артем. — Она тут такие звуки издавала... И потом, тут, говорят, неделю назад крысу со свинью размером видели, — его передернуло, — пол-обоймы в нее выпустили, а она хоть бы хны.

— Ты и верь всем сказкам! Вот погоди, сейчас я тебе твою крысу принесу! — сказал Андрей, перекинул автомат через плечо, отошел от костра и растворился во тьме.

Через минуту из темноты послышался его тонкий свист. А потом и голос раздался, ласковый, манящий:

— Ну, иди сюда... Иди сюда, маленький, не бойся!

Он уговаривал кого-то довольно долго, минут десять, подзывая и свистя, и вот, наконец, его фигура снова замаячила в полумраке. Вернувшись к костру, он торжествующе улыбнулся и распахнул куртку. Оттуда вывалился на землю щенок, дрожащий, жалкий, мокрый, невыносимо грязный, со свалявшейся шерстью непонятного цвета, с черными глазами, полными ужаса, и прижатыми маленькими ушами. Очутившись на земле, он немедленно попытался удрать, но был схвачен за шкирку твердой Андреевой рукой и водворен на место. Гладя его по голове, Андрей снял куртку и накрыл собачонку.

— Пусть цуцик погреется.... — объяснил он.

— Да брось ты, Андрюха, он ведь блохастый наверняка! — пытался урезонить его Петр Андреевич. — А может, и глисты у него. И вообще, подцепишь заразу какую-нибудь, занесешь на станцию...

— Да ладно тебе, Андреич! Кончай нудить. Вот, посмотри на него! — и, отвернув полог куртки, Андрей продемонстрировал собеседнику мордочку щенка, все еще дрожавшего, то ли от страха, то ли от холода. — В глаза ему смотри, Андреич! Эти глаза не могут врать!

Петр Андреевич скептически посмотрел на щенка. Глаза у того были хоть и напуганными, но несомненно честными. И Петр Андреевич оттаял.

— Ладно… Натуралист юный… Подожди, я ему что-нибудь пожевать поищу, — пробурчал он и запустил руку в рюкзак.

— Ищи-ищи. Может, из него что-нибудь полезное вырастет. Немецкая овчарка, например, — заявил Андрей и придвинул куртку с щенком поближе к огню.

— А откуда здесь щенку взяться? У нас с той стороны людей нету. Черные только. Черные разве собак держат? — подозрительно глядя на задремавшего в тепле щенка, спросил один из Андреевых людей, заморенный худой мужчина со всклокоченными волосами, до тех пор молчаливо слушавший других.

— Ты, Кирилл, прав, конечно, — серьезно ответил Андрей. — Черные животных вообще не держат, насколько я знаю.

— А как же они живут? Едят они там что? — глухо спросил второй пришедший с ними, с легким электрическим потрескиванием скребя ногтями небритую челюсть.

Это был высокий, казавшийся бывалым плечистый и плотный мужчина с обритой наголо головой. Одет он был в длинный и хорошо сшитый кожаный плащ, что в нынешнее время само по себе являлось редкостью.

— Едят что? Говорят, дрянь всякую едят. Падаль едят. Крыс едят. Людей едят. Неприведредливые они, знаешь… — кривя лицо от отвращения, ответил Андрей.

— Каннибалы? — спросил бритый без тени удивления, и чувствовалось, что ему приходилось сталкиваться и с людоедством.

— Каннибалы… Нелюди они. Нежить. Черт их знает, что они вообще такое. Хорошо, у них оружия нет, так что отбиваемся. Пока что. Петр! Помнишь, полгода назад удалось одного живым в плен взять?

— Помню, — отозвался Петр Андреевич. — Две недели просидел у нас в карцере, воды нашей не пил, к еде не притрагивался, так и сдох.

— Не допрашивали? — спросил бритый.

— Он ни слова по-нашему не понимал. С ним по-русски говорят, а он молчит. Вообще все это время молчал. Как в рот воды набрал. Его и били — он молчал. И есть давали — молчал. Рычал только иногда. И выл еще перед смертью так, что вся станция проснулась.

— Так собака-то откуда здесь взялась? — напомнил всклокоченный Кирилл.

— А шут ее знает, откуда она здесь… Может, от них сбежала. Может, они и ее сожрать хотели. Здесь всего-то километра два. Могла же собака прибежать от них? А может, чья-нибудь. Шел кто-то с севера, шел — на черных напоролся. А собачонка успела вовремя удрать. Да неважно, откуда она тут. Ты сам на нее посмотри — похожа она на чудовище? На мутанта? Так, цуцик и цуцик, ничего особенного. И к людям тянется — приучена, значит. С чего ей тут у костра третий час околачиваться?

Кирилл замолчал, обдумывая аргументы. Петр Андреевич долил чайник из канистры и спросил:

— Чай еще будет кто-нибудь? Давайте по последней, нам сменяться уже скоро.

— Чай — это дело! Давай, — одобрил Андрей, оживились и остальные.

Чайник закипел. Петр Андреевич налил желающим еще по одной и попросил:

— Вы это... Не надо о черных. В прошлый раз вот так сидели, говорили о них, они и приползли. И ребята мне рассказывали: у них так же выходило. Это, может, и совпадения, я не суеверный, а вдруг — нет? Вдруг они чувствуют? Уже почти смена наша кончилась, зачем нам эта чертовщина в последний момент?

— Да уж... Не стоит, наверное, — поддержал его Артем.

— Да ладно, парень, не дрейфь! Прорвемся! — попытался подбодрить Артема Андрей, но вышло не очень убедительно.

От одной мысли о черных по телу шла неприятная дрожь даже у Андрея, хотя он и старался этого не показывать. Людей он не боялся никаких: ни бандитов, не анархистов-головорезов, ни бойцов Красной Армии. А вот нежить всякая отвращала его, и не то чтобы он ее боялся, но думать о ней спокойно, как думал он о любой опасности, связанной с людьми, не мог.

Все умолкли. Тяжелая, давящая тишина обволокла людей, сгрудившихся у костра. Только чуть слышно было, как потрескивают в костре корявые поленья, да издалека, с севера, из туннеля долетало иногда глухое утробное урчание, как будто московский метрополитен был гигантским кишечником неизвестного чудовища. И от этих звуков становилось совсем жутко.

Глава 2

ОХОТНИК

Артему в голову опять полезла всякая дрянь. Черные... Проклятые нелюди в его дежурства попадались только один раз, но испугался он тогда здорово, да и как не испугаться...

Вот сидишь ты в дозоре. Греешься у костра. И вдруг слышишь: из туннеля, откуда-то из глубины, раздается мерный глухой стук — сначала в отдалении, тихо, а потом все ближе и громче... И вдруг рвет слух страшный, кладбищенский вой, совсем уже невдалеке... Переполох! Все вскакивают, мешки с песком, ящики, на которых сидели, наваливают в заграждение, наскоро, чтобы было где укрыться, и старший изо всех сил кричит, не жалея связок: «Тревога!»

Со станции спешит на подмогу резерв, на трехсотом метре расчехляют пулемет, а здесь, где придется принять на себя основной удар, люди бросаются наземь, за мешки, наводят на жерло туннеля автоматы, целятся... Наконец, дождавшись, пока упыри подойдут совсем близко, зажигают прожектор — и в его луче становятся видны странные, бредовые силуэты. Нагие, с черной лоснящейся кожей, с огромными глазами и провалами ртов... Мерно шагающие вперед, на укрепления, на людей, на смерть, в полный рост, не сгибаясь, все ближе и ближе... Три... Пять... Восемь тварей... И самый первый вдруг задирает голову и испускает заупокойный вой.

Дрожь по коже, хочется вскочить и бежать, бросить автомат, бросить товарищей, все к чертям бросить и бежать... Прожектор направлен в морды кошмарных созданий, чтобы ярким светом хлестнуть их по зрачкам, но видно, что они даже не жмурятся, не прикрываются руками, а широко открытыми глазами смотрят на прожектор и размеренно продолжают идти вперед, вперед... Да и есть ли у них зрачки?

И тут, наконец, подбегают с трехсотого, с пулеметом, залегают рядом, летят команды... Все готово... Гремит долгожданное «Огонь!». Разом начинают стучать несколько автоматов, громыхает пулемет. Но черные не останавливаются, не пригибаются, они в полный рост, не сбиваясь с шага, так же мерно и спокойно шагают вперед. В свете прожектора видно, как пули терзают лоснящиеся тела, как толкают их назад, они падают, но тут же поднимаются, выпрямляются и идут дальше. И снова, хрипло на этот раз, потому что горло уже пробито, раздается жуткий вой.

Пройдет еще несколько минут, пока стальной шквал сломит наконец это нечеловеческое бессмысленное упорство. И потом, когда все упыри уже будут валяться, бездыханные и недвижимые, издалека, метров с пяти, их еще будут достреливать контрольными в голову. И даже когда все будет кончено, когда трупы уже скинут в шахту, перед глазами еще долго будет стоять та самая жуткая картина — как впиваются в черные тела пули и жжет широко открытые глаза прожектор, но они все так же размеренно идут вперед...

Артема передернуло при этой мысли. Да уж, лучше про них не болтать, подумал он. Так, на всякий случай.

— Эй, Андреич! Собирайтесь! Мы идем уже! — закричали им с юга, из темноты. — Ваша смена кончилась!

Люди у костра зашевелились, сбрасывая оцепенение, вставая, потягиваясь, надевая рюкзаки и оружие, причем Андрей захватил с собой и подобранного щенка. Петр Андреевич и Артем возвращались на станцию, а Андрей со своими людьми — к себе на трехсотый: их дежурство еще не было завершено.

Подошли сменщики, обменялись рукопожатиями, выяснили, не было ли чего странного, особенного, пожелали отдохнуть как следует и уселись поближе к огню, продолжая свой разговор, начатый раньше.

Когда все двинулись по туннелю на юг, к станции, Петр Андреевич горячо о чем-то заговорил с Андреем, видно вернувшись к одному из их вечных споров, а бритый здоровяк, расспрашивавший про рацион черных, отстал от них, поравнявшись с Артемом, и пристроился так, чтобы идти с ним в ногу.

— Так ты что же, Сухого знаешь? — спросил он Артема глухим, низким голосом, не глядя ему в глаза.

— Дядю Сашу? Ну да! Он мой отчим. Я и живу с ним вместе, — ответил честно Артем.

— Надо же... Отчим. Ничего не знаю такого... — пробормотал бритый.

— А вас как зовут? — решился Артем, рассудив, что если человек расспрашивает про родственника, то это дает и ему право задать встречный вопрос.

— Меня? Зовут? — удивленно переспросил бритый. — А тебе зачем?

— Ну, я передам дяде Саше... Сухому, что вы про него спрашивали.

— Ах, вот для чего... Хантер... Скажи, Хантер интересовался. Охотник. Привет ему.

— Хантер? Это ведь не имя. Это что, фамилия ваша? Или прозвище? — допытывался Артем.

— Фамилия? Хм... — Хантер усмехнулся. — А что? Вполне... Нет, парень, это не фамилия. Это, как тебе сказать... Профессия. А твое имя как?

— Артем.

— Вот и хорошо. Будем знакомы. Мы наше знакомство, наверное, еще продолжим. И довольно скоро. Будь здоров!

Подмигнув Артему на прощание, он остался на трехсотом метре вместе с Андреем.

Идти было совсем немного, издалека уже слышался оживленный шум станции. Петр Андреевич, шагавший рядом с Артемом, спросил у него озабоченно:

— Слушай, Артем, а что это за мужик вообще? Что он там тебе говорил?

— Странный какой-то... Про дядю Сашу спрашивал. Знакомый его, что ли? А вы не знаете его?

— Да вроде не знаю... Он только на пару дней к нам на станцию, по каким-то делам, кажется, Андрей с ним вроде бы как знаком, вот он и напросился с ним в дозор. Черт знает, зачем ему это понадобилось. Какая-то у него физиономия знакомая...

— Да. Такую внешность забыть нелегко, наверное, — предположил Артем.

— Вот-вот. Где же я его видел? Как его зовут, не знаешь? — поинтересовался Петр Андреевич.

— Хантер. Так и сказал — Хантер. Попробуй пойми, что это такое.

— Хантер? Нерусская какая-то фамилия... — нахмурился Петр Андреевич.

Вдали уже показалось красное зарево: на ВДНХ, как и на большинстве станций, обычное освещение не действовало, и вот уже третий десяток лет люди жили в багровом аварийном свете. Только в «личных апартаментах» — палатках, комнатах — изредка светились нормальные электролампочки. И только несколько самых богатых станций метро были озарены светом настоящих ртутных ламп. О них слагались легенды, и провинциалы с крайних, забытых богом полустанков, бывало, годами лелеяли мечту добраться туда и посмотреть на это чудо.

На выходе из туннеля они сдали в караулку оружие, расписались, и Петр Андреевич, пожимая Артему на прощание руку, сказал:

— Давай-ка на боковую! Я сам еле на ногах держусь, а ты, наверное, вообще стоя спишь. И Сухому — пламенный привет. Пусть в гости заходит.

Артем попрощался и, чувствуя, как навалилась вдруг усталость, побрел к себе «на квартиру».

На ВДНХ жило человек двести. Кто-то в служебных помещениях, но большая часть — в палатках на платформе. Палатки были армейские, уже старые, потрепанные, но сработанные качественно. Ни ветра, ни дождя им знавать тут, под землей, не приходилось, и ремонтировали их часто, так что жить в них можно было вполне: тепла они не пропускали, света тоже, даже звук задерживали, а что еще требуется от жилья...

Палатки жались к стенам и стояли по обе стороны от них — и у путей, и в центральном зале. Платформа была превращена в некое подобие улицы: посередине был оставлен довольно широкий проход. Некоторые из палаток, большие, для крупных семейств, занимали пространство в арках. Но обязательно несколько арок было свободно для прохода — с обоих краев зала и в его центре. Снизу, под полом платформы, имелись и другие помещения, но потолок там был невысокий, и для жизни они не годились; на ВДНХ их приспособили под продовольственные склады.

Два северных туннеля через несколько десятков метров за станцией соединялись коротким межлинейником, когда-то построенным для того, чтобы поезда могли разворачиваться и ехать обратно. Теперь один из этих двух туннелей доходил как раз до бокового съезда в межлинейник, а дальше был завален, другой уводил на север, к Ботаническому Саду и чуть ли не к Мытищам. Его оставляли как отходной путь на крайний случай, и как раз в нем-то Артем нес дежурство. Оставшийся кусок второго и соединительный перегон между двумя туннелями были отведены под грибные плантации. Пути там были разобраны, грунт разрыхлен и удобрен — туда свозили отходы из выгребных ям, и белели повсюду аккуратными рядами грибные шляпки. Также был обвален и один из двух южных туннелей, на трехсотом метре, и там, в самом конце, подальше от человеческого жилья, были курятники и загоны для свиней.

Дом Артема стоял на Главной улице — здесь, в одной из небольших палаток, он жил вместе с отчимом. Отчим его был важным человеком, связанным с администрацией, отвечал за контакты с другими станциями, так что больше никого к ним в палатку не селили, она им досталась персональная, по высшему разряду. Довольно часто отчим исчезал на две-три недели и никогда Артема с собой не брал, отговариваясь тем, что приходится заниматься слишком опасными делами и что он не хочет подвергать Артема риску. Возвращался он из своих походов похудевшим, заросшим, иногда раненным и всегда первый вечер сидел с Артемом, рассказывая ему такие вещи, в которые трудно было поверить даже привычному к невероятным историям обитателю этого гротескного мирка.

Артема, конечно, тянуло путешествовать, но в метро просто так слоняться было слишком опасно: патрули независимых станций были очень подозрительны, с оружием не пропускали, а без оружия уйти в туннели — верная смерть. Так что с тех пор, как они с отчимом пришли с Савеловской, в дальних походах Артему бывать не приходилось. Он отправлялся иногда по делам на Алексеевскую, не один, конечно, ходил, с группами, добирались они даже до Рижской. И еще числилось за ним одно путешествие, о котором он и рассказать-то никому не мог, хотя так хотелось...

Произошло это давным-давно, когда на Ботаническом Саду еще и не пахло никакими черными, а была это просто заброшенная, темная станция и патрули с ВДНХ стояли намного севернее, а сам Артем был еще совсем пацаном. Тогда они с приятелями рискнули: в пересменок пробрались через крайний кордон с фонарями и украденной у чьих-то родителей двустволкой и долго ползали по Ботаническому Саду. Жутко было, но и интересно. Повсюду в свете фонариков виднелись остатки человеческого жилья: угли, обгоревшие книги, сломанные игрушки, разорванная одежда... Шмыгали крысы, и временами из северного туннеля раздавались странные урчащие звуки. И кто-то из Артемовых друзей, он уже не помнил, кто именно, но, наверное, Женька, самый живой и любопытный из троих, предложил: а что, если попробовать убрать заграждение и пробраться наверх, по эскалатору... просто посмотреть, как там? Что там?..

Артем сразу сказал тогда, что он против. Слишком свежи в его памяти были недавние рассказы отчима о людях, побывавших на поверхности, о том, как они после этого долго болеют и какие ужасы иногда приходится видеть там, наверху. Но его тут же начали убеждать, что это редкий шанс: когда еще удастся вот так, без взрослых, попасть на настоящую заброшенную станцию, а тут еще можно и подняться наверх, и посмотреть, своими глазами посмотреть, как это, когда над головой ничего нет... А отчаявшись убедить его по-хорошему, объявили, что если он такой трус, то пускай сидит тут внизу и ждет, пока они вернутся. Оставаться одному на заброшенной станции и при этом подмочить свою репутацию в глазах двух лучших друзей показалось Артему совершенно невыносимым, и он скрепя сердце согласился.

На удивление, механизм, приводящий в движение заграждение, отрезающее платформу от эскалатора, работал. И именно Артему удалось запустить его после получаса отчаянных попыток. Ржавая железная стена с дьявольским скрежетом подалась в сторону, и перед их взором предстал короткий ряд ступеней уводящего вверх эскалатора. Некоторые обвалились, и через зияющие провалы в свете фонарей были видны исполинские шестерни, навечно остановившиеся годы назад, изъеденные ржавчиной, поросшие чем-то бурым, еле заметно шевелящимся... Нелегко им было заставить себя подняться. Несколько раз ступени, на которые они наступали, со скрипом подавались и уходили вниз — и они перелезали через провал, цепляясь за остовы светильников. Путь наверх был недолог, но первоначальная решимость испарилась после первой же провалившейся ступени, и, чтобы взбодриться, они воображали себя настоящими сталкерами.

Сталкерами...

Слово это, странное и чужое для русского языка, вполне в нем прижилось. Раньше так называли и людей, которых бедность толкала на то, чтобы пробираться на покинутые военные полигоны, разбирать неразорвавшиеся снаряды и бомбы и сдавать латунные гильзы приемщикам цветных металлов; и чудаков, в мирное время ползавших по канализации, да мало ли кого еще... Но было у всех этих значений нечто общее: всегда это была крайне опасная профессия, всегда — столкновение с неизведанным, непонятным, загадочным, зловещим, необъяснимым... Кто знает, что происходило на покинутых полигонах, где исковерканная тысячами взрывов, перепаханная траншеями и изрытая катакомбами радиоактивная земля давала чудовищные всходы? И только догадываться можно было, что могло поселиться в канализации мегаполиса после того, как строители закрывали за собой люки, чтобы навсегда уйти из мрачных, тесных и зловонных коридоров...

В метро сталкерами называли тех редких смельчаков, которые отваживались показаться на поверхности. В защитных костюмах, противогазах с затемненными стеклами, вооруженные до зубов, эти люди поднимались наверх за необходимыми для всех предметами: боеприпасами, аппаратурой, запчастями, топливом... Людей, которые отваживались на это, были сотни. Тех, кто при этом умел вернуться назад живым, — единицы, и были такие люди на вес золота, они ценились еще больше, чем бывшие работники метрополитена. Самые разнообразные опасности ожидали там, наверху, дерзнувших подняться — от радиации до жутких, искореженных ею созданий. На поверхности тоже была жизнь, но это уже не была жизнь в привычном человеческом понимании.

Каждый сталкер становился человеком-легендой, полубогом, на которого восторженно смотрели все — от мала до велика. Когда дети рождаются в мире, в котором некуда и незачем больше плыть и лететь, а слова «летчик» и «моряк» тускнеют и постепенно теряют свой смысл, они хотят стать сталкерами. Уходить облаченными в сверкающие доспехи, провожаемыми сотнями полных обожания и благоговения взглядов, наверх, к богам, сражаться с чудовищами и, возвращаясь сюда, под землю, нести людям топливо, боеприпасы, свет и огонь. Нести жизнь.

Сталкером хотели стать и Артем, и его друг Женька, и Виталик-Заноза. И, заставляя себя ползти вверх по устрашающе скрипящему эскалатору с обваливающимися ступенями, они представляли себя в защитных костюмах, с дозиметрами, со здоровенными ручными пулеметами наперевес, как и положено настоящим сталкерам. Но не было у них ни дозиметров, ни защиты, а вместо грозных армейских пулеметов — только древняя двустволка, которая, может, и не стреляла вовсе...

Довольно скоро подъем закончился, они оказались почти на поверхности. К счастью, была ночь, иначе ослепнуть бы им неминуемо. Глаза, привыкшие за долгие годы жизни под землей к темноте, к багровому свету костров и аварийных ламп, не выдержали бы такой нагрузки. Ослепшие и беспомощные, они уже вряд ли вернулись бы домой.

Вестибюль Ботанического Сада был почти разрушен, половина крыши обвалилась, и сквозь нее видно было уже очистившееся от облаков радиоактивной пыли темно-синее летнее небо, усеянное мириадами звезд. Но что такое звездное небо для ребенка, который не способен представить себе даже, что над головой может не быть потолка? Когда ты поднимаешь взгляд и он не упирается в бетонные перекрытия и прогнившие переплетения проводов и труб, а теряется в темно-синей бездне, разверзшейся вдруг над твоей головой, — что это за ощущение! А звезды! Разве может человек, никогда не видевший звезд, представить себе, что такое бесконечность, когда, наверное, и само понятие бесконечности появилось некогда у людей, вдохновленных ночным небосводом? Миллионы сияющих огней, серебряные гвозди, вбитые в купол синего бархата...

Мальчишки стояли три, пять, десять минут, не в силах вымолвить ни слова. Они так и не сдвинулись бы с места и к утру наверняка сварились бы заживо, если бы совсем близко не раздался страшный, леденящий душу вой. Опомнившись, они стремглав кинулись назад, к эскалатору, и понеслись вниз что было духу, совсем позабыв об осторожности и несколько раз чуть не сорвавшись вниз, на зубья шестерней. Поддерживая и вытаскивая друг друга, они одолели обратный путь в считанные секунды.

Скатившись кубарем по последним десяти ступеням, потеряв по пути двустволку, они тут же бросились к пульту управления барьером. Но — о дьявол! — ржавую железяку заклинило, и она не желала возвращаться на свое место. Перепуганные до полусмерти тем, что их будут преследовать монстры с поверхности, они помчались к своим, к северному кордону.

Но, понимая, что они, наверное, сделали что-то очень плохое, оставив гермоворота отворенными, — возможно, открыли мутантам путь вниз, в метро, к людям, они успели договориться держать язык за зубами и никому из взрослых не говорить, где они были. На кордоне они сказали, что ходили в боковой туннель охотиться на крыс, но потеряли ружье, испугались и вернулись.

Артему, конечно, влетело тогда от отчима по первое число. Мягкое место долго еще саднило после офицерского ремня, но Артем держался как пленный партизан и не выболтал военной тайны. И товарищи его молчали.

Им поверили.

Но вот теперь, вспоминая эту историю, Артем все чаще и чаще задумывался: не связано ли это путешествие, а главное, открытый ими барьер, с той нечистью, которая штурмовала их кордоны последние несколько лет?

Здороваясь по пути со встречными, останавливаясь то тут, то там, чтобы послушать новости, пожать руку приятелю, чмокнуть знакомую девушку, рассказать старшему поколению, как дела у отчима, Артем добрался наконец до своего дома. Внутри никого не было, и он решил не дожидаться отчима, а лечь спать: восьмичасовое дежурство могло свалить с ног кого угодно. Он скинул сапоги, снял куртку и уткнулся лицом в подушку. Сон не заставил себя ждать.

Полог палатки приподнялся, и внутрь неслышно проскользнула массивная фигура, лица которой было не разглядеть, только видно было, как зловеще отсвечивает гладкий череп в красном аварийном освещении. Послышался глухой голос: «Ну, вот мы и встретились снова. Отчима твоего, я вижу, здесь нет. Не беда. Мы и его достанем. Рано или поздно. Не уйдет. А пока что ты пойдешь со мной. Нам есть о чем поговорить. К примеру, о барьере на Ботаническом». Артем, леденея, узнал в нем своего недавнего знакомца из кордона, того, что представился Хантером. А тот уже приближался к нему, медленно, бесшумно, и его лица все не было видно, свет падал как-то странно… Артем хотел позвать на помощь, но могучая рука, холодная, как у трупа, зажала ему рот. Тут наконец ему удалось нащупать фонарь, включить его и посветить человеку в лицо. То, что он увидел, лишило его на миг сил и наполнило ужасом: вместо человеческого лица, пусть грубого и сурового, перед ним маячила страшная черная морда с двумя огромными бессмысленными глазами без белков и разверстой пастью… Артем рванулся, выскользнул и метнулся к выходу из палатки. Вдруг погас свет, и на станции стало совсем темно, только где-то вдалеке видны были слабые отсветы костра. Артем, не долго думая, бросился туда, на свет. Упырь выскочил за ним, рыча: «Стой! Тебе некуда бежать!» Загрохотал страшный смех, постепенно перерастая в знакомый кладбищенский вой. Артем бежал, не оборачиваясь, слыша за собой топот тяжелых сапог, не быстрый, размеренный, словно его преследователь знал, что спешить ему некуда, что все равно Артем ему попадется, рано или поздно…

Подбежав к костру, Артем увидел, что у огня спиной к нему сидит человек. Он принялся тормошить сидящего, прося помочь, но тот вдруг упал навзничь, и стало ясно, что он давно мертв и лицо его почему-то покрылось инеем. И в этом обмороженном человеке Артем узнал дядю Сашу, своего отчима...

— Эй, Артем! Хорош спать! Ну-ка, вставай давай! Ты уже семь часов кряду дрыхнешь... Вставай же, соня! Гостей принимать надо! — раздался голос Сухого.

Артем сел в постели и обалдело уставился на него.

— Ой, дядь Саш... Ты это... С тобой все нормально? — спросил он наконец, после минутного хлопанья ресницами. С трудом он поборол в себе желание спросить, жив ли Сухой вообще, да и то только потому, что факт был налицо.

— Да, как видишь! Давай-давай, вставай, нечего валяться. Я тебя со своим другом познакомлю, — произнес Сухой.

Рядом послышался знакомый глухой голос, и Артем покрылся испариной — вспомнился привидевшийся кошмар.

— А, так вы уже знакомы? — удивился Сухой. — Ну, Артем, ты шустрый!

Наконец в палатку протиснулся и гость. Артем вздрогнул и вжался в стенку палатки — это был Хантер. Кошмар снова пронесся перед глазами Артема: пустые темные глаза, грохот тяжелых сапог за спиной, окоченевший труп у костра...

— Да. Познакомились уже, — выдавил Артем, нехотя протягивая гостю руку.

Рука Хантера оказалась горячей и сухой, и Артем потихоньку начал убеждать себя, что это был просто сон, ничего плохого в этом человеке нет, просто воображение, распаленное страхами за восемь часов в кордоне, отыгралось на его снах...

— Слушай, Артем! Сделай нам доброе дело! Вскипяти водички для чаю! Пробовал наш чай? — подмигнул Сухой гостю. — Ух, ядреное зелье!

— Ознакомился уже, — отозвался Хантер, кивая. — Хороший чай. На Печатниках тоже вот делают. Пойло пойлом. А у вас — совсем другое дело.

Артем пошел за водой, потом к общему костру — кипятить чайник. В палатках огонь разводить строго воспрещалось: так выгорело уже несколько станций.

По дороге он думал, что Печатники — это же совсем другой конец метро, дотуда черт знает сколько идти, столько пересадок, переходов, через столько станций пробраться надо — где обманом, где с боем, где благодаря связям... А этот так небрежно говорит: «На Печатниках тоже вот...» Да, что и говорить, интересный персонаж, хотя и страшноват. А ручища — как тисками давит, а ведь Артем тоже не слабак и сам не прочь померяться силой при рукопожатии.

Вскипятив чайник, он вернулся в палатку. Хантер уже скинул свой плащ, под которым обнаружилась черная водолазка с горлом, плотно обтягивающая мощную шею и бугристое могучее тело, заправленная в перетянутые офицерским ремнем военные штаны. Поверх водолазки был надет разгрузочный жилет с множеством карманов, а под мышкой в подплечной кобуре висел вороненый пистолет чудовищных размеров. Только тщательно приглядевшись, Артем понял, что это «Стечкин» с привинченным к нему длинным глушителем и еще с каким-то приспособлением сверху, по всей видимости, лазерным прицелом. Стоить такой монстр должен был целое состояние. И ведь оружие, сразу подметил Артем, непростое, не для самообороны, это точно. И тут вспомнилось ему, что, когда Хантер представлялся, он к своему имени прибавил: «Охотник».

— Ну, Артем, чаю гостю наливай! Да садись ты, Хантер, садись! Рассказывай! — шумел Сухой. — Черт ведь знает, сколько тебя не видел!

— О себе я потом. Ничего интересного. Вот у вас, я слышал, странные вещи творятся. Нежить какая-то лезет. С севера. Послушал сегодня баек, пока в дозоре стояли. Что это? — в своей манере, короткими, словно рублеными фразами, спросил Хантер.

— Смерть это, Хантер, — внезапно помрачнев, ответил Сухой. — Это наша смерть будущая подбирается. Судьба наша подползает. Вот что это такое.

— Почему же смерть? Я слышал, вы очень успешно их давите. Они же безоружные. Но что это? Откуда и кто они? Я никогда не слышал о таком на других станциях. Никогда. А это значит, такого больше нигде нет. Я хочу знать, что это. Я чую очень большую опасность. Я хочу знать степень опасности, хочу понять ее природу. Поэтому я здесь.

— Опасность должна быть ликвидирована, да, Охотник? Ты так и остаешься ковбоем... Но может ли опасность быть ликвидирована — вот в чем вопрос, — грустно усмехнулся Сухой. — Вот в чем загвоздка. Тут все сложнее, чем тебе кажется. Намного сложнее. Это не просто зомби, мертвяки ходячие из кино. Это там все просто: заряжаешь серебряными пулями револьвер, — картинно вскинув сложенную в виде пистолета ладонь, продолжал он, — бах-бах, и силы зла повержены. Но тут что-то другое. Что-то страшное... А ведь меня трудно напугать, Хантер, и ты это знаешь.

— Паникуешь? — удивленно спросил Хантер.

— Их главное оружие — ужас. Народ еле выдерживает на своих позициях. Люди лежат с автоматами, с пулеметами — а на них идут безоружные. И все, зная, что за ними и качественное, и количественное превосходство, чуть не бегут, с ума сходят от ужаса, а некоторые уже сошли, по секрету тебе скажу. И это не просто страх, Хантер! — Сухой понизил голос. — Это... Не знаю даже, как и объяснить-то тебе толком... С каждым разом это все сильнее. Как-то они на голову действуют... И мне кажется, сознательно. Издалека их уже чувствуешь, и ощущение это все нарастает, гнусное такое беспокойство, что ли, и поджилки трястись начинают. А еще не слышно ничего, и не видно, но ты уже знаешь, что они где-то близко, идут... Идут... И тут раздается вой — просто хоть беги... А подойдут поближе — трясти начинает. И долго еще потом видится, как они с открытыми глазами на прожектор идут....

Артем вздрогнул. Оказывается, кошмары мучили не только его. Раньше он на эту тему старался ни с кем не говорить — боялся, что сочтут за труса или за помешанного.

— Психику расшатывают, гады! — продолжал Сухой. — И знаешь, они словно на твою волну настраиваются, и в следующий раз ты их еще лучше чуешь, еще больше боишься. Это не просто страх... Я-то знаю.

Он замолчал. Хантер сидел неподвижно, изучая его взглядом и, очевидно, обдумывая услышанное. Потом он отхлебнул горячей настойки и проговорил медленно и тихо:

— Это угроза всему, Сухой. Всему этому загаженному метро, не только вашей станции.

Сухой молчал, словно не желая отвечать, но вдруг его прорвало:

— Всему метро, говоришь? Да нет, не только метро. Всему нашему прогрессивному человечеству, которое доигралось-таки со своим прогрессом. Пора платить! Борьба видов, Охотник. Борьба видов. И эти черные не нечисть, и никакие это не упыри. Это хомо новус — следующая ступень эволюции, лучше нас приспособленная к окружающей среде. Будущее за ними, Охотник! Может, сапиенсы еще погниют пару десятков, да даже и с полсотни лет в чертовых норах, которые они сами для себя вырыли, еще когда их было слишком много и все одновременно не умещались наверху, так что тех, кто победнее, приходилось днем запихивать под землю. Станем бледными, чахлыми, как уэллсовские морлоки, помнишь, из «Машины времени»: в будущем жили у них под землей такие твари? Тоже когда-то были сапиенсами... Да, мы оптимистичны, мы не хотим подыхать! Мы будем на собственном дерьме растить грибочки, и свиньи станут новым лучшим другом человека, так сказать, партнером по выживанию... Мы с аппетитным хрустом будем жрать мультивитамины, тоннами заготовленные заботливыми предками. Мы будем робко выползать наверх, чтобы поспешно схватить еще одну канистру бензина, еще немного чьего-то тряпья, а если сильно повезет, еще горсть патронов, а потом скорее бежать назад, в свои душные подземелья, воровато оглядываясь по сторонам, не заметил ли кто. Потому что там, наверху, мы уже не у себя дома. Мир больше не принадлежит нам, Охотник... Мир больше не принадлежит нам.

Сухой замолчал, глядя, как медленно поднимается от чашки с чаем и тает в сумраке палатки пар. Хантер ничего не отвечал, и Артем вдруг подумал, что никогда он еще не слышал такого от своего отчима. Ничего не осталось от его обычной уверенности в том, что все обязательно будет хорошо, от его «Не дрейфь, прорвемся!», от его ободряющего подмигивания... Или это всегда было только показное?

— Молчишь, Охотник? Молчишь... Давай, ну, давай же, спорь! Где твои доводы? Где этот твой оптимизм? В последний раз, когда мы с тобой разговаривали, ты еще утверждал, что уровень радиации спадет, и люди однажды вернутся на поверхность. Эх, Охотник... «Встанет солнце над лесом, только не для меня...» — издевательски пропел Сухой. — Мы зубами вцепимся в жизнь, мы будем держаться за нее изо всех сил, ведь что бы там ни говорили философы и ни твердили сектанты, вдруг там ничего нет? Не хочется верить, не хочется, но где-то в глубине души ты знаешь, что так и есть... А ведь нам нравится это дело, Охотник, не правда ли? Мы с тобой очень любим жить! Мы с тобой будем ползать по вонючим подземельям, спать в обнимку со свиньями и жрать крыс, но мы выживем! Да? Проснись, Охотник! Никто не напишет про тебя книжку: «Повесть о настоящем человеке», никто не воспоет твою волю к жизни, твой гипертрофированный инстинкт самосохранения... Сколько ты продержишься на грибах, мультивитаминах и свинине? Сдавайся, сапиенс! Ты больше не царь природы! Тебя свергли! Нет, тебе не обязательно подыхать сразу же, никто не настаивает. Поползай еще в агонии, захлебываясь в своих испражнениях... Но знай, сапиенс: ты отжил свое! Эволюция, законы которой ты постиг, уже совершила свой новый виток, и ты больше не последняя ступень, не венец творенья. Ты — динозавр. Надо уступить место новым, более совершенным видам. Не следует быть эгоистом. Игра окончена, пора дать поиграть другим. Твое время прошло. Ты вымер. И пусть грядущие цивилизации ломают головы над тем, отчего же вымерли сапиенсы. Хотя это вряд ли кого-нибудь заинтересует...

Хантер, во время этого монолога внимательно изучавший свои ногти, поднял наконец взгляд на Сухого и тяжело произнес:

— А ты здорово сдал с тех пор, как я тебя видел в последний раз. Ведь я помню, как ты говорил мне, что если сохраним культуру, если не скиснем, по-русски говорить не разучимся, если детей своих читать и писать научим, то ничего, то, может, и под землей протянем... Ты мне это говорил или не ты? И вот — сдавайся, сапиенс... Что же так?

— Да просто понял я кое-что, Охотник. Почувствовал то, что ты еще, может, поймешь, а может, и не поймешь никогда: мы динозавры и доживаем последние свои дни... Пусть и займет это десять или даже сто лет, но все равно...

— Сопротивление бесполезно, да? — недобрым голосом протянул Хантер. — К этому клонишь?

Сухой молчал, опустив глаза. Очевидно, многого стоило ему, никогда и никому не признававшемуся в своей слабости, сказать такое старому товарищу, да еще при Артеме. Больно ему было выбросить белый флаг...

— А вот нет! Не дождешься! — медленно выговорил Хантер, поднимаясь во весь рост. — И они не дождутся! Новые виды, говоришь? Эволюция? Неотвратимое вымирание? Дерьмо? Свиньи? Витамины? Я еще и не через такое проходил. Я этого не боюсь. Понял? Я руки вверх не подниму. Инстинкт самосохранения? Называй это так. Да, я зубами за жизнь цепляться буду. Имел я твою эволюцию. Пусть другие виды подождут в общей очереди. Я не скотина, которую ведут на убой. Капитулируй и иди к этим своим более совершенным и более приспособленным, уступи им свое место в истории! Если ты чувствуешь, что отвоевался, валяй — дезертируй, я не осужу тебя. Но не пытайся меня напугать. И не пробуй тащить меня за собой на скотобойню. Зачем ты читаешь мне проповеди? Если ты не будешь один, если ты сдашься в коллективе, тебе не будет так стыдно? Или враги обещают миску горячей каши за каждого товарища, приведенного в плен? Моя борьба безнадежна? Говоришь, мы на краю пропасти? Я плюю в твою пропасть. Если ты думаешь, что твое место — на дне, набери побольше воздуха, и — вперед. А мне с тобой не по пути. Если Человек Разумный, рафинированный и цивилизованный сапиенс выбирает капитуляцию, то я откажусь от этого почетного звания и лучше стану зверем. И буду, как зверь, цепляться за жизнь и грызть глотки другим, чтобы выжить. И я выживу. Понял?! Выживу!

Он сел и тихо попросил у Артема плеснуть ему еще чая. Сухой встал сам и пошел доливать и греть чайник, мрачный и молчаливый. Артем остался в палатке наедине с Хантером. Последние его слова, это его звенящее презрение, его злая уверенность, что он выживет, зажгли Артема. Он долго не решался заговорить первым. И тогда Хантер обратился к нему сам:

— Ну, а ты что думаешь, парень? Говори, не стесняйся... Тоже хочешь, как растение? Как динозавр? Сидеть на вещах и ждать, пока за тобой придут? Знаешь притчу про лягушку в молоке? Как попали две лягушки в крынки с молоком. Одна, рационально мыслящая, вовремя поняла, что сопротивление бесполезно и что судьбу не обмануть. А там вдруг еще загробная жизнь есть, так к чему излишне напрягаться и напрасно тешить себя пустыми надеждами? Сложила лапки и пошла ко дну. А вторая дура, наверное, была или атеистка. И давай барахтаться. Казалось бы, чего ей дергаться, если все предопределено? Барахталась она, барахталась... Пока молоко в масло не сбила. И вылезла. Почтим память ее товарки, безвременно погибшей во имя прогресса философии и рационального мышления.

— Кто вы? — отважился, наконец, спросить Артем.

— Кто я? Ты знаешь уже, кто я. Охотник.

— Но что это значит — охотник? Чем вы занимаетесь? Охотитесь?

— Как тебе объяснить... Ты знаешь, как устроен человеческий организм? Он состоит из миллионов крошечных клеток — одни передают электрические сигналы, другие хранят информацию, третьи всасывают питательные вещества, четвертые переносят кислород... Но все они, даже самые важные из них, погибли бы меньше чем за день, погиб бы весь организм, если бы не было клеток, ответственных за иммунитет. Их называют макрофаги. Они работают методично и размеренно, как часы, как метроном. Когда зараза проникает в организм, они находят ее, выслеживают, где бы она ни пряталась, рано или поздно достают ее и... — он сделал рукой жест, словно сворачивал кому-то шею и издал неприятный хрустящий звук, — ликвидируют.

— Но какое отношение это имеет к вашей профессии? — настаивал Артем.

— Представь, что весь метрополитен — это человеческий организм. Сложный организм, состоящий из сорока тысяч клеток. Я — макрофаг. Охотник. Это моя профессия. Любая опасность, достаточно серьезная, чтобы угрожать всему организму, должна быть ликвидирована. Это моя работа.

Вернулся наконец Сухой с чайником и, наливая кипящий отвар в кружки, очевидно собравшись за время своего отсутствия с мыслями, обратился к Хантеру:

— Что же ты собираешься предпринять для ликвидации источника опасности, ковбой? Отправиться на охоту и перестрелять всех черных? Едва ли у тебя что-либо выйдет. Нечего делать, Хантер. Нечего.

— Всегда остается еще один выход, самый последний. Взорвать ваш северный туннель к чертям. Завалить полностью. И отсечь твой новый вид. Пусть себе размножаются сверху и не трогают нас, кротов. Подземелье — это теперь наша среда обитания.

— Я тебе кое-что интересное расскажу. Об этом мало кто знает на нашей станции. У нас уже взорван один перегон. Так вот, над нами — над северными туннелями — проходят потоки грунтовых вод. И, уже когда взрывали вторую северную линию, нас чуть не затопило. Чуть посильнее был бы заряд — и прощай, родная ВДНХ. Так вот, если мы теперь рванем оставшийся северный туннель, нас не просто затопит. Нас смоет радиоактивной жижей. Тогда конец настанет не только нам. Вот в чем кроется подлинная опасность для метро. Если ты вступишь в межвидовую борьбу сейчас и таким способом, наш вид проиграет. Шах.

— А что гермоворота? Неужели нельзя просто закрыть гермоворота в туннеле с той стороны? — вспомнил Хантер.

— Гермоворота еще лет пятнадцать назад неизвестные умники по всей линии разобрали и пустили на фортификацию какой-то станции, сейчас даже никто и не помнит уже, какой. Неужели сам не знал? Вот тебе еще шах.

— Скажи мне... Их напор усиливается в последнее время? — Хантер, кажется, сдался и перевел разговор на другую тему.

— Усиливается? Еще как! А ведь поверить трудно, какое-то время назад мы о них даже ничего не знали. А теперь вот — главная угроза. И верь мне, близок тот день, когда нас просто сметут, со всеми нашими укреплениями, прожекторами и пулеметами. Ведь невозможно поднять все метро на защиту одной никчемной станции... Да, у нас делают очень неплохой чай, но вряд ли кто-либо согласится рисковать своей жизнью даже из-за такого замечательного чая, как наш. В конце концов, всегда есть конкуренты с Печатников... Опять шах! — грустно усмехнулся Сухой. — Мы никому не нужны. Сами мы уже скоро будем не в состоянии справиться с натиском. Отсечь их, взорвать туннель мы не можем. Подняться наверх и выжечь их там мы тоже не в состоянии, по понятным всем причинам... Мат. Мат тебе, Охотник! И мне мат. Всем нам в ближайшем времени полный мат, если ты понимаешь, что я имею в виду, — криво усмехнулся Сухой.

— Посмотрим, — отрезал Хантер. — Посмотрим.

Они посидели еще, разговаривая о всякой всячине; часто звучали незнакомые Артему имена, отрывки когда-то недосказанных или недослушанных историй. Время от времени вдруг вспыхивали какие-то старые споры, в которых Артем мало что понимал и которые, очевидно, продолжались годами, притухая на время расставания друзей и вновь разгораясь при встрече.

Наконец Хантер встал и, сказав, что ему пора спать, потому что он, в отличие от Артема, после дозора так и не ложился, попрощался с Сухим. Но перед выходом он вдруг обернулся к Артему и шепнул ему: «Выйди на минутку».

Артем тут же выскочил вслед за ним, не обращая внимания на удивленный взгляд отчима. Хантер ждал его снаружи, наглухо застегивая свой длинный плащ и поднимая ворот.

— Пройдемся? — предложил он и неспешно зашагал по платформе вперед, к палатке для гостей, в которой остановился. Артем нерешительно двинулся вслед за ним, пытаясь догадаться, о чем такой человек хочет поговорить с ним, с мальчишкой, который пока что не сделал для других решительно ничего значительного и даже просто полезного.

— Что ты думаешь о том, чем я занимаюсь? — спросил Хантер.

— Здорово... Ведь если бы вас не было... Ну, и других, таких как вы, если такие еще есть... То мы бы уже все давно... — смущенно пробормотал Артем.

Его бросило в жар от собственного косноязычия. Вот как раз сейчас, когда такой человек обратил на него внимание и что-то хочет ему лично сказать, даже попросил выйти, чтобы наедине, без отчима, он краснеет, как девица, и что-то мучительно блеет...

— Ценишь? Ну, если народ ценит, — усмехнулся Хантер, — значит, нечего слушать пораженцев. Трясется твой отчим, вот что. А ведь он действительно храбрый человек... Во всяком случае, был таким. Что-то у вас страшное творится, Артем. Что-то такое, чего нельзя так оставить. Прав твой отчим: это не просто нежить, как на десятках других станций, не просто вандалы, не выродки. Тут что-то новое. Что-то зловещее. От этого нового веет холодом. Могилой веет. Всего за вторые сутки на вашей станции я уже начинаю проникаться этим страхом. И чем больше ты знаешь о них, чем больше ты их изучаешь, чем больше их видишь, тем сильнее страх, я так понимаю. Ты, например, их не часто видел, так?

— Один раз пока что: я только недавно стал на север в дозоры ходить, — признался Артем. — Но мне, правду сказать, и одного этого раза хватило. До сих пор кошмары мучают. Вот сегодня, например. А ведь сколько времени уже прошло с того дня!

— Кошмары, говоришь? И у тебя тоже? — нахмурился Хантер. — Да, непохоже на случайность... И поживи я тут еще немного, пару месяцев, походи я в дозоры эти ваши регулярно, не исключено, что тоже скисну... Нет, пацан. Ошибся твой отчим в одном. Не он это говорит. Не он так считает. Это они за него думают, и они же за него говорят. Сдавайтесь, говорят, сопротивление бесполезно. А он у них рупором. И сам того, наверное, не понимает... И вправду, наверное, настраиваются, сволочи, и на психику давят. Вот дьявольщина! Скажи, Артем, — обратился он напрямую, по имени, и парень понял: тот собирается сказать ему что-то действительно важное. — Есть у тебя секрет? Что-нибудь такое, что никому со станции ты бы не сказал, а постороннему человеку открыть сможешь?

— Н-ну... — замялся Артем, и проницательному человеку этого было бы достаточно, чтобы понять, что такой секрет есть.

— И у меня есть секрет. Давай меняться. Нужно мне с кем-то своей тайной поделиться, но я хочу быть уверенным, что ее не выболтают. Поэтому давай ты мне свой — и не чепуху какую-нибудь про девчонок, а что-нибудь серьезное, чего больше никто не должен услышать. И я тебе скажу кое-что. Это для меня важно. Очень важно, понимаешь?

Артем колебался. Любопытство, конечно, разбирало, но боязно было свою тайну, ту самую, раскрыть этому человеку, который был не только интересным собеседником и человеком с полной приключений жизнью, но, судя по всему, и хладнокровным убийцей, без малейших колебаний устранявшим любые помехи на своем пути. А ведь если Артем и на самом деле окажется причастен к вторжению черных...

Хантер ободряюще взглянул ему в глаза:

— Меня тебе опасаться нечего. Гарантирую неприкосновенность! — и он заговорщически подмигнул.

Они подошли к гостевой палатке, на эту ночь отданной Хантеру в полное распоряжение, но остались снаружи. Артем подумал в последний раз и все же решился. Он набрал побольше воздуха и затем поспешно, на одном дыхании, выложил всю историю про поход на Ботанический Сад. Когда он остановился, Хантер некоторое время молчал, переваривая услышанное. Затем он хриплым голосом протянул:

— Вообще говоря, тебя и твоих друзей за это следует убить, из воспитательных соображений. Но я уже гарантировал тебе неприкосновенность. На твоих друзей она, впрочем, не распространяется...

Сердце Артема сжалось, он почувствовал, как цепенеет от страха тело и подгибаются ноги. Говорить он был не в состоянии и потому молча ждал продолжения обвинительной речи.

— Но ввиду возраста и общей безмозглости на момент происшествия, а также за давностью лет вы помилованы. Живи, — и, чтобы поскорее вывести Артема из прострации, Хантер еще раз, теперь ободряюще, подмигнул ему. — Но учти, что от твоих соседей по станции пощады тебе не будет. Так что ты добровольно передал в мои руки мощное оружие против себя самого. А теперь послушай мой секрет...

И, пока Артем раскаивался в своей болтливости, продолжил:

— Я на эту станцию через весь метрополитен не зря шел. Я от своего не отступаюсь. Опасность должна быть устранена, как ты уже, наверное, не раз сегодня слышал. Должна и будет устранена. Я сделаю это. Твой отчим боится. Он медленно превращается в их орудие, как я понимаю. Он и сам сопротивляется все неохотнее, и меня пытается разубедить. Если грунтовые воды — это правда, тогда вариант со взрывом туннеля, конечно, отменяется. Но твой рассказ для меня кое-что прояснил. Если черные впервые начали пробираться сюда после вашего похода, то идут они с Ботанического Сада. Что-то там не то, должно быть, выращивали, в этом Ботаническом Саду, если там такое зародилось... И, значит, их можно блокировать там, ближе к поверхности. Без угрозы высвободить грунтовые воды. Но черт знает, что происходит за семисотым метром в северном туннеле. Там ваша власть заканчивается. Начинается власть тьмы — самая распространенная форма правления на территории Московского метрополитена. Я пойду туда. Об этом не должен знать никто. Сухому скажешь, что я расспрашивал тебя об обстановке на станции, и это будет правдой. Да тебе, пожалуй, и не придется ничего объяснять: если все пройдет гладко, сам все объясню кому надо. Но может случиться так, — прервался он на секунду, внимательно посмотрев Артему в глаза, — что я не вернусь. Будет взрыв или нет, если я не вернусь до завтрашнего утра, кто-то должен передать, что со мной случилось, и рассказать, что за дьявольщина творится в ваших северных туннелях, моим товарищам. Всех своих прежних знакомых на этой станции, включая твоего отчима, я сегодня видел. И я чувствую, я почти вижу, как маленький червячок сомнения и ужаса гложет мозг у всех, кто часто подвергается их воздействию. Я не могу положиться на людей с червивыми мозгами. Мне нужен здоровый человек, чей рассудок еще не штурмовали эти упыри. Мне нужен ты.

— Я? Но чем я могу вам помочь? — удивился Артем.

— Послушай меня. Если я не вернусь, ты должен будешь любой ценой — любой ценой, слышишь?! — попасть в Полис. В Город... И разыскать там человека по кличке Мельник. Ему ты расскажешь всю историю. И вот еще что. Я тебе дам сейчас одну вещь, передашь ему в доказательство того, что тебя послал я. Зайди на секунду! — Сняв замок со входа, Хантер приподнял полог и пропустил Артема внутрь.

В палатке было тесно из-за огромного заплечного рюкзака защитного цвета и внушительных размеров баула, стоящих на полу. В свете фонаря Артем разглядел мрачно поблескивающий в недрах сумки ствол какого-то солидного оружия, по всей видимости, разобранного армейского ручного пулемета. Прежде, чем Хантер закрыл его от посторонних глаз, Артем успел заметить тускло-черные металлические короба с пулеметными лентами, плотно уложенные в ряд по одну сторону от оружия, и небольшие зеленые противопехотные гранаты — по другую.

Не сделав никаких комментариев по поводу этого арсенала, Хантер открыл боковой карман рюкзака и извлек оттуда маленькую металлическую капсулу, изготовленную из автоматной гильзы. С той стороны, где должна была находиться пуля, капсула оканчивалась завинчивающейся крышкой.

— Вот, держи. Не жди меня больше двух дней. И не бойся. Ты везде встретишь людей, которые тебе помогут. Сделай это обязательно! Ты знаешь, что от тебя зависит. Мне не нужно тебе это еще раз объяснять, ведь так? Все. Пожелай мне удачи и проваливай... Мне нужно отоспаться.

Артем еле выдавил из себя слова прощания, пожал могучую лапу Хантера и побрел к своей палатке, сутулясь под тяжестью возложенной на него миссии.

Глава 3

ЕСЛИ Я НЕ ВЕРНУСЬ

Артем думал, что допроса с пристрастием по приходу домой ему не миновать: наверняка, отчим будет трясти его, допытываясь, о чем они с Хантером разговаривали. Но, вопреки его ожиданиям, тот вовсе не ждал его с дыбой и испанскими сапогами наготове, а мирно посапывал — до этого ему не удавалось выспаться больше суток.

Из-за ночных дежурств и дневного сна Артему теперь опять предстояло отрабатывать в ночную смену — на чайной фабрике.

За десятилетия жизни под землей, во тьме, частично рассеиваемой мутно-красным светом, истинное понимание дня и ночи постепенно стерлось. По ночам освещение станции несколько ослабевало, как это делалось когда-то в поездах дальнего следования, чтобы люди могли выспаться, но никогда, кроме аварийных ситуаций, не гасло совсем. Как ни обострилось за годы, прожитые во тьме, человеческое зрение, оно все же не могло сравняться со зрением созданий, населявших туннели и заброшенные переходы.

Разделение на «день» и «ночь» происходило скорее по привычке, чем по необходимости. «Ночь» имела смысл постольку, поскольку большей части обитателей станции было удобно спать в одно время, тогда же отдыхал и скот, ослабляли освещение и запрещалось шуметь. Точное время обитатели станции узнавали по двум станционным часам, установленным над входом в туннели с противоположных сторон. Часы эти по важности приравнивались к таким стратегически важным объектам, как оружейный склад, фильтры для воды и электрогенератор. За ними всегда наблюдали, малейшие сбои немедленно исправлялись, а любые, не только диверсионные, но даже просто хулиганские попытки сбить их карались самым суровым образом, вплоть до изгнания со станции.

Здесь был свой жесткий уголовный кодекс, по которому администрация ВДНХ судила преступников скорым трибуналом, учитывая постоянное чрезвычайное положение, теперь, по всей видимости, установленное навечно. Диверсии против стратегических объектов влекли за собой высшую меру. За курение и разведение огня на перроне вне специально отведенного для этого места, как и за неаккуратное обращение с оружием и взрывчаткой, полагалось немедленное изгнание со станции с конфискацией имущества.

Эти драконовские меры объяснялись тем, что уже несколько станций сгорело дотла. Огонь мгновенно распространялся по палаточным городкам, пожирая всех без разбора, и безумные, полные боли крики еще долгие месяцы после катастрофы эхом отдавались в ушах жителей соседних станций, а обуглившиеся тела, склеенные расплавленным пластиком и брезентом, скалили потрескавшиеся от немыслимого жара пламени зубы в свете фонарей проходящих мимо перепуганных челноков и случайно забредших в этот ад путешественников.

Во избежание повторения столь мрачной участи на большинстве станций неосторожное обращение с огнем внесли в разряд тяжких уголовных преступлений.

Изгнанием карались также кражи, саботаж и злостное уклонение от трудовой деятельности. Впрочем, учитывая, что почти все время все были на виду и что на станции жило всего двести с небольшим человек, такие преступления, да и преступления вообще, совершались довольно редко, и в основном чужаками.

Трудовая повинность на станции была обязательной, и все, от мала до велика, должны были отработать свою ежедневную норму. Свиноферма, грибные плантации, чайная фабрика, мясокомбинат, пожарная и инженерная службы, оружейный цех — каждый житель работал в одном, а то и в двух местах. Мужчины к тому же были обязаны раз в двое суток нести боевое дежурство в одном из туннелей, а во времена конфликтов или появления из глубин метро какой-то новой опасности дозоры многократно усиливались и на путях постоянно стоял готовый к бою резерв.

Так четко жизнь была отлажена на очень немногих станциях, и добрая слава, которая закрепилась за ВДНХ, привлекала множество желающих обосноваться на ней. Однако чужаков на поселение принимали редко и неохотно.

До ночной смены на чайной фабрике оставалось еще несколько часов, и Артем, не зная, куда себя деть, поплелся к своему лучшему другу Женьке, тому самому, с которым они в свое время предприняли головокружительное путешествие на поверхность.

Женька был его ровесником, но жил, в отличие от Артема, со своей настоящей семьей: с отцом, матерью и младшей сестренкой. Случаев, когда спастись удалось целой семье, были единицы, и Артем втайне завидовал своему другу. Он, конечно, очень любил отчима и уважал его даже теперь, после того, как у того сдали нервы, но при этом прекрасно понимал, что Сухой ему не отец, да и вообще не родня, и никогда не звал его папой.

А Сухой, вначале сам попросивший Артема называть его дядей Сашей, со временем раскаялся в этом. Годы его шли, а он, старый туннельный волк, так и не успел обзавестись настоящей семьей, не было у него даже женщины, которая ждала бы его из походов. У него щемило сердце при виде матерей с маленькими детьми, и он мечтал о том, что настанет и в его жизни тот день, когда не надо будет больше в очередной раз уходить в темноту, исчезая из жизни станции на долгие дни и недели, а может, и навсегда. И тогда, он надеялся, найдется женщина, готовая стать его женой, и родятся дети, которые, когда научатся говорить, станут называть его не дядей Сашей, а отцом.

Старость и немощность подступали все ближе, времени оставалось меньше и меньше, и надо, наверное, было спешить, но все никак не удавалось вырваться. Задание сменялось заданием, и не находилось пока еще никого, кому можно было бы передать часть своей работы, доверить свои связи, открыть профессиональные секреты, чтобы самому заняться, наконец, какой-нибудь непыльной работой на станции. Он уже давненько подумывал о занятии поспокойнее и даже знал, что вполне может рассчитывать на руководящую должность на станции благодаря своему авторитету, блестящему послужному списку и дружеским отношениям с администрацией. Но пока достойной замены ему не было видно даже на горизонте, и, теша себя мыслями о счастливом завтра, он жил днем сегодняшним, все откладывая окончательное возвращение и продолжая орошать своими потом и кровью гранит чужих станций и бетон дальних туннелей.

Артем знал, что отчим, несмотря на свою почти отеческую к нему любовь, не думает о нем как о продолжателе своего дела и по большому счету считает его балбесом, причем совершенно незаслуженно. В дальние походы он Артема не брал, несмотря на то, что Артем все взрослел и уже нельзя было отговориться тем, что он еще маленький и его зомби утащат, или крысы съедят. Он и не понимал даже, что именно этим своим неверием в Артема подталкивал его к самым отчаянным авантюрам, за которые сам его потом и порол. Он, видимо, хотел, чтобы Артем не подвергал бессмысленной опасности своей жизни в странствиях по метро, а жил так, как мечталось жить самому Сухому: в спокойствии и безопасности, работая и растя детей, не тратя понапрасну своей молодости. Но, желая такой жизни Артему, он забывал, что сам прежде, чем начать стремиться к ней, прошел через огонь и воду, успел пережить сотни приключений и насытиться ими. И не мудрость, приобретенная с годами, говорила в нем теперь, а годы и усталость. В Артеме же кипела энергия, он только начинал жить, и влачить жалкое растительное существование, кроша и засушивая грибы, меняя пеленки, не осмеливаясь никогда выходить за пятисотый метр, казалось ему совершенно немыслимым. Желание удрать со станции росло в нем с каждым днем, так как он все яснее и яснее понимал, какую долю ему готовит отчим. Карьера чайного фабриканта и роль многодетного отца Артему нравились меньше всего на свете. Именно тягу к приключениям, желание быть подхваченным, словно перекати-поле, туннельными сквозняками и нестись вслед за ними в неизвестность, навстречу своей судьбе, и угадал в нем, наверное, Хантер, попросив о такой непростой, связанной с огромным риском услуге. У него, Охотника, был тонкий нюх на людей, и уже после часового разговора он понял, что сможет положиться на Артема. Даже если Артем не дойдет до места назначения, он, по крайней мере, не останется на станции, запамятовав о поручении, если с Хантером случится что-нибудь на Ботаническом Саду.

И Охотник не ошибся в своем выборе.

Женька, на счастье, был дома, и теперь Артем мог скоротать вечер за последними сплетнями, разговорами о будущем и крепким чаем.

— Здорово! — откликнулся приятель на приветствие Артема. — Ты тоже сегодня в ночь на фабрике? И меня вот поставили. Так ломало, хотел уже у начальства просить, чтобы поменяли. Но если тебя ко мне поставят, ничего, потерплю. Ты сегодня дежурил, да? В дозоре был? Ну, рассказывай! Я слышал, у вас там ЧП было... Что там произошло-то?

Артем многозначительно покосился на Женькину младшую сестренку, которая так заинтересовалась предстоящим разговором, что даже перестала пичкать тряпичную куклу, сшитую для нее матерью, грибными очистками и, затаив дыхание, смотрела на них из угла палатки круглыми глазами.

— Слышь, малая! — поняв, что именно Артем имеет в виду, сурово сказал Женька, — ты, это, давай собирай свои вещички и иди, играй к соседям. Кажется, тебя Катя в гости приглашала. С соседями надо поддерживать хорошие отношения. Так что давай, бери своих пупсиков в охапку — и вперед!

Девочка что-то возмущенно пропищала и с обреченным видом начала собираться, попутно делая внушения своей кукле, тупо смотревшей в потолок полустертыми глазами.

— Подумаешь, какие важные! Я и так все знаю! Про поганки эти ваши говорить будете! — презрительно бросила она на прощание.

— А ты, Ленка, мала еще про поганки рассуждать. У тебя еще молоко на губах не обсохло! — поставил ее на место Артем.

— Что такое молоко? — недоуменно спросила девочка, трогая свои губы.

Однако до объяснений никто не снизошел, и вопрос повис в воздухе.

Когда она ушла, Женька застегнул изнутри полог палатки и спросил:

— Ну, что случилось-то? Давай колись! Я тут столько всего слышал уже. Одни говорят, крыса огромная из туннеля вылезла, другие, что вы лазутчика черных отпугнули и даже ранили. Кому верить?

— Никому не верь! — посоветовал Артем. — Все врут. Собака это была. Щенок маленький. Его Андрей подобрал, который морпех. Сказал, что будет немецкую овчарку из него выращивать, — улыбнулся Артем.

— А я ведь от Андрея как раз и слышал, что это крыса была! — озадаченно произнес Женька. — Он специально наврал, что ли?

— А ты не знаешь? Это ведь у него любимая прибаутка: про крыс размером со свиней. Юморист он, понимаешь, — отозвался Артем. — А у тебя чего нового? Что от пацанов слышно?

Женькины друзья были челноками, поставляли чай и свинину на Проспект Мира, на ярмарку. Обратно везли мультивитамины, тряпки, всякое барахло, иногда даже доставали засаленные, часто с недостающими страницами, книги, которые неведомыми путями оказывались на Проспекте Мира, пройдя полметро, кочуя из баула в баул, из кармана в карман, от торговца к торговцу, чтобы, наконец, найти своего хозяина.

На ВДНХ гордились тем, что, несмотря на удаленность от центра и главных торговых путей, поселенцам удавалось не просто выжить в ухудшающихся день ото дня условиях, но и поддерживать, хотя бы в пределах станции, стремительно угасающую во всем метрополитене человеческую культуру.

Администрация станции старалась уделять этому вопросу как можно больше внимания. Детей обязательно учили читать, и на станции даже имелась своя маленькая библиотека, в которую, в основном, и свозились все выторгованные на ярмарках книги. Беда заключалась в том, что книги челнокам выбирать не приходилось, брали, что давали, и всякой макулатуры скапливалось предостаточно.

Но отношение к книгам у жителей станции было таково, что даже из самой никчемной библиотечной книжонки никогда и никем не было вырвано ни странички. К книгам относились как к святыне, как к последнему напоминанию о канувшем в небытие прекрасном мире. И взрослые, дорожившие каждой секундой воспоминаний, навеянных чтением, передавали это отношение к книгам своим детям, которым и помнить уже было нечего, которые никогда не знали и не могли узнать иного мира, кроме нескончаемого переплетения угрюмых и тесных туннелей, коридоров и переходов.

В метро были немногочисленны места, в которых печатное слово так же боготворилось, и жители ВДНХ с гордостью считали свою станцию одним из последних оплотов культуры, северным форпостом цивилизации на Калужско-Рижской линии.

Читали книги и Артем, и Женька. Женька дожидался каждый раз возвращения с ярмарки своих друзей и первым подлетал к ним узнать, не достали ли они чего-нибудь новенького. И тогда книга сперва попадала к Женьке, а только потом уже в библиотеку.

Артему книги приносил из своих походов отчим, и в палатке у них была почти настоящая книжная полка. На ней стояли пожелтевшие от времени, иногда чуть подпорченные плесенью и крысами, иногда в бурых пятнышках чьей-то засохшей крови, такие вещи, которых больше не было ни у кого на станции, а может, и во всем метро: Маркес, Кафка, Борхес, Виан, несколько томов русской классики.

— Ребята на этот раз ничего не привезли, — сказал Женька. — Леха говорит, там у одного мужика через месяц будет партия книг из Полиса. Обещал придержать парочку.

— Да я не про книги! — отмахнулся Артем. — Что слышно-то? Как обстановка?

— Обстановка? Вроде ничего. Ходят, конечно, слухи всякие, но это как всегда, ты же знаешь, челноки не могут без слухов и историй. Они прямо чахнут, ты их не корми, а слухи дай рассказать. Но верить в их байки или не верить — это еще вопрос. Вроде сейчас спокойно все. Если, конечно, сравнивать с тем временем, когда Ганза с красными воевала. Да! — вспомнил он. — На Проспекте Мира запретили дурь продавать. Теперь, если у челнока дурь находят, все конфискуют и со станции вышвыривают, плюс на заметку берут. Если во второй раз найдут, Леха говорит, вообще на несколько лет запрещают доступ на Ганзу. На всю! Челноку это вообще смерть.

— Да ладно! Прямо так и запретили? Что это они?

— Говорят, решили, что это наркотик, раз от нее глюки идут. И что от нее мозг отмирать начинает, если долго глотать. Типа, о здоровье заботятся.

— Вот и заботились бы о своем здоровье! Что они нашим вдруг обеспокоились?

— Знаешь что? — сказал Женька тоном ниже. — Леха говорит, что они вообще дезу пускают насчет вреда здоровью.

— Какую дезу? — удивленно спросил Артем.

— Дезинформацию. Вот слушай. Леха один раз зашел дальше Проспекта Мира по нашей линии. Добрался до Сухаревской. По делам по каким-то темным, он даже рассказывать не стал, по каким. И повстречал там одного интересного дядьку. Мага.

— Кого?! — Артем не выдержал и засмеялся. — Мага? На Сухаревской? Ну, он и гонит, твой Леха! И что, маг ему волшебную палочку подарил? Или цветик-семицветик?..

— Дурак ты, — обиделся Женька. — Думаешь, больше всех обо всем знаешь? То, что ты до сих пор не встречал магов и не слышал о них, не значит, что их нет. Вот в мутантов с Филевки ты веришь?

— А что в них верить? Они и так есть, это ясно. Мне отчим рассказывал. А про магов я что-то ничего не слышал.

— Сухой, между прочим, при всем моем к нему уважении, тоже, наверное, не все на свете знает. А может, просто тебя пугать не хотел. Короче, не хочешь слушать, черт с тобой.

— Да ладно, Жень, рассказывай. Интересно все-таки. Хотя звучит, конечно... — Артем ухмыльнулся.

— Ну вот. Они там ночевали рядом у костра. На Сухаревской, знаешь, никто постоянно не живет. Так, челноки с других станций на ночлег останавливаются, потому что с Проспекта Мира их власти Ганзы после отбоя выпроваживают. Ну, и всякий сброд там же ошивается, шарлатаны разные, ворюги — они к челнокам так и липнут. И странники там же отдыхают, перед тем как на юг идти. Там, за Сухаревской, в туннелях, начинается какой-то бред. Вроде и не живет там никто: ни крысы, ни мутанты никакие, а все равно люди, которые пытаются пройти, очень часто пропадают. Вообще пропадают, бесследно. За Сухаревской следующая станция — Тургеневская. Она с Красной Линией смежная: там на Чистые Пруды переход был, красные теперь обратно в Кировскую переименовали: был, говорят, такой коммуняка... Испугались с такой станцией по соседству жить. Замуровали переход. И Тургеневская теперь пустая стоит. Заброшенная. Так что туннель там до ближайшего человеческого жилья от Сухаревской длинный... Вот в нем и исчезают. Поодиночке если люди идут, почти наверняка не пройдут. А если караваном, больше чем десять человек, тогда проходят. И ничего, говорят, нормальный туннель, чистый, спокойный, пустой, там и ответвлений-то нет, и исчезнуть вроде бы некуда... Ни души, не шуршит ничего, ни твари никакой не видно... А потом на следующий день наслушается кто-нибудь про то, как там чисто и уютно, плюнет на суеверия, пойдет через этот туннель — и все, как корова языком слизнула. Был человек, и нет человека.

— Ты там что-то про мага рассказывал, — тихонько напомнил Артем.

— Сейчас и до мага доберусь, погоди немного, — пообещал Женька. — Так вот, люди боятся через эти туннели на юг поодиночке идти. И на Сухаревской себе компаньонов подыскивают, чтобы вместе, значит, пробираться. А если ярмарки нет, то людей мало и иногда днями приходится сидеть и ждать, а то и неделями, пока наберется достаточно людей, чтобы идти. Ведь как: чем больше народу, тем надежней. Леха говорит, там можно очень интересных людей встретить иногда. Швали, конечно, тоже достаточно, надо уметь отличать. Но бывает, повезет — и тогда такого наслушаешься... В общем, Леха там мага встретил. Не то, что ты думаешь, не Хоттабыча какого-нибудь плешивого из волшебной лампы...

— Хоттабыч — джинн, а не маг, — осторожно поправил Артем, но Женька проигнорировал его замечание и продолжал:

— Мужик — оккультист. Полжизни потратил на изучение всякой мистической литературы. Особенно Леха про какого-то Кастаньеду вспоминал... Мужик, значит, вроде мысли читает, в будущее смотрит, вещи находит, об опасности заранее знает. Говорит, что духов видит. Представляешь, он даже... — Женька выдержал артистическую паузу, — по метро без оружия путешествует! То есть вообще без оружия. Только нож складной — продукты резать, и посох такой — из пластика. Так вот! Он говорит, что и те, кто дурь делает, и те, кто ее глотает, — все безумцы. Потому что это вовсе не то, что мы думаем. Это не дурь никакая, и поганки эти — никакие не поганки на самом деле. Таких поганок в средней полосе отродясь не росло. Мне, между прочим, однажды попался справочник грибника, так вот там об этих поганках действительно ни слова. И даже ничего похожего на них нет... Те, кто их ест, думая, что это просто галлюциноген, мультики посмотреть, ошибаются, так этот маг сказал. И если эти поганки чуть по-другому приготовить, то с их помощью можно входить в такое состояние, из которого можно управлять событиями в реальном мире из мира этих поганок, в который ты попадаешь, если их ешь.

— Вот маг твой — точно натуральный наркоман! — убежденно заявил Артем. — У нас тут многие дурью балуются, чтобы расслабиться, сам знаешь, но никто до такой степени еще не наглатывался. Мужик подсел, сто процентов. Ему уже недолго, наверное, осталось. Слушай, мне тут дядя Саша такую историю рассказал... На какой-то станции, я не помню уже на какой, к нему пристал незнакомый старикашка, и давай рассказывать, что он могучий экстрасенс и ведет непрекращающуюся битву против таких же мощных экстрасенсов и инопланетян, только злых. И что они его уже почти одолели, и он, может, уже и этого дня не выдержит, все силы уходят на борьбу. А станция — вроде Сухаревской, так, полустанок, костры и люди сидят, поближе к центру платформы, подальше от туннеля, чтобы выспаться и назавтра — дальше в путь. И вот, скажем, проходят мимо отчима со стариком три каких-то человека, и старик ему со страхом говорит: видишь, мол, вот тот, что посередине, это один из главных злых экстрасенсов, адепт тьмы. А по бокам — это инопланетяне. Они ему помогают. А их главный живет в самой глубокой точке метро. Как-то его зовут, мне отчим рассказывал... На «ский» заканчивается. И говорит, мол, они не хотят подходить ко мне, потому что ты тут со мной сидишь. Не хотят, чтобы о нашей борьбе простые люди узнали. Но меня сейчас энергетически атакуют, а я им щит ставлю. Я, мол, еще повоюю! Тебе вот смешно, а отчиму моему не очень тогда смешно было. Представь себе: богом забытый угол метро, мало ли, что там может произойти... Звучит, конечно, бредово, но все-таки. И вот дяде Саше, хотя он себе повторяет, что это просто больной человек, уже начинает казаться, что тот, который посередине шел, с двумя инопланетянами по бокам, как-то на него нехорошо смотрел, и вроде бы у него глаза чуть светились...

— Чушь какая, — неуверенно сказал Женька.

— Чушь-то она, может, и чушь, но готовым на дальних станциях, сам понимаешь, надо быть ко всему. И старик ему говорит, что скоро ему, старику то есть, предстоит последняя битва со злыми экстрасенсами. И если он проиграет, — а сил у него все меньше — значит, конец всему. Раньше, мол, положительных экстрасенсов было больше, и борьба велась на равных, но потом отрицательные стали одолевать, и старик этот — один из последних. А может, самый последний. И если он погибнет и плохие победят, все. Полный швах всему!

— У нас тут, по-моему, и так полный швах всему, — заметил Женька.

— Значит, пока не полный, есть куда стремиться, — ответил Артем. — Так вот, напоследок старик ему и говорит: «Сынок! Дай поесть чего-нибудь. А то сил мало остается. А последняя битва близится... И от ее исхода зависит наше общее будущее. И твое тоже!» Понял? Старичок еду клянчил. Так и твой маг, я думаю. Тоже, наверное, крыша поехала. Но на другой почве.

— Нет, ты определенно дурак! Даже до конца не дослушал... и потом, кто тебе сказал, что старичок врал? Как его звали, кстати? Тебе отчим не говорил?

— Говорил, но я не помню уже точно. Смешное какое-то имя... На «Чу.» начинается. То ли «Чувак», то ли «Чудак»... У этих бомжей часто так: кличка какая-нибудь дурацкая вместо имени. А что? А этого мага твоего как?

— Он Лехе сказал, что сейчас его называют Карлосом. За сходство. Непонятно, что он имел в виду, но именно так он объяснил. И ты зря не дослушал. В конце их разговора он Лехе сказал, что завтра через северный туннель лучше не идти — а тот как раз собирался на следующий день возвращаться. Леха послушался и не пошел. И не зря. Как раз в тот день какие-то отморозки напали на караван в туннеле между Сухаревской и Проспектом Мира, хотя считалось, что это безопасный туннель. Половина челноков погибла. Еле отбились. Так вот!

Артем примолк и задумался.

— Вообще-то говоря, наверняка знать нельзя. Всякое случиться может. Раньше такое происходило, мне отчим рассказывал. И он еще говорил, что на совсем дальних станциях, там, где люди дичают и становятся как первобытные, забывают о том, что человек — разумное существо, происходят такие странные вещи, которые мы с нашим логическим мышлением вообще не в состоянии объяснить. Он, правда, не стал уточнять, что это за вещи. Да он и не мне это рассказывал, я просто случайно подслушал.

— Ха! Я же тебе говорю: тут иногда такие штуки рассказывают, что нормальный человек никогда не поверит. Вот Леха в прошлый раз со мной еще одной историей поделился... Хочешь? Такого ты, наверное, даже от своего отчима не услышишь. Лехе на ярмарке один челнок с Серпуховской линии рассказывал... Вот ты в призраков веришь?

— Ну... После разговоров с тобой каждый раз начинаю себя спрашивать, верю я в них или нет. Но потом один побуду или с нормальными людьми поговорю и вроде отходить начинаю, — с трудом сдерживая улыбку, ответил Артем.

— А серьезно?

— Ну как, я читал, конечно, кое-что. И дядя Саша рассказывал немного. Но, честно говоря, не очень-то верится во все эти истории. Вообще-то, Жень, я тебя не понимаю. Тут у нас на станции и так непрекращающийся кошмар с этими черными, такого, наверное, нигде во всем метро нет больше. Где-нибудь на центральных станциях о нашей с тобой жизни детям рассказывают страшные сказки и спрашивают друг друга: «Ты веришь в эти байки о черных или нет?» А тебе и этого мало. Ты себя хочешь чем-нибудь еще попугать?

— Да неужели тебе вообще не интересно ничего, кроме того, что ты можешь увидеть и пощупать? Неужели ты правда считаешь, что мир ограничивается тем, что ты видишь? Тем, что ты слышишь? Вот крот, скажем, не видит. Слепой он от рождения. Но ведь это не значит, что все те вещи, которых крот не видит, на самом деле не существуют. Так и ты...

— Ладно. Что за историю ты рассказать хотел? Про челнока с Серпуховской линии?

— Про челнока? А... Как-то Леха на этой ярмарке познакомился с мужиком одним. Он, вообще-то, не совсем с Серпуховской. Он с Кольца. Гражданин Ганзы, но живет на Добрынинской. А там у них переход на Серпуховскую. На этой линии, не знаю, говорил ли тебе твой отчим, за Кольцом жизни нет, то есть до следующей станции, до Тульской, по-моему, там стоят патрули Ганзы. Это они подстраховываются: мол, линия необитаемая, никогда не знаешь, что оттуда полезет, вот они и сделали себе буферную зону. И дальше Тульской никто не заходит. Говорят, искать там нечего. Станции все пустые, оборудование поломано — жить невозможно. Мертвая зона: ни зверей, ни дряни какой, даже крысы не водятся. Пусто. Но у челнока этого был знакомый, бродяга один, который дальше Тульской зашел. Не знаю, что он там искал. И вот он потом тому челноку рассказывал, что не так все просто на Серпуховской линии. И что недаром там так пусто. Говорил, что там такое творится, что просто невозможно представить. Недаром ее даже Ганза не пытается колонизировать, хотя бы под плантации или там под стойла...

Женька замолчал, чувствуя, что Артем наконец забыл о своем здоровом цинизме и слушает открыв рот. Тогда он сел поудобнее и сказал, внутренне торжествуя:

— Да тебе не интересно, наверное, всякий бред слушать. Так, бабушкины сказочки. Чаю налить?

— Погоди ты со своим чаем! Ты мне лучше скажи, почему Ганза, в самом деле, не стала колонизировать этот участок? Правда, странно. Отчим говорил, что у нее последнее время вообще проблема с перенаселением — места уже на всех не хватает. И как же это они упустили такую возможность подмять под себя еще немного земли? Вот уж не похоже на них!

— Ага, интересно все-таки? Так вот, странник этот забрел довольно далеко. Говорил, что идешь, идешь — и ни души. Вообще никого и ничего, как в том туннеле за Сухаревской. Ты представляешь, даже крыс нет! Вода только капает. Станции заброшенные стоят, темные, словно на них и не жили никогда. И постоянно давит ощущение опасности. Так и гнетет... Он быстро шел, чуть не за полдня прошел четыре станции. Отчаянный человек, наверное. Надо же, в такую дичь одному забраться! В общем, дошел он до Севастопольской. Там переход на Каховскую. Ну, ты знаешь Каховскую линию, там и станций-то всего три. Не линия, а недоразумение. Аппендикс какой-то... И на Севастопольской он решил заночевать. Перенервничал, утомился... Нашел там какие-то щепки, костерок сложил, чтобы не так жутко было, залез в свой спальный мешок и лег спать посередине платформы. И ночью... — На этом месте Женька встал, потягиваясь, и с садистской улыбкой сказал: — Нет, ты как знаешь, а я определенно хочу чаю! — и, не дожидаясь ответа, вышел с чайником из палатки, оставив Артема наедине с впечатлениями от рассказанного.

Артем, конечно, разозлился на него за эту выходку, но решил дотерпеть до конца истории, а уж потом высказать Женьке все, что о нем думает. Неожиданно он вспомнил о Хантере и о его просьбе... скорее даже приказе... Но потом мысли снова вернулись к Женькиной истории.

Возвратившись, тот налил Артему заварки в граненый стакан в раритетном железном подстаканнике, в каких когда-то разносили настоящий чай в поездах, и продолжил:

— Так вот, лег он спать рядом с костром, а вокруг тишина, тяжелая такая, будто уши ватой забиты. И посреди ночи вдруг будит его странный такой звук... совершенно сумасшедший, невозможный звук. Он прямо потом холодным облился, да так и подскочил. Услышал он детский смех. Заливистый детский смех... Со стороны путей. Это в четырех перегонах от последних людей! Там, где даже крысы не живут, представляешь? Было с чего переполошиться... Он вскакивает, бежит через арку к путям... И видит... К станции подъезжает поезд. Настоящий состав. Фары так и сияют, слепят — бродяга мог без глаз остаться, хорошо, вовремя прикрылся рукой. Окна желтым светятся, люди внутри, и все это в полной тишине! Ни звука! Ни гула мотора не слышно, ни стука колес. В полном беззвучии вплывает этот поезд на станцию и не спеша уходит в туннель... Ты понимаешь? Мужик так и сел, у него с сердцем плохо стало. И ведь люди в окнах, вроде бы живые люди, разговаривают о чем-то неслышно... Поезд, вагон за вагоном, проходит мимо него, и он видит — в последнем окне последнего вагона стоит ребенок лет семи и смотрит на него. Смотрит, пальцем показывает, смеется... И смех этот слышен! Такая тишина, что мужик этот слышит, как у него сердце колотится, и еще этот детский смех... Поезд ныряет в туннель, и смех звенит все тише и тише... затихает вдали. И снова — пустота. И абсолютная, страшная тишина.

— Тут он проснулся? — ехидно, но с надеждой в голосе спросил Артем.

— Если бы! Бросился назад, к погасшему костру, собрал поскорее свои манатки и бежал безостановочно обратно, до Тульской. Проделал весь путь за час. Очень страшно было, надо думать...

Артем затих, пораженный рассказанным. В палатке воцарилась тишина. Наконец, совладав с собой и кашлянув, убедившись, что голос его не подведет и он не даст петуха, Артем спросил у Женьки равнодушно, как только мог:

— И что, ты в это веришь?

— Просто я не первый раз слышу такие истории про Серпуховскую линию, — ответил тот. — Только я тебе не всегда рассказываю. С тобой ведь даже не поговоришь об этом как следует. Сразу ерничать начинаешь... Ладно, засиделись мы с тобой, скоро на работу уже идти. Собираться надо. Давай там договорим.

Артем нехотя встал, потянулся и поплелся домой — собрать себе что-нибудь перекусить на работе. Отчим все еще спал, на станции было совсем тихо: уже, наверное, был отбой, и до начала ночной смены на фабрике оставалось совсем немного. Стоило поторопиться. Проходя мимо палатки для гостей, в которой остановился Хантер, Артем увидел, что полог ее откинут, а внутри пусто. Что-то екнуло у него в груди. До него начало наконец доходить, что все, о чем он говорил с Хантером, не сон, что все это произошло на самом деле, а развитие событий может иметь самое непосредственное отношение к нему. А то и — как знать? — определить его дальнейшую судьбу.

Чайная фабрика находилась в тупике, у блокированной задвижки нового выхода из метро, перед эскалатором, ведущим наверх. Фабрикой ее можно было назвать весьма условно: вся работа осуществлялась вручную. Тратить драгоценную электроэнергию на производство чая было слишком расточительно.

За железными ширмами, отделявшими территорию фабрики от остальной станции, от стены к стене была натянута металлическая проволока, на которой сушились очищенные грибные шляпки. Когда было особенно влажно, под ними разжигали небольшие костры, чтобы они сушились быстрее и не покрывались плесенью. Под проволокой стояли столы, на которых рабочие сначала нарезали, а потом измельчали засушенные грибы. Готовый чай паковали в бумажные или полиэтиленовые пакеты — смотря что имелось на станции — и добавляли туда еще кое-какие экстракты и порошки, состав которых держался в секрете и был известен только начальнику фабрики. Таков был нехитрый процесс производства чая. Если бы не непременные беседы во время работы, восемь часов нарезания и перетирания грибных шляпок были бы, наверное, крайне утомительным занятием.

Работал Артем в эту смену вместе с Женькой и давешним лохматым мужиком по имени Кирилл, с которым они вместе дежурили в заставе. Кирилл при виде Женьки очень оживился, очевидно, они уже раньше о чем-то говорили, и немедленно принялся рассказывать ему какую-ту историю, видимо, недосказанную в прошлый раз. Артему с середины слушать было неинтересно, и он полностью погрузился в свои мысли. История о Серпуховской линии, рассказанная недавно Женькой, начала постепенно блекнуть в памяти, и снова выплывал на поверхность разговор с Хантером, о котором Артем совсем, казалось, забыл.

Что же делать? Поручение, возложенное на него Хантером, было слишком серьезным, чтобы не думать о нем. А вдруг у Хантера не выйдет задуманное? Он решился на совершенно безумный поступок, отважившись забраться в логово врага, в самое пекло. Опасность, которой он себя подвергает, огромна, и даже он сам не знает ее истинных размеров. Он может только догадываться о том, что ждет его за пятисотым метром, там, где меркнет последний отсвет костра пограничной заставы, может быть, последнего в мире рукотворного пламени к северу от ВДНХ. Все, что он знал о черных, знал любой житель ВДНХ — однако пойти на такое не решался никто. Фактически, не известно было даже, на Ботаническом Саду ли в действительности находится та лазейка, через которую твари с поверхности проникают в метрополитен.

Слишком велика была вероятность того, что Хантер не сможет выполнить взятой на себя миссии. Очевидно, опасность, исходящая с севера, оказалась настолько велика и возрастала так быстро, что любое промедление было недопустимо. Возможно, Охотник знал о ее природе нечто такое, чего не раскрыл ни в беседе с Сухим, ни в разговоре с Артемом.

При этом он, должно быть, прекрасно осознавал степень риска и понимал, что может не справится со своей задачей, иначе к чему готовить к такому повороту событий Артема? Хантер не походил на перестраховщика, а значит, вероятность того, что он не вернется на ВДНХ, существовала и даже была довольно велика.

Но как сможет Артем бросить все и уйти со станции, никому не сказавшись? Ведь Хантер сам боялся предупреждать кого-либо еще, опасаясь «червивых мозгов»... Как возможно добраться до Полиса, до легендарного Полиса в одиночку, через все явные и тайные опасности, поджидающие путешественников в темных и глухих туннелях? Артем вдруг пожалел о том, что, поддавшись суровому шарму и гипнотизирующему взгляду Охотника, открыл ему свою тайну и согласился на такое опасное поручение.

— Эй, Артем! Артем! Ты спишь там, что ли? Ты чего не отвечаешь? — потряс его за плечо Женька. — Слышишь, что Кирилл говорит? Завтра вечером у нас караван организуют на Рижскую. Говорят, наша администрация решила с ними объединяться, а пока гуманитарную помощь им отправляем ввиду того, что скоро все побратаемся. А у них там вроде склад обнаружился с кабелем. Начальство хочет прокладывать: говорят, телефон будут делать между станциями. Во всяком случае, телеграф. Кирилл говорит, кто завтра не работает, может пойти. Хочешь?

Артем тут же подумал, что сама судьба дает ему возможность выполнить поручение, если появится необходимость. Он молча кивнул.

— Здорово! — обрадовался Женька. — Я тоже собираюсь. Кирилл! Запиши нас, хорошо? Во сколько там завтра выходим, в девять?..

До конца смены Артем так и не вымолвил больше ни слова, не в состоянии отрешиться от занимавших его мрачных мыслей. Женька был оставлен на растерзание всклокоченному Кириллу и явно на это обиделся. Артем продолжал механическими движениями шинковать грибы, крошить их в пыль, снимать с проволоки новые шляпки, снова шинковать и опять крошить, и так до бесконечности.

Перед глазами стояло лицо Хантера в тот момент, когда он говорил, что может и не вернуться, — спокойное лицо человека, привыкшего рисковать жизнью. А в сердце чернильным пятном расплывалось предчувствие грядущей беды.

После работы Артем вернулся в свою палатку. Отчима уже не было, очевидно, ушел по своим делам. Артем опустился на постель, уткнулся лицом в подушку и тут же уснул, хотя собирался еще раз обдумать свое положение в тишине и покое.

Сон, болезненный и бредовый после всех разговоров, мыслей и переживаний прошедшего дня, обволок его и решительно увлек в свои пучины. Артем увидел себя сидящим у костра на станции Сухаревская, рядом с Женькой и странствующим магом с непривычным испанским именем Карлос. Карлос учил их с Женькой правильно готовить из поганок дурь и объяснял, что употреблять ее так, как это принято на ВДНХ, — чистое преступление, потому что эти поганки на самом деле не грибы вовсе, а новый вид разумной жизни на Земле, которая, может, заменит со временем человека. Что грибы эти не самостоятельные существа, а лишь частицы связанного нейронами единого целого, расплетенной по всему метрополитену гигантской грибницы. И что на самом деле тот, кто ест дурь, не просто употребляет психотропные вещества, а вступает в контакт с этой новой разумной жизнью. И если все делать правильно, то можно подружиться с ней, и тогда она будет помогать тому, кто общается с ней через дурь. Но потом вдруг появился Сухой и, грозя пальцем, сказал, что дурь употреблять вообще нельзя, потому что от длительного ее употребления мозги становятся червивыми. А Артем решил проверить, действительно ли это так: сказал всем, что идет проветриться, а сам осторожно зашел за спину магу с испанским именем и понял, что у того нет затылка и виден мозг, почерневший от множества червоточин. Длинные белесые черви, извиваясь кольцами, вгрызались в мозговую ткань и проделывали новые ходы, а маг все продолжал говорить, как ни в чем не бывало... Тогда Артем испугался и решил бежать от него, начал дергать за рукав Женьку, чтобы тот встал и пошел с ним, но Женька лишь нетерпеливо отмахивался и просил Карлоса рассказывать дальше, а Артем видел, как черви из головы мага по полу переползают к Женьке и, поднимаясь по его спине, пытаются пробраться к нему в уши...

Тогда Артем спрыгнул на пути и бросился бежать прочь от станции что было сил, но вспомнил, что это тот самый туннель, в который нельзя заходить поодиночке, а только группами, повернул и побежал обратно на станцию, но почему-то никак не мог на нее вернуться.

За его спиной вдруг зажегся свет, и Артем с поразительной для сна отчетливостью и логичностью увидел собственную тень на полу туннеля... Он обернулся — из недр метро на него неумолимо надвигался поезд, дьявольски скрежеща и гремя колесами, оглушая и слепя фарами...

И тут ноги отказали ему, стали бессильными, словно это и не ноги были, а пустые штанины, набитые для видимости всяким тряпьем. И когда поезд уже находился в считаных метрах от Артема, видение вдруг стремительно потеряло правдоподобие, выцвело и исчезло.

На смену ему пришло нечто новое, совершенно иное: Артем увидел Хантера, одетого во все снежно-белое, в комнате с такими же ослепительно белыми стенами и совсем без мебели. Он стоял, опустив голову, взгляд его буравил пол. Потом он поднял глаза и посмотрел прямо на Артема. Ощущение было очень странным, потому что в этом сне Артем не чувствовал своего тела, но словно смотрел на происходящее со стороны. Когда Артем взглянул в глаза Хантеру, его наполнило непонятное беспокойство, ожидание чего-то очень важного, что вот-вот должно было произойти...

Хантер заговорил с ним, и Артема захлестнуло чувство невероятной реальности происходящего. Когда ему снились предыдущие кошмары, он отдавал себе отчет в том, что просто спит, и все происходящие с ним события — лишь плод растревоженного воображения. В этом же видении сознание того, что в любой момент можно проснуться, отсутствовало начисто.

Пытаясь встретить взгляд Артема — хотя у того создалось впечатление, что Хантер на самом деле не видит его и предпринимает эти попытки вслепую, — Охотник медленно и тяжело проговорил: «Пришло время. Ты должен выполнить то, что обещал мне. Ты должен сделать это. Запомни, это не сон! Это не сон!..»

Артем широко распахнул глаза. И уже после этого в голове вновь, в последний раз, с ужасающей ясностью раздался глухой и чуть хрипловатый голос: «Это не сон!»

— Это не сон, — повторил Артем. Детали кошмара о червях и поезде быстро стирались из памяти, но второе видение Артем запомнил прекрасно, во всех подробностях. Странное одеяние Охотника, загадочная пустая белая комната и слова: «Ты должен выполнить то, что обещал мне!» — не выходили у него из головы.

Вошел отчим и озабоченно спросил Артема:

— Скажи-ка, ты Хантера не видел после нашей вчерашней беседы? Вечереет уже, а он куда-то запропастился, и палатка его пуста. Ушел, что ли? Он тебе вчера ничего не говорил о своих планах?

— Нет, дядь Саш, просто об обстановке на станции расспрашивал, что тут у нас происходит, — добросовестно соврал Артем.

— Боюсь за него. Как бы он глупостей не наделал на свою голову, и нам бы еще не досталось, — расстроенно произнес Сухой. — Не знает он, с кем связался... Эх! Что, не работаешь сегодня?

— Мы сегодня с Женькой записались в караван на Рижскую, помощь им переправлять, а оттуда начнем телеграфный кабель разматывать, — ответил Артем, вдруг осознав, что уже принял решение. При этой мысли что-то у него внутри оборвалось, он почувствовал странное облегчение и вместе с тем — какую-то пустоту внутри, словно у него из груди удалили опухоль, отягощавшую сердце и мешавшую дышать.

— В караван? Сидел бы ты лучше дома, а не шлялся по туннелям. Вот мне бы надо туда, как раз на Рижской дела, да что-то сегодня неважно себя чувствую. В другой раз уже, наверное... Ты ведь не сейчас еще уходишь? В девять? Ну, еще успеем попрощаться. Собирайся пока! — и он оставил Артема одного.

Тот принялся судорожно кидать в рюкзак вещи, которые могли пригодиться в дороге: фонарик, батарейки, еще батарейки, грибы, пакет чая, ливерная свиная колбаса, полный рожок для автомата, который он когда-то стащил, карту метро, еще батарейки... Не забыть паспорт — на Рижской он, конечно, ни к чему, но вот за ее пределами без паспорта первый же патруль суверенной станции может завернуть, а то и к стенке поставить — в зависимости от политического положения. И капсула, врученная ему Хантером. Все.

Закинув рюкзак за плечи, Артем в последний раз окинул взглядом свое жилище и решительно вышел из палатки.

Группа, уходившая с караваном, собиралась на платформе, у входа в южный туннель. На путях уже стояла ручная дрезина с погруженными на нее ящиками с мясом, грибами и пакетами чая, а на них — какой-то мудреный прибор, собранный местными умельцами, наверное, телеграфный аппарат.

В караван, кроме Женьки и Кирилла, отправлялись еще двое: доброволец и командир от администрации — налаживать отношения и договариваться. Все они, кроме Женьки, уже собрались и теперь резались в домино в ожидании сигнала к выходу. Рядом стояли, составленные в пирамиду стволами вверх, выданные им на время похода автоматы с запасными рожками, примотанными к основным синей изолентой.

Наконец показался Женька, которому перед уходом необходимо было покормить сестру и отослать ее к соседям до возвращения родителей с работы.

В самый последний миг Артем вдруг вспомнил, что так и не попрощался с отчимом. Извинившись и пообещав, что тут же вернется, он скинул рюкзак и бросился домой. В палатке никого не было, и Артем побежал к помещениям, в которых когда-то размещался обслуживающий персонал, а сейчас располагалась администрация станции. Сухой был там, он сидел напротив Дежурного по станции, выборного главы ВДНХ, и о чем-то оживленно с ним беседовал. Артем постучал в косяк двери и тихонько кашлянул.

— Здравствуйте, Александр Николаевич. Можно мне с дядей Сашей поговорить секундочку?

— Конечно, Артем, заходи. Чай будешь? — радушно отозвался Дежурный.

— Ну, что, выходите уже? Когда назад будете? — отодвинувшись вместе со стулом от стола, спросил Сухой.

— Не знаю точно... — пробормотал Артем. — Как получится...

Он-то понимал, что, может, больше никогда не увидит отчима, и ему так не хотелось врать ему, единственному человеку, который по-настоящему любил Артема, что вернется завтра-послезавтра и все будет по-прежнему.

Артем почувствовал вдруг резь в глазах и к своему стыду обнаружил, что они увлажнились. Он сделал шаг вперед и крепко обнял отчима.

— Ну, что ты, Артемка, что ты... Вы же уже, наверное, завтра вернетесь... Ну? — удивленно и успокаивающе проговорил тот.

— Завтра вечером, если все по плану пойдет, — подтвердил Александр Николаевич.

— Будь здоров, дядь Саш! Удачи тебе! — хрипло выговорил Артем, пожал отчиму руку и быстро вышел, стесняясь своей слабости.

Сухой удивленно смотрел ему вслед.

— Что это парень расклеился? Вроде не в первый раз к Рижской идет...

— Ничего, Саша, ничего, придет время, возмужает твой пацан. Будешь еще тосковать по тем дням, когда он с тобой со слезами прощался, собираясь в поход через две станции! Так что ты говорил, какое на Алексеевской мнение о патрулировании туннелей? Нам бы это было очень сподручно...

Когда Артем бегом вернулся к группе, командир отряда выдал каждому автомат под расписку и сказал:

— Ну, что, мужики? Присядем на дорожку? — и первым опустился на отполированную за долгие годы деревянную скамью. Остальные молча последовали его примеру. — Ну, с богом! — командир встал и, тяжело спрыгнув на пути, занял свое место во главе отряда.

Артем и Женька, как самые молодые, залезли на дрезину, приготовившись к нелегкой работе. Кирилл и второй доброволец заняли место сзади, замыкая отряд.

— Поехали! — произнес командир

Артем с Женькой налегли на рычаги, Кирилл чуть подтолкнул дрезину сзади, она скрипнула, тронулась с места и медленно покатила вперед. Замыкающие двинулись вслед за ней, и группа скрылась в жерле южного туннеля.

Глава 4

ГОЛОС ТУННЕЛЕЙ

Неверный свет фонаря в руках командира бродил бледно-желтым пятном по стенам туннеля, лизал влажный пол и бесследно исчезал, когда фонарь направляли вдаль. Впереди была глубокая тьма, жадно пожиравшая слабые лучи карманных фонарей уже на расстоянии десяти шагов. Занудно и тоскливо поскрипывала дрезина, катясь в никуда, и рвали тишину тяжелым дыханием и мерным стуком подкованных сапог идущие за ней люди.

Все южные кордоны уже остались позади, давно померкли за спиной последние отсветы их костров — территория ВДНХ закончилась. И хотя участок между ВДНХ и Рижской считался в последнее время практически безопасным ввиду хороших отношений с соседями и довольно оживленного движения между станциями, устав требовал оставаться начеку.

Опасность далеко не всегда исходила с севера или юга — двух возможных направлений в туннеле. Она могла таиться вверху, в вентиляционных шахтах, слева или справа, в многочисленных ответвлениях, за задраенными дверьми бывших хозяйственных помещений или секретных выходов. Она поджидала внизу, в загадочных люках, оставленных метростроевцами, забытых и заброшенных ремонтными бригадами, где на глубинах, сдавливающих сознание самых отчаянных смельчаков тисками иррационального ужаса, нечто страшное начало зарождаться, когда метро еще было просто средством передвижения...

Вот почему беспокойно блуждал по стенам луч командирского фонаря, а пальцы замыкающих непрерывно поглаживали предохранители на автоматах, готовые в любой момент зафиксировать их на автоматическом режиме огня и лечь на спусковые крючки. Вот почему так немногословны были идущие: болтовня расслабляла и мешала вслушиваться в дыхание туннелей.

Артем, начиная уже уставать, все работал и работал, а рукоять, ушедшая было вниз, вновь возвращалась на прежнее место, монотонно скрежетал механизм, снова и снова проворачивались колеса. Он безуспешно вглядывался вперед, а в голове у него крутилась в такт стуку колес, так же тяжело и надрывно, фраза, услышанная накануне от Хантера, его слова о том, что власть тьмы — это самая распространенная форма правления на территории Московского метрополитена.

Он пытался думать о том, как именно ему следует пробираться в Полис, пробовал строить планы, но медленно разливающаяся по мышцам жгучая боль и усталость, поднимаясь от полусогнутых ног через поясницу, захлестывая руки, вытесняла из головы все сколько-нибудь сложные мысли.

Жаркий соленый пот, сперва неспешно вызревавший у него на лбу крошечными капельками, теперь, когда капли выросли и отяжелели, обильно стекал по лицу, заливал глаза, и не было возможности его вытереть, потому что по другую сторону механизма стоял Женька, и отпустить рукоять значило взвалить всю работу на него одного. В ушах все громче стучала кровь, и Артем вспомнил, что, когда он был маленьким, он любил принять какую-нибудь неудобную позу, чтобы услышать, как стучит в ушах, потому что этот звук напоминал ему слаженный шаг строя солдат на параде... И можно было, закрыв глаза, представить себе, будто он — принимающий этот парад маршал, и верные дивизии, чеканя шаг, проходят мимо него, и каждый крайний в шеренге держит на него равнение... Как это было нарисовано в книжках про армию.

Наконец командир, не оборачиваясь, сказал:

— Ладно, ребята, слезайте, меняйтесь местами. Половину прошли.

Артем, переглянувшись с Женькой, спрыгнул с дрезины, и оба они, не сговариваясь, сели на рельсы, хотя должны были занять места впереди и позади нее.

Командир посмотрел на них внимательно и сказал сочувственно:

— Сопляки...

— Сопляки, — с готовностью признал Женька.

— Вставайте-вставайте, нечего рассиживаться. Труба зовет. Я вам сказочку хорошую расскажу.

— Мы вам тоже всякого рассказать можем! — уверенно заявил Женька, нехотя поднимаясь.

— Я-то ваши все знаю. Про черных там, про мутантов... Про грибы эти ваши, конечно. Но есть и пара таких, о которых вы ничего не слышали. Да это, может, и не сказки никакие, только вот проверить никто не может... То есть бывали такие, кто пытался проверить, но вот что они выяснили, поведать нам они уже точно не смогут.

Артему оказалось достаточно этого вступления, чтобы у него открылось второе дыхание. Сейчас для него имела огромное значение любая информация о том, что начинается за станцией Проспект Мира. Он поспешил встать с рельсов и, перетянув автомат со спины на грудь, занял свое место за дрезиной.

Небольшой толчок для разгона, и колеса вновь запели свою заунывную песню. Отряд двинулся вперед. Командир смотрел вперед, настороженно вглядываясь в темноту, поэтому слышно было не все.

— Что, интересно, вашему поколению вообще о метро известно? — говорил командир. — Так, рассказываете всякие байки друг другу. Кто-то где-то был, кто-то сам все придумал. Один другому переврал то, что ему нашептал третий, который, в свою очередь, приукрасил историю, услышанную за чаем от четвертого, а выдавал-то за собственные приключения... Вот в чем главная проблема метро: нет надежной связи. Нет возможности быстро пробраться из одного конца в другой: где не пройти, где перегорожено, где ерунда какая-то творится, и обстановка каждый день меняется... Ведь весь этот метрополитен, думаете, он очень большой? Да его из конца в конец на поезде проехать всего-то час. А ведь люди теперь неделями идут и чаще всего не доходят. И никогда не знаешь, что тебя на самом деле ждет за поворотом. Вот мы вроде на Рижскую с гуманитарной помощью отправились... Но проблема в том, что никто — ни я, ни Дежурный, в том числе, — не готов поручиться на сто процентов, что, когда мы туда придем, нас не встретят шквальным огнем. Или что мы не обнаружим выжженную станцию без единой живой души. Или не выяснится вдруг, что Рижская теперь присоединена к Ганзе, и поэтому нам выхода в остальную часть метро больше нет и никогда не будет. Нет точной информации... Получил вчера утром сведения — все, уже к вечеру устарели, и полагаться на них сегодня нельзя. Все равно что идти через зыбучие пески по карте столетней давности. Гонцы так долго добираются, что сообщения, которые они несут, часто оказываются либо уже ненужными, либо уже неверными. Истина искажается. Люди никогда не оказывались в таких условиях... И страшно подумать, что же будет, когда у нас кончится топливо для генераторов и не будет больше электричества. Читали у Уэллса «Машину времени»? Так вот там были такие морлоки...

Для Артема это был уже второй подобный разговор за последние два дня, он уже знал о морлоках и Герберте Уэллсе, и слушать о них еще раз отчего-то вовсе не хотел. Поэтому, несмотря на Женькины попытки протестовать, он решительно вернул разговор в первоначальное русло:

— Ну, а что известно о метро вашему поколению?

— М-м... О дьявольщине в туннелях говорить — дурная примета... О Метро-2 и о Невидимых наблюдателях? Не буду. Но вот о том, кто где живет, кое-что рассказать любопытное могу. Вот вы знаете, например, что там, где раньше Пушкинская была, — там еще на две другие станции переход, на Чеховскую и на Тверскую, — там теперь фашисты все захватили?

— Какие еще фашисты? — недоуменно спросил Женька.

— Натуральные фашисты. Когда-то давно, когда мы еще жили там, — командир показал пальцем вверх, — были такие. Бритоголовые были и еще такие, которые назывались РНЕ, и другие, против иммиграции, какие-то пни, и еще всякие разные, такая уж была в то время мода. Шут знает, что эти сокращения значат, сейчас уже и не помнит никто, да и сами они, наверное, уже не помнят. Потом вроде исчезли. Не слышно о них ничего и не видно. И вот вдруг некоторое время назад на Пушкинской объявились. «Метро для русских!» Слышали такое? Или вот: «Делай добро — чисти метро!» Вышвырнули всех нерусских с Пушкинской, потом с Чеховской, до Тверской добрались. Под конец уже озверели, начались расправы. Теперь там у них Рейх. Четвертый или пятый... Что-то около того. Дальше пока вроде не лезут, но историю двадцатого века наше поколение еще помнит. Да что фашисты...

Ведь мутанты эти с Филевской линии, между прочим, существуют на самом деле... А черные наши чего стоят! И есть еще разные сектанты, сатанисты, коммунисты... Кунсткамера. Просто кунсткамера.

Они проехали мимо выбитых дверей в брошенные служебные помещения. То ли уборные там были раньше, то ли убежища... Всю обстановку — железные двухъярусные кровати или грубую сантехнику — давно уже растащили, и теперь в пустые темные комнаты, разбросанные по туннелям, никто не совался. Хоть и знали, что там вроде бы ничего нет... Но чем черт не шутит!

Впереди стало заметно слабое мерцание. Они приближались к Алексеевской. Станция была малонаселенная, и патруль выставлялся только один, на пятидесятом метре — большего не могли себе позволить. Командир отдал приказ остановиться метрах в сорока от костра, разожженного патрулем с Алексеевской, и несколько раз включил и выключил фонарь в определенной последовательности, давая условный сигнал. На фоне пламени обозначился черный силуэт — к ним шел проверяющий. Еще издалека он крикнул:

— Стойте на месте! Не приближайтесь!

Артем спросил себя: неужели действительно может так случиться, что однажды их не признают на станции, которая всегда считалась дружественной, и встретят в штыки?

Человек не спеша приблизился к ним. Одет он был в тертые камуфляжные штаны и ватник с жирно намалеванной литерой «А» — видимо, первой буквой названия станции. Впалые щеки его были небриты, глаза подозрительно поблескивали, а руки нервно поглаживали ствол висящего на шее автомата. Он вгляделся в их лица, улыбнулся, признавая, и в знак доверия закинул автомат за спину.

— Здорово, мужики! Как живете-можете? Это вы на Рижскую? Знаем-знаем, предупреждены. Пошли!

Командир принялся о чем-то расспрашивать патрульного, но неразборчиво, и Артем, надеясь, что его тоже никто не расслышит, сказал Женьке тихонько:

— Заморенный он какой-то. Мне кажется, не от хорошей жизни они с нами объединяться собрались.

— Ну, так что с того? — отозвался его приятель. — У нас тоже свои интересы. Если наша администрация на это идет, значит, нам это надо. Не из благотворительности же мы их кормить собираемся.

Миновав костер на пятидесятом метре, у которого сидел второй дозорный, одетый так же, как и встретивший их человек, дрезина выкатилась на станцию. Алексеевская была плохо освещена, а люди, населявшие ее, казались молчаливыми и унылыми. На гостей с ВДНХ, впрочем, они смотрели дружелюбно. Отряд остановился посередине платформы, и командир объявил перекур. Артема с Женькой оставили на дрезине — охранять, а остальных позвали к костру.

— Про фашистов и про Рейх я еще ничего не слышал, — сказал Артем.

— Мне рассказывали, что где-то в метро фашисты есть, — ответил Женька. — Но только говорили, что они на Новокузнецкой.

— Кто рассказывал?

— Леха говорил, — неохотно признался Женька.

— Он тебе много еще чего интересного рассказал, — напомнил Артем.

— Но фашисты ведь и вправду есть! Ну, перепутал человек место. Но не соврал же! — оправдывался приятель.

Артем замолчал и задумался. Перекур на Алексеевской должен был продолжаться не меньше получаса: у командира имелся какой-то разговор к местному начальнику — вероятно, о грядущем объединении. Потом они должны были двигаться дальше, чтобы до конца дня дойти до Рижской. Переночевав там, решив все вопросы и осмотрев найденный кабель, надо было отправить обратно гонца с запросом дальнейших указаний. Если кабель можно будет приспособить для сообщения между тремя станциями, его следует разматывать и подключать телефонную связь. Но если он окажется негодным, придется сразу возвращаться на станцию.

Таким образом, Артем имел в своем распоряжении не больше двух дней. За это время необходимо было изобрести предлог, под которым можно было бы пройти через внешние кордоны Рижской, еще более подозрительные и придирчивые, чем внешние патрули ВДНХ. Недоверчивость их была вполне объяснима: там, на юге, начиналось большое метро, и южный кордон Рижской подвергался нападениям намного чаще. Пусть опасности, угрожавшие населению Рижской, были не столь таинственны и страшны, как угроза, нависшая над ВДНХ, зато они отличались невероятным разнообразием. Бойцы, оборонявшие южные подходы к Рижской, никогда не знали, чего именно ждать, и потому им приходилось быть готовыми ко всему.

От Рижской к Проспекту Мира вели два туннеля. Засыпать один из них по каким-то соображениям не представлялось возможным, и рижанам приходилось перекрывать оба. На это уходило слишком много сил, поэтому для них и было жизненно важно обезопасить хотя бы северное направление. Объединяясь с Алексеевской и, самое главное, с ВДНХ, они перекладывали бремя защиты северного направления на их плечи и обеспечивали спокойствие в туннелях между станциями, а значит, возможность использования их для хозяйственных целей. А на ВДНХ в этом видели удобный повод для расширения своего влияния, своей территории и мощи.

В связи с грядущим объединением внешние заставы рижан проявляли повышенную бдительность: необходимо было доказать будущим союзникам, что в вопросе обороны южных рубежей на них можно положиться. Поэтому пробраться через кордоны как в одном, так и в другом направлении представлялось делом весьма и весьма непростым. И задачу эту решить Артему предстояло в течение одного, максимум двух дней.

Однако, несмотря на свою сложность, она вовсе не казалась невыполнимой. Вопрос был в том, что делать дальше. Даже если проникнуть за южные заставы удастся, надо еще найти относительно безопасный путь к Полису. Из-за того, что решение приходилось принимать срочно, на ВДНХ у Артема совершенно не оставалось времени обдумать свой путь к Полису. Дома бы он мог расспросить об опасностях знакомых челноков, не вызвав ничьих подозрений. Спрашивать о дороге к Полису у Женьки, а тем более, у кого другого из отряда Артем не хотел, так как прекрасно понимал, что это неизбежно вызовет подозрения, а уж Женька точно поймет, что Артем что-то затевает. Друзей ни на Алексеевской, ни на Рижской у Артема не было, а незнакомцам доверяться в таком важном вопросе он не собирался.

Воспользовавшись тем, что Женька отошел поболтать с сидевшей неподалеку от них на платформе девушкой, Артем украдкой достал из рюкзака крошечную карту метро, отпечатанную на обратной стороне обуглившегося по краям рекламного листка, прославлявшего давно сгинувший вещевой рынок, и несколько раз обвел Полис огрызком простого карандаша.

Путь до него, казалось, был так прост и недолог... В те мифические стародавние времена, о которых рассказывал командир, когда людям не приходилось брать с собой оружия, пускаясь в путешествие от станции к станции, даже если предстояло сделать пересадку и оказаться на чужой линии; в те времена, когда дорога от одной конечной до другой, противоположной, не занимала и часа; в те времена, когда туннели населяли только гремящие мчащиеся поезда, — тогда расстояние, разделяющее ВДНХ и Полис, можно было одолеть быстро и беспрепятственно.

Прямо по ветке до Тургеневской, там — переход на Чистые Пруды, как они назывались на старенькой карте, которую разглядывал Артем, или на Кировскую, в которую вновь переименовали ее коммунисты, и по красной, Сокольнической линии — прямо к Полису... В эпоху поездов и ламп дневного света такой поход не занял бы и тридцати минут. Но с тех пор, как слова «красная линия» стали писаться с большой буквы, кумачовый стяг повис над переходом на Чистые Пруды, да и сами Чистые Пруды перестали быть таковыми, нечего уже было и думать о том, чтобы пытаться попасть в Полис кратчайшим путем.

По известным обстоятельствам руководство Красной Линии оставило попытки насильно осчастливить население всего метро, распространив на него власть Советов, и приняло новую доктрину, допускающую возможность построения коммунизма на отдельно взятой линии метрополитена. Хотя, не в силах отказаться от своей мечты, оно и продолжало амбициозно называть его Метрополитеном имени В.И. Ленина, никаких практических шагов в этом направлении давно уже не предпринималось.

Однако, несмотря на кажущуюся миролюбивость режима, его внутренняя параноияльная сущность ничуть не изменилась. Сотни агентов службы внутренней безопасности, по старинке и даже с некоторой ностальгией именуемой КГБ, постоянно пристально следили за счастливыми обитателями Красной Линии, а уж их интерес к гостям с других линий был поистине безграничен. Без специального разрешения руководства «красных» никто не мог проникнуть ни на одну из их станций. А постоянные проверки паспортов, тотальная слежка и общая клиническая подозрительность немедленно выявляли как случайно заблудших странников, так и засланных шпионов. Первые приравнивались ко вторым, судьба и тех и других была весьма печальна. Поэтому Артему не стоило и помышлять о том, чтобы добраться до Полиса через три станции и три перегона, принадлежащих Красной Линии.

Да и не могла, наверное, быть такой простой дорога к самому сердцу метро. В Полис... Одно это название, произнесенное кем-то в разговоре, заставляло Артема, да и не только его, благоговейно умолкать. Он и сейчас отчетливо помнил, как в самый первый раз услышал незнакомое слово в рассказе какого-то гостя отчима, а потом, когда этот гость ушел, спросил у Сухого тихонько, что это слово значит. Отчим тогда посмотрел на него внимательно и с еле различимой тоской в голосе сказал: «Это, Артемка, последнее, наверное, место на Земле, где люди живут как люди. Где они не забыли еще, что это значит — человек, и как именно это слово должно звучать». Отчим грустно усмехнулся и добавил: «Это — Город...»

Полис находился на площади самого большого в Московском метрополитене перехода, на пересечении четырех разных линий, и занимал целых четыре станции метро: Александровский Сад, Арбатскую, Боровицкую и Библиотеку им. Ленина, вместе с соединяющими эти станции переходами. На этой огромной территории размещался последний подлинный очаг цивилизации, последнее место, где жило так много людей, что провинциалы, однажды побывавшие там, не называли уже это место иначе как Городом. Кто-то дал Городу другое название, впрочем, означавшее то же самое — Полис. И, может, оттого, что в этом слове слышалось далекое и еле уловимое эхо могучей и прекрасной древней культуры, словно обещавшей свое покровительство поселению, чужое имя прижилось.

Полис оставался для метро явлением совершенно уникальным. Там, и только там, еще можно было встретить хранителей тех старых и странных знаний, применения которым в суровом новом мире, с его изменившимися законами, просто не находилось. Знания эти для обитателей почти всех остальных станций, в сущности, для всего метро, медленно погружавшегося в пучину хаоса и невежества, становились никчемными, как и их носители. Гонимые отовсюду, единственное свое пристанище они находили в Полисе, где их всегда ждали с распростертыми объятиями, потому что правили здесь их собратья. Потому в Полисе, и только в Полисе, можно было встретить дряхлых профессоров, у которых когда-то были свои кафедры в славных университетах, ныне полуразрушенных, опустевших и захваченных крысами и плесенью. Только там жили последние художники, артисты, поэты. Последние физики, химики, биологи... Те, кто внутри своей черепной коробки хранил все то, чего человечеству удалось достичь и познать за тысячи лет непрерывного развития. Те, с чьей смертью все это было бы утрачено навек.

Располагался Полис в том месте, где когда-то был самый центр города, по имени которого нарекли метро. Причем прямо над Полисом возвышалось здание Библиотеки имени Ленина — самого обширного хранилища информации ушедшей эпохи. Сотни тысяч книг на десятках языков, охватывающих, вероятно, все области, в которых когда-либо работала человеческая мысль и накапливались сведения. Сотни тонн бумаги, испещренной всевозможными буквами, знаками, иероглифами, часть из которых уже некому было читать, ведь языки, на которых они были написаны, сгинули вместе с говорившими на них народами... Но все же огромное количество книг еще могло быть прочтено и понято, и умершие столетия назад люди, написавшие их, еще могли о многом поведать живущим.

Из всех тех немногих конфедераций, империй и просто могущественных станций, которые в состоянии были отправлять на поверхность экспедиции, только Полис посылал сталкеров за книгами. Только там знания имели такую ценность, что ради них были готовы рисковать жизнями своих добровольцев, выплачивать баснословные гонорары наемникам и отказывать себе в материальных благах во имя приобретений благ духовных.

И, несмотря на кажущуюся непрактичность и идеализм своего руководства, Полис выстаивал год за годом, и беды обходили его стороной, а если что-то угрожало его безопасности, казалось, все метро готово было сплотиться для его защиты. Отголоски последних сражений, происходивших там во время памятной войны между Красной Линией и Ганзой, уже затихли, и вновь вокруг Полиса образовалась волшебная аура неуязвимости и благополучия.

И когда Артем думал об этом удивительном месте, ему совсем не казалось странным, что путь к нему просто не может быть легким, он обязательно должен быть запутанным, полным опасностей и испытаний, иначе сама цель похода утратила бы часть своей загадочности и очарования.

Если дорога через Кировскую, по Красной Линии к Библиотеке имени Ленина, представлялась невозможной и слишком рискованной, то преодолеть патрули Ганзы и пройти по Кольцу можно было попробовать. Артем вгляделся в обугленную карту внимательнее.

Вот если бы ему удалось проникнуть на внутренние территории Ганзы, выдумав какой-нибудь предлог, уболтав охрану кордона, прорвавшись с боем или еще как-нибудь, тогда путь до Полиса был бы довольно короток. Артем уткнул палец в карту и повел им по линиям. Если спускаться от Проспекта Мира направо по Кольцу, всего через две станции, принадлежащие Ганзе, он вышел бы к Курской. Там можно было бы сделать пересадку на Арбатско-Покровскую линию, а оттуда уже рукой подать до Арбатской, то есть до самого Полиса. Правда, на пути вставала Площадь Революции, отданная после войны Красной Линии в обмен на Библиотеку имени Ленина, но ведь красные гарантировали свободный транзит всем путникам, и это было одним из основных условий мирного договора. И так как Артем вовсе не собирался выходить на саму станцию, а только хотел проследовать мимо, то его, по идее, должны были беспрепятственно пропустить. Поразмыслив, он решил пока остановиться на этом плане и попытаться по пути разузнать подробности о тех станциях, через которые ему предстояло пройти. Если же что-то не заладится, сказал он себе, всегда можно будет найти запасной маршрут. Всматриваясь в переплетение линий и в обилие пересадочных станций, Артем подумал, что командир, пожалуй, слегка перегибал, живописуя трудности даже самых коротких походов по метро. Например, можно было спуститься от Проспекта Мира не направо, а налево — Артем повел пальцем вниз по Кольцу, — до Киевской, а там через переход либо по Филевской, либо по Арбатско-Покровской линии лишь два перегона до Полиса. Задача больше не казалась Артему невыполнимой. Это маленькое упражнение с картой добавило ему уверенности в себе. Теперь он знал, как действовать, и больше не сомневался в том, что, когда караван дойдет до Рижской, он не вернется с отрядом назад, на ВДНХ, а продолжит поход к Полису.

— Изучаешь? — над самым ухом спросил подошедший Женька, которого Артем не заметил, погрузившись в свои мысли.

От неожиданности Артем подскочил на месте и смущенно попытался спрятать карту.

— Да нет... Я это... Хотел найти по карте станции, где Рейх этот, про который нам рассказывали сейчас.

— Ну, и что, нашел? Нет? Эх ты, дай покажу, — с чувством превосходства сказал Женька. В метро он ориентировался намного лучше Артема, да и других своих сверстников, и очень этим гордился. С первого раза он безошибочно ткнул в тройной переход между Чеховской, Пушкинской и Тверской. Артем вздохнул — от облегчения, но Женька решил, что это он от зависти.

— Ничего, придет время, тоже будешь разбираться в этом деле не хуже моего, — решил утешить он Артема.

Тот изобразил на лице признательность и поспешил перевести разговор на другую тему.

— А сколько времени у нас привал? — спросил он.

— Молодежь! Подъем! — раздался зычный бас командира, и Артем понял, что отдыхать больше не придется, а перекусить он так и не успел.

Опять была их с Женькой очередь вставать на дрезину. Заскрежетали рычаги, загрохотали по бетону кирзовые сапоги, и они снова вошли в туннель.

На этот раз отряд двигался вперед молча, и только командир, подозвав к себе Кирилла, шагал с ним в ногу и что-то тихонько обсуждал. Подслушивать их Артему не хватало ни желания, ни сил — всю энергию отнимала треклятая дрезина.

Замыкающий, оставленный в одиночестве, чувствовал себя явно не в своей тарелке и поминутно боязливо оглядывался назад. Артем стоял на дрезине лицом к нему и прекрасно видел, что как раз сзади-то ничего страшного нет, но вот посмотреть через плечо, вперед, в туннель, так и подмывало. Этот страх и неуверенность преследовали его всегда, да и не только его. Любому одинокому путнику знакомо это ощущение. Придумали даже особое название — «страх туннеля»: когда идешь по туннелю, особенно с плохим фонарем, всегда кажется, что опасность — прямо за твоей спиной. Иной раз это чувство так обостряется, что затылком ощущаешь чей-то тяжелый взгляд или не взгляд даже... Кто знает, кто или что там и как оно воспринимает мир... И так, бывает, невыносимо гнетет, что не выдержишь, повернешься молниеносно, ткнешь лучом в черноту — а там никого... Тишина... Пустота... Все вроде спокойно. Но пока смотришь назад, до боли в глазах вглядываешься во тьму, оно уже сгущается за твоей спиной, опять за твоей спиной, и хочется снова метнуться вперед, посветить фонарем в туннель — нет ли там кого, не подобрался ли кто, пока ты глядел в другую сторону... И опять... Тут главное — не потерять самообладания, не поддаться этому страху, убедить себя, что бред это все, что нечего бояться, что слышно же ничего не было...

Но очень трудно справиться с собой, особенно когда идешь один. Люди так рассудок теряли. Просто не могли больше успокоиться, даже когда достигали обитаемой станции. Потом, конечно, понемногу приходили в себя, но снова войти в туннель заставить себя не могли — их немедленно охватывала та самая давящая тревога, знакомая каждому жителю метро, но для них превратившаяся в губительное наваждение.

— Не бойся, я смотрю! — ободряюще крикнул Артем замыкающему. Тот кивнул, но через пару минут не выдержал и снова оглянулся. Трудно...

— У Сереги один знакомый вот именно так и съехал, — тихо сказал Женька, сообразив, что Артем имеет в виду. — У него, правда, причина более серьезная была. Он, понимаешь ли, решил в одиночку через тот самый туннель на Сухаревской пройти, помнишь, про который я тебе раньше рассказывал? Там, где одному пройти никак нельзя, а с караваном — запросто? Выжил парень. И знаешь, почему выжил? — Женька ухмыльнулся. — Потому что дальше сотого метра войти храбрости не хватило. Когда он туда уходил, бравый такой был, решительный. Ха... Через двадцать минут вернулся — глаза вытаращенные, волосы на голове дыбом стоят от страха, ни слова по-человечески произнести не может. Так от него и не добились больше ничего — он с тех пор говорит как-то бессвязно, все больше мычит. И в туннели больше ни ногой — так и торчит на Сухаревской, попрошайничает. Он теперь там местный юродивый. Мораль ясна?

— Да, — неуверенно сказал Артем.

Некоторое время отряд двигался в полной тишине. Артем вновь погрузился в свои размышления и шагал так довольно долго, пытаясь изобрести нечто правдоподобное, что можно было бы соврать на заставе при выходе с Рижской.

Так продолжалось, пока он не понял, что ему мешает думать постепенно нарастающий странный шум, доносящийся из лежащего впереди туннеля. Шум этот, почти неуловимый вначале, находящийся где-то на зыбкой границе слышимого и ультразвука, медленно и совсем незаметно креп, так что невозможно было определить момент, когда Артем начал слышать его. К тому моменту, как он его осознал, шум звучал уже довольно сильно, напоминая более всего свистящий шепот - непонятный, нечеловеческий.

Артем быстро взглянул на остальных. Все двигались слаженно и молча. Командир больше ни о чем не говорил с Кириллом, Женька думал о чем-то своем, и замыкающий спокойно смотрел вперед, перестав нервно вертеться. Никто из них не проявлял ни малейшего беспокойства. Они ничего не слышали. Ничего! Артему стало страшно. Спокойствие и молчание всего отряда, все более заметное на фоне нарастающего шипения, было совершенно непостижимым и пугающим. Артем бросил рукоять дрезины и выпрямился в полный рост. Женька удивленно посмотрел на него. Глаза его были ясны, в них не было ни следа дурмана или чего-то подобного, что Артем боялся там найти.

— Ты что? — спросил он недовольно. — Устал, что ли? Ты сказал бы заранее, а не бросал так вот.

— Ты ничего не слышишь? — с недоумением спросил Артем, и что-то в его голосе заставило Женьку перемениться в лице.

Тот прислушался тоже, не переставая работать руками. Дрезина, однако, пошла медленнее, потому что Артем все еще стоял с растерянным видом, ловя отзвуки загадочного шума.

Командир заметил это и обернулся:

— Что там с вами? Батарейки сели?

— Вы ничего не слышите? — спросил у него Артем.

И вместе с тем в душу к нему закралось гадкое ощущение, что на самом-то деле нет никакого шума — вот никто ничего и не слышит. Просто у него крыша поехала, просто от страха ему мерещится... От рассказов всяких и от неотступно, в шаге за спиной замыкающего, ползущей за их отрядом тьмы.

Командир дал знак остановиться, чтобы не мешали скрип дрезины и грохот сапог, и замер. Руки его поползли к автомату, он стоял неподвижно и напряженно вслушивался, повернувшись к туннелю одним ухом.

Странный звук был тут как тут, Артем теперь слышал его отчетливо, и чем яснее он становился, тем внимательнее Артем всматривался в лицо командира, пытаясь понять, слышит ли и тот все то, что наполняло Артемово сознание усиливающимся беспокойством. Но черты лица командира постепенно разглаживались, и Артема захлестнуло жгучее чувство стыда. Еще бы: остановил отряд из-за какой-то ерунды, сдрейфил, да еще и других переполошил.

Женька, очевидно, тоже ничего не слышал, хотя и пытался. Бросив, наконец, это занятие, он с ехидной усмешкой посмотрел на Артема и, заглядывая ему в глаза, проникновенно спросил:

— Глюки?

— Да пошел ты! — неожиданно раздраженно бросил Артем. — Что вы все, оглохли что ли?

— Глюки! — удовлетворенно заключил Женька.

— Тишина. Совсем ничего. Тебе показалось, наверное. Ничего, это бывает, не напрягайся, Артем. Берись давай и поедем дальше, — мягко, чувствуя ситуацию, сказал командир, и сам пошел вперед.

Артему ничего не оставалось, как вернуться на место. Он честно пытался убедить себя, что шепот ему только показался, что это все от напряжения, пытался расслабиться и не думать ни о чем, надеясь, что вместе с тревожно мечущимися мыслями из головы удастся выкинуть и этот чертов шум. У него получилось на некоторое время остановить свои мысли, но в опустевшей на мгновение голове звук стал гулким, более громким и ясным. Он набирал мощь по мере того, как они все глубже продвигались на юг, а когда усилился настолько, что, казалось, заполнил все метро, Артем вдруг заметил, что Женька работает только одной рукой, а другой, видимо не обращая внимания на то, что делает, потирает себе уши.

— Ты что? — шепнул ему Артем.

— Не знаю... Закладывает... Свербит как-то... — проговорил Женька.

— А ничего не слышишь? — с боязливой надеждой спросил Артем.

— Не, слышать не слышу, но как-то давит, — шепнул в ответ Женька, и от прежней иронии в его голосе не осталось и следа.

Звучание достигло апогея, и тут Артем понял, откуда оно идет. Одна из труб, проложенных вдоль стен туннеля и заключающих в себе коммуникации и черт знает что еще, в этом месте словно лопнула, и именно ее черное жерло, окаймленное рваными, торчащими в разные стороны железными краями, издавало этот странный шум. Он шел из глубин трубы, и только Артем успел задуматься о том, почему же там внутри ни проводов никаких, ни еще чего, а только сплошная пустота и чернота, как командир внезапно остановился и медленно, через силу выговорил:

— Мужики, давайте здесь это... Привал сделаем, а то мне что-то нехорошо. В голове муть какая-то.

Он нетвердыми шагами приблизился к дрезине, чтобы присесть на край, но, не дойдя шага, вдруг мешком повалился на землю. Женька растерянно глядел на него, растирая уши уже двумя руками и не двигаясь с места. Кирилл почему-то продолжал идти дальше в одиночку, как будто ничего и не случилось, никак не реагируя на окрики. Замыкающий сел на рельсы и неожиданно по-детски беспомощно заплакал. Луч фонаря уткнулся в потолок туннеля, и, освещенная снизу, картина стала еще более зловещей.

Артем запаниковал. Очевидно, из всего их отряда рассудок не помутился только у него, но звук стал совершенно нестерпимым, не давая сосредоточиться ни на какой хоть сколько-нибудь сложной мысли.

Артем в отчаянии заткнул уши, и это немного помогло. Тогда он с размаху влепил пощечину Женьке, с одуревшим видом теревшему уши, и проорал ему, стараясь заглушить шум, забыв, что тот был слышен только ему:

— Подними командира! Положи командира на дрезину! Нам нельзя здесь оставаться ни в коем случае! Надо убираться отсюда! — и, подобрав упавший фонарь, бросился вслед за Кириллом, сомнамбулически вышагивавшим все дальше, уже вслепую, потому что без фонаря темнота впереди была хоть глаз выколи.

К его счастью, Кирилл шел довольно медленно. В несколько длинных прыжков Артем сумел нагнать его и хлопнул по плечу, но Кирилл продолжал идти, и они все больше удалялись от остальных. Артем забежал вперед и, не зная что делать, направил луч фонаря Кириллу в глаза. Они были закрыты, но Кирилл вдруг сморщился и сбился с шага. Тогда Артем, удерживая его одной рукой, другой приподнял ему веко и посветил прямо в зрачок. Кирилл вскрикнул, заморгал, тряся головой, и через доли секунды словно очнулся и открыл глаза, непонимающе глядя на Артема. Ослепленный фонарем, он почти ничего не видел, и обратно, к дрезине, Артему пришлось тащить его за руку.

На дрезине лежало бездыханное тело командира, рядом сидел Женька, все с тем же тупым выражением на лице. Оставив Кирилла у дрезины, Артем бросился к замыкающему, продолжавшему плакать, сидя на рельсах. Посмотрев ему в глаза, Артем встретил взгляд, полный боли и страдания, и таким острым было это ощущение, что он отшатнулся, почувствовав, что и у него против воли выступают слезы.

— Они все, все погибли... Им было так больно! — разобрал Артем сквозь рыдания.

Артем попытался поднять замыкающего, но тот вырвался и неожиданно зло выкрикнул:

— Свиньи! Нелюди! Я никуда не пойду с вами, хочу остаться здесь! Им так одиноко, так больно здесь, а вы хотите забрать меня отсюда? Это вы во всем виноваты! Я никуда не пойду! Никуда! Пусти, слышишь?!

Артем сначала хотел дать ему пощечину, надеясь, что это хоть как-то приведет его в чувство, но побоялся, что в таком возбужденном состоянии тот может дать ему сдачи. Вместо этого он опустился перед замыкающим на колени и, с трудом пробиваясь сквозь шум в собственной голове, мягко заговорил, сам не до конца понимая, о чем идет речь:

— Но ведь ты хочешь им помочь, правда? Хочешь, чтобы они больше не страдали?

Сквозь слезы тот посмотрел на Артема и с несмелой улыбкой прошептал:

— Конечно... Конечно, я хочу помочь им.

— Тогда ты должен помочь мне. Они хотят, чтобы ты помог мне. Иди к дрезине и встань за рычаги. Ты должен помочь мне добраться до станции.

— Они так сказали тебе? — недоверчиво поглядел на Артема замыкающий.

— Да, — уверенно ответил Артем.

— А ты потом отпустишь меня назад, к ним?

— Даю слово, что, если ты захочешь вернуться, я отпущу тебя обратно, — заверил Артем и, пока его собеседник не успел одуматься, потянул его к дрезине.

Поставив замыкающего, механически повинующегося Женьку и Кирилла к рычагам, взгромоздив не приходящего в сознание командира посередине, Артем встал во главе отряда, нацелив автомат в темноту, и быстрым шагом пошел вперед. Сам себе удивляясь, он слушал, как покатилась вслед за ним дрезина. Артем чувствовал, что совершает недопустимое, оставив неприкрытый тыл, но понимал, что сейчас самое главное — убраться как можно скорее из этого страшного места.

На рычагах теперь было трое, и отряд двигался быстрее, чем до остановки, а Артем с облегчением чувствовал, как затихает мерзкий шум и рассасывается понемногу чувство опасности. Он все прикрикивал на остальных, требуя не сбавлять темпа, как вдруг услышал сзади совершенно трезвый и удивленный голос Женьки:

— Ты что это раскомандовался?

Артем дал знак остановиться, поняв, что они миновали опасную зону, вернулся к отряду и обессиленно опустился на землю, прислонившись к дрезине спиной. Все постепенно приходили в себя. Замыкающий перестал всхлипывать и только тер себе пальцами виски, в недоумении осматриваясь вокруг. Зашевелился и с глухим стоном приподнялся командир, жалуясь, что раскалывается голова.

Через полчаса можно было двигаться дальше. Кроме Артема, никто ничего не помнил.

— Знаешь, тяжесть такая вдруг навалилась, в голове муть, и как-то так раз — и погасло все. Было со мной такое однажды от газа в одном туннеле, далеко отсюда. Но если газ, так он должен по-другому действовать, на всех сразу, не разбираясь... А ты все этот звук свой слышал? Да, странно все это, чего и говорить... — размышлял вслух командир. — И вот то, что Никита ревел... Слышь, Васильич, кого ты жалел-то? — спросил он у замыкающего.

— Черт его знает... Не помню я. То есть вроде минуту назад еще что-то помнил, а потом как-то улетучилось... Это, знаешь, как со сна: вот только проснешься — все помнишь, и картина такая яркая перед глазами стоит. А пройдет несколько минут, очнешься немного — все, пусто. Так только, осколки какие-то... Вот и сейчас то же самое. Помню, что жалко очень кого-то было... А кого, почему — пусто.

— А вы там хотели остаться, в туннеле. Навсегда. С ними. Отбивались. Я вам пообещал еще, что, если вы захотите, я вам разрешу назад вернуться, — сказал Артем, искоса поглядывая на Никиту-замыкающего. — Так вот, я вас отпускаю, — добавил он и ухмыльнулся.

— Нет уж, спасибо, — мрачно ответил Никита, и его передернуло, — что-то я передумал.

— Ладно, мужики. Хватит трепаться. Нечего посреди туннеля торчать. Сначала доберемся, потом все обсудим. Нам еще как-то возвращаться надо будет... Хотя что загадывать наперед, в такой денек дай бог хотя бы куда надо попасть. Поехали! — заключил командир. — Слышь, Артем, давай, со мной пойдешь. Ты у нас вроде герой сегодня, — неожиданно добавил он.

Кирилл занял место за дрезиной, Женька, несмотря на протесты, остался на рычагах с Никитой Васильевичем, и они двинулись дальше.

— Труба там, говоришь, лопнула? И это из нее ты свой шум слышал? Знаешь, Артем, может, на самом деле мы все болваны глухие и не слышим ни черта. У тебя, наверное, чутье особенное на эту дрянь. С этим делом, видно, тебе повезло, парень! — рассуждал командир. — Очень странно, что это из трубы шло. Пустая труба была, говоришь? Шут знает, что там сейчас по ним течет, — продолжал он, опасливо поглядывая на змеиные переплетения труб вдоль стен туннеля.

До Рижской оставалось совсем немного. Через четверть часа замерцали вдали отсветы костра у заставы, командир замедлил ход и фонарем дал условный знак. Через кордон их пропустили быстро, без проволочек, и дрезина вкатилась на станцию.

Рижская была в лучшем состоянии, чем Алексеевская. Когда-то давно на поверхности над станцией располагался большой рынок. Среди тех, кто успел тогда добежать до метро и спастись, было немало торговцев с этого самого рынка. Народ там с тех пор жил предприимчивый, да и близость станции к Проспекту Мира, а значит, к Ганзе, к главным торговым путям, тоже сказывалась на ее благополучии. Свет там горел электрический, аварийный, как и на ВДНХ. Патрули были одеты в старый поношенный камуфляж, который все же смотрелся внушительней, чем разукрашенные ватники на Алексеевской.

Гостям выделили отдельную палатку. Теперь скорого возвращения не предвиделось, неясно было, что за новая опасность кроется в туннеле и как с ней справляться. Администрация станции и командир маленького отряда с ВДНХ собрались на совещание, а у остальных получался избыток свободного времени. Артем, уставший и перенервничавший, сразу упал на свою лежанку лицом вниз. Спать не хотелось, но сил не было совершенно. Через пару часов для гостей обещали устроить торжественный ужин, судя по многозначительным подмигиваниям и перешептываниям хозяев, можно было даже надеяться на мясо. Пока же оставалось лежать и ни о чем не думать.

За стенками палатки усиливался шум. Пир устраивали прямо посреди платформы, где горел главный костер. Артем, не утерпев, выглянул наружу. Несколько человек чистили пол и расстилали брезент, неподалеку на путях разделывали свиную тушу, резали клещами на куски моток стальной проволоки, что предвещало шашлыки. Стены здесь были необычные: не мраморные, как на ВДНХ и Алексеевской, а выложенные желтой и красной плиткой. Сочетание это, должно быть, когда-то смотрелось довольно весело. Теперь, правда, кафель и штукатурку покрывал слой копоти и жира, но все равно чуть-чуть прежнего уюта сохранилось. А самое главное, на другом пути стоял, наполовину погруженный в туннель, настоящий поезд, правда, с выбитыми окнами и раскрытыми дверями.

Поезда встречались далеко не в каждом перегоне и не на каждой станции. За два десятилетия многие из них — особенно те, что застряли в туннелях и для жизни пригодны не были, — люди постепенно растащили по частям, приспосабливая колеса, стекла и обшивку под какие-то надобности, на каждой станции свои. Отчим говорил Артему, что на Ганзе один из путей даже специально очистили от поездов, чтобы товарные и пассажирские дрезины могли беспрепятственно двигаться между пунктами следования. Так же, по слухам, поступили и на Красной Линии. В туннеле, по которому они шли от ВДНХ до Проспекта Мира, не оставалось ни одного вагона, но как раз это, скорее всего, вышло случайно.

Стали понемногу собираться местные, из палатки вылез заспанный Женька, через полчаса подтянулось здешнее начальство с командиром Артемова отряда, и первые куски мяса легли на угли. Командир и руководство станции много улыбались и шутили, наверное, довольные результатами переговоров. Принесли бутыль с какой-то туземной бодягой, пошли тосты, и все совсем развеселились. Артем грыз свой шашлык и слизывал текущий по рукам горячий жир, глядя на тлеющие угли, от которых исходили жар и необъяснимое ощущение уюта и спокойствия.

— Это ты их из ловушки вытащил? — обратился к нему незнакомый человек, сидевший рядом и последние несколько минут внимательно рассматривавший Артема.

Артем встрепенулся. До сих пор, полностью погрузившись в свои мысли и созерцание багровеющих в костре головней, он не замечал никого вокруг.

— Кто это вам сказал? — вопросом на вопрос ответил Артем, всматриваясь в незнакомца. Тот был коротко стрижен, небрит, из-под грубой, но крепкой с виду кожаной куртки виднелась теплая тельняшка. Ничего подозрительного Артему углядеть не удалось: по виду его собеседник походил на обычного челнока, каких на Рижской было пруд пруди.

— Кто? Да вот ваш бригадир и рассказал, — кивнул тот на сидевшего поодаль и оживленно обсуждавшего что-то с коллегами командира.

— Ну, я, — неохотно признался Артем. Хотя совсем недавно он еще планировал завести пару полезных знакомств на Рижской, теперь, когда для этого представилась отличная возможность, ему отчего-то вдруг стало не по себе.

— Я Бурбон. А тебя как звать? — продолжал интересоваться мужик.

— Бурбон? — удивился Артем. — Почему это? Это не король такой был?

— Нет, пацан. Это был такой типа спирт. Огненная, понимаешь, вода. Очень настроение поднимала, говорят. Так как тебя там?.. — снова поинтересовался мужик.

— Артем.

— Слушай, Артем, а когда вы назад возвращаетесь? — допытывался Бурбон, заставляя Артема сомневаться в нем все больше.

— Не знаю я. Теперь никто точно не скажет, когда мы обратно пойдем. Если вы слышали, что с нами произошло, должны сами понимать, — недружелюбно ответил Артем.

— Слушай, называй меня на ты, я не настолько тебя старше, чтобы тут это... Короче, что я спрашиваю-то... Дело у меня к тебе, пацан. Не ко всем вашим, а именно к тебе, типа, лично. Мне, это самое, помощь твоя нужна. Понял? Ненадолго...

Артем ничего не понял. Говорил мужик сбивчиво, и что-то в том, как он выговаривал слова, заставляло Артема внутренне сжиматься. Меньше всего на свете ему сейчас хотелось продолжать этот непонятный разговор.

— Слышь, пацан, ты это, не напрягайся, — словно почувствовав его сомнения, поспешил рассеять их Бурбон. — Ничего стремного, все чисто... Ну, почти все. Короче, дело такое: позавчера наши пошли до Сухаревки, ну, ты знаешь, прямо по линии, да не дошли. Один только обратно вернулся. Ни черта не помнит, прибежал на Проспект весь в соплях, ревел, как этот ваш, о котором бригадир ваш рассказывал. Остальные назад не явились. Может, они потом к Сухаревке вышли... А может, никуда бóльше и не вышли, потому что уже третий день на Проспект никто оттуда не приходил, и с Проспекта никто туда уже идти не хочет. Западло им туда идти почему-то. Короче, думаю, что там та же байда, что и у вас было. Я, как вашего бригадира послушал, так сразу и это... Типа, понял. Ну, линия ведь та же. И трубы те же... — Тут Бурбон резко обернулся через плечо, проверяя, наверное, не подслушивает ли кто. — А тебя эта байда не берет, — продолжил он тихо. — Понял?

— Начинаю, — неуверенно ответил Артем.

— Короче, мне сейчас туда надо. Очень надо, понял? Очень. Я точно не знаю, но все шансы, что у меня там крыша съедет, как и у всех наших пацанов, наверное, как у всей вашей бригады. Кроме тебя.

— Ты... — неуверенно, словно пробуя на вкус это слово, чувствуя, как неудобно и непривычно ему обращаться к такому типу на «ты», проговорил Артем, — ты хочешь, чтобы я тебя провел через этот туннель? Чтобы я вывел тебя к Сухаревской?

— Типа того, — с облегчением кивнул Бурбон. — Не знаю, слышал ты или нет, но там за Сухаревской туннель, типа, еще почище этого, такая дрянь, мне еще там как-то пробиваться придется. А тут еще эта байда с пацанами вышла. Да все нормально, не стремайся ты, если меня проведешь, я в долгу тоже не останусь. Мне, правда, дальше надо будет потом идти, на юг, но у меня там, на Сухаревке, свои люди, обратно доставят, пыль смахнут и все такое.

Артем, который хотел сначал послать Бурбона с его предложением куда подальше, понял вдруг, что у него появился шанс без боя и вообще без всяких проблем проникнуть через южные заставы Рижской. И дальше... Бурбон, хотя и не распространялся о своих дальнейших планах, говорил, что двинется через проклятый туннель от Сухаревской к Тургеневской. Именно там Артем и собирался попытаться пройти. Тургеневская — Трубная — Цветной Бульвар — Чеховская... А там и до Арбатской рукой подать... Полис... Полис.

— Как платишь? — решил для видимости поломаться Артем.

— Как хочешь. Вообще, валютой, — Бурбон с сомнением посмотрел на Артема, пытаясь определить, понимает ли тот, о чем идет речь. — Ну, типа, патроны к калашу. Но, если хочешь, жратвой там, спиртом или дурью, — он подмигнул, — тоже можно устроить.

— Не, патроны — нормально. Две обоймы. Ну, и еды, чтоб туда и обратно. Не торгуюсь, — как можно более уверенно назвал свою цену Артем, стараясь выдержать испытующий взгляд Бурбона.

— Деловой... — с неясной интонацией отреагировал тот. — Ладно. Два рожка к калашу. И жратвы. Ну, ничего, — невнятно сказал он, видимо, сам себе, — оно того стоит. Ладно, пацан, как тебя там, Артем? Ты иди пока, спи, я за тобой зайду скоро, когда тут весь бардак уляжется. Собери шмотки, можешь записку оставить, если писать умеешь, чтобы они тут за нами погонь не устраивали. Это... Чтобы был готов, когда я приду. Понял?

Глава 5

ЗА ПАТРОНЫ

Собирать вещи, в общем, нужды не было, потому что Артем толком еще ничего и не распаковывал, да ему и нечего было особенно распаковывать. Непонятно было только, как незаметно вынести автомат, чтобы не привлечь чьего-нибудь внимания. Автоматы им выдали громоздкие, армейские, калибра 7.62, с деревянными прикладами. С такими махинами на ВДНХ всегда отправляли караваны на ближайшие станции.

Артем лежал, зарывшись в одеяло с головой, не отвечая на недоуменные Женькины вопросы: почему он тут дрыхнет, когда снаружи так круто, и не заболел ли он вообще. В палатке было жарко и душно, тем более, под одеялом. Сон все не шел, как Артем ни пытался заставить себя уснуть, и когда он наконец забылся, видения были очень беспокойными и неясными, словно сквозь мутное стекло: он куда-то бежал, разговаривал с кем-то безликим, опять бежал... Разбудил его все тот же Женька, тряхнувший за плечо и шепотом сообщивший:

— Слышь, Артем, там тебя мужик какой-то... У тебя проблемы, что ли? — настороженно спросил он. — Давай я всех наших подниму...

— Нет, нормально все, просто поговорить надо. Спи, Жень. Я скоро, — так же тихо объяснил Артем, натягивая сапоги и дожидаясь, пока Женька опять уляжется. Потом он осторожно вытащил из палатки свой рюкзак и потянул было автомат, как вдруг Женька, услышав металлическое клацанье, снова встревоженно спросил:

— Это тебе еще зачем? Ты уверен, что у тебя все в порядке?

Артему пришлось отпираться и сочинять, что он просто хочет тут знакомому кое-что показать, что они поспорили, что все хорошо, и так далее.

— Врешь! — убежденно резюмировал Женька. — Ладно. Когда начинать беспокоиться?

— Через год, — пробормотал Артем, надеясь, что это прозвучало достаточно неразборчиво, отодвинул полог палатки и шагнул на платформу.

— Ну, пацан, ты и копаешься, — недовольно процедил сквозь зубы ждавший его, Бурбон. Одет он был как и прежде, только за спиной висел высокий рюкзак. — Твою мать! Ты что, собираешься с этой дурой через все кордоны тащиться? — брезгливо поинтересовался он, указывая на автомат. У него самого, к своему удивлению, Артем никакого оружия не обнаружил.

Свет на станции померк. Народу на платформе не было, все уже улеглись, утомленные пирушкой. Артем старался идти побыстрее, все же опасаясь натолкнуться на кого-нибудь из своих, но при входе в туннель Бурбон осадил его, приказав сбавить шаг. Патрульные на путях заметили их и спросили издалека, куда это они собрались в полвторого ночи, но Бурбон назвал одного из них по имени и объяснил, что по делам.

— Слушай, короче, — поучал он Артема, зажигая фонарь. — Сейчас на сотом и на двести пятидесятом заставы будут. Ты это, главное, молчи. Я сам с ними разберусь. Жалко, что у тебя калаш —ровесник моей бабушке, не спрячешь никуда... Где только ты откопал дрянь такую?

На сотом метре все прошло гладко. Здесь тлел небольшой костерок, у которого сидело два человека в камуфляже. Один из них дремал, а второй дружески пожал Бурбону руку.

— Бизнес? Понима-аю, — с заговорщической улыбкой протянул он.

До двести пятидесятого метра Бурбон не проронил ни слова, угрюмо шагая впереди. Был он какой-то злой, неприятный, и Артем уже начал раскаиваться, что решился отправиться с ним. Отстав на шаг, он проверил, в порядке ли автомат, и положил палец на предохранитель.

У последней заставы вышла задержка. Там Бурбона то ли не так хорошо знали, то ли, наоборот, знали слишком хорошо, так что главный отвел его в сторону, заставив оставить рюкзак у костра, и долго допрашивал о чем-то. Артем, чувствуя себя довольно глупо, остался у костра и скупо отвечал на вопросы дежурных. Те явно скучали и были не прочь поболтать. Артем по себе знал, что если дежурные разговорчивы — это хороший знак, раз скучают, то все спокойно. Если бы сейчас у них происходило тут что-нибудь странное, ползло бы что из глубины, с юга, кто-то пытался прорваться, или слышались подозрительные звуки, они бы сгрудились вокруг костра, молчали бы напряженно и глаз с туннеля не сводили. Значит, сегодня все тихо, и можно идти не опасаясь, во всяком случае, до Проспекта Мира.

— Ты ведь не местный. С Алексеевской, что ли? — допытывались дежурные, заглядывая Артему в лицо.

Артем, помня наказ Бурбона молчать и ни с кем не разговаривать, пробормотал что-то невразумительное, что можно было понять как угодно, предоставив спрашивающим полную свободу трактовать его бурчание. Дежурные, отчаявшись добиться от него ответа, переключились на обсуждение рассказа какого-то Михая, который на днях торговал на Проспекте Мира и имел неприятности с администрацией станции.

Довольный, что от него наконец отстали, Артем сидел и сквозь пламя костра всматривался в южный туннель. Вроде это был все тот же бесконечный широкий коридор, что и на северном направлении на ВДНХ, где Артем совсем недавно точно так же сидел у костра на посту на четыреста пятидесятом метре.

С виду он ничем не отличался. Но было что-то в нем, не то особый запах, доносимый туннельными сквозняками, не то особенное настроение, аура, что ли, присущая только этому туннелю и придававшая ему индивидуальность, делавшая его не похожим на все остальные. Артем вспомнил, как отчим говорил, что нет в метро двух одинаковых туннелей, да и в одном и том же два разных направления отличаются. Такая сверхчувствительность развивалась долгими годами походов и далеко не у всех. Отчим называл это «слышать туннель», и «слух» такой у него был, он им гордился и не раз признавался Артему, что уцелел в очередной переделке только благодаря этому своему чувству. У многих других, несмотря на долгие странствия по метро, ничего такого не получалось. Некоторые приобретали необъяснимый страх, кто-то слышал звуки, голоса, постепенно терял рассудок, но все сходились в одном: даже когда в туннелях нет ни души, они все равно не пустуют. Что-то невидимое и почти неощутимое медленно и тягуче течет по ним, наполняя их своей собственной жизнью, словно тяжелая стылая кровь в венах каменеющего левиафана.

И сейчас, не слыша больше разговора дежурных, тщетно пытаясь увидеть что-либо во тьме, стремительно густеющей в десяти шагах от огня, Артем начинал понимать, что имел в виду отчим, рассказывая ему о «чувстве туннеля». Дальше этого места ему в сознательном возрасте еще ступать не приходилось, и хотя Артем знал, что за нечеткой границей, очерченной пламенем костра, где багровый свет мешался с дрожащими тенями, есть еще люди, но в данное мгновение это представлялось ему невероятным. Казалось, жизнь кончалась в десяти шагах отсюда, впереди больше ничего не было, только мертвая черная пустота, отзывающаяся на крик обманчивым глухим эхом.

Но если сидеть так долго, если заткнуть уши, если смотреть вглубь не так, будто хочешь там высмотреть что-то особенное, а иначе, словно пытаешься растворить свой взгляд во мгле, слиться с тоннелем, стать частью этого левиафана, клеткой его организма, то сквозь руки, закрывающие доступ звукам из внешнего мира, минуя органы слуха, напрямую в мозг начнет литься тонкая мелодия — неземное звучание недр, смутное, непонятное... Совсем не тот тревожный зудящий шум, плещущий из разорванной трубы в туннеле между Алексеевской и Рижской, нет, нечто иное, чистое, глубокое...

Ему чудилось, что на время он сумел окунуться в тихую реку этой мелодии, и вдруг не разумом, а скорее проснувшейся интуицией, разбуженной, наверное, тем самым шумом из разорвавшейся трубы, постиг Артем суть этого явления, не понимая его природы. Потоки, рвущиеся наружу из той трубы, как ему показалось, были тем же, что и эфир, неспешно струившийся по туннелям, но в трубе они были гнойными, зараженными чем-то, беспокойно бурлящими, и в тех местах, где вспухшие от напряжения трубы лопались, гной этот изливался толчками во внешний мир, неся с собой тоску, тошноту и безумие всем живым существам...

Артему показалось вдруг, что он стоит на пороге понимания чего-то очень важного, как если бы последние полчаса его блужданий в кромешной тьме туннелей и в сумерках собственного сознания приподняли завесу над великой тайной, отделяющей всех разумных созданий от познания истинной природы этого нового мира, выгрызенного прошлыми поколениями в недрах Земли.

Но вместе с тем ему стало страшно, словно он только что заглянул в замочную скважину двери, надеясь узнать, что за ней, и увидел лишь нестерпимый свет, бьющий изнутри и опаляющий глаза. И если открыть дверь, то свет этот хлынет неудержимо и испепелит на месте того дерзкого, который решится открыть запретную дверь. Однако свет этот и есть Знание.

Вихрь всех этих мыслей, ощущений и переживаний захлестнул Артема слишком внезапно, он был совершенно не готов ни к чему похожему и потому испуганно отпрянул. Нет, все это было всего лишь фантазией. Не слышал он ничего и ничего не осязал, опять игра воображения. Со смешанным чувством облегчения и разочарования он, заглянув в себя, наблюдал, как раскрывшаяся перед ним на мгновение поразительная, неописуемая перспектива стремительно меркнет, тает, и перед мысленным взором вновь встает привычное мутное марево. Он испугался этого знания, отступил, и теперь приподнявшаяся было завеса тяжело опустилась обратно, быть может, навсегда. Ураган в его голове стих так же внезапно, как и начался, только опустошив и утомив рассудок.

Артем, потрясенный, сидел и все пытался понять, где же заканчивались его фантазии и начиналась реальность, если, конечно, такие ощущения вообще могли быть реальны. Медленно-медленно его душа наливалась горечью опасения, что он стоял в шаге от просветления, от самого настоящего просветления, но не решился, не отважился отдаться на волю течения туннельного эфира, и теперь ему всю жизнь остается лишь бродить в потемках, оттого что однажды он убоялся света подлинного Знания. «Но что такое Знание?» — спрашивал он себя снова и снова, пытаясь оценить то, от чего столь поспешно и трусливо отказался. Погруженный в свои мысли, он и не заметил, что, по крайней мере, несколько раз успел уже произнести эти слова вслух.

— Знание, парень — это свет, а незнание — тьма! — охотно объяснил ему один из дежурных. — Верно? — весело подмигнул он своим товарищам.

Артем оторопело уставился на него и так бы и сидел, но вернулся Бурбон, поднял его и попрощался с остальными, сказав, что они бы, мол, еще задержались, да торопятся.

— Смотри! — грозно сказал ему вслед командир заставы. — Отсюда я тебя с оружием выпускаю, — он махнул рукой на автомат Артема, — но обратно ты у меня уже с ним не пройдешь. У меня по этому поводу инструкции четкие.

— Говорил я тебе, болван... — раздраженно прошипел Артему Бурбон, когда они поспешно зашагали прочь от костра. — Вот теперь как хочешь обратно, так и пробирайся. Хоть это, с боем. Мне вообще плевать. Вот ведь знал, знал ведь, что так, мать твою, все и будет!

Артем молчал, почти не слыша, как его отчитывал Бурбон. Вместо этого он вдруг вспомнил, что отчим говорил тогда же, когда объяснял про уникальность и неповторимость каждого туннеля, что у любого из них есть своя мелодия и что можно научиться ее слушать. Отчим, наверное, хотел просто выразиться красиво, но, вспоминая то, что он ощущал, сидя у костра, Артем подумал, что вот оно, что ему именно это и удалось. Что он слушал, на самом деле слушал – и слышал! – мелодию туннелей. Однако воспоминания о произошедшем быстро блекли, и через полчаса Артем не мог уже поручиться, что все это действительно произошло с ним, а не причудилось, навеянное игрой пламени.

– Ладно... Ты, наверное, не со зла, просто в башке ни хрена нету, – примирительно сказал Бурбон. – Если я, это, с тобой неласковый, ты извини. Работа нервная. Ну, ладно, вроде выйти удалось, уже хорошо. Теперь топать до Проспекта по прямой, без остановок. Там это, отдохнем. Если все будет спокойно, то много времени не займет. А вот дальше – проблема.

– А ничего, что мы так идем? Я имею в виду, что, когда мы с караванами ходим от ВДНХ, меньше, чем втроем, не идем, замыкающий там обязательно, и вообще... – сказал Артем, оглядываясь назад.

– Тут, пацан, конечно, есть свой плюс, чтобы караванами ходить, с замыкающим и со всеми делами, – начал объяснять Бурбон. – Но, пойми, есть и конкретный минус. Это не сразу доходит. На своей шкуре только. Я раньше тоже боялся. Что там втроем – мы раньше с пацанами вообще меньше, чем впятером, не ходили, а то даже вшестером и больше. Думаешь, поможет? А вот ни черта не помогает. Шли мы однажды с грузом и поэтому с охраной: двое спереди, трое в центре, ну, и замыкающий, типа, по всей науке. От Третьяковки шли к этой... раньше Марксистской называлась. Так себе был туннель. Он сразу мне не понравился. Какой-то там гнилью тянуло... И туман стоял. И видно хреново было, в пяти шагах – уже ничего, фонарь особо не помогал. Ну, мы веревку решили привязать к ремню замыкающего, пропустили ее через ремень одного из перцев, которые шли посередине, а другой конец – у командира, во главе группы. Чтоб не отстать в тумане. И вот движемся мы прогулочным шагом, все нормально, спокойно, спешить некуда, никого, тьфу-тьфу, пока не встречаем, ну, думаю, меньше чем за сорок минут дойдем... А получилось еще быстрее... – его передернуло, и он немного помолчал, прежде чем продолжить.

– Где-то посередине Толян, он в центре шел, спрашивает что-то у замыкающего. А тот молчит. Толян подождал и переспрашивает. Тот молчит. Толян дергает тогда за веревку и вытаскивает конец. А веревка перекушена. В натуре, перекушена, даже дрянь какая-то мокрая на конце... И этого нет нигде. И ведь ничего не слышали. Вообще ничего. А сам я с Толяном шел, в центре. Он мне этот конец показывает, а у самого поджилки трясутся. Ну, мы крикнули еще, типа, для порядка, но, конечно, никто не ответил. Уже некому было, это, отвечать. Ну, мы переглянулись – и вперед, так что до Марксистской в два счета добрались.

– Может, это он пошутить решил? – с надеждой спросил Артем.

– Пошутить? Может, и так. Но больше его никто не видел. Так что, это, я одну вещь понял: если тебе екнуться сегодня, сегодня и екнешься, и не поможет ни охрана, ничего. Только идешь от этого медленнее. И везде, кроме одного туннеля — от Сухаревки до Тургеневской, там дела особые, — я с тех пор вдвоем только хожу, типа, с напарником. Если что, вытащит. Зато быстрее. Понял?

— Понял. А нас хоть на Проспект Мира пустят? Я же с этим, — Артем показал на свой автомат.

— На радиальную пустят. На Кольцо — точно нет. Тебя бы и так не пустили, а с пушкой вообще не на что надеяться. Но нам туда и не надо. Нам вообще там надолго зависать нельзя. Привал только сделаем и дальше. Ты это... Был вообще на Проспекте когда-нибудь?

— Маленьким только. А так нет, — признался Артем.

— Ну, давай тогда я тебя, типа, в курс дела введу. Короче, застав там нету никаких, там это никому не надо. Там ярмарка, никто не живет, так чтобы по-нормальному. Но там переход на Кольцо, значит, на Ганзу... Радиальная станция, типа, ничейная, но ее солдаты Ганзы патрулируют, чтобы порядок был. Поэтому вести себя надо тихо, понял? А то вышвырнут к черту и доступ на свои станции запретят, вот и кукуй потом. Поэтому мы, когда дойдем дотуда, ты вылезь на перрон и сиди себе тихо, и самоваром своим — он кивнул на многострадальный автомат — ни перед кем особо не тряси. Мне там это... Надо кое с кем перетереть, тебе придется посидеть подождать. Дойдем до Проспекта, поговорим, как через этот чертов перегон до Сухаревки добираться.

Бурбон опять замолчал, и Артем оказался предоставлен самому себе. Туннель здесь был вроде неплохой, пол только сыроват, и вдоль рельсов бежал туда же, куда направлялись и они, тонкий темный ручеек. Но через некоторое время послышался по сторонам тихий шорох и скрежещущий писк, для Артема звучавший так же, как гвоздь, царапающий стекло, заставляя содрогаться от отвращения. Маленьких тварей не было пока видно, но присутствие их уже начинало ощущаться.

— Крысы... — сплюнул Артем мерзкое слово, чувствуя, как пробегает по коже озноб.

Они все еще навещали его в ночных кошмарах, хотя воспоминания о том страшном дне, когда погибла его мать и вся его станция, затопленная крысиными потоками, уже почти стерлись из памяти. Стерлись? Нет, они просто ушли глубже, как может уйти в тело вонзившаяся и не вытащенная вовремя игла. Как путешествует пропущенный недостаточно искусным хирургом осколок. Сначала он притаится и замрет, не причиняя страданий и не напоминая о себе, но однажды, приведенный в движение неизвестной силой, двинется в свой губительный путь сквозь артерии, нервные узлы, вспарывая жизненно важные органы и обрекая своего носителя на невыносимые муки. Так и память о том дне, о слепой ярости и бессмысленной жестокости ненасытных тварей, о пережитых тогда ужасах стальной иглой ушла глубоко в подсознание, чтобы тревожить Артема по ночам и электрическим разрядом стегать его, заставляя тело рефлекторно содрогаться при виде этих созданий, при одном только их запахе. Для Артема, как и для его отчима, и, может, для остальных четверых, спасшихся тогда с ними на дрезине, крысы были чем-то гораздо более пугающим и омерзительным, чем для всех остальных обитателей метро.

На ВДНХ крыс почти не было: повсюду стояли капканы и был разложен яд, поэтому от их вида Артем уже успел отвыкнуть. Но остальное метро ими кишело, и об этом он успел позабыть или, может, избегал думать, когда принимал решение отправиться в поход.

— Чего, пацан, крыс испугался? — ехидно поинтересовался Бурбон. — Не любишь? Изнежен ты больно... Привыкай теперь. Без крыс тут у нас никуда... Но это ничего, хорошо даже: голодным не останешься, — добавил он и подмигнул, и Артем почувствовал, что его начинает тошнить. — Но, в натуре, — продолжил Бурбон серьезно, — ты лучше бойся, когда крыс нету. Если нету крыс, значит, тут какая-то байда пострашнее, раз даже крысы не живут. И если, пацан, байда эта — не люди, тут и надо бояться. А если крысы бегают, значит, нормальное место. Обычное. Понял?

С кем с кем, но с этим типом Артему точно не хотелось делиться своими страхами. Поэтому он молча кивнул. Крыс тут было не очень много, они избегали света фонаря и были почти незаметны, но одна из них все же сумела подвернуться Артему под ноги, и сапог, вместо того чтобы встретить твердую поверхность, ткнулся во что-то мягкое и скользкое, слух резануло пронзительное верещание. От неожиданности Артем потерял равновесие и чуть не упал лицом вниз вместе со всем своим снаряжением.

— Не боись, пацан, не боись, — подбодрил его Бурбон. — Это еще что. Есть в этом гадюшнике парочка перегонов, в которых они так и кишат, прямо по хребтам надо идти. Идешь, бывало, а под ногами приятно так похрустывает, — и гнусно заржал, довольный произведенным эффектом.

Артема так и передернуло. Он опять промолчал, но кулаки его сжались сами собой. С каким удовольствием он бы сейчас двинул Бурбону в его ухмыляющуюся рожу!

Издалека донесся вдруг какой-то неразборчивый гомон, и Артем, моментально позабыв обиду, обхватил рукоять автомата и вопросительно посмотрел на Бурбона.

— Да не напрягайся, нормально все. Это мы уже к Проспекту подошли, — успокоил его тот и похлопал покровительственно по плечу.

Хотя он и предупредил уже Артема заранее, что у Проспекта Мира нет никаких застав, для Артема это все равно было непривычно — так вот, сразу, выйти на чужую станцию, не увидев прежде издалека слабого света костра, обозначающего границу, не повстречав на пути никаких препятствий. Когда они приблизились к выходу из туннеля, гам усилился и заметно стало слабое зарево.

Наконец слева показались чугунная лесенка и маленький мостик с оградой, лепившийся к стене туннеля и позволявший подняться с путей на уровень платформы. Загрохотали по железным ступеням Бурбоновы подкованные сапожищи, и через несколько шагов туннель вдруг раздался влево — они вышли на станцию.

Тут же в лицо им ударил яркий белый луч: невидимый из туннеля, сбоку стоял маленький столик, за которым сидел человек в незнакомой и странной серой форме, в старинного вида фуражке с околышем.

— Добро пожаловать, — приветствовал их он, отводя фонарь. — Торговать, транзитом?

Пока Бурбон излагал цели визита, Артем всматривался в то, что собой представляла станция метро Проспект Мира. На платформе, у путей, царил полумрак, но арки озарялись изнутри неярким желтым светом, от которого у Артема что-то неожиданно защемило в груди. Захотелось покончить, наконец, со всеми формальностями и посмотреть, что же творится на самой станции, там, за арками, откуда идет этот до боли знакомый, уютный свет... И хотя Артему казалось, что раньше он не видел ничего подобного, вид этой арки на мгновенье вернул его назад, в далекое прошлое, и перед глазами возникла странная картина: маленькое помещение, залитое теплым, желтым светом, широкая тахта, на ней полулежа читает книгу молодая женщина, лица которой не видно, посреди оклеенной пастельными обоями стены — темно-синий квадрат окна... Видение мелькнуло перед его мысленным взором и растаяло секунду спустя, озадачив и взбудоражив его. Что он только что видел? Неужели слабый свет со станции смог спроецировать на незримый экран затерявшийся где-то в подсознании старый слайд с картинкой из его детства? Неужели та молодая женщина, мирно читавшая книгу на просторной удобной тахте, — его мать?..

Нетерпеливо сунув таможеннику паспорт, согласившись, несмотря на возражения Бурбона, сдать в камеру хранения свой автомат на время пребывания на станции, Артем заспешил, влекомый этим светом, словно мотылек, за колонны, туда, откуда долетал базарный гомон.

Проспект Мира отличался и от ВДНХ, и от Алексеевской, и от Рижской. Процветающая Ганза могла позволить себе провести здесь освещение получше, чем аварийные лампы, дававшие свет для тех станций, на которых Артем успел побывать в сознательном возрасте. Нет, это были не настоящие светильники из тех, что освещали метро еще тогда, а просто маломощные лампы накаливания, свисавшие через каждые двадцать шагов с провода, протянутого под потолком через всю станцию. Но для Артема, привыкшего к мутно-красному аварийному зареву, к неверному свечению пламени костров, к слабому сиянию крошечных лампочек из карманных фонарей, освещавших палатки изнутри, они казались чем-то совершеннно необыкновенным. Это был тот самый свет, что озарял его раннее детство, еще там, наверху, он чаровал, напоминая о чем-то давно канувшем в небытие. Оказавшись на станции, Артем не бросился к торговым рядам, как все остальные, а прислонился спиной к колонне и, прикрыв рукой глаза, все стоял и смотрел на эти лампы, еще и еще, до рези в глазах.

— Ты что, рехнулся, что ли? Ты чего на них так уставился — без глаз хочешь остаться? Будешь потом как слепой щенок, и что мне с тобой делать?! — раздался над ухом Артема голос Бурбона. — Раз уж сдал им свою балалайку, поглядел бы хоть, что тут творится... Что на лампочки пялиться!

Артем неприязненно глянул на Бурбона, но послушался.

Народу на станции было не то чтобы очень много, но все разговаривали так громко, торгуясь, зазывая, требуя, пытаясь перекричать друг друга, что становилось ясно, почему этот гам слышен издалека, еще на подходах к станции. На обоих путях стояли обрывки составов: по несколько вагонов, приспособленных под жилье. Вдоль платформы в два ряда располагались торговые лотки, на которых — где-то хозяйственно разложенная, где-то сваленная в неряшливые кучи — была выставлена на продажу разнообразная утварь. С одной стороны станция была отсечена железным занавесом — там когда-то открывался выход наверх, а в противоположном конце, за линией переносных ограждений, виднелись нагромождения серых мешков, очевидно, огневые позиции. Под потолком был натянуто белое полотнище с нарисованной на нем коричневой окружностью, символом Кольца. Там, за этим ограждением, поднимались четыре коротких эскалатора — переход на Кольцевую линию, — и начиналась территория могущественной Ганзы, куда заказан был путь всем чужакам. За заборами и по станции прохаживались пограничники Ганзы, одетые в добротные непромокаемые комбинезоны с привычными камуфляжными разводами, но отчего-то серого цвета, в таких же кепи и с короткими автоматами через плечо.

— А почему у них камуфляж серый? — спросил Артем Бурбона.

— С жиру бесятся, вот почему, — презрительно отозвался тот. — Ты это... Погуляй тут пока, а я побазарю кое с кем.

Ничего особенно интересного на лотках Артем не заметил: лежали тут чай, палки колбасы, аккумуляторы к фонарям, куртки и плащи из свиной кожи, какие-то потрепанные книжонки, по большей части откровенная порнография, полулитровые бутылки с какой-то подозрительного вида субстанцией с гордой надписью «Самогон» на криво наклеенных этикетках, и действительно не было ни одного лотка с дурью, которую раньше можно было достать безо всяких проблем. Даже тощий, с посиневшим носом и слезящимися глазами мужичонка, продававший сомнительный самогон, сипло послал Артема в баню, когда тот спросил, нет ли у него хоть немного «этого дела». Стоял непременный лоток с дровами: узловатые поленья и ветки, которые сталкеры приносили с поверхности, горели удивительно долго и почти не коптили. Платили тут за все тускло поблескивающими остроконечными патронами к автомату Калашникова, некогда самому популярному и распространенному на земле оружию. Сто граммов чая — пять патронов, палка колбасы — пятнадцать патронов, бутыль самогона — двадцать. Называли их здесь любовно — «пульками»: «Слышь, мужик, глянь, какая куртка крутая, недорого, триста пулек — и она твоя! Ладно, двести пятьдесят и по рукам?»

Глядя на аккуратные ряды «пулек» на прилавках, Артем вспомнил слова своего отчима. «Я читал когда-то, что Калашников гордился своим изобретением, тем, что его автомат — самый популярный в мире. Говорил, счастлив тем, что именно благодаря его конструкции рубежи Родины в безопасности. Не знаю, если бы я эту машину придумал, я бы, наверное, уже с ума сошел. Подумать только, именно при помощи твоей конструкции совершается большая часть убийств на земле! Это даже страшнее, чем быть изобретателем гильотины».

Один патрон — одна смерть. Чья-то отнятая жизнь. Сто граммов чая — пять человеческих жизней. Батон колбасы? Пожалуйста, совсем недорого: всего пятнадцать жизней. Качественная кожаная куртка, сегодня скидка, вместо трехсот — только двести пятьдесят, вы экономите пятьдесят чужих жизней. Ежедневный оборот этого рынка, пожалуй, равнялся всему оставшемуся населению метро.

— Ну, что, нашел себе что-нибудь? — спросил подошедший Бурбон.

— Здесь нет ничего интересного, — отмахнулся Артем.

— Ага, точно, сплошная лажа. Эх, пацан, есть местечки в этом гадюшнике, где все что хочешь достать можно. Идешь, а тебя зазывают наперебой: «Оружие, наркотики, девочки, поддельные документы», — мечтательно вздохнул Бурбон. — А эти гниды, — он кивнул на флаг Ганзы, — устроили здесь ясли: того нельзя, этого нельзя... Ладно, пойдем забирать твою мотыгу, и надо идти дальше. Через перегон через этот гребаный.

Взяв автомат Артема, они уселись на каменной скамье перед входом в южный туннель. Здесь было сумрачно, и Бурбон специально выбрал именно это место, чтобы успели привыкнуть глаза.

— Короче, дела такие: я за себя не ручаюсь. Со мной раньше такого не было, поэтому не знаю, что я делать стану, если мы на эту байду напоремся. Тьфу-тьфу, конечно, постучать по дереву там и все дела, но если все-таки напоремся... Ну, если я сопли распущу или, типа, оглохну, это нормально еще. Но там, как я понимаю, у каждого по-своему крыша едет. Пацаны наши так и не вышли обратно, во всяком случае, на Проспект. Я думаю, они вообще никуда не вышли, и мы об них еще споткнемся сегодня. Так что ты это... Готов будь, а то ты у нас нежный... А вот если я бычить начну, орать там, замочить тебя решу... Вот проблема, понял? Не знаю, что и делать... Ладно! — решился наконец Бурбон, очевидно, после долгих колебаний. — Пацан ты вроде ничего, в спину стрелять, наверное, не будешь. Я тебе свою пушку отдам, пока мы будем через перегон этот идти. Смотри, — предупредил он, цепко глядя Артему в глаза, — шуток со мной не шути! У меня с юмором туго.

Вытряхнув из рюкзака какое-то тряпье, он осторожно вытащил оттуда завернутый в потертый пластиковый пакет автомат. Это тоже был Калашников, но укороченный, как у пограничников Ганзы, с откидным прикладом и коротким раструбом вместо длинного ствола с мушкой на конце, как у Артема. Магазин Бурбон из него вынул и убрал обратно в рюкзак, закидав сверху бельем.

— Держи! — передал он оружие Артему. — Далеко не убирай. Может, пригодится. Хотя перегон тихий... — и, не договорив, спрыгнул на пути. — Ладно, пошли. Раньше сядешь — раньше выйдешь.

Это было страшно. Когда шли от ВДНХ к Рижской, Артем знал, что всякое может произойти, но все-таки через эти туннели каждый день туда и обратно сновали люди, и потом, впереди находилась обитаемая станция, на которой их ждали. Там было просто неприятно, как всем и всегда неприятно уходить из освещенного спокойного места. Даже когда они отправлялись в путь к Проспекту Мира с Рижской, несмотря на все сомнения, можно было тешить себя мыслью, что впереди – одна из станций Ганзы: им есть куда идти, и можно будет отдохнуть, ничего не опасаясь.

Но тут было просто страшно. Туннель, лежащий перед ними, оставался совершенно черным, здесь царила какая-то необычная, полная, абсолютная тьма, густая и почти осязаемая. Пористая как губка, она жадно впитывала лучи их фонаря, которых едва хватало на то, чтобы осветить пятачок земли на шаг вперед. Напрягая до предела слух, Артем пытался различить зародыш того странного болезненного шума, но тщетно: наверное, звуки проникали через эту мглу так же трудно, медленно, как и свет. Даже бодро грохотавшие всю дорогу подкованные сапоги Бурбона в этом туннеле звучали вяло и приглушенно.

В правой стене вдруг возник провал – луч фонаря утонул в черном пятне, и Артем не сразу понял, что это было просто ответвление, уходящее вбок от основного туннеля. Он вопросительно оглянулся на Бурбона.

– Не боись. Межлинейник здесь был, – пояснил тот, – чтобы отсюда прямо на Кольцо выезжать без переходов, для поездов. Только Ганза его завалила: там тоже не дураки сидят, открытый туннель здесь оставлять...

После этого они довольно долго шли молча, но тишина давила все больше, и под конец Артем не выдержал.

– Слушай, Бурбон, – заговорил он, пытаясь рассеять наваждение, – а это правда, что здесь недавно какие-то отморозки на караван напали?

Тот ответил не сразу, Артем подумал даже, что он не расслышал вопроса, и хотел повторить, но тут Бурбон отозвался:

– Слышал что-то такое. Но меня тут не было тогда, точно сказать не могу.

Слова его тоже звучали тускло, и Артем с трудом уловил смысл услышанного, стараясь отделить значение слов от своих тяжело ворочающихся мыслей о том, почему здесь так плохо слышно.

– Как же, их никто не видел, что ли? Тут же с одной стороны станция и с другой – станция? Куда они ушли? – продолжал он, и не потому, что это его особенно интересовало, но просто для того, чтобы слышать свой голос.

Прошло еще несколько минут, прежде чем Бурбон наконец ответил, но на этот раз у Артема уже не было желания торопить его, в голове отдавалось эхо от слов, только что произнесенных им самим, и он был слишком занят, вслушиваясь в эти отголоски.

– Тут, говорят, где-то есть это... Типа, люк. Замаскированный. Его не видно так. Разве в такой темноте вообще что-нибудь разглядишь? – с каким-то неестественным раздражением добавил Бурбон.

Потребовалось время, чтобы Артем смог вспомнить, о чем они говорили, мучительно попытаться уцепиться за крючок смысла и задать следующий вопрос, опять просто потому, что хотел продолжить разговор, пусть такой неуклюжий и трудный, но спасавший их от тишины.

– А тут всегда так... темно? – спросил Артем, испуганно чувствуя, что его слова прозвучали совсем уж тихо, словно ему заложило уши.

— Темно? Тут — всегда. Везде темно. Грядет... великая тьма, и... окутает она мир, и будет... властвовать вечно, — делая странные паузы, откликнулся Бурбон.

— Это что, книга какая-то? — выговорил Артем, отмечая про себя, что ему приходится прилагать все большие усилия, чтобы расслышать собственные слова, и вскользь обращая внимание на то, что язык Бурбона пугающе преобразился. Однако у Артема было недостаточно сил, чтобы удивиться этому.

— Книга... Бойся... истин, сокрытых в древних... фолиантах, где... слова тиснены золотом и бумага... аспидно-черная... не тлеет, — произнес Бурбон тяжело, и Артема ужалила мысль, что тот отчего-то больше не оборачивается, как раньше, когда обращается к нему.

— Красиво! — почти закричал Артем. — Откуда это?

— И красота... будет низвергнута и растоптана, и... задохнутся пророки, тщась произнести предречения... свои, ибо день... грядущий будет... чернее их самых зловещих... страхов, и узренное ими... отравит их разум... — глухо продолжал Бурбон.

Внезапно остановившись, он резко повернул голову влево, так, что Артему послышалось даже, как трещат его шейные позвонки, и заглянул парню прямо в глаза.

Артем отшатнулся и попятился назад, на всякий случай нащупывая предохранитель автомата. Бурбон смотрел на него широко раскрытыми глазами, но зрачки его были странно сужены, превратившись в две крошечные точки, хотя в кромешной тьме туннеля должны были бы, наоборот, распахнуться до предела в попытке зачерпнуть как можно больше света. Лицо его казалось неестественно спокойным, ни один мускул не был напряжен, и даже с губ исчезла постоянная презрительная усмешка.

— Я умер, — проговорил Бурбон. — Меня больше нет.

И, прямой как шпала, рухнул лицом вниз.

И тут же в уши Артему ворвался тот самый ужасный звук, но теперь он не разрастался и усиливался постепенно, как это было тогда, нет, он грянул сразу на полной мощности, оглушив и выбив на мгновенье почву из-под ног. В этом месте звук оказался куда мощнее, чем в предыдущий раз, и Артем, распластанный на земле, раздавленный, долго не мог собрать волю в кулак, чтобы подняться. Зажав руками уши, как тогда, закричав на пределе возможностей своих связок, он рванулся и поднялся с пола. Потом, подхватив выпавший из рук Бурбона фонарь, начал лихорадочно шарить им по стенам, пытаясь найти источник шума — разорванную трубу. Но трубы здесь были абсолютно целые, звук шел откуда-то сверху.

Бурбон неподвижно лежал в прежней позе, и когда Артем перевернул его лицом вверх, глаза у того все еще были открыты. Артем, с трудом вспоминая, что следует делать в таких случаях, положил руку ему на запястье, чтобы услышать пульс, пусть слабый, как нитка, пусть сбивчивый, но услышать... Тщетно. Тогда он схватил Бурбона за руки и, обливаясь потом, потащил его тяжеленную тушу вперед, прочь от этого места. Это было дьявольски трудно, он ведь даже забыл снять с попутчика рюкзак.

Через несколько десятков шагов Артем вдруг запнулся обо что-то мягкое, и в нос ударил тошнотворный сладковатый запах. Ему сразу вспомнились слова: «Мы об них еще споткнемся», и он, стараясь не смотреть под ноги, делая двойное усилие, миновал распростертые на рельсах тела.

Он все тянул, тянул Бурбона за собой. Голова у того безжизненно свисала, его холодеющие руки выскальзывали из вспотевших от напряжения ладоней Артема, но он не обращал на это внимания, он не хотел обращать на это внимания, он должен был вытащить Бурбона оттуда, ведь он обещал ему, ведь они договорились!..

Шум понемногу стал затихать и вдруг исчез совсем. Опять наступила мертвая тишина, и, почувствовав огромное облегчение, Артем позволил себе наконец сесть на рельсы и перевести дыхание. Бурбон неподвижно лежал рядом, а Артем, тяжело дыша, с отчаянием глядел на его бледное лицо. Минут через пять он с трудом заставил себя подняться на ноги и, взяв Бурбона за запястья, спиной вперед, спотыкаясь, двинулся дальше. В голове было совершенно пусто, звенела только злая решимость во что бы то ни стало дотащить этого человека до следующей станции.

Потом ноги подогнулись, и он повалился на шпалы, но, пролежав несколько минут, снова пополз вперед, ухватив Бурбона за воротник. «Я дойду, я дойду, я дойду я дойду, ядойдуядойдудойду», — твердил он себе, хотя сам уже в это почти не верил. Совсем обессилев, он стащил с плеча свой автомат, перевел дрожащими пальцами предохранитель на одиночные выстрелы, и, направив ствол на юг, выстрелил, и позвал: «Люди!», но последний звук, который он расслышал, был не человеческим голосом, а шорохом крысиных лап и предвкушающим повизгиванием.

Он не знал, сколько пролежал вот так, вцепившись Бурбону в воротник, сжав рукоятку автомата, когда глаза резанул луч света. Над ним возвышался незнакомый пожилой мужчина с фонарем в одной руке и диковинным ружьем в другой.

— Мой юный друг, — обращаясь к нему, сказал человек приятным звучным голосом. — Ты можешь бросить своего приятеля. Он мертв, как Рамзес Второй. Ты хочешь остаться здесь, чтобы воссоединиться с ним на небесах как можно скорее, или он пока подождет?

— Помогите мне донести его до станции, — слабым голосом попросил Артем, прикрываясь рукой от света.

— Боюсь, что эту идею нам придется с негодованием отвергнуть, — огорченно сообщил мужчина. — Я решительно против превращения станции метро Сухаревская в склеп, она и так не слишком уютна. И потом, если мы и донесем бездыханное тело твоего спутника туда, вряд ли кто-нибудь на этой станции возьмется проводить его в последний путь должным образом. Существенно ли, разложится оное тело здесь или на станции, если его бессмертная душа уже вознеслась к Создателю? Или перевоплотилась — в зависимости от вероисповедания. Хотя все религии заблуждаются в равной степени.

— Я обещал ему... — выдохнул Артем. — У нас был договор...

— Друг мой! — нахмурившись, сказал незнакомец. — Я начинаю терять терпение. Не в моих правилах помогать мертвецам, потому что в мире есть достаточно живых, нуждающихся в помощи. Я возвращаюсь на Сухаревскую: от долгого пребывания в туннелях у меня начинается ревматизм. Если хочешь повидаться со своим товарищем как можно скорее, советую тебе остаться здесь. Крысы и другие милые создания помогут тебе в этом. И потом, если тебя беспокоит юридическая сторона вопроса, то по смерти одной из сторон договор считается расторгнутым, если какой-либо из его пунктов не подразумевает нечто иное.

— Но ведь нельзя его просто бросить! — тихо пытался убедить своего спасителя Артем. — Это же был живой человек. Оставить его крысам?!

— Это, по всей видимости, действительно был живой человек, — откликнулся тот, скептически оглядывая тело. — Но теперь это, несомненно, мертвый человек, а это не одно и то же. Ладно, если очень хочешь, потом сможешь вернуться сюда, чтобы разжечь погребальный костер, или что там у вас принято делать в таких случаях. Вставай! — приказал он, и Артем против своей воли поднялся на ноги.

Несмотря на его протесты, незнакомец решительно стащил с Бурбона рюкзак, накинул его себе на плечо и, поддерживая парня, быстро зашагал вперед. Вначале Артему было тяжело идти, но с каждым новым шагом незнакомец словно одарял его частью своей кипучей энергии. Боль в ногах прошла, и рассудок немного прояснился. Он всмотрелся пристальней в лицо своего спасителя. На вид тому было за пятьдесят, но выглядел он на удивление свежо и бодро. Рука его, поддерживающая Артема, была тверда и ни разу за весь путь не дрогнула от усталости. Седеющие, коротко стриженные волосы и маленькая аккуратная бородка насторожили Артема: был он какой-то слишком ухоженный для метро, в особенности для того захолустья, в котором, судя по всему, обитал.

— Что случилось с твоим приятелем? — спросил незнакомец Артема. — С виду не похоже на нападение, разве что его чем-нибудь отравили... И очень хочется надеяться, что это не то, о чем я думаю, — прибавил он, не распространяясь о том, чего именно опасается.

— Нет... Он сам умер, — не имея сил объяснять обстоятельства гибели Бурбона, о которых сам только начал догадываться, сказал Артем. — Это долгая история. Я потом расскажу.

Туннель вдруг расступился, и они оказались на станции. Что-то здесь показалось Артему странным, непривычным, и прошло несколько секунд, пока до него дошло наконец, в чем дело.

— Здесь что — темно? — обескураженно спросил он своего спутника.

— Здесь нет власти, — отозвался тот. — И некому дать живущим здесь свет. Поэтому каждый, кто нуждается в свете, должен добыть его сам. Кто-то может сделать это, кто-то нет. Но не бойся, по счастью, я отношусь к первому разряду, — он резво взобрался на перрон и подал Артему руку.

Они свернули в первую же арку и вошли в зал. Один лишь длинный проход, колоннады и арки по бокам, обычные железные стены, отсекающие эскалаторы, —

еле освещенная в нескольких местах тщедушными костерками, а большей частью погруженная во мрак, Сухаревская являла собой зрелище гнетущее и крайне унылое. У костерков копошились кучки людей, кто-то спал прямо на полу, от костра к костру бродили странные полусогнутые фигуры в лохмотьях. Все они жались к середине зала, подальше от туннелей.

Костер, к которому незнакомец привел Артема, был заметно ярче остальных и находился далеко от центра платформы.

— Когда-нибудь эта станция выгорит дотла, — подумал вслух Артем, уныло оглядывая зал.

— Через четыреста двадцать дней, — спокойно сообщил его спутник. — Так что до тех пор тебе лучше покинуть ее. Я, во всяком случае, именно так и собираюсь поступить.

— Откуда вы знаете? — пораженно спросил у него Артем, мигом вспоминая все слышанные рассказы о магах и экстрасенсах, всматриваясь в лицо собеседника, пытаясь увидеть на нем печать неземного знания.

— Материнское сердце-вещун неспокойно, — улыбаясь, ответил тот. — Все, теперь ты должен поспать, а потом мы с тобой познакомимся и поговорим.

С его последним словом на Артема вдруг опять навалилась чудовищная усталость, накопленная в туннеле перед Рижской, в ночных кошмарах, в последнем испытании его воли. Не в силах больше сопротивляться, Артем опустился на кусок брезента, раскинутый у костра, подложил под голову свой рюкзак и провалился в долгий, тяжелый и пустой сон.

Глава 6

ПРАВО СИЛЬНОГО

Потолок был так сильно закопчен, что от некогда покрывавшей его побелки уже не осталось ни следа. Артем тупо смотрел на него, не понимая, где же находится.

— Проснулся? — услышал он знакомый голос, заставляя рассыпавшуюся мозаику мыслей и событий выстроиться в картину вчерашнего (вчерашнего ли?) дня. Все это казалось сейчас таким нереальным. Непрозрачная, как туман, стена сна отделяла действительность от воспоминаний.

Стоит заснуть и проснуться, как яркость пережитого стремительно меркнет, и, вспоминая, трудно уже отличить фантазии от подлинных происшествий, которые становятся такими же блеклыми, как сны, как мысли о будущем или возможном прошлом.

— Добрый вечер, — приветствовал Артема тот, кто нашел его. Он сидел по другую сторону костра, Артем видел своего проводника сквозь пламя, и от этого его лицо приобретало вид загадочный и даже мистический. — Теперь, пожалуй, мы с тобой можем представиться друг другу. У меня есть обычное имя, похожее на те имена, которые окружают тебя в этой жизни. Оно слишком длинно и ничего обо мне не говорит. Но я — последнее воплощение Чингис Хана, и поэтому можешь звать меня Хан. Это короче.

— Чингис Хана? — недоверчиво посмотрел Артем на своего собеседника, отчего-то больше всего удивляясь тому, что тот отрекомендовался именно последним воплощением, хотя в реинкарнацию он вообще-то не верил.

— Друг мой! — оскорбленно возразил Хан. — Не стоит с таким явным подозрением изучать разрез моих глаз и манеру поведения. С тех пор у меня было немало иных, более приличных воплощений. Но все же Чингис Хан остается самой значительной вехой на моем пути, хотя как раз из этой жизни, к своему глубочайшему сожалению, я не помню ровным счетом ничего.

— А почему Хан, а не Чингиз? — не сдавался Артем. — Хан ведь даже не фамилия, а род деятельности, если я правильно помню.

— Навевает ненужные ассоциации, не говоря уже об Айтматове, — нехотя и непонятно пояснил собеседник, — и, между прочим, я не считаю своим долгом давать отчет об истоках своего имени кому бы то ни было. Как зовут тебя?

— Меня — Артем, и я не знаю, кем я был в прошлой жизни. Может, раньше мое имя тоже было позвучнее, — сказал Артем.

— Очень приятно, — сказал Хан, очевидно, вполне удовлетворенный и этим. — Надеюсь, ты разделишь со мной мою скромную трапезу, — прибавил он, поднимаясь и вешая над костром битый железный чайник вроде того, что был на ВДНХ в северном дозоре.

Артем суетливо поднялся, запустил руку в свой рюкзак и вытащил оттуда батон колбасы, прихваченный в путь еще с ВДНХ. Перочинным ножом он настрогал несколько кусочков и разложил их на чистой тряпице, которая тоже имелась у него в рюкзаке.

— Вот, — пододвинул он колбасу новому знакомому, — к чаю.

Чай у Хана был все тот же, родной, с ВДНХ, Артем его сразу узнал. Потягивая напиток из металлической эмалированной кружки, он молча вспоминал события прошедшего дня. Хозяин, очевидно, тоже думал о чем-то своем и не тревожил его пока.

Безумие, хлещущее в мир из лопнувших труб, оказывало разное воздействие на всех. И если Артем воспринимал его просто как шум, который глушил, не давал сосредоточиться, убивал мысли, но щадил сам разум, то Бурбон просто не выдержал такой мощной атаки и погиб. Того, что этот шум может убивать, Артем не ожидал, иначе он не согласился бы ступить и шагу в черный туннель между Проспектом Мира и Сухаревской.

На этот раз шум подкрался незаметно, сначала притупляя чувства, — Артем теперь был уверен, что все обычные звуки оказались им заглушены, хотя его самого до поры нельзя было услышать, — потом замораживая поток мыслей так, что те загустевали, останавливались и покрывались инеем бессилия, и, наконец, нанося последний сокрушительный удар.

И как он сразу не заметил, что Бурбон вдруг заговорил языком, которого не смог бы воспроизвести, даже начитавшись апокалиптических пророчеств? Они с Бурбоном продвигались все глубже, словно зачарованные, и наступило чудное такое опьянение, а вот чувства опасности не было, и сам Артем думал о какой-то ерунде, о том, что нельзя замолкать, что надо говорить, но попытаться осознать, что же с ними происходит, в голову отчего-то не приходило, что-то мешало...

Все произошедшее хотелось выкинуть из сознания, забыть, оно было недоступным для понимания, ведь за все годы, прожитые на ВДНХ, о подобном ему приходилось разве только слышать, и проще было верить, что такого не может происходить в этом мире, что этому в нем просто нет места. Артем потряс головой и снова огляделся по сторонам.

Вокруг стоял все тот же душный сумрак. Артему подумалось, что здесь никогда не бывает светло, может стать только темнее, если закончится запас топлива для костра, завезенного сюда какими-то караванами. Часы над входом в туннели давным-давно погасли, на этой станции не было руководства, некому было заботиться о них, и Артем подумал, почему Хан сказал ему «добрый вечер», хотя, по его расчетам, должно было быть утро или полдень.

— Разве сейчас вечер? — недоуменно спросил он у Хана.

— У меня — вечер, — задумчиво ответил тот.

— Что вы имеете в виду? — не понял Артем.

— Видишь ли, Артем, ты, видимо, родом со станции, где часы исправны и все с благоговением смотрят на них, сверяя время на своих наручных часах с красными цифрами над входом в туннели. У вас время одно на всех, как и свет. Здесь все наоборот: никому нет дела до других. Никому не нужно обеспечивать светом всех, кого сюда занесло. Подойди к людям и предложи им это — твоя идея покажется им абсурдной. Каждый, кому нужен свет, должен принести его сюда с собой. То же и со временем: каждый, кто нуждается во времени, боясь хаоса, приносит сюда свое время. Оно здесь у каждого — собственное, и у всех оно разное, в зависимости от того, кто когда сбился со счета, но все одинаково правы, и каждый верит в свое время, подчиняет свою жизнь его ритмам. У меня сейчас — вечер, у тебя — утро, ну и что? Такие, как ты, хранят в своих странствиях часы так же бережно, как древние люди берегли тлеющий уголек в обожженном черепке, надеясь воскресить из него огонь. Но есть и другие: они потеряли, а может, выбросили свой уголек. Ты знаешь, в метро ведь, в сущности, всегда ночь, поэтому время здесь не имеет смысла, если за ним тщательно не следить. Разбей свои часы, и ты увидишь, во что превратится время, это очень любопытно. Оно изменится, и ты его больше не узнаешь. Оно перестанет быть раздробленным, разбитым на отрезки, часы, минуты, секунды. Время как ртуть: раздробишь его, а оно тут же срастется, вновь обретет целостность и неопределенность. Люди приручили его, посадили на цепочки карманных часов и секундомеров, и для тех, кто держит его на цепи, оно течет одинаково. Но попробуй, освободи его — и ты увидишь: для разных людей оно течет по-разному, для кого-то медленно и тягуче, отсчитываемое выкуренными сигаретами, вдохами и выдохами, а для кого-то мчится, и измерить его можно только прожитыми жизнями. Ты думаешь, сейчас утро? Есть определенная вероятность того, что ты прав: приблизительно одна четвертая. Тем не менее, это утро не имеет никакого смысла, ведь оно там, на поверхности, где больше нет жизни. Во всяком случае, людей там больше не осталось. Имеет ли значение, что происходит наверху, для тех, кто никогда там не бывает? Нет. Поэтому я и говорю тебе «добрый вечер», а ты, если хочешь, можешь ответить мне «доброе утро». Что же до самой станции, у нее и вовсе нет никакого времени, кроме, пожалуй, одного, и престранного: сейчас четыреста девятнадцать дней, и отсчет идет в обратную сторону.

Он замолчал, потягивая горячий чай, а Артему стало смешно, когда он вспомнил, что на ВДНХ станционные часы почитались как святыня, и любой сбой сразу навлекал на попавшихся под горячую руку обвинения в диверсии и саботаже. Вот удивилось бы начальство, узнав, что никакого времени больше нет, что пропал сам смысл его существования! Рассказанное Ханом вдруг напомнило Артему одну смешную вещь, которой он не раз удивлялся, когда подрос.

— Говорят, раньше, еще когда ходили поезда, в вагонах объявляли: «Осторожно, двери закрываются, следующая станция такая-то, платформа с правой или с левой стороны», — сказал он. — Это правда?

— Тебе это кажется странным? — поднял брови его собеседник.

— Но как можно определить, с какой стороны платформа? Если я иду с юга на север, платформа справа, но если я иду с севера на юг, она слева. А сиденья в поезде вообще стояли вдоль стен, если я правильно понимаю. Так что для пассажиров это платформа впереди, или платформа сзади, причем ровно для половины — так, а для другой половины — точно наоборот.

— Ты прав, — уважительно отозвался Хан. — Фактически машинисты говорили только от своего имени, они-то ехали в кабине впереди, и для них право было абсолютное право, а лево — абсолютное лево. Но они ведь это и так знали, и говорили, в сущности, сами себе. Поэтому, в принципе, они могли бы и молчать. Но я слышал эти слова с детства, я так привык к ним, что они никогда не заставляли меня задуматься.

— Ты обещал рассказать мне, что случилось с твоим товарищем, — напомнил он Артему через некоторое время.

Артем помешкал немного, сомневаясь, можно ли рассказывать этому человеку о загадочных обстоятельствах гибели Бурбона, о шуме, дважды слышанном им за последние сутки, о его губительном влиянии на человеческий рассудок, о своих переживаниях и мыслях, когда ему удалось подслушать мелодию туннеля, — и решил, что если и стоит кому-то поведать о таких вещах, то только человеку, который искренне полагает себя последним воплощением Чингис Хана и считает, что времени больше нет. Тогда он сбивчиво, волнуясь, не соблюдая последовательности событий, стараясь передать больше оттенки своих ощущений, чем факты, стал излагать свои злоключения.

— Это — голоса мертвых, — тихо промолвил Хан после того, как он завершил свое повествование.

— Что? — спросил Артем потрясенно.

— Ты слышал голоса мертвых. Ты говорил, вначале это было похоже на шепот или на шелест? Да, это они.

— Каких мертвых? — никак не мог сообразить Артем.

— Всех тех людей, что погибли в метро с самого начала. Это, собственно, объясняет и то, почему я — последнее воплощение Чингис Хана. Больше воплощений не будет. Всему пришел конец, мой друг. Я не знаю точно, как это получилось, но на этот раз человечество перестаралось. Больше нет ни рая, ни ада. Нет больше чистилища. После того, как душа отлетает от тела, — я надеюсь, хотя бы в бессмертную душу ты веришь? — ей нет больше прибежища. Сколько мегатонн, беватонн нужно, чтобы рассеять ноосферу? Ведь она была так же реальна, как этот чайник. Как бы то ни было, мы не поскупились. Мы уничтожили и рай и ад. Нам довелось жить в очень странном мире, в мире, в котором после смерти душе предстоит остаться точно там же. Ты понимаешь меня? Ты умрешь, но твоя измученная душа больше не перевоплотится, а поскольку нет больше рая, для нее не наступит успокоение и отдохновение. Она обречена остаться там же, где ты прожил всю свою жизнь, — в метро. Может, я не могу дать тебе точного теософского объяснения того, почему так выходит, но я точно знаю: в нашем мире после смерти душа останется в метро... Она будет метаться под сводами этих подземелий, в туннелях, до скончания времен, ведь ей некуда больше стремиться. Метро объединяет в себе материальную жизнь и обе ипостаси загробной. Теперь и Эдем, и Преисподняя находятся здесь же. Мы живем среди душ умерших, они окружают нас плотным кольцом - все те, кто был задавлен поездом, застрелен, задушен, сожран чудовищами, сгорел, погиб такой странной смертью, о которой никто из живущих не знает ничего и никогда не сможет даже такое вообразить. Я давно уже бился над тем, куда они уходят, почему их присутствие не ощущается каждый день, почему не чувствуется все время легкий холодный взгляд из темноты... Тебе знаком страх туннеля? Я думал раньше, что это мертвые слепо бредут за нами по туннелям, шаг за шагом, тая во тьме, как только мы оборачиваемся. Глаза бесполезны, ими не различить умершего, но мурашки, пробегающие по спине, волосы, встающие дыбом, озноб, бьющий наши тела, свидетельствуют о незримом преследовании. Так я думал раньше. Но после твоего рассказа многое прояснилось для меня. Неведомыми путями они попадают в трубы, в коммуникации... Когда-то давно, до того, как родился мой отец и даже дед, по мертвому городу, который лежит сверху, протекала речушка. Люди, жившие тогда в нем, сумели сковать эту реку и направить ее по трубам под землей, где она, наверное, течет и по сей день. Похоже, что на этот раз кто-то заточил в трубы саму Лету, реку смерти... Твой товарищ говорил не своими словами, да это и был не он. Это были голоса мертвых, он услышал их в голове и повторял, а потом они увлекли его за собой.

Артем уставился на собеседника и не мог отвести взгляда от его лица на протяжении всего рассказа. По лицу Хана пробегали неясные тени, его глаза словно вспыхивали адским огнем... К концу повествования Артем был почти уже уверен, что Хан безумен, что голоса в трубах, наверное, нашептали что-то и ему. И хотя Хан спас его от смерти и так гостеприимно принял его, оставаться с ним надолго оказывалось неуютно и неприятно. Надо было думать о том, как пробираться дальше, через самый зловещий из всех туннелей метро, о которых ему приходилось слышать до сих пор, — от Сухаревской к Тургеневской и дальше.

— Так что тебе придется извинить меня за мой маленький обман, — после небольшой паузы прибавил Хан. — Душа твоего друга не вознеслась к Создателю, не перевоплотилась и не восстала в иной форме. Она присоединилась к тем несчастным, в трубах.

Эти слова напомнили Артему, что он собирался вернуться за телом Бурбона, чтобы принести его на станцию. Бурбон говорил, что здесь у него есть друзья, которые должны были вернуть Артема обратно в случае успешного похода. Это напомнило ему о рюкзаке, который Артем так и не раскрывал и в котором, кроме обойм к автомату Бурбона, могло обнаружиться еще что-нибудь полезное. Но хозяйничать в нем было как-то боязно, в голову лезли всяческие суеверия, и Артем решился только приоткрыть рюкзак и заглянуть в него, стараясь не трогать там ничего и тем более не ворошить.

— Ты можешь не бояться его, — будто чувствуя его колебания, неожиданно успокоил Артема Хан. — Эта вещь теперь твоя.

— По-моему, то, что вы сделали, называется мародерством, — тихо сказал Артем.

— Ты можешь не бояться мести, он больше не перевоплотится, — сказал Хан, отвечая не на то, что Артем произнес вслух, а на то, что металось у него в голове. — Я думаю, что, попадая в эти трубы, умершие теряют себя, они становятся частью целого, их воля растворяется в воле остальных, а разум иссыхает. Он больше не личность. А если ты боишься не мертвых, а живых... Что ж, вынеси этот мешок на середину станции и вывали его содержимое на землю. Тогда тебя никто не обвинит в воровстве, твоя совесть будет чиста. Но ты пытался спасти этого человека, и он был бы тебе благодарен за это. Считай, что этот мешок — его плата тебе за то, что ты сделал.

Он говорил так авторитетно и убежденно, что Артем осмелился запустить руку в мешок и принялся вытаскивать и раскладывать на брезенте в свете костра содержимое. Там нашлись еще четыре обоймы к автомату Бурбона, вдобавок к тем двум, что он снял, отдавая оружие Артему. Удивительно было, зачем челноку, за которого Артем принял Бурбона, такой внушительный арсенал. Пять из найденных магазинов Артем аккуратно обернул в тряпицу и убрал в свой рюкзак, а один вставил в укороченный Калашников. Оружие было в отличном состоянии: тщательно смазанное и ухоженное, оно отливало вороненой сталью и завораживало. Затвор двигался плавно, издавая в конце глухой щелчок, предохранитель переключался между режимами огня чуть туговато — все это говорило о том, что автомат был практически новым. Рукоять удобно ложилась в ладонь, цевье было хорошо отполировано. От этого оружия исходило ощущение надежности, оно вселяло спокойствие и уверенность в себе. Артем сразу решил, что если и оставит себе что-нибудь из имущества Бурбона, то это будет именно автомат.

Обещанных магазинов с патронами калибра 7.62, под свою старую «мотыгу», он так и не нашел. Непонятно было, как Бурбон собирался с ним расплачиваться. Размышляя об этом, Артем пришел к выводу, что тот, может, и не собирался ничего ему отдавать, а, миновав опасный участок, шлепнул бы его выстрелом в затылок, скинул бы в шахту и не вспомнил бы о нем больше никогда. И если бы кто-нибудь спросил его о том, куда делся Артем, оправданий нашлось бы множество: мало ли что может случиться в метро, а пацан, мол, сам согласился.

Кроме разного тряпья, карты метро, испещренной понятными только ее погибшему хозяину пометками, и граммов ста дури, на дне рюкзака обнаружилась несколько кусков копченого мяса, завернутых в полиэтиленовые пакеты, и записная книжка. Книжку Артем читать не стал, а в остальном содержимом рюкзака разочаровался. В глубине души он надеялся отыскать нечто таинственное, может, драгоценное, из-за чего Бурбон так хотел прорваться через туннель к Сухаревской. Про себя он решил, что Бурбон — курьер, может, контрабандист или кто-нибудь в этом роде. Это, по крайней мере, объясняло его решимость пробраться через чертов туннель любой ценой и готовность раскошелиться. Но после того как из мешка была извлечена последняя пара сменного белья и на дне, сколько Артем ни светил, не обнаруживалось больше ничего, кроме старых черствых крошек, стало ясно, что причина его настойчивости была иной. Артем долго еще ломал себе голову, что именно понадобилось Бурбону за Сухаревской, но так и не смог придумать ничего правдоподобного.

Догадки скоро были вытеснены мыслью о том, что он так и бросил несчастного посреди туннеля, оставил крысам, хотя собирался вернуться, чтобы сделать что-нибудь с телом. Правда, он довольно смутно представлял, как именно отдать челноку последние почести и как поступить с трупом. Сжечь его? Но для этого нужно порядочно нервов, а удушливый дым и смрад паленого мяса и горящих волос наверняка просочится на станцию, и тогда неприятностей не избежать. Тащить же тело на станцию тяжело и страшно, потому что одно дело — тянуть за запястья человека, надеясь, что он жив и отпугивая липкие мысли о том, что он не дышит и у него не прослушивается пульс, и совсем другое — взять за руку заведомого мертвеца. И что потом? Так же, как Бурбон солгал по поводу оплаты, он мог соврать и про друзей на станции, ждущих его здесь. Тогда Артем, притащивший сюда тело, оказался бы в еще худшем положении.

— А как вы поступаете здесь с теми, кто умирает? — спросил Артем у Хана после долгого раздумья.

— Что ты имеешь в виду, друг мой? — вопросом на вопрос отозвался тот. — Говоришь ли ты о душах усопших или об их бренных телах?

— Я про трупы, — буркнул Артем, которому эта галиматья с загробной жизнью начала уже порядком надоедать.

— От Проспекта Мира к Сухаревской ведут два туннеля, — сказал Хан, и Артем сообразил: верно, поезда ведь шли в двух направлениях, и всегда надо было два туннеля... Так отчего же Бурбон, зная о втором туннеле, предпочел идти навстречу своей судьбе? Неужели в другом пути скрывалась еще большая опасность? — Но пройти можно только по одному, — продолжил его собеседник, — потому что во втором туннеле, ближе к нашей станции, просела земля, пол обвалился, и теперь там что-то вроде глубокого оврага, куда, по местному преданию, упал целый поезд. Если стоишь на одном краю этого оврага, не важно, с какой стороны, другого конца не видно, и свет даже очень сильного фонаря до дна не достает. Поэтому всякие болваны болтают, что здесь у нас бездонная пропасть. Этот овраг — наше кладбище. Туда мы отправляем трупы, как ты их называешь.

Артему стало нехорошо, когда он представил себе, что ему придется возвращаться на то место, где его подобрал Хан, тащить назад полуобглоданное крысами тело Бурбона, нести его через станцию и потом до оврага во втором туннеле. Он попытался убедить себя, что скинуть мертвеца в овраг, в сущности, то же самое, что бросить его в туннеле, потому что погребением это назвать никак нельзя. Но в тот момент, когда он почти уже поверил, что оставить все как есть было бы наилучшим выходом из положения, перед глазами с потрясающей отчетливостью встало лицо Бурбона в тот момент, когда он произнес: «Я умер», так что Артема прямо бросило в пот. Он с трудом поднялся, повесил на плечо свой новый автомат и выговорил:

— Тогда я пошел. Я обещал ему. Мы с ним договаривались. Мне надо, — и на негнущихся ногах зашагал по залу к чугунной лесенке, спускавшейся с платформы на пути у входа в туннель.

Фонарь пришлось зажечь еще до спуска. Прогремев по ступеням, Артем замер на мгновение, не решаясь ступить дальше. В лицо дохнуло тяжелым, отдающим гнилью воздухом, и на мгновение мышцы отказались повиноваться, как он ни старался заставить себя сделать следующий шаг. И когда, преодолев страх и отвращение, Артем наконец пошел, ему на плечо легла тяжелая ладонь. От неожиданности он вскрикнул и резко обернулся, чувствуя, как сжимается что-то внутри, понимая, что он уже не успеет сорвать с плеча автомат, ничего не успеет...

Но это был Хан.

— Не бойся, — успокаивающе сказал он Артему. — Я испытывал тебя. Тебе не надо туда идти. Там больше нет тела твоего товарища.

Артем непонимающе уставился на него.

— Пока ты спал, я совершил погребальный обряд. Тебе незачем идти туда. Туннель пуст, — и, повернувшись к Артему спиной, Хан побрел обратно к аркам.

Ощутив огромное облегчение, парень поспешил вслед за ним. Нагнав Хана через десяток шагов, Артем взволнованно спросил его:

— Но зачем вы это сделали и почему ничего мне не сказали? Вы ведь говорили, что не имеет значения, останется ли он в туннеле или его перенесут на станцию.

— Для меня это действительно не имеет никакого значения, — пожал плечами Хан. — Но зато для тебя это было важно. Я знаю, что поход твой имеет цель и что твой путь далек и тернист. Я не понимаю, какова твоя миссия, но ее бремя будет слишком тяжело для тебя одного, и я решил помочь тебе хоть в чем-то, — он взглянул на Артема с улыбкой.

Когда они вернулись к костру и опустились на мятый брезент, Артем не выдержал:

— Что вы имели в виду, когда упомянули о моей миссии? Я говорил во сне?

— Нет, дружок, во сне ты как раз молчал. Но мне было видение, и в нем меня просил о помощи человек, половину имени которого я ношу. Я был предупрежден о твоем появлении, и именно поэтому вышел тебе навстречу и подобрал тебя, когда ты полз с трупом твоего приятеля.

— Разве вы из-за этого? — недоверчиво глянул на него Артем. — Я думал, вы слышали выстрелы...

— Выстрелы я слышал, здесь сильное эхо. Но неужели ты и вправду думаешь, что я выхожу в туннели каждый раз, когда стреляют? Я бы окончил свой жизненный путь намного раньше и весьма бесславно, если бы так поступал. Но этот случай был исключительным.

— А что это за человек, половину имени которого вы носите?

— Я не могу сказать, кто это, я никогда не видел его раньше, никогда не говорил с ним, но ты его знаешь. Ты должен понять это сам. И, увидев его только однажды, хотя и не наяву, я сразу почувствовал его колоссальную силу; он велел помочь юноше, который появится из северных туннелей, и твой образ предстал передо мной. Все это был только сон, но ощущение его реальности было так велико, что, проснувшись, я не уловил грани между грезами и явью. Это могучий человек с блестящим, выбритым наголо черепом, одетый во все белое... Ты знаешь его?

Тут Артема будто тряхнуло, все поплыло перед глазами, и ему ясно представился тот образ, о котором рассказывал Хан. Человек, половину имени которого носил его спаситель... Хантер! Похожее видение было и у Артема: когда он не мог решиться отправиться в путешествие, он видел Охотника, но не в долгополом черном плаще, в котором тот явился на ВДНХ в памятный день, а в бесформенных снежно-белых одеяниях.

— Да. Я знаю этого человека, — совсем по-иному глядя на Хана, сказал Артем.

— Он вторгся в мои сновидения, а такого я обычно никому не прощаю. Но с ним все было иначе, — задумчиво проговорил Хан. — Ему, как и тебе, нужна была моя помощь, и он не приказывал, он не требовал подчиниться своей воле, а, скорее, очень настойчиво просил. Он не умеет пользоваться внушением и странствовать по чужим мыслям, просто ему было трудно, очень трудно, он отчаянно думал о тебе и искал дружескую руку, плечо, на которое мог бы опереться. Я протянул ему руку и подставил плечо. Я вышел тебе навстречу.

Артем захлебнулся мыслями, они бурлили, всплывали в его сознании одна за другой, растворялись, так и не переведенные в слова, и вновь шли на дно, язык словно окоченел, и юноша долго не мог выдавить из себя ни слова. Неужели этот человек действительно заранее знал о его приходе? Неужели Хантер смог каким-то образом предупредить его? Был ли Хантер жив, или к ним обращалась его бесплотная тень? Но тогда приходилось верить в кошмарные и бредовые картины загробной жизни, нарисованные Ханом, а ведь куда легче и приятнее было убеждать себя, что тот просто безумен. И, самое главное, его собеседник что-то знал о том задании, которое Артему предстояло выполнить, он называл это миссией, пусть и затрудняясь определить ее смысл, понимал ее тяжесть и важность, сочувствовал Артему и хотел облегчить его долю...

— Куда ты идешь? — спокойно глядя Артему в глаза и словно читая его мысли, негромко спросил Хан. — Скажи мне, куда лежит твой путь, и я помогу тебе сделать следующий шаг к цели, если это будет в моих силах. Он просил меня об этом.

— Полис, — выдохнул Артем. — Мне надо в Полис.

— И как же ты собираешься добраться до Города с этой забытой богом станции? — заинтересовался Хан. — Друг мой, тебе надо было ступать по Кольцу от Проспекта Мира до Курской или же до Киевской.

— Там Ганза, а у меня совсем нет там знакомых, мне не удалось бы там пройти. И все равно, теперь я уже не смогу вернуться на Проспект Мира, я боюсь, что не выдержу второй раз путешествия через этот туннель. Я думал попасть к Тургеневской: рассматривая старую карту, я видел там переход на станцию Сретенский Бульвар. Оттуда идет недостроенная линия, и по ней можно добраться до Трубной, — Артем достал из кармана обгоревшую листовку с картой на обороте. — Название мне очень не нравится, особенно теперь, но делать нечего. С Трубной есть переход на Цветной бульвар, я видел его у себя на карте, и оттуда, если все будет хорошо, можно попасть в Полис по прямой.

— Нет, — грустно сказал Хан, качая головой. — Тебе не попасть в Полис этой дорогой. Эти карты лгут. Их печатали задолго до того, как все произошло. Они рассказывают о линиях, которые никогда не были достроены, о станциях, которые обрушились, погребая под сводами сотни невинных, они умалчивают о страшных опасностях, таящихся на пути и делающих многие маршруты невозможными. Твоя карта глупа и наивна, как трехлетний ребенок. Дай мне ее, — он протянул руку.

Артем послушно вложил листок в его ладонь. Хан тут же скомкал карту и швырнул ее в огонь. Пока Артем размышлял о том, что это, пожалуй, было лишним, но не решался спорить, Хан потребовал:

— А теперь покажи мне ту карту, что ты нашел в рюкзаке своего спутника.

Порывшись в вещах, Артем отыскал и ее, но передавать Хану не спешил, помня печальную судьбу собственной. Совсем оставаться без плана линий не хотелось. Заметив его колебания, Хан поспешил успокоить:

— Я ничего с ней не сделаю, не бойся. И, поверь, я ничего не делаю зря. Тебе может показаться, что некоторые мои действия лишены смысла и даже безумны. Но смысл есть, просто он недоступен тебе, потому что твое восприятие и понимание мира ограничено. Ты еще только в самом начале пути. Ты слишком молод, чтобы правильно понимать некоторые вещи.

Не находя в себе сил возразить, Артем передал Хану найденную у Бурбона карту, квадратик картона размером с почтовую открытку, вроде той, пожелтевшей, старой, с красивыми блестящими шарами, инеем и надписью «С Новым, 2007 годом», которую ему как-то удалось выменять у Виталика на облезлую желтую звездочку с погон, найденную у отчима в кармане.

— Какая она тяжелая, — хрипло произнес Хан, и Артем обратил внимание на то, что ладонь Хана, с лежащим на ней кусочком картона, вдруг подалась книзу, как будто и впрямь он весил больше килограмма. Секунду назад, держа карту в руках, сам Артем не заметил ничего необычного. Бумажка как бумажка.

— Эта карта намного мудрее твоей, — сказал Хан. — Здесь кроются такие знания, что мне не верится, будто она принадлежала человеку, который шел с тобой. Дело даже не в этих пометках и знаках, которыми она испещрена, хотя и они могут рассказать о многом. Нет, она несет в себе нечто...

Его слова резко оборвались.

Артем вскинул взгляд и внимательно посмотрел на него. Лоб Хана прорезали глубокие морщины, и недавний угрюмый огонь снова разгорелся в его глазах. Лицо его так переменилось, что Артему сделалось боязно и опять захотелось убраться с этой станции как можно скорее и куда угодно, пусть даже обратно в гибельный туннель, из которого он с таким трудом вышел живым.

— Отдай ее мне, — не попросил, а скорее приказал Хан. — Я подарю тебе другую, ты не почувствуешь разницы. И добавлю еще любую вещь по твоему желанию, — продолжил он тут же.

— Берите, она ваша, — легко поддался Артем, с облегчением выплевывая слова согласия, забивавшие рот и оттягивавшие язык. Они ждали там с той самой секунды, когда Хан промолвил: «Отдай», и, когда Артем избавился от них наконец, ему вдруг подумалось, что они были не его, чужими, продиктованными.

Хан вдруг отодвинулся от костра, так что его лицо ушло во мрак. Артем догадался, что он пытается совладать с собой и не хочет, чтобы парень стал свидетелем этой внутренней борьбы.

— Видишь ли, дружок, — раздался из темноты его голос, какой-то слабый, нерешительный, не сохранивший ничего от той мощи и воли, что напугала Артема мгновение назад, — это не карта. Вернее, не просто карта. Это Путеводитель по метрополитену. Да-да, сомнений нет, это он. Умеющий человек сможет пройти с ним все метро за два дня, потому что эта карта... одушевлена, что ли... Она сама рассказывает, куда и как идти, предупреждает об опасности... То есть ведет тебя по твоему пути. Поэтому она и зовется Путеводитель, — Хан вновь приблизился к огню, — с большой буквы, это ее имя. Я слышал о ней. Их всего несколько на все метро, а может, только эта и осталась. Наследие одного из наиболее могущественных магов ушедшей эпохи.

— Того, который сидит в самой глубокой точке метро?.. — решил блеснуть познаниями Артем и сразу осекся: лицо Хана помрачнело.

— Никогда впредь не заговаривай так легкомысленно о вещах, в которых ничего не смыслишь! Ты не знаешь, что творится в самой глубокой точке метро, да и сам я знаю немного, и дай нам Бог ничего об этом никогда не узнать. Но могу поклясться, что происходящее там разительно отличается от того, что тебе рассказывали твои приятели. И не повторяй чужих досужих вымыслов об этой точке, потому что за это однажды придется заплатить. И это никак не связано с Путеводителем.

— Все равно, — поспешил заверить его Артем, не упуская возможности вернуть разговор в более безопасное русло, — вы можете оставить этот Путеводитель себе. Я ведь не умею им пользоваться. И потом, я так благодарен вам за то, что вы спасли меня, что если вы примете от меня карту, даже это не искупит моего долга перед вами.

— Это правда, — морщины на лице Хана разгладились, голос вновь смягчился. — Ты не сможешь им пользоваться еще долгое время. Что ж, если ты даришь его мне, то мы будем в расчете. У меня есть обычная схема линий, если хочешь, я перерисую все отметки с Путеводителя на нее и отдам ее взамен. И еще... — он пошарил в своих мешках, — я могу предложить тебе вот эту штуку, — и достал маленький, странной формы фонарик. — Он не требует батареек, здесь такое устройство, вроде ручного эспандера: видишь, две ручки? Их надо сжимать пальцами, и он сам вырабатывает ток, лампочка светится. Тускло, конечно, но бывают такие ситуации, когда этот слабый свет кажется ярче ртутных ламп в Полисе... Он меня не раз спасал, надеюсь, что и тебе пригодится. Держи, он твой. Бери-бери, обмен все равно неравный, и это я твой должник, а не наоборот.

По мнению Артема, обмен получился как раз на редкость выгодный. Что ему до мистических свойств карты, если он глух к ее голосу? Он ведь, пожалуй, и выкинул бы ее, покрутив немного в руках и тщетно попытавшись разобраться в намалеванных на ней закорючках.

— Так вот, маршрут, который ты набросал, не приведет тебя никуда, кроме бездны, — продолжил прерванный разговор Хан, бережно держа карту в руках. — Погоди-ка, вот, возьми мою старую и следи по ней, — он протянул Артему совсем крошечную схему, отпечатанную на обороте старого карманного календарика. — Ты говорил о переходе с Тургеневской на Сретенский Бульвар? Неужели ты ничего не знаешь о дурной славе этой станции и длинном туннеле отсюда до Китай-Города?

— Ну, мне говорили, что поодиночке в него соваться нельзя, что безопасно только караваном пройти, я и подумал: до Тургеневской — караваном, а там сбежать от них в переход, разве они станут догонять? — отозвался Артем, чувствуя, что копошится у него в голове какая-то невнятная мысль и зудит, тревожит его. Но что же?..

— Там нет перехода. Арки замурованы. Ты не знал об этом?

Как он мог забыть?! Конечно, ему говорили об этом раньше, но из головы вылетело... Красные испугались дьявольщины в том туннеле и замуровали единственный выход с Тургеневской.

— Но разве там нет другого выхода? — осторожно спросил он.

— Нет, и карты молчат об этом. Переход на строящиеся линии начинается не на Тургеневской. Но даже если бы там был открытый переход, не думаю, что у тебя хватило бы отваги отстать от группы и войти туда. Особенно если ты послушаешь последние сплетни об этом милом местечке, когда будешь ждать, пока набирается караван.

— Но что же мне делать? — уныло поинтересовался Артем, исследуя календарик.

— Можно дойти до Китай-Города. О, это очень любопытная станция, и нравы на ней презабавные, но там, по крайней мере, нельзя пропасть бесследно, так что даже твои ближайшие друзья через некоторое время начнут сомневаться, существовал ли ты когда-нибудь вообще. А на Тургеневской это как раз очень вероятно. От Китай-Города, следи, — он повел пальцем, — всего две станции до Пушкинской, там переход на Чеховскую, еще один — и ты в Полисе. Это, пожалуй, будет еще короче, чем та дорога, которую ты предлагал.

Артем зашевелил губами, подсчитывая количество станций и пересадок в обоих маршрутах. Как ни считай, путь, обозначенный Ханом, был намного короче и безопаснее, и неясно было, почему Артем сам о нем не подумал. Да и выбора теперь не оставалось.

— Вы правы, — сказал он наконец. — И как, часто караваны туда идут?

— Боюсь, что не очень. И есть одна маленькая, но досадная деталь: чтобы кто-то захотел проследовать через наш полустанок к Китай-Городу, то есть уйти в южный туннель, он должен для начала добраться к нам с противоположной стороны. А теперь подумай, легко ли теперь попасть сюда с севера, — Хан ткнул пальцем в сторону проклятого туннеля, из которого Артему едва удалось спастись. — Впрочем, последний караван на юг отправился уже довольно давно, и есть надежда, что с тех пор уже собралась новая группа. Поговори с людьми, порасспрашивай, только не болтай слишком много, здесь крутятся несколько головорезов, которым доверять никак нельзя... Ладно уж, схожу с тобой, чтобы ты не наделал глупостей, — добавил он, поразмыслив.

Артем потянул было за собой рюкзак, но Хан остановил его жестом:

— Не опасайся за свои вещи. Меня здесь так боятся, что никакая шваль не осмелится даже приблизиться к моему логову. А пока ты здесь, ты под моей защитой.

Рюкзак Артем бросил у огня, но автомат с собой все же прихватил, не желая расставаться с новым сокровищем, и поспешил вслед за Ханом, который широкими шагами неторопливо направлялся к кострам, горевшим на другом конце зала. Удивленно разглядывая шарахавшихся от них заморенных бродяг, закутанных в вонючее рванье, Артем думал, что Хана здесь, наверное, и вправду боятся. Интересно, почему?

Первый из огней проплыл мимо, но Хан не замедлил шага. Это был совсем крошечный костерок, он еле горел, и у него сидели, тесно прижавшись друг к другу, две фигуры, мужская и женская. Шелестели, рассыпаясь и не достигая ушей, негромкие слова на незнакомом языке. Артему сделалось так любопытно, что он чуть не свернул себе шеи, не в силах оторвать взгляда от этой пары.

Впереди был другой костер, большой, яркий, и возле него располагался целый лагерь. Вокруг огня сидели, грея руки, рослые, довольно свирепого вида мужики. Гремел зычный смех, воздух вспарывала такая крепкая ругань, что Артем даже немного оробел и замедлил шаг. Но Хан спокойно и уверенно подошел к сидящим, поздоровался и уселся перед огнем, так что Артему не оставалось ничего другого, как последовать его примеру и примоститься сбоку.

— ...Смотрит на себя и видит, что у него такая же сыпь на руках, и под мышками что-то набухает, твердое, и страшно болит. Представь, ужас какой, мать твою... Разные люди себя по-разному ведут. Кто-то стреляется сразу, кто-то с ума сходит, на других начинает бросаться, облапать пытается, чтоб не одному подыхать. Кто в туннели сбегает, за Кольцо, в глухомань, чтобы не заразить никого... Люди разные бывают. Вот он, как все это увидел, так у доктора нашего спрашивает: есть, мол, шанс вылечиться? Доктор ему прямо говорит: никакого. После появления этой сыпи еще две недели тебе остается. А комбат, я смотрю, уже потихоньку Макарова из кобуры тянет, на случай, если тот буйствовать начнет... — рассказывал прерывающимся от неподдельного волнения голосом худой, заросший щетиной мужичок в ватнике, оглядывая собравшихся водянистыми серыми глазами.

И, хотя Артем не понимал еще толком, о чем идет речь, дух, которым было проникнуто повествование, и набухающая тишина в гоготавшей недавно компании заставили его вздрогнуть и тихонечко спросить у Хана, чтобы не привлечь постороннего внимания:

— О чем это он?

— Чума, — тяжело отозвался Хан. — Началось.

От его слов веяло зловонием разлагающихся тел и жирным дымом погребальных костров, а эхом их слышались тревожный колокольный набат и вой ручной сирены.

На ВДНХ и в окрестностях эпидемий никогда не случалось, крыс, как разносчиков заразы, истребляли, к тому же на станции было несколько грамотных врачей. О смертельных заразных болезнях Артем читал только в книгах. Некоторые из них попались ему слишком рано, оставив глубокий след в памяти и надолго овладев миром его детских грез и страхов. Поэтому, услышав слово «чума», он почувствовал, как взмокла холодным потом спина и чуть закружилась голова. Ничего больше выспрашивать у Хана он не стал, вслушиваясь с болезненным любопытством в рассказ худого в ватнике.

— Но Рыжий не такой был мужик, не психованный. Постоял молча с минуту и говорит: «Патронов дайте мне, и пойду. Мне теперь с вами нельзя». Комбат прямо вздохнул от облегчения, я даже услышал. Ясное дело: в своего стрелять радости мало, даже если он больной. Дали Рыжему два рожка — ребята скинулись. И ушел он на северо-восток, за Авиамоторную. Больше мы его не видели. А Комбат потом спрашивает доктора нашего, через сколько времени болезнь проявляется. Тот говорит: инкубационный период у нее — неделя. Если через неделю после контакта ничего нет, значит, не заразился. Комбат тогда решил: выйдем на станцию и неделю там стоять будем, потом проверимся. Внутрь Кольца нам, мол, нельзя: если зараза проникнет, все метро вымрет. Так целую неделю и простояли. Друг к другу не подходили почти — как знать, кто из нас заразный. А там еще парень один был, его все Стаканом звали, потому что выпить очень любил. Так вот от него все вообще шарахались, а все оттого, что он с Рыжим корефанил. Подойдет этот Стакан к кому, а тот от него через всю станцию деру. А кое-кто и ствол наставлял, мол, отвали. Когда у Стакана вода закончилась, ребята с ним поделились, конечно, но так — поставят на пол и отойдут, а к себе никто не подпускал. Через неделю он пропал куда-то. Потом говорили разное, некоторые брехали даже, что его какая-то тварь утащила, но там туннели спокойные, чистые. Я лично думаю, что он просто сыпь на себе заметил, или под мышками набрякло, вот и сбежал. А больше в нашем отряде никто не заразился, мы еще подождали, потом Комбат сам всех проверил. Все здоровые.

Артем заметил, что, несмотря на это уверение, вокруг рассказчика стало пустовато, хотя места вокруг костра было не так уж много и сидели все вплотную, плечом к плечу.

— Ты долго сюда шел, браток? — негромко, но отчетливо спросил коренастый бородач в кожаном жилете.

— Уж дней тридцать как с Авиамоторной вышли, — беспокойно поглядывая на него, ответил худой.

— Так вот, у меня для тебя новости. На Авиамоторной — чума. Чума там, понял?! Ганза закрыла и Таганскую, и Курскую. Карантин называется. У меня знакомые там, граждане Ганзы. И на Таганской, и на Курской в перегонах огнеметы стоят, и всех, кто на расстояние поражения подходит, жгут. Дезинфекция называется. Видно, у кого неделя инкубационный период, а у кого и больше, раз вы туда все же пронесли заразу, — заключил он, недобро понижая голос.

— Да вы чего, ребята? Да я здоровый! Да вот хоть сами посмотрите! — мужичок вскочил с места и принялся судорожно сдирать с себя ватник и оказавшийся под ним неимоверно грязный тельник, торопясь, боясь не успеть убедить.

Напряжение нарастало. Рядом с худым не осталось уже никого, все сгрудились по другую сторону костра, люди нервно переговаривались, и Артем уловил тихое клацанье затворов. Он вопросительно посмотрел на Хана, перетягивая свой новый автомат с плеча в боевое положение, стволом вперед. Хан хранил молчание, но жестом остановил его. Потом он быстро поднялся и неслышно отошел от костра, увлекая за собой Артема. Шагах в десяти он замер, продолжая наблюдать за происходящим.

Поспешные, суетливые движения раздевающегося казались в свете костра какой-то безумной первобытной пляской. Говор в толпе умолк, и действо продолжалось в зловещей тишине. Наконец, ему удалось избавиться и от нательного белья, и он торжествующе воскликнул:

— Вот, смотрите! Я чистый! Я здоров! Ничего нет! Я здоров!

Бородач в жилете выдернул из костра горящую с одного конца доску и осторожно приблизился к худому, брезгливо присматриваясь к нему. Кожа у излишне разговорчивого мужичка была темной от грязи и жирно лоснилась, но никаких следов сыпи бородачу обнаружить, видимо, не удалось, потому что после придирчивого осмотра он скомандовал:

— Подними руки!

Несчастный поспешно задрал руки вверх, открывая взгляду столпившихся по другую сторону костра людей поросшие тонким волосом подмышечные впадины. Бородач демонстративно зажал нос свободной рукой и подошел еще ближе, дотошно рассматривая и выискивая бубоны, но и там не смог найти никаких симптомов чумы.

— Здоров я! Здоров! Что, убедились теперь?! — чуть не в истерике выкрикивал мужичонка срывающимся в визг голосом.

В толпе неприязненно зашептались. Уловив общее настроение и не желая сдаваться, коренастый вдруг объявил:

— Ну, допустим, сам ты здоров. Это еще ничего не значит!

— Как это — ничего не значит? — опешив и как-то сразу сникнув, поразился худой.

— Да так. Сам-то ты мог и не заболеть. У тебя, может быть, иммунитет. А вот заразу принести ты мог вполне. Ты же с этим твоим Рыжим общался? В отряде одном шел? Говорил с ним, воду из одной фляги пил? За руку здоровался? Здоровался, брат, не ври.

— Ну и что, что здоровался? Не заболел ведь... — потерянно отвечал мужичок. Он замер в бессилии, затравленно глядя на толпу.

— А то. Не исключено, что ты заразен, брат. Так что извини, рисковать мы не можем. Профилактика, брат, понимаешь? — бородач расстегнул пуговицы жилета, обнажая бурую кожаную кобуру. Среди стоявших по другую сторону костра послышались одобрительные возгласы, и вновь защелкали затворы.

— Ребята! Но я же здоров! Я же не заболел. Вот, смотрите! — худой опять поднимал вверх руки, но теперь все только морщились пренебрежительно и с явным отвращением.

Коренастый извлек из кобуры пистолет и наставил его на мужичка, который, похоже, никак не мог понять, что с ним происходит, и только бормотал, что он здоров, прижимая к груди скомканный ватник: было прохладно, и он уже начинал мерзнуть.

Тут Артем не выдержал. Дернув затвор, он сделал шаг к толпе, не осознавая толком, что собирается сейчас делать. Под ложечкой мучительно сосало, в горле стоял ком, так что выговорить ему бы сейчас ничего не удалось. Но что-то в этом человеке, в опустевших, отчаянных его глазах, в бессмысленном, механическом бормотании, царапнуло Артема, толкнуло его сделать шаг вперед. Неизвестно, что он сделал бы после, но на его плечо опустилась рука, и боже, какой тяжелой она была на этот раз!

— Остановись, — спокойно приказал Хан, и Артем застыл как вкопанный, чувствуя, что его хрупкая решимость разбивается о гранит чужой воли. — Ты ничем не можешь ему помочь. Ты можешь либо погибнуть, либо навлечь на себя их гнев. Твоя миссия останется невыполненной и в том и в другом случае, и ты должен помнить об этом.

В этот момент мужичок вдруг дернулся, вскрикнул, прижимая к себе ватник, одним махом соскочил на пути и помчался к черному провалу южного туннеля с нечеловеческой быстротой, дико и как-то по-животному вереща. Бородач рванул было за ним, пытаясь прицелиться в спину, но потом махнул рукой. Это было уже лишним, и каждый, кто стоял на платформе, знал это. Неясно лишь было, помнил ли загнанный мужичок о том, куда бежит, надеялся ли на чудо, или просто от страха все вылетело у него из головы.

Через несколько минут и его вопль, разорвавший глухую тягостную тишину проклятого туннеля, и отзвуки его шагов разом оборвались. Не затихли постепенно, а смолкли в одно мгновение, будто кто-то выключил звук, даже эхо умерло сразу, и вновь воцарилось безмолвие. Это было так странно, так непривычно для человеческого слуха и разума, что воображение еще пыталось заполнить этот разрыв, и, казалось, еще слышен был где-то вдалеке крик. Но все понимали, что это только чудилось.

— Шакалья стая безошибочно чувствует больного, дружок, — промолвил Хан, и Артем чуть не отшатнулся, заметив в его глазах блуждающие хищные огни. — Больной — обуза для стаи и угроза ее здоровью. Поэтому стая загрызет больного. Раздерет его в клочья. В кло-чья, — повторил он, словно смакуя сказанное.

— Но это же не шакалы, — нашел наконец в себе смелость возразить Артем, вдруг начиная верить, что он действительно имеет дело с реинкарнацией Чингис Хана. — Ведь это люди!

— А что прикажешь делать? — парировал Хан. — Деградация. Медицина у нас на шакальем уровне. И гуманности в нас столько же. Посему...

Артему знал, что возразить на это, однако спорить с единственным покровителем на этой дикой станции было бы не совсем уместно. Хан же, подождав возражений, наверное, решил, что Артем сдался, и перевел разговор на другую тему.

— А теперь, пока среди наших друзей царит такое оживление по поводу распространения инфекционных заболеваний и способов борьбы с ними, мы должны ковать железо. Иначе они могут не решиться на переход еще долгие недели. А тут, как знать, может, удастся проскочить.

Люди у костра возбужденно обсуждали случившееся. Все были напряжены и растеряны, призрачная тень страшной опасности накрыла их, и теперь они пытались решить, что же делать дальше, но мысли их, как подопытные мыши в лабиринте, кружились на месте, беспомощно тыкались в тупики, бессмысленно метались взад-вперед, не в силах отыскать выхода.

— Наши друзья весьма близки к панике, — довольно прокомментировал Хан, улыбаясь краешком губ и весело глядя на Артема. — Кроме того, они подозревают, что только что линчевали невинного, а такой поступок не стимулирует рационального мышления. Сейчас мы имеем дело не с коллективом, а со стаей. Отличное ментальное состояние для манипуляции психикой! Обстоятельства складываются как нельзя лучше.

От его торжествующего вида Артему опять стало не по себе. Он попробовал улыбнуться в ответ, — в конце концов, Хан хотел помочь ему, — но вышло жалко и неубедительно.

— Главное теперь — авторитет. Сила. Стая уважает силу, а не логические аргументы, — кивнув, добавил Хан. — Стой и смотри. Не далее чем через день ты сможешь продолжить путь, — и с этими словами, сделав несколько широких шагов, он вклинился в толпу.

— Здесь нельзя оставаться! — загремел его голос, и говор в толпе сразу затих.

Люди с настороженным любопытством прислушивались к его словам. Хан использовал свой могучий, почти гипнотический дар убеждения. С первыми же словами острое чувство опасности, нависшей над каждым, кто осмелится остаться на станции после произошедшего, захлестнуло Артема.

— Он заразил здесь весь воздух! Подыши мы им еще немного, и нам конец. Бациллы тут повсюду, и мы обязательно подцепим эту дрянь, стоит остаться здесь еще хоть чуть-чуть. Передохнем, как крысы, и будем гнить прямо посреди зала, на земле. Сюда никто не проберется, чтобы помочь нам, нечего и надеяться! Рассчитывать мы можем только на себя. Надо поскорее уходить с этой чертовой станции, где все кишит микробами. Если мы выйдем сейчас, все вместе, прорваться через тот туннель будет совсем несложно. Но надо делать это немедленно!

Люди согласно зашумели. Большинство из них не могло, как и Артем, противостоять колоссальной силе убеждения Хана. Вслед за его словами Артем послушно переживал все те состояния и чувства, которые были заложены в них: ощущение угрозы, страх, панику, безысходность, затем слабую надежду, которая росла по мере того, как Хан продолжал говорить о выходе из положения, который он предлагал.

— Сколько вас?

Сразу несколько людей принялись пересчитывать собравшихся. Помимо Хана с Артемом, у костра было восемь человек.

— Значит, ждать нечего! Нас уже десять, мы сможем пройти! — заявил Хан и, не давая людям прийти в себя, продолжил: — Собирайте вещи, не позднее чем через час мы должны выйти!.. Быстрее, назад к костру, бери ты тоже свои пожитки, — прошептал Артему Хан, утягивая его за собой к их маленькому лагерю. — Главное, не дать им опомниться. Если мы промедлим, они начнут сомневаться, стоит ли им уходить отсюда к Чистым Прудам. Некоторые из них вообще шли в другую сторону, другие просто живут на этом полустанке, и им просто некуда податься. Придется мне, видимо, довести тебя до Китай-Города, иначе, боюсь, в туннеле они потеряют свою целеустремленность или вообще забудут, куда и зачем идут.

Быстро покидав в свой рюкзак приглянувшееся имущество Бурбона, пока Хан сворачивал свой брезент и тушил костер, Артем искоса наблюдал за происходящим на другом конце зала. Люди, вначале оживленно копошившиеся, собирая свой скарб, двигались все менее бодро и слаженно. Вот кто-то присел у огня, другой побрел зачем-то к центру платформы, а вот двое сошлись вместе и заговорили о чем-то. Начиная уже соображать, что к чему, Артем дернул Хана за рукав.

— Они там общаются, — предупредил он.

— Увы, общение с себе подобными — неотъемлемая черта человеческих существ, — отозвался Хан. — И даже если их воля подавлена, а сами они, в сущности, загипнотизированы, они все равно тяготеют к общению. Человек — существо социальное, и тут ничего не поделаешь. Во всех других случаях я покорно принял бы любое человеческое проявление как божий замысел или как неизбежный результат эволюционного развития, в зависимости от того, с кем я беседую. Однако в данном случае такой ход мышления вреден. Мы должны вмешаться, мой юный друг, и направить их мысли в нужное русло, — резюмировал он, взваливая на спину свой огромный походный тюк.

Костер погас, и плотная, почти осязаемая тьма сдавила их со всех сторон. Достав из кармана подаренный фонарик, Артем сжал его рукоятку. Внутри устройства что-то зажужжало, и лампочка ожила. Неровный, мерцающий свет брызнул из нее.

— Давай, давай, жми еще, не бойся, — подбодрил его Хан, — он может работать и получше.

Когда они подошли к остальным, несвежие туннельные сквозняки успели уже выветрить из голов у тех уверенность в правоте Хана. Вперед выступил тот самый крепыш с бородой, который до этого занимался санитарно-эпидемиологическим контролем.

— Послушай, браток, — небрежно обратился он к спутнику Артема.

Даже не глядя на него, Артем кожей почувствовал, как электризуется атмосфера вокруг Хана. Судя по всему, панибратство приводило того в бешенство. Изо всех людей, с которыми Артем был знаком до сих пор, меньше всего он хотел бы увидеть взбешенным Хана. Оставался, правда, еще Охотник, но он показался Артему настолько хладнокровным и уравновешенным, что представить его в гневе было просто невозможно. Он, наверное, и убивал с тем выражением на лице, с каким другие чистят грибы или заваривают чай.

— Мы тут посовещались и вот думаем... — продолжал коренастый, — что-то ты пургу гонишь. Мне, например, вовсе несподручно к Китай-Городу идти. Вон и товарищи против. Так ведь, Семеныч? — обратился он за поддержкой к толпе. Оттуда кто-то поддакнул, правда, пока довольно робко. — Мы вообще к Проспекту шли, к Ганзе, пока там дрянь в туннелях не началась. Вот переждем и дальше двинем. И ничего здесь с нами не станет. Вещи мы его сожгли, а про воздух ты нам мозги не конопать, это ж не легочная чума. Если мы заразились, так уже заразились, делать нечего. Заразу в большое метро нести нельзя. Только, скорее всего, нету никакой заразы, так что шел бы ты, браток, со своими предложениями!.. — все более развязно рассуждал бородатый.

От такого напора Артем немного опешил. Но, украдкой взглянув на своего спутника, он почувствовал, что коренастому сейчас не поздоровится. В глазах Хана вновь пылало оранжевое адское пламя, исходили от него такая звериная злость и такая сила, что Артема пробил озноб, и волосы на голове начали подниматься дыбом, захотелось оскалиться и зарычать.

— Что же ты его сгубил, если никакой заразы не было? — вкрадчиво, нарочито мягким голосом спросил Хан.

— А для профилактики! — нагло глядя и поигрывая желваками, ответил коренастый.

— Нет, дружок, это не медицина. Это уголовщина. По какому праву ты его так?

— Ты меня дружком не называй, я тебе не собачка, понял? — ощетинясь, огрызнулся бородач. — По какому праву я его? А по праву сильного! Слышал о таком? И ты особенно здесь не это... А то мы сейчас и тебя, и молокососа твоего порвем! Для профилактики. Понял?! — и уже знакомым Артему движением он расстегнул жилет и положил руку на кобуру.

На этот раз Хан уже не успел остановить Артема, и бородатый уставился в ствол его автомата быстрее, чем успел расстегнуть кобуру. Артем тяжело дышал и слушал, как бьется его сердце, в висках стучала кровь, и никакие разумные мысли в голову не шли. Он знал только одно: если бородатый скажет еще что-нибудь или его рука продолжит свой путь к рукояти пистолета, он немедленно нажмет на спусковой крючок. Артем не хотел подохнуть, как тот мужичок: он не даст стае растерзать себя.

Бородач застыл на месте и не делал никаких движений, зло поблескивая темными глазами. И тут произошло нечто непонятное. Хан, безучастно стоявший до этого в стороне, вдруг сделал большой шаг вперед, разом оказавшись лицом к лицу с обидчиком и, заглянув ему в глаза, негромко сказал:

— Прекрати. Ты подчинишься мне. Или умрешь.

Грозный взгляд бородача померк, его руки бессильно, словно плети, повисли вдоль тела — так неестественно, что Артем не сомневался: если на него что-то и подействовало, то не автомат, а слова Хана.

— Никогда не рассуждай о праве сильного. Ты слишком слаб для этого, — сказал Хан и вернулся к Артему, к удивлению того, не делая даже попытки разоружить врага.

Коренастый неподвижно стоял на месте, растерянно оглядываясь по сторонам. Гомон смолк, и люди ждали, что Хан скажет дальше. Контроль над ситуацией был восстановлен.

— Будем считать, что дискуссии окончены и консенсус достигнут. Выходим через пятнадцать минут, — обернувшись к Артему, он сказал: — Ты говоришь, люди? Нет, друг мой, это звери. Это шакалья стая. Они собирались нас порвать. И порвали бы. Но одного они не учли. Они-то шакалы, но я — волк. И есть станции, где меня знают только под этим именем.

Артем молчал, пораженный увиденным, наконец понимая, кого Хан так ему напоминал.

— Но и ты — волчонок, — спустя минуту добавил тот, не оборачиваясь, и в его голосе Артему почудились неожиданно теплые нотки.

Глава 7

ХАНСТВО ТЬМЫ

Он действительно был абсолютно пустым и чистым, этот туннель. Сухой пол, приятный ветерок, веющий в лицо, ни одной крысы, никаких подозрительных ответвлений и зияющих чернотой штолен, всего лишь несколько запертых боковых дверей в служебные помещения, — в этом туннеле, пожалуй, можно было бы жить не хуже, чем на любой из станций. Больше того, это совершенно неестественное спокойствие и чистота не только не настораживали, но мигом развеивали все те опасения, с которыми люди сюда попадали. Легенды о пропавших здесь начинали казаться глупыми выдумками, и Артем уже засомневался, происходила ли наяву дикая сцена с несчастным, которого приняли за чумного, или только пригрезилась ему, пока он дремал на куске брезента перед костром бродячего философа.

Они с Ханом замыкали шествие, поскольку тот опасался, что люди начнут отставать по одному, и тогда, по его словам, до Китай-Города не дойдет никто. Теперь он мягко шагал рядом с Артемом, спокойный, будто ничего и не случилось, и резкие морщины, прорезавшие было его лицо во время стычки на Сухаревской, разгладились. Буря улеглась, и перед Артемом снова был мудрый и сдержанный Хан, а не рассвирепевший матерый волк. Однако обратное превращение не заняло бы и минуты, Артем чувствовал это.

Понимая, что следующая возможность приподнять завесу над некоторыми из тайн метро ему представится не скоро, если представится вообще, он просто не смог удержаться от вопроса:

— А вы понимаете, что происходит в этом туннеле?

— Этого не знает никто, в том числе и я, — нехотя отозвался Хан. — Да, есть вещи, о которых даже мне неведомо ровным счетом ничего. Единственное, что я могу тебе сказать, — это бездна. Беседуя с собой, я называю это место черной дырой... Ты, верно, никогда не видел звезд? Говоришь, видел однажды? И что-нибудь знаешь про космос? Так вот, гибнущая звезда может обратиться такой дырой, если, погаснув, она под действием собственного неимоверно мощного притяжения начнет пожирать сама себя, втягивая вещество с поверхности внутрь, к своему центру становясь все меньше размером, но все плотнее и тяжелее. И чем плотнее она становится, тем больше возрастает сила ее тяготения. Этот процесс необратим и подобен снежной лавине: с усилением тяготения все возрастающее количество вещества стремительнее и стремительнее будет увлекаться к сердцу этого монстра. На определенной стадии его мощь достигнет таких размеров, что он будет втягивать в себя своих соседей, всю материю, находящуюся в пределах его влияния, и, наконец, даже световые волны. Исполинская сила позволит ему пожирать лучи других солнц, и пространство вокруг него будет мертво и черно — ничто, попавшее в его владения, не в силах уже будет вырваться оттуда. Это звезда тьмы, черное солнце, распространяющее вокруг себя лишь холод и мрак, — он затих, прислушиваясь к разговорам впереди идущих.

— Но как все это связано с туннелем? — не выдержал Артем после пятиминутного молчания.

— Ты знаешь, я обладаю даром предвидения. Мне удается иногда заглянуть в будущее, в прошлое или же переместиться мысленно в другие места. Бывает, что-то неясно, скрыто от меня, к примеру, я не могу пока узнать, чем кончится твой поход, и вообще твое будущее для меня загадка. Такое ощущение, словно смотришь сквозь мутную воду и ничего не можешь разобрать. Но когда я пытаюсь проникнуть взором в происходящее здесь или постичь природу этого места — передо мной лишь чернота, луч моей мысли не возвращается из абсолютной тьмы этого туннеля. Оттого я называю его черной дырой, когда беседую сам с собой. Вот и все, что я могу тебе о нем рассказать, — он умолк, но спустя еще несколько мгновений неразборчиво добавил: — И это из-за него я здесь.

— Так вам не известно, почему временами туннель совершенно безопасен, а иногда проглатывает идущих? И почему одиноких путников?

— Мне известно об этом не больше, чем тебе, хотя вот уже третий год как я пытаюсь разгадать эти тайны. Все тщетно.

Эхо далеко разносило их шаги. Воздух здесь был какой-то прозрачный, дышалось на удивление легко, темнота не казалась пугающей. И даже слова Хана не настораживали и не волновали, так что Артему подумалось, что спутник его был так мрачен не из-за тайн и опасностей этого туннеля, а из-за бесплодности своих поисков. Его озабоченность показалась Артему надуманной и даже смешной. Вот же этот перегон, никакой угрозы он не представляет, прямой, пустой... В голове у него заиграла даже какая-то бодрая мелодия и, видимо, прорвалась наружу незаметно для него самого, потому что Хан вдруг глянул на него насмешливо и спросил:

— Ну что, весело? Хорошо здесь, правда? Тихо так, чисто, да?

— Ага! — радостно согласился Артем.

И так ему легко и свободно сделалось на душе оттого, что Хан смог понять его настроение и тоже проникся им... Что и он тоже идет теперь и улыбается, а не хмурится своим тяжким мыслям, что и он теперь верит этому туннелю...

— А вот прикрой глаза, дай я тебя за руку возьму, чтоб не споткнулся... Видишь что-нибудь? — заинтересованно спросил Хан, мягко сжимая запястье Артема.

— Нет, ничего не вижу, только немного света от фонариков сквозь веки, — послушно зажмурившись, немного разочарованно сказал Артем, и вдруг тихо вскрикнул.

— Вот, пробрало! — удовлетворенно отметил Хан. — Красиво, да?

— Потрясающе... Это как тогда... Нет потолка, и все синее такое... Боже мой, красота какая! И как дышится-то!

— Это, дружок, небо. Любопытно, правда? Если тут глаза под настроение закрыть и расслабиться, его многие видят. Странно, конечно, что и говорить... Даже те, кто и на поверхности-то не бывал никогда. И ощущение такое, будто наверх попал... Еще до.

— А вы? Вы это видите? — не желая раскрывать глаз, блаженно спросил Артем.

— Нет, — помрачнел Хан. — Все почти видят, а я нет. Только густую, яркую такую черноту вокруг туннеля, если ты понимаешь, что я хочу сказать. Чернота сверху, снизу, по бокам, и только ниточка света тянется вдоль туннеля, и за нее мы и держимся, когда идем по лабиринту. Может, я слеп. А может, слепы все остальные. Ладно, открывай глаза, я не поводырь и не собираюсь вести тебя за руку до Китай-Города, — он отпустил запястье Артема.

Артем пытался и дальше идти, зажмурившись, но запнулся о шпалу и чуть не полетел на землю со всей поклажей. После этого он нехотя поднял веки и долго еще шел молча, глупо улыбаясь.

— Что это было? — спросил он наконец.

— Фантазии. Грезы. Настроение. Все вместе, — отозвался Хан. — Но это так переменчиво. Это не твое настроение и не твои грезы. Нас здесь много, и пока ничего не случится, но это настроение может быть совсем другим, и ты это еще почувствуешь. Гляди-ка, мы уже выходим на Тургеневскую! Быстро же мы добрались. Но останавливаться на ней ни в коем случае нельзя, даже для привала. Люди наверняка будут просить передохнуть, но не все чувствуют туннель. Большинство из них не ощущает даже того, что доступно тебе. Нам надо идти дальше, хотя теперь это будет все тяжелее.

Они ступили на станцию. Светлый мрамор, которым были облицованы стены, почти не отличался от того, что покрывал Проспект Мира и Сухаревскую, но там стены и потолок были так сильно закопчены и засалены, что камня было почти не разглядеть. Тут же он представал во всей своей красе, и трудно было им не залюбоваться. Люди ушли отсюда так давно, что никаких следов их пребывания тут не сохранилось. Станция была в удивительно хорошем состоянии, словно ее никогда не заливало водой и она не знала пожаров, и если бы не кромешная темнота и слой пыли на полу, скамьях и стенах, можно было бы подумать, что на нее вот-вот хлынет поток пассажиров или, оповестив ожидающих мелодичным сигналом, въедет поезд. За все эти годы на ней почти ничего не переменилось. Еще отчим рассказывал ему об этом с недоумением и благоговением.

Колонн на Тургеневской не было. Низкие арки были вырублены в мраморной толще стен через большие промежутки. Фонарям каравана недоставало мощи, чтобы рассеять мглу зала и осветить противоположную стену, поэтому создавалось впечатление, что за этими арками нет совсем ничего, только черная пустота, как будто стоишь на самом краю Вселенной, у обрыва, за которым кончается мироздание.

Они миновали станцию довольно быстро, и, вопреки опасениям Хана, никто не изъявил желания остановиться на привал. Люди выглядели обеспокоенными и говорили все больше о том, что надо как можно быстрее двигаться дальше, к обитаемым местам.

— Чувствуешь, настроение меняется... — подняв палец вверх, словно пытаясь определить направление ветра, тихо отметил Хан. — Нам действительно надо идти быстрее, они чувствуют это шкурой не хуже меня с моей мистикой. Но что-то мешает мне продолжать наш путь. Подожди здесь недолго...

Он бережно достал из внутреннего кармана карту, которую называл Путеводителем и, приказав остальным не двигаться с места, потушил зачем-то свой фонарь, сделал несколько длинных мягких шагов и канул во тьму.

Когда он отошел, от группки стоявших впереди людей отделился один, и, медленно, будто через силу, приблизившись к Артему, сказал так робко, что тот вначале не узнал даже коренастого бородатого наглеца, угрожавшего им на Сухаревской:

— Послушай, парень, нехорошо это, что мы здесь стоим. Скажи ему, боимся мы. Нас, конечно, много, но всякое бывает... Проклят этот туннель, и станция эта проклята. Скажи ему, идти надо. Слышишь? Скажи ему... Пожалуйста, — и, отведя взгляд, заспешил обратно.

Это его последнее «пожалуйста» встряхнуло Артема, нехорошо удивило его. Сделав несколько шагов вперед, чтобы быть ближе к группе и слышать общие разговоры, он понял вдруг, что от прежнего его радостного настроения не осталось и следа.

В голове, где маленький оркестрик только что играл бравурные марши, теперь было удручающе пусто и тихо, только слышались отголоски ветра, уныло подвывающего в лежащих впереди туннелях. Артем затих. Все его существо замерло, тягостно ожидая чего-то, предчувствуя какие-то неотвратимые перемены. И не зря. Через долю мгновения будто незримая тень пронеслась стремительно над ним, и стало отчего-то холодно и очень неуютно, его покинуло то ощущение спокойствия и уверенности, которое безраздельно властвовало над ним, когда они вступали в туннель. Тут Артем и вспомнил слова Хана о том, что это не его настроение, не его радость, и не от него зависит перемена состояния. Он нервно зашарил лучиком вокруг себя: на него навалилось гнетущее ощущение чьего-то присутствия. Тускло вспыхивал запыленный белый мрамор, и плотная черная завеса за арками не отступала, несмотря на панические метания луча, отчего иллюзия того, что за арками этими мир заканчивается, усиливалась. Не выдержав, Артем чуть не бегом бросился к остальным.

— Иди к нам, иди, пацан, — сказал ему кто-то, чьего лица он не разглядел. Они, видно, тоже старались экономить батареи. — Не бойся. Ты человек, и мы человеки. Когда такое творится, человеки должны заодно быть. Ты тоже чуешь?..

Артем охотно признался, что витает в воздухе нечто, и с удовольствием, от страха делаясь непривычно болтливым, принялся обсуждать с людьми из каравана свои переживания, но его мысли при этом постоянно возвращались к тому, куда подевался Хан, почему уже больше десяти минут от него ни слуху, ни духу. Он ведь сам прекрасно знал и Артему говорил, что нельзя в этих туннелях поодиночке, только вместе надо, в этом спасение. Как же он от них отделился, как осмелился бросить вызов негласному закону этого места? Неужели попросту забыл о нем или, может, понадеялся на волчье свое чутье? В первое Артему как-то не верилось, ведь обмолвился же Хан, что три года своей жизни потратил на изучение, на наблюдения за этим странным местом. А ведь и одного раза достаточно, чтобы запомнить единственное правило: не разделяться, чтобы до озноба, до холодного пота бояться вступить в туннель одному.

Но не успел еще Артем обдумать, что же могло случиться с его покровителем там, впереди, как тот бесшумно возник рядом с ним, и люди оживились.

— Они не хотят больше стоять здесь. Им страшно. Пойдемте скорее дальше, — попросил Артем. — Я тоже чувствую здесь что-то...

— Им еще не страшно, — уверил его Хан, оглядываясь назад, и Артему почудилось, что его твердый хрипловатый голос дрогнул, когда тот продолжил: — И тебе неведом еще страх, так что не стоит сотрясать воздуха зря. Страшно мне. И запомни, я не бросаюсь такими словами. Мне страшно, потому что я окунулся во мрак за станцией. Путеводитель не дал мне сделать следующего шага, иначе я бы неминуемо сгинул. Мы не можем идти дальше. Там кроется нечто... Но там темно, мой взор не проникает вглубь, и я не знаю, что именно поджидает нас там. Смотри! — быстрым движением он поднес к глазам карту, — видишь? Да посвети же сюда! Смотри на перегон отсюда к Китай-Городу! Неужели ничего не замечаешь?

Артем всматривался в крошечный отрезок на схеме так напряженно, что у него заболели глаза. Он не мог различить ничего необычного, но признаться в этом Хану не нашел смелости.

— Слепец! Неужто ты ничего не видишь? Да он весь черный! Это смерть! — прошептал Хан и отдернул карту.

Артем уставился на него с опаской. Хан снова казался ему безумцем. Вспоминалась услышанная от Женьки байка про человека, осмелившегося ступить в туннели в одиночку, про то, что он все-таки выжил, но от испуга сошел с ума. Не могло ли это произойти и с Ханом?

— Но и возвращаться уже нельзя! — шептал Хан. — Нам удалось пройти в момент благостного настроения. Но теперь там клубится тьма и грядет буря. Единственное, что мы можем сделать сейчас - пойти вперед, но не по этому туннелю, а по параллельному. Может, он пока свободен. Эй! — крикнул он, обращаясь к остальным. — Вы правы! Мы должны двигаться дальше. Но мы не сможем идти по этому пути. Там, впереди, гибель.

— Так как же мы тогда пойдем? — недоуменно спросил кто-то из людей.

— Перейти через станцию и идти по параллельному туннелю — вот что мы должны сделать. И как можно скорее!

— Э, нет! — заартачился неожиданно один из группы. — Это ж всем известно, что по обратному туннелю идти, если свой свободен, дурная примета, к смерти! Не пойдем мы по левому!

В поддержку раздалось несколько голосов. Группа топталась на месте.

— О чем это он? — удивленно спросил Хана Артем.

— Видимо, туземный фольклор, — недовольно поморщился тот. — Дьявол! Совершенно нет времени их переубеждать, да и сил уже не хватает... Послушайте! — обратился он к ним. — Я иду параллельным. Тот, кто верит мне, может ступать со мной. С остальными я прощаюсь. Навсегда. Пошли! — бросил он Артему и, забросив сперва свой рюкзак, тяжело подтянувшись на руках, взобрался на край платформы.

Артем замер в нерешительности. С одной стороны, то, что Хан знал об этих туннелях и вообще о метро, выходило за рамки человеческого понимания, и на него, казалось, можно положиться. С другой, не было ли это непреложным законом проклятых туннелей — идти наибольшим количеством народа, потому что только так можно надеяться на успех?

— Ну, что же ты? Тяжело? Давай руку! — Хан протянул ему ладонь сверху, опустившись на одно колено.

Артему очень не хотелось сейчас встречаться с ним взглядом, он опасался заметить в нем прежние искры безумия, мелькавшие время от времени и так пугавшие его каждый раз. Понимает ли Хан, на что идет, бросая вызов не только всем людям в этой группе, но и природе туннелей? Достаточно ли он постиг и чувствует эту природу? Указанный им отрезок на схеме линий, на Путеводителе, не был черным. Артем был готов поклясться, что он был блекло-оранжевым, как и вся остальная линия. Но вот вопрос: кто слеп на самом деле?

— Ну же! Что ты мешкаешь? Ты что, не понимаешь, промедление убивает нас! Руку! Черт тебя побери, давай руку! — уже кричал Хан, но Артем медленно, мелкими шажками отходил от платформы, все так же уставившись в пол, все дальше от Хана, все ближе к роптавшей группе.

— Давай, пацан, пошли с нами, нечего с этим жлобом якшаться, целее будешь! — послышалось оттуда.

— Глупец! Ты же сгинешь со всеми ними! Если тебе наплевать на свою жизнь, подумай хотя бы о своей миссии! — летели им наперекор слова Хана.

Артем осмелился наконец поднять голову и упереться взглядом в его расширенные зрачки, но даже гаснущего уголька сумасшествия не было заметно в них, только отчаяние и смертельная усталость.

Засомневавшись, он остановился, но в этот момент чья-то рука легла на его плечо и мягко потянула его за собой.

— Пошли! Пусть подыхает один, он-то хочет еще и тебя за собой в могилу утащить! — услышал Артем. Смысл слов доходил до него тяжело, соображалось туго, и, посопротивлявшись мгновение, он дал увлечь себя за остальными.

Группа снялась с места и двинулась вперед, в черноту южного туннеля. Они шли удивительно медленно, как бы преодолевая сопротивление некой плотной среды, будто двигались в воде.

И тогда Хан, неожиданно легко оторвавшись от земли, стремительным броском очутился на путях, в два скачка покрыл расстояние, на которое они успели отойти, одним жестким ударом сбил с ног человека, державшего Артема, схватил его самого поперек туловища и рванул назад. Артему все происходящее казалось странно замедленным. Прыжок Хана он наблюдал через плечо с немым удивлением, его полет растянулся для него на долгие секунды. С тем же тупым недоумением он увидел, как усатый мужчина в брезентовой куртке, мягко державший его за плечо, уводя за группой, тяжко валится наземь.

Но с того момента, как Хан перехватил его, время снова убыстрилось, и реакция других на происшедшее, когда они оборачивались на звук удара, показалась ему почти молниеносной. Они уже делали первые шаги к Хану, поднимая стволы ружей, а тот боком мягко отходил назад, одной рукой прижимая к себе все еще находящегося в прострации Артема, держа его позади себя и прикрывая своим телом. В вытянутой вперед руке Хана чуть покачивался тускло поблескивавший новенький Артемов автомат.

— Уходите, — хрипло произнес Хан. — Я не вижу смысла убивать вас, все равно вы умрете меньше чем через час. Оставьте нас. Уходите, — говорил он, шаг за шагом отступая к центру станции, пока фигуры застывших в нерешительности людей не превратились в смутные силуэты и не начали сливаться с темнотой.

Послышалась какая-то возня, наверное, поднимали с земли усатого, нокаутированного Ханом, и группа стала продвигаться ко входу в южный туннель — решили не связываться. Лишь тогда Хан опустил автомат и резко приказал Артему подниматься на платформу.

— Еще немного, и мне надоест спасать тебя, мой юный друг, — с нескрываемым раздражением процедил он.

Артем покорно полез наверх, Хан последовал за ним. Подобрав свои тюки, он шагнул в черный проем, потянув за собой Артема.

Зал на Тургеневской был совсем недлинный. Слева — тупик, мраморная стена, а с другой стороны его отсекала, насколько видно было в свете фонарей, заслонка из гофрированного железа. Чуть пожелтевший от времени мрамор покрывал всю станцию, только три широкие арки, ведущие к лестницам перехода на бывшие Чистые Пруды, переименованные потом красными в Кировскую, были замурованы грубыми серыми бетонными блоками. Станция была совершенно пуста, на полу не валялось ни одного предмета, не видно было следов человека, не заметно ни крыс, ни тараканов. Пока Артем оглядывался по сторонам, ему вспомнился разговор с Бурбоном, утверждавшим, что крыс опасаться нечего, а вот если крыс нет, значит, дело неладно.

Взяв его за плечо, Хан скорым шагом пересек зал, причем Артем даже через куртку ощутил, что рука Хана подрагивает, словно его бьет озноб. Когда они опустили свою поклажу на край платформы, готовясь спрыгнуть на пути, в спины им вдруг ударил несильный луч, и Артем снова удивился скорости, с которой его спутник отреагировал на опасность. Спустя короткое мгновенье Хан лежал уже, распластавшись на полу и держа на прицеле источник света. Фонарь был не очень сильный, но светил прямо в глаза, и трудно было определить, кто пустился за ними в погоню. С небольшим запозданием мешком свалился на пол и Артем. Ползком добравшись до рюкзаков, он принялся отстегивать от одного из них свое старое оружие. Пусть было оно громоздким и неудобным, но зато безупречно проделывало дыры калибра 7.62, и мало кому удавалось продолжать функционировать с такими отверстиями в организме.

— В чем дело? — громыхнул голос Хана, а Артем успел еще подумать, что если бы их хотели убить, то, наверное, уже давно сделали бы это.

Он довольно ясно представил, как выглядит со стороны: беспомощно корчащийся на полу, в свете фонаря и в перекрестье прицела, копошащийся бессмысленно, как улитка под опускающимся сапогом. Да, если бы его хотели убить, он бы уже лежал в луже крови, так и не успев распутать свой автомат.

— Не стреляйте! — раздался голос. — Не надо...

— Убери свет! — потребовал Хан, воспользовавшись заминкой, чтобы отодвинуться за колонну и достать собственный фонарь.

Артему удалось наконец оторвать проволоку. Крепко ухватившись за цевье, он перекатился вбок, уходя из зоны обстрела, и спрятался в одной из арок. Теперь он был готов вынырнуть сбоку от неизвестного и срезать его очередью, если тот выстрелит первым.

Но гость, видимо, подчинился, потому что вслед за этим последовал новый приказ Хана, отданный уже не таким напряженным голосом:

— Хорошо! Теперь оружие на землю, быстро!

Звякнуло о гранитный пол железо, и Артем, выставив ствол вперед, скользнул вбок и очутился в зале. Его расчет оказался верным — в пятнадцати шагах перед ним, освещенный бьющим из арки лучом (Хан перехватил инициативу), стоял, подняв вверх руки, тот самый бородач, с которым у них на Сухаревской произошла стычка.

— Не надо стрелять, — дрогнувшим голосом попросил он еще раз. — Я не собирался на вас нападать. Разрешите мне идти с вами. Вы же говорили, что желающие могут присоединиться. Я... Я верю тебе, — сказал он Хану. — Я тоже чую, что там что-то есть, в правом перегоне. Они уже ушли, они все ушли. А я остался, хочу попытаться с вами.

— Хорошее чутье, — изучающе оглядывая мужика, одобрил Хан. — Но доверия, друг мой, ты у меня не вызываешь. Кто знает, отчего это так, — насмешливо добавил он. — Впрочем, мы рассмотрим твое предложение. При условии, что весь свой арсенал ты сейчас же сдаешь мне. По туннелю идешь впереди нас. Если будешь глупо шутить, ничем хорошим это для тебя не кончится.

Бородач ногой подтолкнул к Хану свой пистолет, валявшийся на полу, и аккуратно положил рядом с собой несколько запасных обойм. Артем поднялся с пола и приблизился к нему, не спуская с прицела.

— Я держу его! — крикнул он.

— Не опуская руки, вперед! — загремел Хан. — Быстро, прыгай на пути. Стой там, спиной к нам!

Минуты через две после входа в туннель, когда они продвигались вперед уже устоявшимся треугольником — бородатый, назвавшийся Тузом, впереди шагов на пять, Хан с Артемом за ним, — и шли хорошо, споро так шли, внезапно справа, пробившись через многометровую толщу земли, послышался приглушенный вопль. Оборвался он так же неожиданно, как и раздался...

Туз испуганно оглянулся на них, забыв даже отвести в сторону луч. Фонарь прыгал у него в руках, и лицо его, подсвеченное снизу, скованное гримасой ужаса, поразило Артема даже больше, чем услышанный крик.

— Да, — кивнул Хан, отвечая на немой вопрос. — Остальные ошиблись. Правда, пока еще нельзя сказать, были ли правы мы.

Они заспешили дальше. Поглядывая время от времени на своего покровителя, Артем отмечал в нем все больше признаков усталости. Мелко дрожащие руки, неровный шаг, пот, собирающийся в крупные капли на лице. А ведь они были в пути так недолго... Эта дорога явно была для него намного утомительней, чем для Артема. Думая о том, на что уходят силы его спутника, парень не мог не вернуться к мысли, что Хан оказался прав в этой ситуации, что он спас его. Дай Артем увести себя вслед за караваном, сгинул бы он уже неминуемо в правом туннеле, погиб бы загадочной смертью, пропал бесследно.

А ведь их там было много — шестеро или около того. Не сработало железное правило? А Хан знал, знал! То ли предугадал, то ли и вправду подсказал ему магический Путеводитель. Смешно даже, казалось бы, кусок бумажки с краской... Неужели эта ерунда могла ему помочь? Но ведь тот перегон, между Тургеневской и Китай-Городом, ведь он был оранжевым, точно оранжевым. Или все-таки черным?..

— Что это? — внезапно остановившись и беспокойно глядя на Хана, спросил Туз. — Ты чувствуешь? Сзади...

Артем недоуменно уставился на него и хотел уже было отпустить саркастический комментарий насчет расшатанных нервов, потому что сам ровным счетом ничего не ощущал. Разжало клешни даже то тяжкое ощущение угнетенности и опасности, что навалилось на Тургеневской. Но Хан, к его удивлению, застыл на месте, жестом велев не шуметь, и повернулся туда, откуда они шли.

— Какое чутье! — оценил он через полминуты. — Мы в восхищении. Королева в восхищении, — добавил он зачем-то. — Нам определенно стоит побеседовать подробнее, если мы выберемся отсюда. Ничего не слышишь? — поинтересовался он у Артема.

— Нет, все вроде спокойно, — прислушавшись, откликнулся тот. В этот момент его наполняло что-то... Ревность? Обида? Досада, что его покровитель так отозвался об этом неотесанном бородатом черте, который всего пару часов назад чуть не прикончил их обоих? Пожалуй...

— Странно. Мне казалось, в тебе есть зачатки умения слышать туннели... Может, оно еще не открылось в тебе полностью? Но потом, потом. Все это потом, — покачал головой Хан. — Ты прав, — обращаясь к Тузу, подтвердил он. — Это идет сюда. Надо двигаться, и побыстрее, — он прислушался и совсем по-волчьи тревожно потянул носом. — Это катится сзади как волна. Надо бежать! Если нас накроет, игра окончена, — заключил он, срываясь с места.

Артему пришлось броситься за ним и почти бежать, чтобы не отстать. Бородатый теперь вышагивал рядом с ними, быстро перебирая короткими ногами и тяжело дыша.

Они шли так минут десять, и все это время Артем никак не мог понять, зачем так торопиться, сбивая дыхание, спотыкаясь на шпалах, если в туннеле за ними пусто и тихо, и нет никаких признаков погони. Прошло минут десять, пока он спиной не ощутил Это. Оно действительно неслось за ними по пятам, нагоняя шаг за шагом — что-то черное, не волна, а скорее вихрь, черный вихрь, сеющий пустоту... И если не успеть, если оно настигнет маленький отряд, то его ждет то же, что и тех шестерых, что и остальных смельчаков и глупцов, входивших в туннели поодиночке или в гиблое время, когда там бушевали дьявольские ураганы, сметавшие все живое... Такие догадки, смутное понимание творящегося здесь, огненной вереницей промчались у Артема в голове, и он с тревогой посмотрел на Хана. Тот перехватил его взгляд и все понял.

— Ну, что, и тебя достало? — выдохнул он. — Плохо дело! Значит, совсем близко уже.

— Надо скорее! — прохрипел на ходу Артем. — Пока не поздно!

Хан ускорил шаг и теперь несся широкой рысью, молча, не отвечая больше на вопросы Артема. Даже следов почудившейся парню усталости не было больше заметно в этом человеке, и что-то звериное вновь сквозило в его облике. Чтобы поспевать за ним, Артему пришлось перейти на бег, и, когда показалось на секунду, что им удается наконец оторваться от неумолимого преследования, Туз запнулся носком за шпалу и кубарем полетел на землю, разбивая в кровь лицо и руки.

Они успели пробежать по инерции еще десятка полтора шагов, и Артем, осознав уже, что бородатый упал, поймал себя на мысли, что останавливаться и возвращаться ему не хочется, а хочется бросить его к чертям собачьим, этого коротконогого лизоблюда вместе с его чудесной интуицией, и мчаться дальше, пока их самих не накрыло.

Гадко было ему от этой мысли, но такая неприязнь к растянувшемуся на путях и глухо постанывавшему Тузу неожиданно овладела Артемом, что голос совести совсем затих. Оттого он почувствовал даже некоторое разочарование, когда Хан бросился назад и мощным рывком поднял бородатого на ноги. Артем-то втайне надеялся, что Хан, с его более чем пренебрежительным отношением к чужой жизни, равно как и к чужой смерти, не колеблясь, бросит того в туннеле, как обузу, и они поспешат дальше.

Приказав Артему сухим, не терпящим неповиновения голосом держать прихрамывающего Туза под руку и взяв его под другую, Хан потянул их за собой. Бежать теперь сделалось намного труднее. Бородач стонал и скрипел зубами от боли на каждом шагу, но Артем не чувствовал к нему ничего, кроме растущего раздражения. Длинный тяжелый автомат больно стучал по его ногам, и не было свободной руки, чтобы придержать его. Давило сознание того, что опаздываешь куда-то, и все вместе это вызывало уже не страх перед черным вакуумом позади, а злобу и упрямство.

А смерть — совсем рядом, остановись и подожди с полминуты: зловещий вихрь догонит тебя, захлестнет и разорвет на мельчайшие частицы. В доли секунды тебя не станет в этой Вселенной, и неестественно скоро оборвется твой предсмертный крик... Но сейчас эти мысли не парализовали Артема, а, смешиваясь со злостью и раздражением, придавали ему сил, и он накапливал их еще на один шаг, потом — на следующий, и так без конца.

И вдруг это исчезло, пропало совсем. Чувство опасности отпустило так внезапно, что его место в сознании осталось непривычно пустым, незаполненным, будто удалили зуб, и, остановившись как вкопанный, Артем теперь ощупывал кончиком языка образовавшуюся ямку. Сзади больше ничего не было, просто туннель — чистый, сухой, свободный, совершенно безопасный. Вся эта беготня от собственных страхов и параноидальных фантазий, излишняя вера в какие-то особые чувства, интуицию казалась сейчас Артему такой смешной, такой глупой и нелепой, что он, не удержавшись, хохотнул. Туз, остановившийся рядом с ним, сначала глянул на него удивленно, а потом тоже вдруг расплылся в улыбке и засмеялся. Хан недовольно смотрел на них и, в конце концов, сплюнул:

— Ну, что, весело? Хорошо здесь, правда? Тихо так, чисто, да? — и зашагал один впереди. Только тогда до Артема дошло, что они всего шагов пятьдесят не добежали до станции, что в конце туннеля ясно виден свет.

Хан ждал их у входа, стоя на железной лесенке. Он успел уже докурить начиненную чем-то самокрутку, пока они, похохатывая, совершенно расслабившись, одолели эти пятьдесят шагов.

Артем проникся за это время симпатией и сочувствием к хромающему и охающему сквозь смех Тузу, его мучил стыд за мысли, промелькнувшие в его голове там, сзади, когда Туз упал. Настроение было на редкость благодушное, и поэтому вид Хана, усталого, изможденного, разглядывающего их со странным презрением, оказался Артему немного неприятен.

— Спасибо! — громыхая сапогами по лесенке, протягивая руку для пожатия, Туз поднялся к Хану. — Если бы не ты... Вы... Тогда бы все, конец. А... вы... не бросили. Спасибо! Я такого не забываю.

— Не стоит, — безо всякого энтузиазма отозвался Хан.

— Почему вы за мной вернулись? — спросил бородатый.

— Ты мне интересен как собеседник, — Хан швырнул окурок на землю и пожал плечами. — Вот и все.

Поднявшись чуть повыше, Артем понял, отчего Хан влез на платформу по лесенке, а не продолжил идти по путям. Перед самым входом на Китай-Город пути были перегорожены грудой мешков с песком в человеческий рост высотой. За ними на деревянных табуретах восседали люди весьма серьезной наружности. Коротко, под бокс стриженные головы, широченные плечи под потертой кожей свободных курток, изношенные спортивные штаны, похожие на униформу, — все это вроде бы и выглядело забавно, но отчего-то совсем не настраивало на веселый лад. За грудой мешков сидели трое, а на четвертом табурете лежала колода карт, и громилы размашисто бросали на него карты. Стояла такая ругань, что, вслушавшись, Артем так и не сумел вычленить из их разговора хотя бы одного приличного слова.

Пройти на станцию можно было только через узенький проход и калитку, которой заканчивалась лесенка. Но там поперек дороги возвышалась еще более внушительная туша четвертого охранника. Артем окинул его взглядом: стрижка под ноль, водянисто-серые глаза, чуть свернутый набок нос, сломанные уши, оттягивающая книзу тренировочные штаны черная пистолетная рукоять — тяжелый «ТТ» засунут прямо за пояс, — и невыносимый запах перегара, сбивающий с ног и мешающий соображать.

— Ну че, блин? — сипло протянул четвертый, оглядывая Хана и стоявшего за ним Артема с ног до головы. — Туристы, блин? Или челноки?

— Нет, мы не челноки, мы странники, с нами нет никакого груза, — пояснил Хан.

— Странники — за.. нники! — срифмовал амбал и громко заржал. — Слышь, Колян! Странники — за...ники! — повторил он, обернувшись к играющим.

Там его поддержали. Хан терпеливо улыбнулся.

Бык ленивым движением оперся одной рукой о стену, окончательно заслонив проход.

— У нас тут эта... таможня, понял? — миролюбиво объяснил он. — Бабки нам тут башляют. Хочешь пройти — плати. Не хочешь — вали на ... !

— С какой это стати? — пискнул было Артем возмущенно.

И зря.

Бык, наверное, даже не разобрал, что он сказал, но интонация ему не понравилась. Отодвинув Хана в сторону, он тяжело шагнул вперед и оказался с Артемом лицом к лицу. Опустив подбородок, он обвел парня мутным взглядом. Глаза у него были совершенно пустые и казались почти прозрачными, никаких признаков разума в них не обнаруживалось. Тупость и злость, вот что они излучали, и, с трудом выдерживая этот взгляд, моргая от напряжения, Артем чувствовал, как растут в нем страх и ненависть к существу, сидящему за этими мутными стекляшками и глядящему сквозь них на мир.

— Ты че, блин?! — угрожающе поинтересовался охранник.

Он был выше Артема больше чем на голову и шире его раза в три. Артем припомнил рассказанную кем-то легенду о Давиде и Голиафе; жаль только, он запамятовал, кто из них был кто, но история кончалась хорошо для маленьких и слабых, и это внушало некоторый оптимизм.

— А ничего! — неожиданно для самого себя расхрабрился он.

Этот ответ почему-то расстроил его собеседника, и тот, растопырив короткие толстые пальцы, уверенным движением положил пятерню на лоб Артема. Кожа на его ладони была желтой, заскорузлой и воняла табаком пополам с машинным маслом, но в полной мере ощутить всю гамму ароматов Артем не успел, потому что амбал толкнул его назад.

Наверное, он не прикладывал особых усилий, но Артем пролетел метра полтора, сбил с ног стоявшего позади Туза, и они неуклюже повалились на мостик, а громила неторопливо вернулся на свое место. Но там его ждал сюрприз. Хан, сбросив поклажу на землю, стоял, расставив ноги и крепко сжимая в обеих руках автомат Артема. Он демонстративно щелкнул предохранителем и тихим голосом, настолько не предвещавшим ничего хорошего, что даже у Артема, к которому его слова не относились, волосы встали дыбом, произнес:

— Ну, зачем же грубить?

И вроде ничего такого он не сказал, но барахтавшемуся на полу, пытавшемуся подняться на ноги, сгоравшему от обиды и стыда Артему эти слова показались глухим предупредительным рычанием, за которым может последовать стремительный бросок. Он встал, наконец, и сорвал с плеча свой старый автомат, нацелил его на обидчика, снял оружие с предохранителя и дернул затвор. Теперь он был готов нажать спусковой крючок в любой момент. Сердце билось учащенно, ненависть окончательно перевесила страх на весах его чувств, и он спросил у Хана:

— Можно, я его? — и сам удивился своей готовности безо всяких колебаний взять и убить человека за то, что тот его толкнул. Потная бритая голова четко виднелась в ложбинке прицела, и соблазн нажать на курок был велик. А потом будь что будет, главное сейчас завалить этого гада, умыть его собственной кровью.

— Шухер! — заорал опомнившийся бык.

Хан, молниеносным движением вырвав из-за его пояса пистолет, скользнул в сторону и взял на мушку повскакивавших со своих мест «таможенников».

— Не стреляй! — успел он крикнуть Артему, и ожившая было картина снова замерла: застывший с поднятыми руками бык на мостике и недвижимый Хан, целящийся в троих громил, не успевших расхватать свои автоматы из стоящей рядом пирамиды.

— Не надо крови, — спокойно и веско сказал Хан, не прося, а скорее приказывая. — Здесь есть правила, Артем, — продолжил он, не спуская взгляда с трех картежников, застывших в нелепых позах.

Кто-кто, а уж эти головорезы наверняка знали цену автомату Калашникова и его убойной силе на таком расстоянии, и потому не хотели вызывать сомнений в своей благонадежности у человека, державшего их на прицеле.

— Их правила обязывают нас заплатить пошлину за вход. Сколько составляет ваш сбор? — спросил Хан.

— Три пульки со шкуры, — отозвался тот, что стоял на мостике.

— Поторгуемся? — ехидно предложил Артем, наводя ствол автомата быку в район пояса.

— Две, — проявил гибкость тот, зло кося на Артема глазом, но не решаясь ничего предпринять.

— Выдай ему! — велел Хан Тузу. — Заодно расплатишься со мной.

Туз с готовностью запустил руку в недра своей дорожной сумки и, приблизившись к охраннику, отсчитал в его протянутую ладонь шесть блестящих остроконечных патронов. Тот быстро сжал кулак и пересыпал патроны в оттопыренный карман своей куртки, а потом снова поднял руки и выжидающе посмотрел на Хана.

— Пошлина уплачена? — вопросительно поднял бровь Хан.

Бык угрюмо кивнул, не спуская взгляда с его оружия.

— Инцидент исчерпан? — уточнил Хан.

Громила молчал. Хан достал из запасного магазина, прикрученного изолентой к основному рожку, еще пять патронов и вложил их в карман охранника. Они провалились, чуть звякнув, и вместе с этим звуком напряженная гримаса на лице быка разгладилась, оно снова обрело обычное лениво-презрительное выражение.

— Компенсация за моральный ущерб, — объяснил Хан, но эти слова не произвели никакого впечатления.

Скорее всего, бык просто не понял их, как не понял и предыдущего вопроса. Он догадывался о содержании мудреных высказываний Хана по его готовности пользоваться деньгами и силой; этот язык он понимал прекрасно и, наверное, только на нем и говорил.

— Можешь опустить руки, — сказал Хан и осторожно поднял ствол вверх, снимая игроков с прицела.

Так же поступил и Артем, но руки его нервно подрагивали, и он готов был в любой момент поймать бритый череп громилы на мушку. Этим людям он не доверял. Однако волнения его оказались напрасными: расслабленно опустив руки, громила буркнул остальным, что все нормально и, прислонившись спиной к стене, принял наигранно-равнодушный вид, пропуская странников мимо себя на станцию. Поравнявшись с ним, Артем набрался-таки наглости, чтобы посмотреть ему в глаза, но бык вызова не принял, он глазел куда-то в сторону.

Однако в спину Артем услышал брезгливое «Щ-щенок...» и смачный плевок на пол. Он хотел было обернуться, но Хан, шедший на шаг впереди, схватил его за руку и потащил за собой, так что Артем, с одной стороны, глушил в себе желание вырваться и все же вернуться к этому кажущемуся сейчас жалким типу, а с другой — получал отличное оправдание для стремлений иной своей половины, которая трусливо требовала немедленно убраться отсюда.

Когда все они ступили на темный гранитный пол станции, сзади раздалось вдруг протяжное, с упором на растянутые гласные:

— Э-э... Во-лыну ве-рни!

Хан остановился, вытряс из обоймы отобранного «ТТ» продолговатые патроны с закругленными пулями, вставил магазин обратно и швырнул его быку. Тот довольно ловко поймал пистолет в воздухе и привычно засунул его в штаны, недовольно наблюдая, как Хан рассыпает извлеченные патроны по полу.

— Извини, — развел руками Хан, — профилактика. Так это называется? — подмигнул он Тузу.

Китай-Город отличался от прочих станций, где Артему приходилось бывать: он был не трехсводчатый, как ВДНХ, а представлял собой один большой зал с широкой платформой, по краям которой шли пути, и это создавало чуть тревожное ощущение необычного простора. Помещение было беспорядочно освещено болтающимися там и сям несильными грушевидными лампочками, костров в нем не горело совсем, очевидно, здесь это не разрешалось. В центре зала, щедро разливая вокруг себя свет, сияла белая ртутная лампа — настоящее чудо для Артема. Но бедлам, творившийся вокруг него, так отвлекал внимание, что даже на этой диковине он не смог задержать взгляд дольше, чем на секунду.

— Какая большая станция! — выдохнул он удивленно.

— На самом деле ты видишь лишь половину, — сообщил Хан. — Китай-Город ровно в два раза больше. О, это одно из самых странных мест в метро. Ты слышал, наверное, что здесь сходятся пути разных линий. Вон те рельсы, что справа от нас, — это уже Таганско-Краснопресненская ветка. Трудно описать то сумасшествие и беспорядок, которые на ней творятся, а на Китай-Городе она встречается с твоей оранжевой, Калужско-Рижской, в происходящее на которой люди с других линий вообще отказываются верить. Кроме того, эта станция не принадлежит ни к одной из федераций, и ее обитатели полностью предоставлены сами себе. Очень, очень любопытное место. Я называю ее Вавилоном. Любя, — добавил Хан, оглядывая платформу и людей, оживленно сновавших вокруг.

Жизнь на станции кипела. Отдаленно это напоминало Проспект Мира, но там все было намного скромнее и организованнее. Артему тут же вспомнились слова Бурбона о том, что в метро есть местечки получше, чем тот убогий базар, по которому они гуляли на Проспекте.

Вдоль рельсов тянулись бесконечные ряды лотков, вся платформа была забита тентами и палатками. Некоторые из них были переделаны под торговые ларьки, в иных жили люди; на нескольких было намалевано «СДАЮ», там находились ночлежки для путников. С трудом пробираясь через толпу и озираясь по сторонам, Артем заметил на правом пути огромную серо-синюю махину поезда. Однако состав был неполный, всего в три вагона.

На станции стоял неописуемый гвалт. Казалось, ни один из ее обитателей не умолкает ни на секунду и все время что-то говорит, кричит, поет, отчаянно спорит, смеется или плачет. Сразу из нескольких мест, перекрывая гомон толпы, неслась музыка, и это создавало несвойственное для жизни в подземельях праздничное настроение.

Нет, на ВДНХ тоже были свои любители попеть, но там все было иначе. Имелась у них, может, на всю станцию пара гитар, и иногда собиралась компания у кого-нибудь в палатке — отдохнуть после работы. Да еще, случалось, в заставе на трехсотом метре, где не надо до боли в ушах вслушиваться в шумы, летящие из северного туннеля. У костерка тихо пели под звон струн, но в основном о вещах, Артему не очень понятных: про войны, в которых он не принимал участия и которые велись по другим, странным правилам; про жизнь там, наверху, еще до.

Особенно запомнились песни про какой-то Афган, которые так любил Андрей, бывший морпех, хоть в этих песнях и не понять было почти ничего, кроме тоски по погибшим товарищам и ненависти к врагам. Но умел Андрей так спеть, что каждого слушавшего пробирало до дрожи в голосе и мурашек по коже.

Андрей пояснял молодым, что Афган — это такая страна, рассказывал о горах, перевалах, бурлящих ручьях, кишлаках, вертушках и цинках. Что такое страна, Артем понимал довольно хорошо, не зря с ним Сухой занимался в свое время. Но если про государства и их историю Артем кое-что знал, то горы, реки и долины так и остались для него какими-то абстрактными понятиями, и слова, их обозначающие, вызывали в его воображении лишь воспоминания о выцветших картинках из школьного учебника по географии, который отчим принес ему из одного из своих походов.

Да и сам Андрей не был ни в каком Афгане, молод он был для этого, просто наслушался песен своих старших армейских друзей.

Но разве так играли на ВДНХ, как на этой странной станции? Нет, песни задумчивые, печальные — вот что там пели, и, вспоминая Андрея и его грустные баллады, сравнивая их с веселыми и игривыми мелодиями, доносившимися из разных мест зала, Артем снова и снова удивлялся тому, какой разной, непохожей, оказывается, может быть музыка, до чего сильно она способна влиять на настроение.

Поравнявшись с ближайшими музыкантами, Артем невольно остановился и примкнул к небольшой кучке людей, прислушиваясь даже не столько к развеселым словам про чьи-то похождения по туннелям под дурью, сколько к самой музыке, и с любопытством разглядывая исполнителей. Их было двое: один, с длинными сальными волосами, перехваченными на лбу кожаным ремешком, одетый в какие-то невероятные разноцветные лохмотья, бренчал на гитаре, а другой, пожилой уже мужчина с солидной залысиной в видавших виды, много раз чиненных и перемотанных изолентой очках, в старом вылинявшем пиджачке, колдовал на каком-то духовом инструменте, который Хан назвал саксофоном.

Сам Артем ничего подобного раньше не видел, из духовых он знал только свирель — были у них умельцы, резавшие свирели из изоляционных трубок разных диаметров, но только на продажу: на ВДНХ свирели не любили. Ну и еще, пожалуй, немного похожий на саксофон горн, в который иногда трубили тревогу, если отчего-то барахлила обычно используемая для этого сирена.

На полу перед музыкантами лежал раскрытый футляр от гитары, в котором уже скопилось с десяток патронов, и когда распевавший во все горло длинноволосый выдавал что-нибудь особенно смешное, сопровождая шутку забавными гримасами, толпа тут же отзывалась радостным гоготом, раздавались аплодисменты, и в футляр летел еще патрон.

Песня про блуждания бедолаги закончилась, и волосатый прислонился к стене передохнуть, а саксофонист в пиджачке тут же принялся наигрывать какой-то незнакомый Артему, но, видимо, очень популярный здесь мотивчик, потому что люди зааплодировали, и еще несколько «пулек» блеснули в воздухе и ударились о вытертый красный бархат футляра.

Хан и Туз разговаривали о чем-то, стоя у ближайшего лотка, и не торопили пока Артема, а он смог бы, наверное, простоять тут еще час, слушая эти незамысловатые песенки, если бы вдруг все неожиданно не прекратилось. К музыкантам развинченной походкой приблизились две мощные фигуры, очень напоминавшие тех громил, с которыми им пришлось иметь дело при входе на станцию, и одетые схожим образом. Один из подошедших опустился на корточки и принялся бесцеремонно выгребать лежавшие в футляре патроны, пересыпая их в карман своей кожанки. Длинноволосый гитарист бросился к нему, пытаясь помешать, но тот быстро опрокинул его сильным толчком в плечо и, сорвав с него гитару, занес ее для удара, собираясь раскрошить инструмент об угол колонны. Второй бандит без особых усилий прижимал к стене пожилого саксофониста, пока тот старался вырваться, чтобы помочь товарищу.

Из стоявших вокруг слушателей ни один не вступился за игравших. Толпа заметно поредела, а оставшиеся прятали глаза или делали вид, что рассматривают товар, лежащий на соседних лотках. Артему стало жгуче стыдно и за них и за себя, но вмешаться он не решался.

— Вы ведь уже приходили сегодня! — держась рукой за плечо, плачущим голосом доказывал длинноволосый.

— Слышь, ты! Если у вас сегодня хороший день, значит, у нас тоже должен быть хороший, понял, блин? И вообще, ты мне тут не предъявляй, понял? Че, в вагон захотел, петух волосатый?! — заорал на него бандит, опуская гитару. Было ясно, что махал он ею больше для острастки.

При слове «вагон» длинноволосый сразу осекся и быстро замотал головой, не произнося больше ни слова.

— То-то же... Петух! — с ударением на первом слоге подытожил громила, презрительно харкнув музыканту под ноги. Тот молча стерпел и это. Убедившись, что бунт подавлен, оба быка неспешно удалились, выискивая следующую жертву.

Артем растерянно огляделся по сторонам и обнаружил подле себя Туза, который, оказывается, внимательно наблюдал за этой сценой.

— Кто это? — спросил Артем недоуменно.

— А на кого они похожи, по-твоему? — поинтересовался Туз. — Обычные бандосы. Никакой власти на Китай-Городе нет, все контролируют две группировки. Эта половина — под братьями-славянами. Весь сброд с Калужско-Рижской линии собрался здесь, все головорезы. В основном их называют калужскими, некоторые — рижскими, но ни с Калугой, ни с Ригой у них, понятно, ничего общего. А вот там, видишь, где мостик, — он указал Артему на лестницу, уходящую направо и вверх приблизительно в центре платформы, — там еще зал, один в один на этот похожий. Там творится такой же бардак, но хозяйничают там кавказцы-мусульмане — в основном азербайджанцы и чеченцы. Когда-то тут шла бойня, каждый стремился отхватить как можно больше. В итоге поделили станцию пополам.

Артем не стал уточнять, что такое «кавказцы», решив, что это название, как и непонятные труднопроизносимые «чеченцы» с «азербайджанцами», является производным от неизвестных ему станций, откуда пришли эти бандиты.

— Сейчас обе банды ведут себя мирно, — продолжал Туз. — Обирают тех, кто вздумал остановиться на Китай-Городе, чтобы подзаработать, взимают пошлину с проходящих мимо. В обоих залах плата одинаковая — три патрона, так что не имеет значения, откуда приходишь на станцию. Порядка здесь, конечно, никакого, ну, да им он и не нужен, только костры жечь не разрешают. Хочешь дури купить — на здоровье, спирта какого — в изобилии. Оружием здесь таким можно нагрузиться, что полметро снести потом — не проблема. Проституция процветает. Но не советую, — тут же добавил он и сконфуженно что-то пробормотал про личный опыт.

— А что за вагон? — спросил Артем.

— Вагон-то? Это у них вроде штаба. И если кто провинился перед ними, платить отказывается, денег должен или еще что, волокут туда. Там еще тюрьма и пыточная камера — яма долговая, что ли. Лучше в нее не попадать. Голодный? — перевел Туз разговор на другую тему.

Артем кивнул. Черт знает, сколько прошло уже с того момента, как они с Ханом пили чай и беседовали на Сухаревской. Без часов он совершенно потерял способность ориентироваться во времени. Его походы через туннели, наполненные странными переживаниями, могли растянуться на долгие часы, а могли пролететь за считаные минуты. Кроме того, в туннелях ход времени вообще мог отличаться от обычного.

Как бы то ни было, есть хотелось. Он осмотрелся.

— Шашлык! Горячий шашлык! — разорялся стоящий неподалеку смуглый торговец с густыми черными усами под горбатым носом.

Выговаривал он это довольно странно: не давалось ему твердое «л», и вместо «о» выходило все время «а». Артем и раньше встречал людей, говоривших с необычным произношением, но особого внимания на это он никогда не обращал.

Слово Артему было знакомо, шашлыки на ВДНХ делали и любили. Свиные, ясное дело. Но то, чем размахивал этот продавец, настоящий шашлык напоминало лишь очень отдаленно. В кусочках, насаженных на почерневшие от копоти шампуры, Артем, долго и напряженно всматриваясь, узнал наконец обугленные крысиные тушки со скрюченными лапками. Его замутило.

— Не ешь крыс? — сочувствующе спросил его Туз. — А вот они, — кивнул он на смуглого торговца, — свиней не жалуют. Им Кораном запрещено. А это ничего, что крысы, — прибавил он, вожделенно оглядываясь на дымящуюся жаровню, — я тоже раньше брезговал, а потом привык. Жестковато, конечно, да и костлявые они, и кроме того, пованивает чем-то. Но эти абреки, — он опять стрельнул глазами, — умеют крысятинку готовить, этого у них не отнять. Замаринуют в чем-то, она потом нежная становится, что твой порось. И со специями!.. А уж насколько дешевле! — нахваливал он.

Артем прижал ладонь ко рту, вдохнул поглубже и постарался думать о чем-нибудь отвлеченном, но перед глазами все время вставали почерневшие крысиные тушки, насаженные на вертел: железный прут вонзался в тело сзади и выходил из раскрытого рта.

— Ну, ты как хочешь, а я угощусь! А то присоединяйся. Всего-то три пульки за шампур! — привел Туз последний аргумент и направился к жаровне.

Пришлось, предупредив Хана, обойти ближайшие лотки в поисках чего-то, более пригодного к употреблению. Артем исследовал всю станцию, вежливо отказывая навязчивым торговцам самогоном, разлитым во всевозможные склянки; жадно, но с опаской разглядывая соблазнительных полуобнаженных девиц, стоявших у приподнятых пологов палаток и призывно бросающих на прохожих цепкие взгляды, пусть вульгарных, но таких раскованных, свободных, не то что зажатые, прибитые суровой жизнью женщины ВДНХ; задерживаясь у книжных развалов, — так, ничего интересного. Все больше дешевые, разваливающиеся книжонки карманного размера: про большую и чистую любовь — для женщин, про убийства и деньги — для мужчин.

Платформа была шагов двести в длину — чуть больше, чем обычно. Стены и забавные, формой напоминающие гармошку колонны были облицованы цветным мрамором, в основном серо-желтоватым, местами чуть розовым. А вдоль путей станция была украшена тяжелыми чеканными листами потемневшего от времени желтого металла с выгравированными на них едва узнаваемыми символами ушедшей эпохи.

Однако вся эта лаконичная красота сохранилась очень плохо, оставив после себя лишь печальный вздох, намек на прежнее великолепие: потолок потемнел от гари, стены были испещрены множеством надписей, сделанных краской и копотью, и примитивными, часто похабными рисунками; где-то оказались сколоты куски мрамора, а металлические листы были погнуты и исцарапаны.

Посередине зала, с правой стороны, через один короткий пролет широкой лестницы, за мостиком виднелся второй зал станции. Артем хотел было прогуляться и там, но остановился у железного ограждения, составленного из двухметровых секций, как на Проспекте Мира.

Возле узкого прохода стояли, облокотившись о забор, несколько человек. С Артемовой стороны — привычные уже бульдозеры в тренировочных штанах. С противоположной — смугловатые усатые брюнеты, не таких впечатляющих размеров, но тоже совсем не располагающего к шуткам вида. Один из них зажимал между ног автомат, а у другого из кармана торчала пистолетная рукоять. Бандиты мирно беседовали друг с другом, и совсем не верилось, что когда-то между ними была вражда. Они сравнительно вежливо разъяснили Артему, что переход на смежную станцию будет стоить ему два патрона, и столько же ему придется отдать, если потом он захочет вернуться обратно. Наученный горьким опытом, Артем не стал оспаривать справедливость этой пошлины и просто отступился.

Сделав круг, внимательно изучая ларьки и развалы, он вернулся к тому краю платформы, на который они пришли. Обнаружилось, что здесь зал не заканчивался: наверх вела еще одна лестница, поднявшись по которой, он ступил в недлинный холл, рассеченный пополам точно таким же забором с кордоном. Тут, видимо, пролегала еще одна граница между двумя владениями. А справа он, к своему удивлению, заметил настоящий памятник — вроде тех, что приходилось видеть на картинках города, но изображавший не человека в полный рост, как это было на фотографиях, а только его голову.

Но какой большой была эта голова! Не меньше двух метров в высоту... Хоть и загаженная чем-то сверху, к тому же придурковато блестевшая отполированным от частых хватаний носом, она все равно внушала почтение и даже немного устрашала. На ум лезли фантазии о гигантах, один из которых лишился в бою головы, и теперь она, залитая в бронзу, украшала собою мраморные холлы этого маленького Содома, вырубленного глубоко в земной толще, чтобы спрятаться от всевидящего ока Господня и избежать кары. Лицо отрубленной головы было печально, и Артем заподозрил сначала, что она принадлежит Иоанну Крестителю из Нового Завета, который ему как-то пришлось листать. Но потом решил, что, судя по масштабам, речь скорее идет об одном из героев недавно припомненной им истории про Давида и Голиафа, который был большой и сильный, буквально великан, но в итоге все же оказался обезглавлен. Никто из сновавших вокруг обитателей так и не смог объяснить ему, кому же именно принадлежала отсеченная голова, и это его немного разочаровало.

Зато рядом с памятником он набрел на чудесное место — настоящий ресторан, устроенный в просторной чистой палатке такого приятного, родного темно-зеленого цвета, как у них на станции. Внутри — пластиковые муляжи цветов с матерчатыми листьями по углам, непонятно зачем они здесь, но красиво, и пара аккуратных столиков со стоящими на них масляными лампадками, затопляющими палатку уютным, неярким светом. И еда... Пища богов: нежнейшее свиное жаркое с грибами — во рту тает, у них такое делали только по праздникам, но так вкусно и изысканно никогда не получалось.

Люди вокруг сидели солидные, респектабельные, хорошо и со вкусом одетые, видно, крупные торговцы. Аккуратно разрезая поджаренные до хрустящей корочки, сочащиеся ароматным горячим жиром отбивные, они неспешно отправляли небольшие кусочки в рот и негромко, чинно беседовали друг с другом, обсуждая свои дела и изредка бросая на Артема вежливо-любопытные взгляды.

Дорого, конечно, — пришлось выдавить из запасного рожка целых пятнадцать патронов и вложить их в широкую ладонь толстяка-трактирщика, а потом каяться, что поддался искушению, но в животе все равно было так приятно, покойно и тепло, что голос разума умиротворенно примолк.

И кружка бражки, мягкой, приятно кружащей голову, но не крепкой, не то что ядреный, мутный самогон в грязноватых бутылках и банках, от одного запаха которого слабели коленки. Да, еще три патрона, но что такое три жалких патрона, если отдаешь их за пиалу искрящегося эликсира, примиряющего тебя с несовершенством этого мира и помогающего обрести гармонию?..

Отпивая бражку маленькими глоточками, оставшись наедине с собой в тишине и покое впервые за последние несколько дней, Артем попытался восстановить в памяти произошедшие события и понять, чего же он добился и куда ему теперь идти. Еще один отрезок намеченной дороги преодолен, и он опять оказался на перепутье.

Как богатырь в почти позабытых сказках из детства, таких далеких, что и не упомнишь уже, кто их рассказывал: то ли Сухой, то ли Женькины родители, то ли его собственная мать. Больше всего Артему нравилось думать, что это он слышал от матери, и вроде даже выплывало на мгновенья из тумана ее лицо, и он слышал голос, читающий ему с тягучими интонациями: «Жили-были...»

И вот, как тот самый сказочный витязь, стоял он теперь у камня, и лежали перед ним три дороги: на Кузнецкий Мост, до Третьяковской и до Таганской. Он смаковал пьянящий напиток, телом овладевала блаженная истома, думать совсем не хотелось, и в голове крутилось только: «Прямо пойдешь — жизнь потеряешь, налево пойдешь — коня потеряешь...»

Это, наверное, могло бы продолжаться бесконечно: покой ему был необходим после всех переживаний. На Китай-Городе стоило задержаться — осмотреться, порасспрашивать местных о дорогах; надо было и встретиться еще раз с Ханом, узнать, пойдет ли он с ним дальше, или их пути расходятся на этой странной станции.

Но вышло все совсем не так, как лениво планировал Артем, разморенно созерцая маленький язычок пламени, пляшущий в лампадке на столе.

Глава 8

ЧЕТВЕРТЫЙ РЕЙХ

Затрещали пистолетные выстрелы, перекрывая веселый гам толпы, потом пронзительно взвизгнула женщина, застрекотал автомат, и пухлый трактирщик, с неожиданным для своей комплекции проворством выхватив из-под прилавка короткое ружье, бросился к выходу. Оставив недопитую брагу, Артем вскочил вслед за ним, закидывая рюкзак за плечи и щелкая предохранителем, жалея на ходу, что здесь заставляют платить вперед, а то можно было бы улизнуть, не расплатившись. Восемнадцать потраченных патронов, может статься, ему бы сейчас очень пригодились.

Уже сверху, с лестницы, было видно: происходит что-то ужасное. Чтобы спуститься, ему пришлось проталкиваться через толпу обезумевших от страха людей, рвавшихся вверх по лестнице, так что Артем успел спросить себя, так ли ему надо вниз, но любопытство подталкивало его.

На путях валялись несколько распростертых тел в кожаных куртках, а на платформе, прямо под его ногами, в луже ярко-красной крови, расползавшейся тоненькими ручейками, лицом вниз лежала убитая женщина. Он поспешно переступил через нее, стараясь не смотреть вниз, но поскользнулся и чуть не упал рядом. Вокруг царила паника, из палаток выскакивали, растерянно оглядываясь по сторонам, полураздетые люди. Один из них замешкался, пытаясь попасть ногой в штанину брюк, но вдруг согнулся, схватился за живот и медленно завалился набок.

Однако откуда стреляют, Артем понять не мог. Пальба продолжалась, с другого конца зала бежали коренастые люди в кожаном, расшвыривая в стороны визжащих женщин и перепуганных торговцев. Но это были не нападавшие, а те самые бандиты, что распоряжались на этой стороне Китай-Города. И на всей платформе не было заметно никого, кто мог бы учинить эту бойню.

И тут Артем наконец понял, почему он никого не видел. Атаковавшие засели в туннеле, находящемся прямо рядом с ним, и оттуда вели огонь на поражение, не выходя на станцию, видимо, боясь показаться на открытом месте.

Это меняло дело. Времени размышлять больше не оставалось: они выйдут на платформу, как только поймут, что сопротивление сломлено; от этого выхода надо было убираться как можно быстрее. Артем пригнулся и бросился вперед, крепко сжимая в руках автомат и озираясь через плечо, — из-за эха, мгновенно разносящего гром выстрелов под сводами станции, искажавшего звуки и менявшего их направление, так и не было ясно, из какого именно туннеля, правого или левого, ведется стрельба.

Наконец, отбежав уже довольно далеко, он заметил затянутые в камуфляж фигуры в жерле левого туннеля. Вместо лиц у них было что-то черное, и у Артема внутри все похолодело. Только спустя несколько мгновений он сообразил, что те черные, что осаждали ВДНХ, никогда не использовали оружие и не одевались. На нападавших просто были маски, вязаные шапки-маски из тех, что можно было купить на любом оружейном развале, а при покупке АК-47 даже получить бесплатно, в придачу.

Прибывшие в подкрепление калужские бросились на землю и тоже открыли огонь, укрываясь за раскиданными на путях трупами, как за бруствером. Видно было, как прикладом выбивают фанерные листы, торчавшие вместо лобовых стекол в вагоне-штабе, открывая замаскированное пулеметное гнездо. Громыхнула тяжелая очередь.

Вскинув глаза вверх, Артем нащупал взглядом висевшую в центре зала подсвеченную изнутри пластиковую табличку с указанием станций. Нападали со стороны Третьяковской: этот путь был отрезан. Чтобы попасть на Таганскую, нужно было возвращаться через всю станцию туда, где сейчас было самое пекло. Оставался только путь на Кузнецкий Мост.

Дилемма разрешилась сама собой. Спрыгнув на пути, Артем кинулся к чернеющему впереди входу в единственный возможный туннель. Ни Хана, ни Туза нигде не было видно. Один только раз мелькнула наверху фигура, напоминавшая бродячего философа, но, остановившись на мгновение, Артем тут же понял, что ошибся.

В туннель бежал не он один — больше половины всех спасающихся с платформы бросились именно к этому выходу. Перегон оглашался испуганными возгласами и злыми криками, кто-то истерически рыдал. То там, то здесь мелькали лучи фонарей, где-то метались неровные пятна света от коптящих факелов; каждый освещал себе путь сам.

Артем достал из кармана подарок Хана и надавил на рукоять. Направив слабый свет фонарика себе под ноги, стараясь не споткнуться, он спешил вперед, обгоняя небольшие группки беглецов — иногда целые семьи, иногда одиноких женщин, стариков и молодых здоровых мужчин, тащивших какие-то тюки, вряд ли принадлежавшие им.

Пару раз он останавливался, чтобы помочь подняться упавшим. Около одного из них он задержался: прислонившись спиной к ребристой стене туннеля на земле сидел совсем седой старик, с болезненной гримасой на лице державшийся за сердце. Рядом с ним, безмятежно и тупо оглядываясь по сторонам, стоял мальчик-подросток, по животным чертам и по мутным глазам которого было ясно, что это не обычный ребенок. Что-то сжалось у Артема в душе, когда он увидел эту странную пару, и, хоть он и подгонял себя, и ругал за каждую задержку, тут остановился как вкопанный.

Старик, обнаружив, что на них обратили внимание, постарался улыбнуться Артему и что-то сказать, но воздуха ему не хватало. Он поморщился и закрыл глаза, собираясь с силами, а Артем нагнулся к старику, пытаясь расслышать, что тот тщится ему сообщить.

Но мальчик вдруг угрожающе замычал, и Артем неприязненно отметил, что с его губ тянется ниточка слюны, когда он скалит по-звериному свои мелкие желтые зубы. Не в силах справиться с нахлынувшим отвращением, он оттолкнул мальчишку, и тот, попятившись, неуклюже осел на рельсы, издавая жалобные завывания.

— Молодой... человек... — через силу выдавил старик. — Не надо его... так... Это Ванечка... Он же... не понимает...

Артем только пожал плечами.

— Пожалуйста... Нитро... глицерин... в сумке... на дне... Один шарик... Дайте... Я... не могу... сам... — совсем нехорошо захрипел старик, и Артем, покопавшись в дерматиновой хозяйственной сумке, поспешно нашарил новую, неначатую упаковку, содрал ногтем фольгу, еле поймал норовивший выскочить шарик и протянул его старику. Тот с трудом растянул губы в виноватой улыбке и выдохнул:

— Я... не могу... руки... не слушаются... Под язык... — попросил он, и его веки опять опустились.

Артем с сомнением оглядел свои черные руки, но послушался и вложил скользкий шарик старику в рот. Незнакомец слабо кивнул и замолчал. Мимо них торопливо шагали все новые и новые беженцы, но Артем видел перед собой только бесконечный ряд сапог и ботинок, грязных, зачастую просящих каши. Иногда они спотыкались о черное дерево шпал, и тогда сверху неслась грубая брань. На них троих больше никто не обращал внимания; подросток все сидел на том же месте и глухо подвывал. Безучастно и даже с некоторым злорадством Артем заметил, как кто-то из проходящих от души поддел его сапогом, и тот начал выть еще громче, размазывая кулаками слезы и раскачиваясь из стороны в сторону.

Старик тем временем открыл глаза, тяжело вздохнул и пробормотал:

— Спасибо вам большое... Мне уже лучше... Вы не поможете мне подняться?

Артем поддержал его под руку, пока тот с усилием вставал, и взял стариковскую сумку, из-за чего автомат пришлось перевесить за плечо. Старик заковылял вперед, подошел к мальчику и ласково стал уговаривать его подняться. Тот обиженно мычал, а когда увидел подошедшего Артема, злобно зашипел, и слюна опять закапала с его оттопыренной нижней губы.

— Вы понимаете, ведь только что купил лекарство, — прорвало пришедшего в себя старика, — ведь специально сюда шел за ним, в такую даль, у нас, знаете, его нельзя достать, никто не привозит, и попросить некого, а у меня как раз заканчивалось, я последнюю таблетку по пути принял, когда нас на Пушкинской пропускать не хотели, знаете, там ведь сейчас фашисты, просто форменное безобразие, подумать только, на Пушкинской — фашисты! Я слышал, даже хотят ее переименовать, то ли в Гитлеровскую, то ли в Шиллеровскую... Хотя, конечно, они о Шиллере ничего не слышали, это уже наши интеллигентские домыслы. И, представляете, нас там не хотели пропускать, эти молодчики со свастиками начали издеваться над Ванечкой, но что он может им ответить, бедный мальчик, при своем заболевании? Я очень перенервничал, стало плохо с сердцем, и только тогда нас отпустили. О чем это я? Ах да! И, понимаете, ведь специально убрал поглубже, чтобы не нашли, если кто будет обыскивать, еще вопросы будут задавать, ведь знаете, могут неправильно понять, не все знают, что это за средство... И вдруг эта пальба! Я пробежал, сколько мог, мне еще Ванечку пришлось тянуть, он увидел петушков на палочке и очень не хотел уходить. И сначала, знаете, несильно так кольнуло, я думал, может, отпустит, обойдется без лекарства, оно ведь сегодня на вес золота, но потом понял, что не получится. И только хотел достать таблетку, как меня скрутило. А Ванечка, он ведь ничего не понимает, я уже давно пытаюсь его научить подавать мне таблетки, если мне плохо, но он никак не может понять, то сам их кушает, а то ни с того ни сего доставать начинает и мне сует. Я ему спасибо говорю, улыбаюсь, и он мне улыбается, знаете, радостно так, мычит весело, но вот, чтобы ко времени, пока ни разу еще не смог. Не дай бог со мной что-нибудь случится: о нем ведь совершенно некому будет позаботиться, я не представляю, что с ним будет!

Старик все говорил и говорил, заискивающе заглядывая Артему в глаза, и тот отчего-то чувствовал себя очень неловко. Хотя старичок ковылял изо всех сил, Артему все равно казалось, что они продвигаются слишком медленно, и все меньше людей нагоняло их сзади. Похоже было, что скоро они окажутся последними. Ванечка косолапо ступал справа от старика, вцепившись ему в руку; на его лицо вернулось прежнее безмятежное выражение. Время от времени он вытягивал правую руку вперед и возбужденно гугукал, указывая на какой-нибудь предмет, брошенный или оброненный в спешке бежавшими со станции, или просто в темноту, которая теперь сгущалась впереди.

— А вас, я прошу прощения, как зовут, молодой человек? А то как-то, знаете, беседуем, а друг другу еще не представились... Артем? Очень приятно, а я Михаил Порфирьевич. Порфирьевич, совершенно верно. Отца звали Порфирий, необычное, понимаете, имя, и в советские времена к нему у некоторых организаций даже вопросы возникали, тогда все больше другие имена были в моде: Владилен, или там Сталина... А вы сами откуда? С ВДНХ? А вот мы с Ванечкой с Баррикадной, я там жил когда-то, — старик смущенно улыбнулся, — знаете, там такое здание стояло, высотное, прямо рядом с метро... Хотя вы, наверное, уже и не помните никаких зданий... Сколько вам, прошу прощения, лет? Ну, не важно все это, конечно. У меня там квартирка была двухкомнатная, довольно высоко, и такой вид чудесный открывался на центр. Квартирка небольшая, но очень, знаете, уютная, полы, конечно же, дубовый паркет, как и у всех там, кухонька с газовой плитой. Боже, я вот сейчас думаю, какое удобство — газовая плита, а тогда все плевался, электрическую хотел, только накопить никак не мог. Как войдешь, справа на стене репродукция Тинторетто, в хорошей позолоченной раме, такая красота! Постель была настоящая, с подушками, с простынями, все всегда чистое, большой рабочий стол, с такой лампой, на ножке, с пружинками, так ярко светила. А главное, книжные полки, до самого потолка. Мне от отца большая библиотека досталась, да я и сам еще собирал, и по работе, и интересовался. Ах, да что я вам все это рассказываю, вам, наверное, неинтересно это, стариковская чепуха... А я вот до сих пор вспоминаю, очень, понимаете, всего этого не хватает, особенно стола и книг, а в последнее время все больше отчего-то по кровати скучаю. Здесь-то себя не побалуешь, у нас там такие деревянные койки стоят, знаете, самодельные, а иной раз приходится спать прямо на полу, на тряпье каком-нибудь. Но это ничего, главное ведь вот здесь, — он указал себе на грудь, — главное то, что происходит внутри, а не снаружи. Главное — в сердце оставаться все тем же, не опуститься, а условия, черт с ними, прошу прощения, с условиями! Хотя по кровати вот отчего-то, знаете, особенно...

Он не замолкал ни на минуту, и Артем все слушал с живым интересом, хотя никак не мог себе представить, как это — жить в высотном здании, и как это, когда вид открывается, или когда наверх можно подняться за несколько секунд, потому что туда даже не эскалатор везет, а лифт.

Когда же Михаил Порфирьевич затих ненадолго, чтобы перевести дыхание, он решил воспользоваться паузой, чтобы вернуть разговор в нужное русло. Как-никак, надо было идти через Пушкинскую (или уже Гитлеровскую?), делать пересадку на Чеховскую, а оттуда уже пробираться к заветному Полису.

— Неужели на Пушкинской настоящие фашисты? — ввернул он.

— Что вы говорите? Фашисты? Ах, да... — сконфуженно вздохнул старик. — Да-да, вы знаете, такие бритоголовые, на рукавах повязки, просто ужасно. Над входом на станцию и везде на ней знаки висят, знаете, раньше обозначали, что перехода нет: черная фигурка в красном круге, перечеркнутом линией. Я думал, это у них ошибка какая-то, слишком много везде этих знаков, и имел неосторожность спросить. Оказывается, это их новый символ. Означает, что черным вход запрещен, или что сами они запрещены, какая-то глупость, в общем.

Артема передернуло при слове «черные». Он кинул на Михаила Порфирьевича испуганный взгляд и спросил осторожно:

— Неужели там есть черные? Неужели они и туда пробрались? — А в голове лихорадочно крутилась паническая карусель: как же это, он ведь и недели не пробыл в пути, неужто ВДНХ пала, черные уже атакуют Пушкинскую, и его миссия провалена? Он не успел, не справился? Все было бесполезно? Нет, такого быть не может, обязательно бы шли слухи, пусть искажающие опасность, но ведь какие-то слухи непременно были бы... Неужели? Но ведь тогда конец всему...

Михаил Порфирьевич с опаской посмотрел на него и осторожно спросил, отступив незаметно на шаг в сторону:

— А вы, извините, сами какой идеологии придерживаетесь?

— Я, в общем-то, никакой, — замялся Артем. — А что?

— А к другим национальностям как относитесь, к кавказцам, например?

— А при чем здесь кавказцы? — недоумевал Артем. — Вообще-то, я не очень хорошо в национальностях разбираюсь. Ну, французы там или немцы, американцы раньше были. Но ведь их, наверное, больше никого не осталось... А кавказцев я, честно говоря, и не знаю совсем, — неловко признался он.

— Это кавказцев они черными и называют, — объяснил Михаил Порфирьевич, все стараясь понять, не обманывает ли его Артем, прикидываясь дурачком.

— Но ведь кавказцы, если я все правильно понимаю, обычные люди? — уточнил Артем. — Я вот сегодня только видел нескольких...

— Совершенно обычные! — успокоенно подтвердил Михаил Порфирьевич. — Совершенно нормальные люди, но эти головорезы решили, что они чем-то от них отличаются, и преследуют их. Просто бесчеловечно! Вы представляете, у них там в потолок, прямо над путями, вделаны крюки, и на одном из них висел человек, настоящий человек. Ванечка так возбудился, стал тыкать в него пальцем, мычать, тут эти изверги и обратили на него внимание.

При звуке своего имени подросток обернулся и вперил в старика долгий мутный взгляд. Артему показалось, что он слушает и даже отчасти понимает, о чем идет речь, но его имя больше не повторялось, и он быстро утратил интерес к Михаилу Порфирьевичу, переключив внимание на шпалы.

— И, раз мы заговорили о народах, они там очень, судя по всему, перед немцами преклоняются. Ведь это немцы изобрели их идеологию, вы, конечно, знаете, что я буду вам рассказывать, — торопливо добавил Михаил Порфирьевич, и Артем неопределенно кивнул, хотя ничего он на самом деле не знал, просто не хотелось выглядеть неучем. — Знаете, везде орлы немецкие висят, свастики, само собой разумеется, какие-то фразы на немецком, цитаты из Гитлера: про доблесть, про гордость и все в таком духе. Какие-то у них там парады, марши. Пока мы там стояли, и я их пытался уговорить Ванечку не обижать, через платформу все маршировали и песни пели. Что-то про величие духа и презрение к смерти. Но, вообще, знаете, немецкий язык они удачно выбрали. Немецкий просто создан для подобных вещей. Я, видите ли, на нем немного говорю... Вот смотрите, у меня где-то здесь записано... Сбиваясь с шага, он извлек из внутреннего кармана куртки засаленный блокнот. — Постойте секундочку, посветите мне, будьте любезны... Где это было? Ах, вот!

В желтом кружке света Артем увидел прыгающие латинские буквы, аккуратно выведенные на листе блокнота и даже заботливо окруженные рамкой с трогательными виньеточками:

Du stirbst. Besitz stirbt.
Die Sippen sterben.
Der einzig lebt — wir wissen es
Der Toten Tatenruhm.

Латинские буквы Артем читать тоже мог, научился по какому-то допотопному учебнику для школьников, откопанному в станционной библиотеке. Беспокойно оглянувшись назад, он посветил на блокнот еще раз. Понять, конечно, он ничего не смог.

— Что это? — спросил он, вновь увлекая за собой Михаила Порфирьевича, торопливо запихивавшего блокнот в карман и пытавшегося сдвинуть с места Ванечку, который теперь отчего-то уперся и начал недовольно рычать.

— Это стихотворение, — немного обиженно, как показалось Артему, ответил старик. — В память о погибших воинах. Я, конечно, точно перевести не берусь, но приблизительно так: «Ты умрешь. Умрут все близкие твои. Владенья сгинут. Одно лишь будет жить в веках — погибших слава боевая». Но как это слабенько все-таки по-русски звучит, а? А на немецком — просто гремит! Дер тотен татенрум! Просто мороз по коже! М-да... — осекся вдруг он, устыдившись, видимо, своего восхищения.

Некоторое время они шагали молча. Артему казалось глупым и злило то, что они, наверное, уже шли последними, и неясно было, что происходило за их спинами, а тут вдруг приходилось останавливаться посреди перегона, чтобы прочитать какое-то стихотворение. Но против своей воли он все катал на языке последние строчки, и отчего-то вспомнился ему вдруг Виталик, с которым они ходили тогда к Ботаническому Саду. Виталик-Заноза, которого застрелили налетчики, пытавшиеся пробиться на станцию через южный туннель. Тот туннель всегда считался безопасным, поэтому Виталика туда и поставили, ему ведь лет восемнадцать только было, а Артему как раз стукнуло шестнадцать. А тем вечером еще договаривались к Женьке идти, ему как раз знакомый челнок дури новой привез, особенной какой-то. ...Прямо в голову попали, и посреди лба была только маленькая такая дырочка, черная, а сзади ползатылка снесло. И все. «Ты умрешь...» Отчего-то очень ярко вдруг вспомнился разговор Хантера с Сухим, когда отчим сказал: «А вдруг там нет ничего?» Умрешь, и никакого продолжения нет. Все. Ничего не останется. Кто-нибудь потом, конечно, еще будет помнить, но недолго. «Умрут и близкие твои», или как там? Артема действительно пробрал озноб. Когда Михаил Порфирьевич наконец нарушил молчание, он был этому даже рад.

— А вам случайно с нами не по пути? Только до Пушкинской? Неужели вы собираетесь там выходить? Я имею в виду, сходить с пути? Я бы вам очень, очень не рекомендовал, Артем, этого делать. Вы себе не представляете, что там происходит. Может, вы пошли бы с нами, до Баррикадной? Я бы с таким удовольствием побеседовал с вами!

Артему пришлось опять неопределенно кивать и мямлить что-то неразборчивое: не мог же он заговаривать с первым встречным, пусть даже с этим безобидным стариком, о целях своего похода. Михаил Порфирьевич, не услышав ничего утвердительного, вновь умолк.

Довольно долгое время еще они шли в тишине, и сзади вроде бы все было спокойно, так что Артем наконец расслабился. Вскоре вдалеке заблестели огоньки, сначала слабо, но потом все ярче. Они приближались к Кузнецкому Мосту.

О здешних порядках Артем не знал ничего, поэтому решил на всякий случай убрать свое оружие подальше. Закутав его в тельняшку, он засунул автомат поглубже в рюкзак.

Кузнецкий Мост был жилой станцией, и метров за пятьдесят до входа на платформу, посреди путей, стоял вполне добротный пропускной пост, правда, всего один, но с прожектором, сейчас за ненадобностью погашенным, и оборудованный пулеметной позицией. Пулемет был зачехлен, но рядом сидел толстенный мужичина в вытертой зеленой униформе и ел какое-то месиво из обшарпанной солдатской миски. Еще двое людей, в похожем обмундировании, с неуклюжими армейскими автоматами за плечами, придирчиво проверяли документы у выходящих из туннеля. К ним стояла небольшая очередь: все те беглецы с Китай-Города, обогнавшие Артема, пока он тащился с Михаилом Порфирьевичем и Ванечкой.

Впускали медленно и неохотно, какому-то парню даже вовсе отказали, и он теперь растерянно стоял в стороне, не зная, как ему быть и пробуя время от времени подступиться к проверяющему, который всякий раз отталкивал его назад и звал следующего по очереди. Каждого из проходящих тщательно обыскивали, и прямо у них на глазах мужчину, у которого обнаружили незаявленный пистолет Макарова, сначала вытолкнули из очереди, а после того, как он пробовал поспорить, скрутили и куда-то увели.

Артем беспокойно завертелся, предчувствуя неприятности. Михаил Порфирьевич удивленно посмотрел на него, Артем тихонько шепнул, что он тоже не безоружен, но тот лишь успокаивающе кивнул и пообещал, что все будет в порядке. Не то чтобы Артем ему не поверил, просто было очень интересно, как именно он собирается уладить дело. А старик только загадочно улыбался.

Тем временем понемногу подходила их очередь, и пограничники сейчас потрошили пластиковый баул какой-то несчастной женщины лет пятидесяти, которая немедленно принялась причитать, именуя таможенников иродами и удивляясь, как их до сих пор носит земля. Артем внутренне с ней согласился, но свою солидарность вслух решил не высказывать. Покопавшись как следует, охранник с довольным присвистом извлек из груды грязного нижнего белья несколько противопехотных гранат и приготовился выслушивать объяснения.

Артем был уверен, что женщина сейчас расскажет трогательную историю про внука, которому эти непонятные штуковины нужны для работы: понимаете, он работает сварщиком, и это какая-то деталь его сварочного аппарата; или что она поведает, как нашла эти гранаты по пути и как раз спешила сдать их в компетентные органы. Но, отступив на несколько шагов, та прошипела проклятье и бросилась назад в туннель, спеша скрыться в темноте. Пулеметчик отставил миску с едой в сторону и схватился за свой агрегат, но один из двух пограничников, видимо, старший, жестом остановил его. Тот, разочарованно вздохнув, вернулся к каше, а Михаил Порфирьевич сделал шаг вперед, держа свой паспорт наготове.

Удивительно, но старший охранник, только что без малейшего зазрения совести перерывший всю сумку совершенно безобидной на вид женщины, быстро пролистнул книжечку старика, а на Ванечку и вовсе не обратил внимания, как будто того и не было. Подошел черед Артема. Он с готовностью вручил худощавому усатому стражу свои документы, и тот принялся дотошно разглядывать каждую страничку, особенно долго задерживая луч фонарика на печатях. Пограничник не меньше пяти раз переводил взгляд с физиономии Артема на фотографию, недоверчиво хмыкая, в то время как Артем дружелюбно улыбался, стараясь изобразить саму невинность.

— Почему паспорт советского образца? — сурово вопросил наконец стражник, не зная, к чему бы еще придраться.

— Так я же маленький был еще, когда настоящие были. А потом уже мне наша администрация выправила на первом бланке, который нашелся, — пояснил Артем.

— Непорядок, — нахмурился усатый. — Откройте рюкзак.

Если он обнаружит автомат, в лучшем случае придется заворачивать назад, а то могут и конфисковать, подумал Артем, утирая со лба предательскую испарину.

Михаил Порфирьевич подошел к пограничнику на непозволительно близкое расстояние и зашептал ему торопливо:

— Константин Алексеевич, вы понимаете, этот молодой человек — мой знакомый. Очень и очень приличный юноша, я лично могу за него поручиться.

Пограничник, открывая сумку Артема и запуская туда пятерню, от чего Артем похолодел, сухо сказал:

— Пять, — и пока Артем недоумевал, что же тот имеет в виду, Михаил Порфирьевич вытащил из кармана горстку патронов и, поспешно отсчитав пять штук, опустил их в приоткрытую полевую сумку, висевшую на боку у проверяющего.

Но к тому моменту рука Константина Алексеевича успела продолжить свои странствия по Артемову рюкзаку, и видимо, случилось страшное, потому что его лицо приобрело вдруг заинтересованное выражение.

Артем почувствовал, как его сердце проваливается в пропасть, и закрыл глаза.

— Пятнадцать, — бесстрастно произнес усатый.

Кивнув, Артем отсчитал еще десять патронов и ссыпал их в ту же сумку. Ни один мускул не дрогнул на лице пограничника. Он просто сделал шаг в сторону, и дорога на Кузнецкий Мост была свободна. Восхищаясь железной выдержкой этого человека, Артем прошел вперед.

Следующие пятнадцать минут ушли на препирания с Михаилом Порфирьевичем, который упорно отказывался брать у Артема пять патронов, утверждая, что его долг намного больше, и прочее в том же духе.

Кузнецкий Мост ничем особенно не отличался от большинства остальных станций, на которых Артем успел побывать за время своего путешествия. Все тот же мрамор на стенах и гранитный пол, разве что арки здесь были особенные, высокие и широкие, что создавало ощущение необычного простора.

Но самое удивительное заключалось в другом: на обоих путях стояли целые составы — неимоверно длинные, такие огромные, что занимали почти всю станцию. Окна были озарены теплым светом, пробивавшимся сквозь уютные разномастные занавески, а двери — гостеприимно открыты...

В сознательном возрасте Артему ни разу не приходилось видеть ничего похожего. Да, оставались полустертые воспоминания о летящих и гудящих поездах с яркими квадратами окон — воспоминания из далекого детства, но были они расплывчаты, нечетки, эфемерны, как и другие мысли о том, что было раньше: только попытаешься представить себе что-то в деталях, восстановить в памяти подробности, как неуловимый образ тут же растворяется, утекает, как вода сквозь пальцы, и перед глазами не остается ничего... А когда он подрос, видел только застрявший на выезде из туннеля состав на Рижской да разрозненные вагоны на Китай-Городе и Проспекте Мира.

Артем застыл на месте, зачарованно рассматривая составы, пересчитывая вагоны, таявшие во мгле у противоположного края платформы, возле перехода на Красную Линию. Там, выхваченное из темноты четким кругом электрического света, с потолка свисало кумачовое знамя, а под ним стояли по стойке смирно два автоматчика в одинаковой зеленой форме и в фуражках, казавшиеся издали маленькими и до смешного напоминающие игрушечных солдатиков.

У Артема было три таких, еще раньше, еще когда он жил с мамой: один — командир, с выхваченным из кобуры крошечным пистолетом, что-то кричал, оглядываясь назад, наверное, звал свой отряд за собой, в битву. Двое других стояли ровно, прижав к груди автоматы. Солдатики, наверное, были из разных наборов, и играть ими никак не получалось: командир рвался в бой, а его доблестные воины замерли на посту, совсем как пограничники Красной Линии, и до сражения им не было никакого дела. Странно, этих солдатиков он помнил очень хорошо, а вот лица матери не мог вспомнить никак...

Кузнецкий Мост содержался в относительном порядке. Свет здесь, как и на ВДНХ, был аварийный, вдоль потолка тянулась какая-то загадочная железная конструкция, может, раньше освещавшая платформу. Кроме поезда, на станции не было решительно ничего примечательного.

— Я столько слышал, что в метро много потрясающе красивых станций, а как посмотришь, все они почти одинаковые, — поделился Артем своим разочарованием с Михаилом Порфирьевичем.

— Да что вы, молодой человек! Тут такие красивые есть, вы не поверите! Вот Комсомольская на Кольце, например, настоящий дворец! — принялся горячо разубеждать его старик. — Там огромное панно, знаете, на потолке. С Лениным и прочей дребеденью, правда... Ой, что же я это говорю, — быстро осекся он и шепотом пояснил Артему: — На станции полно шпиков, агентов с Сокольнической линии, то есть Красной, вы меня простите, это я все по старинке ее называю... Так что здесь потише надо. Местное начальство вроде как независимо, но ссориться с красными не хочет, поэтому, если те потребуют кого-то выдать, то могут и выдать. Не говоря уже об убийствах, — совсем тихо добавил он и боязливо осмотрелся по сторонам. — Давайте-ка найдем место для отдыха, я, честно говоря, ужасно устал, да и вы, по-моему, еле на ногах стоите. Переночуем, а потом дальше в путь.

Артем кивнул: этот день действительно оказался бесконечно долгим и напряженным, и отдых ему был просто необходим.

Завистливо вздыхая и не сводя глаз с состава, Артем шагал вслед за Михаилом Порфирьевичем. Из вагонов доносились чей-то веселый смех и разговоры, в дверях, мимо которых они проходили, стояли уставшие после рабочего дня мужчины, курившие с соседями и чинно обсуждавшие события минувшего дня. Собравшись за столиком, старушки пили чай под маленькой лампочкой, свисавшей с лохматого провода, бесились дети. Это все тоже было для Артема необычно: на ВДНХ обстановка всегда оставалась очень напряженной, люди постоянно были готовы ко всему. Да, собирались вечерком с друзьями тихонько посидеть у кого-нибудь в палатке, но не было никогда такого, чтобы все двери настежь, все на виду, в гости друг к другу запросто, дети повсюду... Слишком уж благополучная была станция.

— А чем они здесь живут? — не выдержал Артем, догоняя старика.

— Как, неужели вы не знаете? — вежливо удивился Михаил Порфирьевич. — Это же Кузнецкий Мост! Здесь лучшие техники метро, большие мастерские. Им сюда с Сокольнической линии везут приборы чинить, и даже с Кольца. Процветают, процветают. Вот здесь бы жить! — мечтательно вздохнул он. — Но у них с этим строго...

Напрасно Артем надеялся, что им тоже удастся отоспаться в вагонах, на диванах. Посреди зала стоял ряд больших палаток, вроде тех, в которых они жили на ВДНХ, и на ближайшей из них аккуратно, по трафарету, была сделана надпись: ГОСТИНИЦА. Рядом выстроилась целая очередь из беженцев, но Михаил Порфирьевич, отозвав администратора в сторонку, звякнул медью, шепнул что-то волшебное, начинающееся на «Константин Алексеевич», и вопрос был улажен.

— Нам сюда, — приглашающим жестом указал он, и Ванечка радостно загугукал.

Здесь даже подавали чай, и за него не пришлось ничего доплачивать, и матрацы на полу были такими мягкими, что, упав на них, подниматься страшно не хотелось. Полулежа, Артем осторожно дул на кружку с отваром и внимательно слушал старика, который с горящим взором, забыв про свой стакан, рассказывал:

— Они ведь не над всей веткой власть имеют. Об этом, правда, не говорит никто, и красные этого никогда не признают, но Университет не под их контролем, и все, что за Университетом, тоже! Да-да, Красная Линия продолжается только до Спортивной. Там, знаете, за Спортивной начинается очень длинный перегон, когда-то давно там была станция Ленинские Горы, потом ее переименовали, но я уж по старинке... И вот как раз за Ленинскими Горами, там пути на поверхность выходят, был мост. И, понимаете, он от взрыва начал разрушаться и однажды обвалился вниз, в реку, так что с Университетом связи не было почти с самого начала...

Артем сделал маленький глоток и ощутил, как все внутри сладко замирает в предвкушении чего-то таинственного, необычного, что начиналось за торчащими над пропастью рельсами оборванной Красной Линии далеко на юго-западе. Ванечка ожесточенно грыз ногти, прерываясь только, чтобы удовлетворенно осмотреть плоды своего труда, а затем вновь принимался за дело. Артем взглянул на него почти с симпатией и почувствовал благодарность к милому ребенку за то, что тот молчит.

— Знаете, у нас есть маленький кружок на Баррикадной, — смущенно улыбнулся Михаил Порфирьевич, — собираемся по вечерам, иногда к нам с Улицы 1905 года приходят, а вот теперь и с Пушкинской всех инакомыслящих прогнали, и Антон Петрович к нам переехал... Ерунда, конечно, просто литературные посиделки, ну, и о политике иногда поговорим, собственно... Там, знаете, образованных тоже не особенно любят, на Баррикадной, чего только не услышишь: и что вшивая интеллигенция, и что пятая колонна... Так что мы там потихонечку. Но вот Яков Иосифович говорил, что, дескать, Университет не погиб. Что им удалось блокировать туннели, и теперь там все еще есть люди. Не просто люди, а... Вы понимаете, там когда-то Московский государственный университет был, это ведь из-за него так станция называется. И вот, дескать, части профессуры удалось спастись, и студентам тоже. Под университетом ведь размещались огромные бомбоубежища, сталинской еще постройки, по-моему, соединенные особыми переходами с метро. И теперь там образовался такой интеллектуальный центр, знаете... Ну, это, наверное, просто легенды. И что там образованные люди находятся у власти, всеми тремя станциями и убежищами управляет ректор, а каждая станция возглавляется деканом — всех на определенный срок избирают. Там и наука не стоит на месте — все-таки студенты, знаете ли, аспиранты, преподаватели! И культура не гаснет, не то что у нас, и пишут что-то, и наследие наше не забывается... А Антон Петрович даже говорил, что ему один знакомый инженер по секрету рассказывал, будто они там даже нашли способ на поверхность выходить, сами создали защитные костюмы, и иногда их разведчики появляются в метро... Согласитесь, звучит неправдоподобно! — полувопросительно прибавил Михаил Порфирьевич, заглядывая Артему в глаза, и что-то такое тоскливое тот заметил в его взгляде, несмелую, усталую надежду, что, чуть кашлянув, отозвался как можно уверенней:

— Почему? Звучит вполне реально! Вот есть же Полис, например. Я слышал, там тоже...

— Да, чудесное место — Полис, да только как теперь туда пробраться? К тому же мне говорили, что в Совете власть опять перешла к военным...

— В каком Совете? — приподнял брови Артем.

— Ну, как же? Полис управляется Советом из самых авторитетных людей. А там, знаете, авторитетные люди — либо библиотекари, либо военные. Ну, уж про Библиотеку вы точно знаете, рассказывать смысла не имеет, но вот другой вход Полиса когда-то находился прямо в здании Министерства обороны, насколько я помню, или, во всяком случае, оно было где-то рядом, и часть генералитета успела тогда эвакуироваться. В самом начале военные захватили власть, Полисом довольно долго правила этакая, знаете, хунта. Но людям отчего-то не слишком по нраву пришлось их правление, беспорядки были, довольно кровопролитные, но это давно, задолго до войны с красными. Тогда они пошли на уступки, был создан этот самый Совет. И так получилось, что в нем образовалось две фракции — библиотекари и военные. Странное, конечно, сочетание. Знаете, военные вряд ли много живых библиотекарей в своей прежней жизни встречали. А тут так уж сложилось. И между этими фракциями вечная грызня, разумеется: то одни берут верх, то другие. Когда война шла с красными, оборона была важнее, чем культура, и у генералов был перевес. Началась мирная жизнь — опять к библиотекарям вернулось влияние. И так у них, понимаете, все время, как маятник. Сейчас вот довелось слышать, у военных позиции крепче, и там опять дисциплину наводят, знаете, комендантский час и прочие радости жизни, — тихо улыбнулся Михаил Порфирьевич. — Пройти туда теперь не проще, чем до Изумрудного Города добраться... Это мы так Университет между собой называем, и те станции, что с ним рядом, в шутку... Ведь надо либо через Красную Линию идти, либо через Ганзу, но там просто так не пробраться, сами понимаете. Раньше, до фашистов, через Пушкинскую можно было на Чеховскую, а там и до Боровицкой один перегон. Нехороший, правда, перегон, но я, когда помоложе был, случалось, и через него хаживал.

Артем не преминул поинтересоваться, что же такого нехорошего в упомянутом перегоне, и старик нехотя ответил:

— Понимаете, там прямо посреди туннеля состав стоит, сожженный. Я там давно уже не был, не знаю, как теперь, но раньше в нем на сиденьях обугленные человеческие тела лежали и сидели... Просто ужасно. Я сам не знаю, как это случилось, и у знакомых своих спрашивал, что там произошло, но никто не мог мне точно сказать. Через этот поезд очень трудно пройти, а обойти его никак нельзя, потому что туннель начал осыпаться, и все вокруг вагонов завалено землей. В самом же поезде, в вагонах, я имею в виду, разные нехорошие вещи творятся, я их объяснить затрудняюсь, я вообще-то атеист, знаете, и во всякую мистическую чепуху не верю, поэтому я тогда грешил на крыс, на тварей разных... А теперь уже ни в чем не уверен.

Эти слова навели Артема на мрачные воспоминания о шуме в туннелях на его линии, и он не выдержал, наконец, и рассказал о произошедшем с его отрядом, а потом с Бурбоном и, помявшись еще немного, попытался повторить объяснения, данные ему Ханом.

— Да что вы, что вы, это же полная белиберда! — отмахнулся Михаил Порфирьевич, строго сводя брови. — Я уже слышал о таких вещах. Вы помните, я говорил вам о Якове Иосифовиче? Так вот, он физик и как-то разъяснял мне, что такие нарушения психики бывают, когда людей подвергают воздействию звука на крайне низких, не слышимых ухом частотах, если я не путаю, около семи герц, хотя с моей дырявой головой... А звук может возникать сам по себе, из-за естественных процессов, например, тектонических сдвигов или еще чего-то, я, понимаете, тогда не очень внимательно слушал... Но чтобы души умерших? Да в трубах? Увольте...

Со стариком этим было интересно. Все, о чем он рассказывал, Артем раньше ни от кого не слышал, да и метро он видел под каким-то другим углом, старомодным, забавным, и все, видно, тянулся душой наверх, а здесь ему было все так же неуютно, как и в первые дни. И Артем, который часто вспоминал спор Сухого и Хантера, спросил у него:

— А как вы думаете... Мы... люди, я имею в виду... Мы еще вернемся туда? Наверх? Сможем мы выжить и вернуться?

И пожалел тут же, что спросил, потому что вопрос его словно бритвой обрезал все жилы в старичке, тот разом обмяк и негромко, безжизненным голосом протянул:

— Не думаю. Не думаю.

— Но ведь были и другие метрополитены, я слышал, в Питере, и в Минске, и в Новгороде, — перебирал Артем затверженные наизусть названия, которые всегда для него были пустой скорлупой, шелухой, никогда не заключавшей в себе смысла.

— Ах, какой красивый город был — Питер! — не отвечая ему, тоскливо вздохнул Михаил Порфирьевич. — Вы понимаете, Исакий... А Адмиралтейство, шпиль этот вот... Какая грация, какое изящество! А вечерами на Невском — люди, шум толпы, смех, дети с мороженым, девушки молоденькие, тоненькие... Музыка несется... Летом особенно, там редко когда хорошая погода летом: так, чтобы солнце и небо чистое, лазурное, но когда бывает... И так, знаете, дышится легко...

Глаза его остановились на Артеме, но взгляд проходил сквозь него и растворялся в призрачных далях, где поднимались из предрассветной дымки полупрозрачные величественные силуэты ныне обращенных в пыль зданий, и Артему показалось, что, обернись он сейчас через плечо, перед ним предстанет та же захватывающая дух картина. Старик замолчал, тяжело вздохнув, и Артем не решился вторгаться в его воспоминания.

— Да, действительно были и другие метрополитены кроме Московского. Может, где-то еще и спаслись люди... Но ведь сами подумайте, молодой человек! — Михаил Порфирьевич поднял узловатый палец кверху. — Сколько все-таки лет прошло, и ничего. Ни слуху, ни духу. Неужели бы за столько лет не нашли, если бы было кому искать? Нет, — уронил он голову, — не думаю...

А потом, минут через пять молчания, неслышно почти, обращаясь скорее к самому себе, чем к Артему, вздохнул:

— Боже, какой прекрасный мир мы загубили...

Тяжелая тишина повисла в палатке. Ванечка, убаюканный их негромким разговором, спал, приоткрыв рот и негромко посапывая, изредка только начиная по-собачьи скулить. Михаил Порфирьевич так больше ни слова и не проронил, и, хотя Артем был уверен, что тот еще не спит, тревожить он его не стал, закрыл глаза и попробовал уснуть.

Он думал, что после всего, что случилось с ним за этот бесконечный день, сон придет мгновенно, но время тянулось медленно-медленно, матрац, недавно казавшийся мягким, отдавливал бок, и пришлось изрядно покрутиться, пока нашлось, наконец, удобное положение. А в уши все стучали и стучали последние, печальные слова старика. Нет. Не думаю. Не вернуть больше сверкающих проспектов, грандиозных архитектурных сооружений, легкого освежающего ветерка летним теплым вечером, шевелящего волосы и ласкающего лицо, не вернуть этого неба, оно больше никогда не будет таким, как рассказывал старик. Теперь небо — это сходящийся кверху, опутанный сгнившими проводами ребристый потолок туннелей, и так будет всегда. А тогда оно было — как он сказал? Лазурным? Чистым?.. Странное было это небо, совсем как то, что видел Артем тогда, на Ботаническом Саду, и тоже усыпанное звездами, но не бархатно-синее, а светло-голубое, искрящееся, радостное... И здания были действительно огромными, но они не давили своей массой, нет, светлые, легкие, словно сотканные из сладкого воздуха, они парили, едва не отрываясь от земли, их контуры размывались в бесконечной вышине. А вокруг было столько людей! Артему раньше никогда не приходилось видеть так много людей сразу, разве только на Китай-Городе, но здесь их было еще больше, все пространство у подножий циклопических зданий и между ними было занято людьми. Они сновали вокруг, и детей среди них было и вправду необычно много, они что-то ели, наверное, то самое мороженое. Артем даже хотел попросить у одного из них попробовать, сам он никогда настоящего мороженого не ел, а когда был маленький, очень хотелось хоть капельку. Но негде было взять, кондитерские фабрики уже давно производили только плесень и крыс, крыс и плесень. А маленькие дети, лизавшие свое лакомство, все время убегали от него со смехом, ловко уворачиваясь, и ему даже не удалось разглядеть ни одного лица. И Артем уже не знал, что же он на самом деле пытается сделать: откусить мороженое или заглянуть ребенку в лицо, понять, есть ли оно вообще у этих детей... И ему вдруг стало страшно.

Легкие очертания зданий начали медленно сгущаться, темнеть, и через какое-то время они уже грозно нависали над ним, а потом стали сдвигаться все теснее и теснее. Артем все продолжал погоню за детьми, и ему стало казаться, что смеются дети не звонко и радостно, а зло и предвкушающе, и тогда он собрал все свои силы и схватил все-таки одного мальчишку за рукав. Тот вырывался и царапался, как дьявол, но, сдавив ему горло стальным зажимом, Артему удалось все-таки заглянуть пойманному в лицо. Это был Ванечка. Зарычав и оскалив зубы, он мотнул шеей и попытался вцепиться Артему в руку, и тогда Артем в панике отшвырнул его прочь, а тот, вскочив с колен, задрал вдруг голову и протяжно вывел тот самый жуткий вой, от которого Артем бежал с ВДНХ... И дети, беспорядочно носившиеся вокруг, стали останавливаться и медленно, бочком, не глядя на него, приближаться, а за их спинами возвышались совсем теперь уже черные громады зданий, и они словно тоже придвигались ближе... А потом дети, теперь уже заполнявшие немногое остававшееся свободным место между гигантскими тушами строений, подхватили Ванечкин вой, наполняя его звериной ненавистью и леденящей тоской, и, наконец, стали поворачиваться к Артему. У них не было лиц, только черные кожаные маски с выщербленными ртами и маслянистыми темными шарами глаз, без белков и зрачков.

И вдруг раздался голос, который Артем никак не мог узнать, он был негромким, и жуткий вой перекрывал его, но голос настойчиво повторял одно и то же, и, прислушиваясь, стараясь не обращать внимания на подступающих все ближе детей, Артем начал наконец разбирать, что это было. «Ты должен идти». А потом еще раз. И еще. И Артем узнал голос. Голос Хантера.

Он открыл глаза и откинул покрывало. В палатке было темно и очень душно, голова налилась свинцовой тяжестью, мысли ворочались лениво и тяжело. Артем никак не мог прийти в себя, понять, сколько времени он проспал, пора ли вставать и собираться в путь или можно просто перевернуться на другой бок и посмотреть сон повеселей.

Тут полог палатки приподнялся, и в образовавшемся отверстии показалась голова того самого пограничника, что пропускал их на Кузнецкий Мост. Константин... как же было его отчество?

— Михал Порфирич! Михал Порфирич! Вставай скорей! Михал Порфирич! Да что он, помер, что ли? — и, не обращая внимания на испуганно таращившегося на него Артема, он пролез в палатку и принялся трясти спящего старика.

Первым проснулся Ванечка и недобро замычал. Вошедший не обратил на него никакого внимания, а когда Ванечка попытался тяпнуть его за руку, отвесил ему приличную затрещину. Тут, наконец, очнулся и старик.

— Михал Порфирич! Поднимайся скорей! — тревожно зашептал пограничник. — Уходить надо! Красные тебя требуют выдать, как клеветника и вражеского пропагандиста. Говорил ведь, говорил я тебе: ну хоть здесь, хоть на нашей паршивой станции не рассказывай ты про свой Университет! Послушал ты меня?

— Позвольте, Константин Алексеевич, что же это? — растерянно завертел головой старик, с кряхтением поднимаясь с лежанки. — Я ведь и не говорил ничего, никакой пропаганды, боже упаси, так вот, молодому человеку рассказал только, но тихонько, без свидетелей...

— И молодого человека с собой прихвати! А то ты знаешь, какая у нас тут станция рядом. На Лубянку отведут и кишки там на палку намотают, а парня твоего к стенке сразу поставят, чтоб не болтал лишнего! Давай же быстрей, что ты мешкаешь, сейчас они придут уже! Они пока там совещаются еще, чего бы у красных взамен выторговать, так что поспеши!

Артем к этому моменту уже стоял на ногах, и рюкзак был у него за спиной. Не знал только, доставать ли оружие, или все обойдется. Старик тоже засуетился, и через минуту они уже торопливо шагали по путям, причем Константин Алексеевич лично зажимал Ванечке рот рукой, мученически морщась, а старик с беспокойством поглядывал на него, опасаясь, как бы пограничник не свернул мальчику шею.

В туннеле, ведшем к Пушкинской, станция была укреплена намного лучше. Здесь они миновали два кордона, за сто и двести метров до входа. На ближнем — бетонное укрепление, бруствер, перерезающий пути и оставляющий только узенький проход у стенки, слева за ним — телефонный аппарат и провод, тянущийся до самого Кузнецкого Моста, наверное, в штаб, ящики с боеприпасами и дрезина, патрулирующая эти сто метров. На дальнем — обычные мешки с песком, пулемет и прожектор, как с другой стороны. На обоих постах стояли дежурные, но Константин Алексеевич провел их сквозь все кордоны, вывел к границе и устало сказал:

— Пойдем, пройдусь с тобой пять минут. Боюсь, нельзя тебе сюда больше, Михал Порфирич, — говорил пограничник, пока они медленно шли к Пушкинской. — Они тебе еще и старых твоих грешков не простили, а ты снова-здорово. Слышал, товарищ Москвин лично интересовался? Ну да ладно, что-нибудь придумаем. Ты через Пушкинскую-то осторожно! — напутствовал он, отставая от них и растворяясь в темноте. — Побыстрей проходи! У нас, видишь, боятся их! Ну, бывай!

Пока что спешить было некуда, и беглецы замедлили шаг.

— Чем это вы им так насолили? — спросил Артем, с любопытством оглядывая старика.

— Я, видите ли, просто очень их недолюбливаю, и когда война была... В общем, понимаете, мы в кружке нашем некоторые тексты составляли... А у Антона Петровича, он тогда еще на Пушкинской жил, доступ был к типографскому станку — стоял тогда на Пушкинской типографский станок, какие-то безумцы притащили из «Известий»... И вот он это печатал.

— А граница у красных безобидно выглядит: стоят два человека, и висит флаг, ни укреплений каких, ничего, не то что у Ганзы... — вдруг вспомнил Артем.

— Разумеется! С этой стороны все безобидно, потому что у них основной натиск на границу не снаружи, а изнутри, — ехидно улыбнулся Михаил Порфирьевич. — Вот там и укрепления, а здесь так, декорации.

Дальше они шли в тишине, каждый думал о своем. Артем прислушивался к своим ощущениям от туннеля. Но, странное дело, и этот, и предыдущий перегон, ведший от Китай-Города к Кузнецкому Мосту, были какими-то пустыми, в них совсем ничего не ощущалось, их ничто не наполняло, это была просто бездушная конструкция...

Потом он мысленно вернулся к только что виденному кошмару. Подробности его уже стирались из памяти, оставалось только смутное пугающее воспоминание о детях без лица и каких-то черных громадах на фоне неба. Но вот голос...

Довести мысль до конца так и не удалось. Впереди послышался знакомый мерзкий писк и шорох коготков, потом потянуло удушливо-сладковатым запахом разлагающейся плоти, и, когда несильный свет фонаря достал наконец до того места, откуда доносились звуки, перед глазами предстала такая картина, что Артем засомневался, не лучше ли будет вернуться к красным.

У стены туннеля лицом вниз в ряд лежали три вспухших тела, и руки их, связанные за спиной проволокой, были уже сильно обгрызены крысами. Прижимая к носу рукав куртки, чтобы не чувствовать тяжелого сладковато-ядовитого духа, Артем нагнулся к телам, посветив на них. Они были раздеты до нижнего белья, и на их телах не было заметно никаких ран. Но волосы на голове каждого были склеены запекшейся кровью, особенно густой вокруг черного пятна пулевого отверстия.

— В затылок, — определил Артем, стараясь, чтобы его голос звучал спокойно, и чувствуя, что сейчас его стошнит.

Михаил Порфирьевич прикрыл рот рукой, и глаза его заблестели.

— Что делают, боже, что же они делают! — сдавленно произнес он. — Ванечка, не смотри, не смотри, иди сюда!

Но Ванечка, не проявляя не малейшего беспокойства, уселся на корточки рядом с ближайшим трупом и принялся сосредоточенно тыкать его пальцем, оживленно мыча.

Луч скользнул выше по стене и осветил кусок грубой оберточной бумаги, наклеенной прямо над телами на уровне глаз. Сверху, украшенный изображениями орлов с распростертыми крыльями, шел набранный готическим шрифтом заголовок: Vierter Reich, а дальше уже значилось по-русски: «Ни одной черномазой твари ближе трехсот метров от Великого Рейха!», и был сочно пропечатан тот самый знак: «Прохода нет» — черный контур человечка в запрещающем круге.

— Сволочи, — сквозь стиснутые зубы выдавил Артем. — За то, что у них волосы другого цвета?..

Старик только сокрушенно покачал головой и потянул за шиворот Ванечку, который увлекся изучением тел и никак не хотел вставать с корточек.

— Я вижу, наш типографский станок все еще работает, — грустно заметил Михаил Порфирьевич, и они двинулись дальше.

Путники шли все медленнее и медленнее, так что только через две минуты показался намалеванный на стене красной краской силуэт орла и надпись «300 м».

— Еще триста метров, — заметил Артем, с беспокойством вслушиваясь в отголоски собачьего лая, раздающегося вдалеке.

Метров за сто до станции в лицо ударил яркий свет, и они остановились.

— Руки за голову! Стоять смирно! — загрохотал усиленный громкоговорителем голос.

Артем послушно положил обе ладони на затылок, а Михаил Порфирьевич поднял обе руки вверх.

— Я сказал, всем руки за голову! Медленно идите вперед! Не делать резких движений! — продолжал надрываться голос, и Артем никак не мог разглядеть, кто же говорит, потому что свет бил прямо в глаза и от резкой боли приходилось смотреть вниз.

Пройдя маленькими шажками еще какое-то расстояние, они опять покорно замерли на месте, и прожектор наконец отвели в сторону.

Здесь была возведена целая баррикада, на позициях стояли двое дюжих автоматчиков и еще один человек с кобурой на поясе, все в камуфляже и черных беретах, набекрень надетых на обритые головы. На рукавах у них красовались белые повязки — некое подобие немецкой свастики, но не с четырьмя концами, а с тремя. Чуть поодаль виднелись темные фигуры еще нескольких человек, у ног одного из них сидела нервно поскуливающая собака. Стены вокруг были изрисованы крестами, орлами, лозунгами и проклятиями в адрес всех нерусских. Последнее немного озадачило Артема, потому что часть надписей была сделана по-немецки. На видном месте, под подпаленным полотнищем с силуэтом орла и трехконечной свастикой, стоял уютно подсвеченный пластиковый знак с несчастным черным человечком, и Артему подумалось, что это, наверное, у них красный уголок.

Один из охранников сделал шаг вперед и зажег длинный, похожий на дубинку ручной фонарь, держа его в согнутой руке на уровне головы. Он не спеша обошел всех троих, пристально заглядывая в лица, очевидно, пытаясь выискать какие-то неславянские черты. Однако черты у всех них, за исключением разве что Ванечки, лицо которого несло печать его болезни, были сравнительно русские, поэтому он отвел фонарь и разочарованно пожал плечами.

— Документы! — потребовал он.

Артем с готовностью протянул свой паспорт, Михаил Порфирьевич запоздало принялся отыскивать во внутреннем кармане свой и наконец тоже достал его.

— А где у вас документы на это? — брезгливо указал старший на Ванечку.

— Понимаете, дело в том, что у мальчика... — начал было объяснять старик.

— Ма-а-алчать! Ко мне обращаться — «господин офицер»! На вопросы отвечать четко! — гаркнул на него проверяющий, и фонарь запрыгал в его ладонях.

— Господин офицер, видите ли, мальчик болен, у него нет паспорта, он еще маленький, понимаете, но, взгляните, он у меня вот здесь вписан, вот, пожалуйста... — залепетал оторопевший Михаил Порфирьевич, заискивающе глядя на офицера, пытаясь обнаружить в его глазах хоть искорку сочувствия.

Но тот стоял на месте, прямой и твердый, как скала, лицо его тоже словно окаменело, и Артем опять ощутил недавнее желание убить живого человека.

— Где фотография? — выплюнул офицер, долистав до нужной странички.

Ванечка, стоявший до того момента смирно, напряженно всматривавшийся в собачий силуэт и время от времени восторженно гугукавший, переключил свое внимание на проверяющего и, к ужасу Артема, оскалил зубы и недобро загудел. Артем вдруг так испугался за него, что забыл и свою неприязнь к этому созданию, и то, что сам пару раз с трудом подавлял желание пнуть его как следует.

Проверяющий сделал невольный шаг назад, неприязненно уставился на Ванечку и процедил:

— Уберите это. Немедленно. Или это сделаю я.

— Простите пожалуйста, господин офицер, он не понимает, что делает, — с удивлением услышал Артем собственный голос.

Михаил Порфирьевич с признательностью глянул на него, а проверяющий, быстро прошелестев его паспортом, ткнул его назад Артему и холодно сказал:

— К вам вопросов нет. Можете проходить.

Артем сделал несколько шагов вперед и замер, чувствуя, что ноги его не слушаются. Офицер, равнодушно отвернувшись от него, повторил вопрос про фотографию.

— Видите ли, дело в том, — начал было Михаил Порфирьевич и, спохватившись, добавил, — господин офицер, дело в том, что у нас там нет фотографа, а на других станциях это стоит неимоверно дорого, у меня просто нет денег, чтобы сделать снимок...

— Раздевайтесь! — прервал его тот.

— Прошу прощения? — севшим голосом протянул Михаил Порфирьевич, и у него задрожали ноги.

Артем снял рюкзак и поставил его на пол, совершенно не думая о том, что делает. Есть такие вещи, которые не хочешь делать, даешь себе зарок не делать, запрещаешь, а потом вдруг они происходят сами собой. Их даже не успеваешь обдумать, они не затрагивают мыслительные центры: происходят — и все, и остается только удивленно наблюдать за собой и убеждать себя, что твоей вины в этом нет, просто это случилось само.

Если их сейчас разденут и поведут, как тех, к трехсотому метру, Артем достанет из рюкзака автомат, переведет переключатель на режим автоматического огня и постарается уложить как можно больше этих нелюдей в камуфляже, пока его не застрелят. Больше ничего не имело значения. Не важно было, что прошел всего день с тех пор, как он встретил Ванечку и старика. Не важно, что его убьют. Что будет с ВДНХ? Не надо думать о том, что будет потом. Есть вещи, о которых лучше просто не думать.

— Раздевайтесь! — тщательно артикулируя, повторил офицер. — Обыск!

— Но позвольте... — пролепетал Михаил Порфирьевич.

— Ма-а-алчать! — гаркнул тот. — Быстрей! — и, подкрепляя свои слова действием, потянул из кобуры пистолет.

Старик начал торопливо расстегивать пуговицы куртки, а проверяющий отвел руку с пистолетом в сторону и молча наблюдал, как тот скидывает фуфайку, неловко прыгая на одной ноге, снимает сапоги, и колеблется, расстегивать ли брючный ремень.

— Быстрей! — взбешенно прошипел офицер.

— Но... Неловко... Понимаете... — начал было Михаил Порфирьевич, но проверяющий, окончательно выйдя из себя, сильно ткнул его кулаком в зубы.

Артем рванулся вперед, но сзади его тут же схватили две сильные руки, и как он ни старался выкрутиться, все было бесполезно.

Тут произошло непредвиденное. Ванечка, который ростом был чуть не в два раза ниже головореза в черном берете, вдруг ощерился и с животным рыком ринулся на обидчика. Тот никак не ожидал подобной прыти от убогого, и Ванечке удалось вцепиться ему в левую руку и даже ударить его ладонью в грудь. Однако через секунду офицер опомнился, отшвырнул Ванечку от себя, отступил назад и, вытянув руку с пистолетом вперед, спустил курок.

Выстрел, усиленный эхом пустого туннеля, ударил по барабанным перепонкам, но Артему показалось, что он все равно слышит, как тихо всхлипнул Ванечка, садясь на пол. Он еще кренился лицом вниз, держась обеими руками за живот, когда офицер носком сапога опрокинул его навзничь и с брезгливым выражением на лице нажал на спусковой крючок еще раз, целясь в голову.

— Я вас предупреждал, — холодно бросил он Михаилу Порфирьевичу, который, застыв на месте, с отвалившейся челюстью смотрел на Ванечку, издавая грудные хрипящие звуки.

В этот момент у Артема все померкло перед глазами, и он ощутил в себе такую силу, что опешивший солдат, державший его сзади, чуть не упал на пол, когда он рванулся вперед. Время растянулось для Артема, и его как раз хватило, чтобы схватиться за рукоять автомата и, щелкнув предохранителем, дать очередь прямо сквозь рюкзак в пятнистую грудь офицера.

Он только и успел удовлетворенно заметить, как возникает черный пунктир пулевых отверстий на зелени камуфляжа.

Глава 9

DU STIRBST

— Через повешенье, — заключил комендант.

Нещадно терзая барабанные перепонки, грянули аплодисменты.

Артем с трудом приподнял голову и осмотрелся по сторонам. Открывался только один глаз, другой совсем заплыл — допрашивавшие его старались изо всех сил. Слышал он тоже не очень хорошо, звуки словно пробивались сквозь толстый слой ваты. Зубы вроде все были на месте. Хотя, с другой стороны, зачем ему теперь зубы?

Опять тот же светлый мрамор, обычный, набивший уже оскомину белый мрамор. Массивные железные люстры под потолком, когда-то, наверное, бывшие электрическими светильниками. Теперь в них торчали коптящие сальные свечи, и потолок над ними был совсем черным. Горело всего две таких люстры на всю станцию, в самом конце, где убегала наверх широкая лестница, и в том месте, где стоял Артем, в середине зала, на ступенях мостика, открывающего боковой переход на другую линию.

Частые полукруглые арки, почти совсем не видные колонны, очень много свободного места. Что же это за станция?

— Казнь состоится завтра в пять часов утра на станции Тверская, — уточнил толстяк, стоящий рядом с комендантом.

Как и его начальник, он был одет не в зеленый камуфляж, а в черный мундир с блестящими желтыми пуговицами. Черные береты были и на этих двоих, но не такие большие и не так грубо сделанные, как на солдатах в туннеле.

Очень много здесь было изображений орлов, трехконечных свастик, повсюду лозунги и изречения, тщательно, с любовью вырисованные готическими буквами. Старательно пытаясь сфокусироваться на норовивших расплыться словах, Артем прочел: «МЕТРО — ДЛЯ РУССКИХ!», «ЧЕРНОМАЗЫХ — НА ПОВЕРХНОСТЬ!», «СМЕРТЬ КРЫСОЕДАМ!» Были и другие, более отвлеченного содежания: «ВПЕРЕД, В ПОСЛЕДНЮЮ БИТВУ ЗА ВЕЛИЧИЕ РУССКОГО ДУХА!», «ОГНЕМ И МЕЧОМ УСТАНОВИМ В МЕТРО ПОДЛИННО РУССКИЙ ПОРЯДОК!», потом еще что-то из Гитлера, на немецком, и сравнительно нейтральное «В ЗДОРОВОМ ТЕЛЕ — ЗДОРОВЫЙ ДУХ!». Особенно его впечатлила подпись, сделанная под искусным портретом мужественного воина с могучей челюстью и волевым подбородком и весьма решительного вида женщины. Они были изображены в профиль, так что мужчина немного заслонял собой боевую подругу. «КАЖДЫЙ МУЖЧИНА – ЭТО СОЛДАТ, КАЖДАЯ ЖЕНЩИНА – МАТЬ СОЛДАТА!» – гласил лозунг. Все эти надписи и рисунки почему-то занимали сейчас Артема намного больше, чем слова коменданта.

Прямо перед ним, за оцеплением, шумела толпа. Народу тут было не очень много, и все одеты как-то неброско, в основном, в ватники и засаленные спецовки. Женщин почти не было заметно, и, если это отражало реальность, солдаты скоро должны были кончиться. Артем опустил голову на грудь – больше держать ее прямо не хватало сил; если бы не двое плечистых конвоиров в беретах, поддерживавших его под мышки, он бы вовсе упал.

Опять накатила дурнота, голова закружилась, и иронизировать больше не получалось. Артему показалось, что его сейчас вывернет при всем народе.

Тупое безразличие к тому, что с ним происходит, пришло к Артему постепенно. Теперь у него оставался только отвлеченный интерес к окружающему, как если бы все случилось не с ним, будто он просто читал книгу. Судьба главного героя интересовала его, конечно, но, если бы он погиб, можно было бы просто взять с полки другую книжку, со счастливым концом.

А сначала его долго, аккуратно били терпеливые, сильные люди, а другие люди, умные и рассудительные, задавали ему вопросы. Комната была предусмотрительно облицована кафелем тревожного желтого цвета, с него было очень легко, наверное, смывать кровь, но выветрить ее запах отсюда было невозможно.

Для начала его научили называть сухопарого мужчину с зализанными русыми волосами и тонкими чертами лица, который вел допрос, «господин комендант». Потом – не задавать вопросов, а отвечать на них. Потом – точно отвечать на поставленный вопрос, сжато и по делу. Сжато и по делу учили отдельно, и Артем никак не мог понять, как же вышло, что все зубы остались на своих местах, хотя несколько сильно шатались и во рту был постоянный привкус крови. Сначала он пытался оправдываться, но ему объяснили, что этого делать не стоит. После он пытался молчать, но и это оказалось неправильно, он скоро в этом убедился. Было очень больно. Это вообще очень странное ощущение, когда тебя бьет в голову сильный здоровый мужчина – не то что боль, а какой-то ураган, который выметает все мысли и дробит вдребезги чувства. Настоящие мучения приходят потом.

Через некоторое время Артем, наконец, понял, что надо делать. Все было просто – надо только наилучшим образом оправдывать ожидания господина коменданта. Если господин комендант спрашивал, не с Кузнецкого ли Моста Артема прислали сюда, надо было просто утвердительно кивнуть. На это уходило меньше сил, и господин комендант не морщил недовольно свой безупречно славянский нос, а его ассистенты не наносили Артему еще одного телесного повреждения. Если господин комендант предполагал, что Артема направили с целью сбора разведданных и проведения диверсий, например, организации покушений на жизнь руководства Рейха (в том числе и самого господина коменданта), надо было опять согласно кивнуть, тогда мучитель довольно потирал руки, а Артем сберегал себе второй глаз. Но нельзя было просто кивать, надо было прислушиваться к тому, что именно спрашивал господин комендант, потому что, если Артем поддакивал невпопад, настроение у того ухудшалось, и один из его помощников пробовал, например, сломать Артему ребро. Через полтора часа неспешной беседы Артем уже больше не чувствовал своего тела, плохо видел, довольно скверно слышал и почти ничего не понимал. Он несколько раз пытался потерять сознание, но его приводили в чувство ледяной водой и нашатырем. Наверное, он был очень интересным собеседником.

В итоге о нем сложилось совершенно превратное представление — в нем видели вражеского шпиона и диверсанта, явившегося, чтобы нанести Четвертому Рейху предательский удар в спину, обезглавив власть, посеять хаос и подготовить вторжение противника. Конечной целью было установление антинародного кавказско-сионистского режима на всей территории метрополитена. Хотя Артем вообще-то мало понимал в политике, такая глобальная цель показалась ему достойной, и он согласился и с этим. И хорошо, что согласился, может, именно поэтому все зубы и остались на своих местах. После того как последние детали заговора были выяснены, Артему все-таки позволили отключиться.

Когда он смог открыть глаз в следующий раз, комендант уже дочитывал приговор. Едва последние формальности были утрясены, а официальная дата его расставания с жизнью — анонсирована общественности, на голову и лицо подсудимому натянули черную шапку, и видимость серьезно ухудшилась. Смотреть было больше не на что, и замутило еще сильнее. Еле продержавшись минуту, Артем прекратил сопротивление, тело его скрутила судорога, и его вырвало прямо на собственные сапоги. Охрана сделала осторожный шаг назад, а общественность возмущенно зашумела. На какой-то миг Артему стало стыдно, а потом он почувствовал, как голова его куда-то уплывает, а колени безвольно подгибаются.

Сильная рука приподняла его подбородок, и он услышал знакомый голос, который звучал теперь почти в каждом его сне:

— Пойдем! Пойдем со мной, Артем! Все закончилось. Все хорошо. Вставай! — говорил он, а Артем все не мог найти в себе сил встать и даже поднять головы.

Было очень темно — наверное, мешала шапка, догадался он. Но как же ее снять, ведь руки связаны за спиной? А снять необходимо — посмотреть, тот ли это человек, или ему просто кажется.

— Шапка... — промычал Артем, надеясь, что человек сам все поймет.

Черная завеса перед глазами тут же исчезла, и Артем увидел перед собой Хантера. Он ничуть не изменился с тех пор, как Артем разговаривал с ним в последний раз, давным-давно, целую вечность назад, на ВДНХ. Но как он сюда попал? Артем тяжело повел головой и осмотрелся. Он находился на платформе той же станции, где ему зачитывали приговор. Повсюду вокруг лежали мертвые тела; только несколько свечей на одной люстре продолжали коптить. Вторая была погашена. Хантер сжимал в правой руке тот самый пистолет, который так поразил Артема в прошлый раз, показавшись гигантским из-за длинного, привинченного к стволу глушителя и внушительного лазерного прицела, «Стечкин». Охотник смотрел на Артема беспокойно и внимательно.

— С тобой все в порядке? Ты можешь идти?

— Да. Наверное, — храбрился Артем, но в этот момент его интересовало совсем другое. — Вы живы? У вас все получилось?

— Как видишь, — устало улыбнулся Хантер. — Спасибо тебе за помощь.

— Но я не справился, — мотнул головой Артем, и его жгучей волной захлестнул стыд.

— Ты сделал все, что мог, — успокаивающе потрепал его по плечу Хантер.

— А что случилось с моим домом? Что с ВДНХ?

— Все хорошо, Артем. Все уже позади. Мне удалось завалить вход, и черные больше не смогут спускаться в метро. Мы спасены. Пойдем.

— А здесь что произошло? — Артем оглядывался по сторонам, с ужасом обнаруживая, что почти весь зал завален трупами, и, кроме их с Хантером голосов, больше не слышно ни одного звука.

— Не имеет значения, — Хантер твердо посмотрел ему в глаза. — Ты не должен об этом беспокоиться. — Нагнувшись, он поднял с пола свой баул, в котором лежал чуть дымящийся армейский ручной пулемет. Лент с патронами почти не оставалось.

Охотник двинулся вперед, и Артему оставалось только догонять. Оглядываясь по сторонам, он увидел кое-что, чего раньше не замечал. С мостика, на котором он стоял, когда зачитывали приговор, свисали над путями несколько темных фигур.

Хантер молчал, широко вышагивая, словно забыв о том, что Артем еле передвигается. Как тот ни старался, расстояние между ними все увеличивалось, и Артем испугался, что Охотник так и уйдет, бросив его на этой страшной станции, весь пол которой залит скользкой, теплой еще кровью, а население состоит из одних мертвецов. Неужели я того стою, думал Артем, неужели моя жизнь весит столько же, сколько все их жизни, вместе взятые? Нет, он был рад спасению. Но все эти люди, сваленные сейчас беспорядочно, как мешки с тряпьем, на гранит платформы, друг на друга, на рельсы, оставленные навечно в той позе, в которой нашли их пули Хантера, — они умерли, чтобы он мог жить? Хантер с такой легкостью совершил этот обмен, как жертвуют в шахматах несколько мелких фигур, чтобы сберечь крупную... Он ведь просто игрок, а метро — это его шахматная доска, и все фигуры — его, потому что он играет сам с собой. Но вот вопрос: такая ли крупная, важная фигура Артем, чтобы ради него умертвить стольких? Отныне эта вытекшая на холодный гранит кровь, наверное, будет пульсировать в его жилах — он словно выпил ее, отнял у других, чтобы продолжить свое существование. Теперь ему больше никогда не удастся согреться...

Артем через силу побежал вперед, чтобы нагнать Хантера и спросить, сможет ли он еще когда-нибудь согреться или у любого, самого жаркого костра ему будет так же холодно и тоскливо, как в зимнюю студеную ночь на заброшенном полустанке.

Но Хантер был все так же далеко впереди, и, может, потому Артему не удавалось догнать его, что тот опустился на четвереньки и мчался по туннелю с проворством какого-то животного. Его движения казались Артему неприятно похожими на движения... собаки? Нет, крысы... Боже...

— Вы — крыса? — вырвалась у Артема страшная догадка, и он сам испугался того, что сказал.

— Нет, — донеслось в ответ. — Это ты крыса. Ты — крыса! Трусливая крыса!

— Трусливая крыса! — презрительно повторил кто-то чуть не над самым ухом и смачно харкнул.

Артем потряс головой и тут же пожалел о том, что это сделал. До этого нывшая тупой болью, от резкого движения она просто взорвалась. Потеряв контроль над своим телом, он начал заваливаться вперед, пока не уперся саднящим лбом в прохладное железо. Поверхность была ребристой и неприятно давила на кость, но остужала воспаленную плоть, и Артем замер в этой позе на некоторое время, не в силах решиться ни на что более. Отдышавшись, он осторожно попробовал приоткрыть левый глаз.

Он сидел на полу, уткнувшись лбом в решетку, уходящую вверх до потолка и забиравшую с обеих сторон пространство низкой и тесной арки. Спереди открывался вид на зал, сзади проходили пути. Все ближайшие арки напротив, как, видимо, и с его стороны, были превращены в такие же клетки, и в каждой из них сидело по нескольку человек. Эта станция была полной противоположностью той, где его приговорили к смерти. Та, не лишенная изящества, легкая, воздушная, просторная, с прозрачными колоннами, широкими и высокими закругляющимися арками, несмотря на мрачное освещение и покрывающие ее надписи и рисунки, казалась по сравнению с этой просто банкетным залом. Здесь же все подавляло и пугало — и низкий, круглый, как в тунneле, потолок, едва ли в два человеческих роста высотой, и массивные, грубые колонны, каждая из которых была много шире, чем арки, прорубленные между ними. Они к тому же еще выступали вперед, и в выдающуюся часть были вделаны решетки из сваренных толстых арматурных прутьев. Потолок арок жался к земле, так что до него без труда можно было бы достать руками, если бы они не были скручены за спиной проволокой. В ничтожном закутке, отсеченном решеткой от зала, кроме Артема, находились еще двое. Один лежал на полу, уткнувшись лицом в груду тряпья, и коротко, глухо стонал. Другой, черноглазый и давно небритый брюнет, сидел на корточках, прислонившись спиной к мраморной стене, и с живым любопытством рассматривал Артема. Вдоль клеток прогуливались двое крепких молодцов в камуфляже и неизменных беретах, один из которых держал на намотанном на руку поводке крупную собаку, время от времени осаживая ее. Они-то, надо думать, Артема и разбудили.

Это был сон. Это был сон. Это все приснилось.

Его повесят.

— Сколько времени? — с трудом ворочая разбухшим языком, выговорил он, косясь на черноглазого.

— Палавына дэсятаго, — охотно ответил тот, выговаривая слова все с тем же странным акцентом, который Артему приходилось слышать на Китай-Городе: вместо «о» — «а», вместо «и» — «ы», не «е», а скорее «э». И уточнил: — Вечера.

Половина десятого. Два с половиной часа до двенадцати — и еще пять до... до процедуры. Семь с половиной часов. Нет, пока думал, пока считал, времени осталось еще меньше.

Раньше Артем все пытался себе представить: что же должен чувствовать, о чем должен думать человек, приговоренный к смерти, за ночь до казни? Страх? Ненависть к палачам? Раскаяние?..

Внутри него была только пустота. Сердце тяжело бухало в груди, в висках стучало, во рту медленно скапливалась кровь, пока он ее не проглатывал. Кровь была запаха мокрого, ржавого железа. Или это влажное железо имело запах свежей крови?

Его повесят. Его убьют.

Его больше не будет.

Осознать это, представить это себе никак не получалось.

Всем и каждому понятно, что смерть неизбежна. В метро смерть была повседневностью. Но всегда кажется, что с тобой не случится никакого несчастного случая, пули пролетят мимо, болезнь обойдет стороной. А смерть от старости — это так нескоро, что можно даже не думать об этом. Нельзя жить в постоянном сознании своей смертности. Об этом надо забыть, и если такие мысли все же приходят, надо их гнать, надо душить их, иначе они могут пустить корни в сознании и разростись, и их ядовитые споры отравят существование тому, кто им поддался. Нельзя думать о том, что и ты умрешь. Иначе можно сойти с ума. Только одно спасает человека от безумия — неизвестность. Жизнь приговоренного к смерти, которого казнят через год и он знает об этом, жизнь смертельно больного, которому врачи сказали, сколько ему осталось, отличаются от жизни обычного человека только одним: первые точно или приблизительно знают, когда умрут, обычный же человек пребывает в неведении, и поэтому ему кажется, что он может жить вечно, хотя не исключено, что на следующий день он погибнет в катастрофе. Страшна не сама смерть. Страшно ее ожидание.

Через семь часов.

Как это сделают? Артем не очень хорошо представлял себе, как вешают людей. У них на станции был однажды расстрел предателя, но Артем был еще маленький и мало что смыслил, да и потом, на ВДНХ из казни не стали бы делать публичного представления. Накинут, наверное, веревку на шею... и либо подтянут к потолку... либо на табурет какой-нибудь... Нет, об этом не надо думать.

Хотелось пить.

С трудом он переключил заржавевшую стрелку, и вагонетка его мысли покатилась по другим рельсам — к застреленному им офицеру. К первому человеку, которого он убил. Перед глазами снова возникла картина того, как невидимые пули впиваются в широкую грудь, перетянутую портупеей, и каждая оставляет после себя прожженную черную отметину, тут же набухающую свежей кровью. Он не ощущал ни малейшего сожаления о сделанном, и это удивило его. Когда-то он считал, что каждый убитый будет тяжким грузом висеть на совести убившего, являться ему во снах, тревожить его старость, притягивать, словно магнит, все его мысли. Нет.

Оказалось, что это совсем не так. Никакой жалости. Никакого раскаяния. Только мрачное удовлетворение. И Артем понял, что, если убитый привидится ему в кошмаре, он просто равнодушно отвернется от призрака, и тот бесследно исчезнет. А старость... Старости теперь не будет.

Еще меньше времени осталось. Наверное, все-таки на табурет. Когда остается так мало времени, надо ведь думать о чем-то важном, о самом главном, о чем раньше никогда не удосуживался, все откладывал на потом... О том, что жизнь прожита неправильно и, будь она дана еще раз, все сделал бы по-другому... Нет. Никакой другой жизни у него в этом мире быть не могло, и нечего тут было переделывать. Разве только тогда, когда этот делал контрольный выстрел в Ванечкину голову, не бросаться к автомату, а отойти в сторону? Но не получилось бы, и уж Ванечку и Михаила Порфирьевича ему точно никогда не удалось бы прогнать из своих снов. Что стало со стариком? Черт, хоть бы глоток воды!..

Сначала выведут из камеры... Если повезет, поведут через переход, это еще немного времени. Если не наденут опять на глаза проклятую шапку, он увидит еще что-нибудь, кроме прутьев решетки и бесконечного ряда клеток.

— Какая станция? — разлепил ссохшиеся губы Артем, отрываясь от решетки и поднимая глаза на соседа.

— Твэрская, — отозвался тот и поинтересовался: — Слушай, брат, а за что тэбя сюда?

— Убил офицера, — медленно ответил Артем. Говорить было трудно.

— Э-э-э... — сочувственно протянул небритый. — Тэпер вэшат будут?

Артем пожал плечами, отвернулся и опять прислонился к решетке.

— Точно будут, — заверил его сосед.

Будут. Скоро уже. Прямо на этой станции, никуда не поведут.

Попить бы... Смыть этот ржавый привкус во рту, смочить пересохшую гортань, тогда, может, и смог бы он разговаривать дольше, чем минуту. В клетке воды не было, в другом конце стояло только зловонное жестяное ведро. Попросить у тюремщиков? Может, приговоренным делают маленькие поблажки? Если бы можно было высунуть за решетку руку, махнуть ею... Но руки были связаны за спиной, проволока врезалась в запястье, кисти распухли и потеряли чувствительность. Он попробовал крикнуть, но вышел только хрип, переходящий в раздирающий легкие кашель.

Оба охранника приблизились к клетке, как только заметили его попытки привлечь внимание.

— Крыса проснулась, — осклабился тот, что держал на поводке собаку.

Артем запрокинул голову назад, чтобы видеть его лицо, и натужно просипел:

— Пить. Воды.

— Пить? — деланно удивился собачник. — Это еще зачем? Да тебя вздернут вот-вот, а ты — пить! Нет, воду на тебя мы переводить не станем. Может, раньше подохнешь.

Ответ был исчерпывающим, и Артем устало прикрыл глаза, но тюремщики, видимо, хотели с ним еще поболтать о том о сем.

— Что, падла, понял теперь, на кого руку поднял? — спросил второй. — А еще русский, крыса! Из-за таких вот подонков, которые своим же нож в спину засадить норовят, эти вот, — он кивнул на отодвинувшегося вглубь клетки соседа, — скоро все метро заполонят и простому русскому человеку дышать не дадут.

Небритый потупился. Артем нашел в себе силы только пожать плечами.

— А ублюдка этого твоего славно шлепнули, — вступил первый охранник. — Сидоров рассказывал, полтуннеля в кровище. И правильно. Недочеловек! Таких тоже нужно уничтожать. Они нам... генофонд! — вспомнил он трудное слово. — Портят. И старикашка ваш тоже сдох, — заключил он.

— Как?.. — всхлипнул Артем. Боялся он этого, боялся, но надеялся: вдруг не умер, не убили, вдруг он где-то тут, в соседней камере...

— А так. Сам подох. Его и поутюжили-то совсем чуток, а он возьми да и отбрось копыта, — охотно пояснил собачник, довольный тем, что Артема, наконец, задело за живое.

«Ты умрешь. Умрут все близкие твои...» Он снова увидел, как Михаил Порфирьевич, обо всем на свете позабыв, остановившись посреди темного туннеля, листает свой блокнот, а потом взволнованно повторяет последнюю строчку. Как там было? «Дер тотен татенрум»? Нет, ошибся поэт, славы деяний тоже не останется. Ничего не останется.

Потом вспомнилось почему-то, как Михаил Порфирьевич тосковал по своей квартире, особенно по кровати. Потом мысли, загустевая, потекли все медленней и под конец совсем остановились. Он снова уперся лбом в решетку и тупо рассматривал повязку на рукаве тюремщика. Трехконечная свастика. Странный символ. Похожий то ли на звезду, то ли на искалеченного паука.

— Почему три конца? — спросил он. — Почему три?

Пришлось еще кивнуть головой, указывая на повязку, пока охранники поняли, что он имеет в виду, и соблаговолили объяснить.

— А сколько тебе надо? — возмутился тот, что с собакой. — Сколько станций, столько и концов, идиот! Символ единства. Погоди, до Полиса доберемся, четвертый добавим...

— Да какие станции! — вмешался второй. — Это ж древний, исконно славянский знак! Называется солнцеворот. Это уже фрицы потом у нас переняли. Станции, дурья башка!

— Но солнца ведь больше нет... — выдавил Артем, чувствуя, как перед глазами снова встает мутная пелена, смысл услышанного ускользает и он проваливается во мглу.

— Все, крыша съехала, — удовлетворенно определил собачник. — Пойдем, Сень, еще с кем-нибудь покалякаем.

Артем не знал, сколько времени прошло, пока он находился в забытьи, лишенном мыслей и видений, лишь изредка позволявшем проскользнуть в сознании каким-то смутным образам, напитанным вкусом и запахом крови, иссушенным и иссушающим. Как бы то ни было, он был рад, что тело его сжалилось над рассудком, убило все мысли и тем самым освободило разум от самопожирания и тоски.

— Э, братишка! — тряс его за плечо сосед по камере. — Нэ спи, уже долго спишь! Уже четыре часа почти!

Артем трудно, словно к ногам была привязана чугунная гиря, пытался всплыть на поверхность из бездны, в которую погрузилось его сознание. Реальность возвращалась не сразу, она медленно вырисовывалась, как проступают нечеткие очертания на пленке, опущенной в раствор для проявки.

— Сколько? — прохрипел он.

— Чэтыре часа бэз дэсяти, — повторил черноглазый.

Без десяти четыре... Наверное, минут через сорок за ним уже придут. И через час десять минут... Час и десять минут. Час и девять минут. Час и восемь. И семь.

— Тэбя как зват? — спросил сосед.

— Артем.

— А мэня — Руслан. Моего брат Ахмед звали, его сразу расстрэляли. А со мной нэ знают, что дэлат. Имя — русское, ошибиться нэ хотят, — черноглазый был рад, что наконец удалось завязать разговор.

— Откуда ты?

Артему не было это интересно, но болтовня небритого соседа помогала ему заполнять голову, не надо было ни о чем думать. Не надо было думать о ВДНХ. Не надо было думать о миссии, которую ему поручили. Не надо думать о том, что произойдет с метро. Не надо. Не надо!

— Я сам с Киевской, знаэш, где это? Ми называем — солнечная Киевская... — белозубо улыбнулся Руслан. — Там много наших, всэ почти... У меня там жена остался, дэти — трое. У старшэго шэст пальцев на руках! — гордо добавил он.

...Пить. Не стакан, хотя бы глоток. Пусть теплой, он был согласен и на теплую. Пусть нефильтрованную. Любую. Глоток. И забыться опять, пока за ним не придут конвоиры. Чтобы опять стало пусто и ничто не тревожило. Чтобы не крутилась, не зудела, не звенела мысль, что он ошибся. Что он не имел права. Что он должен был уйти. Отвернуться. Заткнуть уши. Идти дальше. Перебраться с Пушкинской на Чеховскую. И оттуда — один перегон. Так просто. Всего один перегон, и все сделано, задание выполнено. Он жив.

Пить. Руки так затекли, что он их совсем не чувствовал.

Насколько проще умирать тем, кто во что-нибудь верит! Тем, кто убежден, что смерть — это не конец всему. Тем, в чьих глазах мир четко разделяется на белое и черное, кто точно знает, что надо делать и почему, кто несет в руке факел идеи, веры, и в его свете все выглядит просто и понятно. Тем, кто ни в чем не сомневается, ни в чем не раскаивается. Такие умирают легко. Они умирают с улыбкой.

— Раншэ фрукты вот такие были! А какие цвэты красивые! Я дэвушкам дарил бэсплатно, а они мне улыбались, — доносилось до него, но эти слова больше не могли отвлечь.

Из глубины зала послышались шаги, шли несколько человек, и сердце у Артема сжалось, превратилось в маленький, беспокойно стучащий комок. За ним? Как скоро! Он думал, сорок минут будут тянуться дольше... Или обманул чертов сосед, со зла сказал, что больше времени остается, хотел надежду дать? Нет, это уж...

Прямо перед его глазами остановились три пары сапог. Двое в пятнистых военных штанах, один в черном. Заскрежетал замок, и Артем еле удержался, чтобы не упасть вперед вслед за отошедшей решеткой.

— Поднимите его, — раздался дребезжащий голос.

Его тут же подхватили под мышки, и он взмыл к самому потолку.

— Нэ пуха нэ пера! — пожелал ему напоследок Руслан.

Два автоматчика, не те, что разговаривали с ним, другие, но такие же безликие, и третий — затянутый в черную форму и в маленьком берете, с жесткими усиками и водянистыми голубыми глазами.

— За мной, — приказал старший, и Артема поволокли к противоположному концу платформы.

Он пытался идти сам, не хотелось, чтобы его тащили, словно безвольную куклу... если уж расставаться с жизнью, так достойно. Но ноги не слушались его, подгибались, он только и мог, что неуклюже загребать ими по полу, тормозя движение, и усатый в черной униформе строго посмотрел на него.

Клетки тянулись не до самого конца зала. Их ряд обрывался чуть дальше середины, где вниз уходили ленты эскалаторов. Там, в глубине, горели факелы, по потолку гуляли зловещие багровые отсветы. Снизу долетали крики, полные боли. У Артема промелькнула мысль о преисподней, и он даже почувствовал облегчение, когда его провели мимо. Из последней камеры кто-то незнакомый крикнул ему: «Прощай, товарищ!», но он не обратил внимания. Перед глазами маячил стакан воды.

У противоположной стены находилась вахта, стоял грубо сколоченный стол с двумя стульями и висел подсвеченный знак, запрещающий черных. Виселицы нигде не было заметно, и у Артема на секунду мелькнула безумная надежда, что его просто хотели припугнуть: на самом деле его ведут не вешать, а подведут сейчас к краю станции, чтобы другим заключенным не было видно, и отпустят.

Усатый, шедший впереди, свернул в последнюю арку, к путям, и Артем поверил в свою спасительную фантазию еще крепче...

На рельсах стояла небольшая дощатая платформа на колесах, устроенная таким образом, что пол ее находился вровень с полом станции. На ней, проверяя скольжение петли, свисавшей с ввинченного в потолок крюка, стоял кряжистый человек в пятнистой форме. От остальных его отличали только засученные рукава, обнажавшие короткие мощные предплечья, и вязаная шапочка с прорезями для глаз, натянутая на голову.

— Все готово? — продребезжал черный мундир, и палач кивнул ему.

— Не люблю я эту конструкцию, — сообщил он черному. — Почему нельзя было старой доброй табуреточкой? Там — р-раз! — он стукнул себя кулаком по ладони. — Позвоночки хрусь! — и клиент готов. А эта штука... Пока он задохнется, сколько еще кочевряжиться будет, как червяк на крючке. А потом, когда они задыхаются, это ж сколько убирать за ними! Там ведь и кишечник сдает, и...

— Прекратить! — оборвал его черный, отвел в сторону и яростно что-то зашипел.

Как только начальник отошел, солдаты немедленно вернулись к прерванному разговору:

— Ну, и че? — нетерпеливо спросил левый.

— Ну, дык вот, — громко зашептал правый, — прижал я ее к колонне, запустил руку под юбку, ну, она так и обмякла и говорит мне... — но не успел досказать, потому что усатый вернулся.

— ...Несмотря на то, что русский, посягнул!.. Предатель, отступник, вырожденец, а предатели должны мучительно!.. — внушал он напоследок палачу.

Развязав онемевшие руки, с Артема сняли куртку и свитер, так что он остался в одной грязной майке. Потом сорвали с шеи гильзу, данную ему Хантером.

— Талисман? — поинтересовался палач. — Я тебе его в карман положу, может, еще пригодится.

Голос у него был совсем не злой и рокотал как-то успокаивающе.

Потом руки опять стянули сзади, и Артема протолкнули на эшафот. Солдаты остались на платформе, они были не нужны, он не смог бы убежать, все силы уходили на то, чтобы устоять на ногах, пока палач надевал ему на шею и прилаживал петлю. Устоять, не упасть, молчать. Пить. Вот все, что занимало сейчас его мысли. Воды. Воды!

— Воды... — прохрипел он.

— Воды? — огорченно всплеснул руками палач. — Да где ж я тебе сейчас воды достану? Нельзя, голубчик, мы с тобой и так уже от графика отстаем, ты уж потерпи немножко...

Он грузно спрыгнул на пути и, поплевав на руки, взялся за веревку, привязанную к эшафоту. Солдаты вытянулись во фрунт, а их командир принял значительный и даже несколько торжественный вид.

— Как вражеского шпиона, гнусно предавшего свой народ, отступившего... — начал черный.

У Артема в голове бешено завертелся хоровод обрывочных мыслей и образов, подождите, еще рано, я еще не успел, мне надо, потом встало перед глазами суровое лицо Хантера и растворилось тут же в багровом полумраке станции, глянули ласково глаза Сухого и погасли. Михаил Порфирьевич... «Ты умрешь»... черные... они же не должны.. Постойте! И надо всем этим, перебивая воспоминания, слова, желания, окутывая их душным густым маревом, висела жажда. Пить...

— ...выродка, порочащего свою нацию... — все бубнил голос.

Из туннеля внезапно раздались крики и грянула пулеметная очередь, потом донесся громкий хлопок и все стихло. Солдаты ухватились за автоматы, черный беспокойно завертелся и поспешно подытожил:

— К смертной казни. Давай! — и махнул рукой.

Палач крякнул и потянул за веревку, упираясь ногами в шпалы. Доски поехали у Артема под ногами, он еще попытался перебирать ими так, чтобы оставаться на эшафоте, но тот отодвигался все дальше, удерживаться было все труднее, веревка врезалась в шею и тащила его назад, к смерти, а он не хотел, он так не хотел.... А потом пол выскользнул из-под него, и он всем своим весом затянул петлю. Она сдавила, пережала дыхательные пути, из горла вырвался булькающий хрип, зрение сразу утратило резкость, внутри у Артема все скрутило, каждая клеточка тела молила о глотке воздуха, но вдохнуть было никак нельзя, и тело начало извиваться, бессмысленно, судорожно, а внизу живота возникла противная щекочущая слабость.

В этот момент станцию внезапно заволокло ядовитым желтым дымом, выстрелы загрохотали совсем рядом, и тут его сознание погасло.

— Эй, висельник! Давай-давай, нечего притворяться! Пульс у тебя прощупывается, так что не симулировать! — и ему хорошенько вмазали по щеке, приводя в чувство.

— Я отказываюсь делать ему искусственное дыхание еще раз! — сказал другой.

На этот раз Артем был абсолютно уверен, что это сон, может, секундное забытье перед концом. Смерть была так близко, и ее железная хватка на горле ощущалась все так же несомненно, как и в тот момент, когда ноги его потеряли опору и повисли над рельсами.

— Хватит жмуриться, успеешь еще! — настаивал первый голос. — На этот раз достали тебя из петли, так наслаждался бы жизнью, а он мордой в пол валяется!

Сильно трясло. Артем робко открыл глаз и тут же закрыл, решив, что все-таки, наверное, пришлось преждевременно скончаться и загробная жизнь уже началась. Над ним склонилось существо, несколько похожее на человека, но такое необычное, что впору было припомнить выкладки Хана насчет того, куда попадает душа, отделившись от бренного тела. Кожа у существа была матово-желтого оттенка, что было заметно даже в свете фонаря, а вместо глаз были узкие щелки, словно скульптор резал по дереву и закончил почти все лицо, а глаза только наметил и забыл снять потом стружку, чтобы они распахнулись и посмотрели на мир. Лицо было круглое, скуластое, Артему такого еще никогда видеть не приходилось.

— Нет, так дело не пойдет, — решительно заявили сверху, и в лицо ему брызнула вода.

Артем судорожно сглотнул и, потянувшись, ухватился за руки с бутылкой. Сначала он надолго прильнул к горлышку и только после этого приподнялся и осмотрелся по сторонам.

Он с головокружительной скоростью несся по темному туннелю, лежа на довольно длинной, не меньше двух метров, дрезине. В воздухе витал легкий аромат гари, и Артем удивленно подумал, уж не на бензиновой ли она тяге. Кроме него, на дрезине были еще четыре человека и большая, бурая, с черными подпалинами собака. Один из четверых был тот, что бил Артема по щекам, другой оказался бородатым мужиком в шапке-ушанке с нашитой красной звездой и в ватнике. За спиной у него болтался длинный автомат, вроде той «мотыги», что была у Артема раньше, только под стволом был еще привинчен штык-нож. Третий — здоровенный детина, лица которого Артем сначала не разглядел, а потом чуть не выпрыгнул со страху на пути: кожа у того была очень темная, и только приглядевшись, он немного успокоился: это был не черный, оттенок кожи совсем не тот, да и лицо — нормальное, человеческое, только вывернуты немного губы да сплющен, как у боксера, нос. Последний из них обладал сравнительно обычной наружностью, но красивым мужественным лицом и волевым подбородком чем-то напомнил Артему плакат на Пушкинской. Он был одет в шикарную кожанку, перехваченную широким ремнем с двойным рядом дырочек и офицерской портупеей, а с пояса свисала внушительных размеров кобура. На корме поблескивал пулемет Дегтярева и лихо развевался красный флаг. Когда на него случайно упал луч фонаря, стало видно, что это — не совсем знамя, вернее, вовсе никакое не знамя, а оборванный по краям лоскут с изображением черно-красного бородатого лица. Все вместе это было намного больше похоже на причудливый бред, чем привидевшееся Артему до этого чудесное спасение с Хантером, безжалостно вырезавшим всю Пушкинскую.

— Очнулся! — радостно воскликнул узкоглазый. — Ну, висельник, отвечай, за что тебя?

Он говорил совершенно без акцента, его произношение ничем не отличалось от выговора Артема или Сухого. Это было очень странно — слышать чистую русскую речь от такого необычного создания. Артем не мог отделаться от ощущения, что это какой-то фарс и узкоглазый просто открывает рот, а говорит за него бородатый мужик или мужчина в кожанке.

— Офицера их... застрелил, — нехотя признался он.

— Вот это ты молодец! Это по-нашенски! Так их! — восторженно одобрил скуластый, и здоровый темнокожий парень, сидевший впереди, обернулся на Артема и уважительно приподнял брови. Артему подумалось, что уж этот-то точно коверкает слова.

— Значит, мы не зря устроили такой бардак, — широко улыбнулся он и тоже безупречно произнес, так что Артем вконец запутался и не знал уже, что думать.

— Как звать-то, герой? — глянул на него кожаный красавец, и Артем представился.

— Я — товарищ Русаков. Это вот — товарищ Банзай, — указал кожаный на узкоглазого. — Это товарищ Максим, — темнокожий опять осклабился, — а это товарищ Федор.

До собаки дело дошло в последнюю очередь. Артем ничуть не удивился бы, если бы ее тоже представили «товарищем». Но собака звалась просто Карацюпа. Артем по очереди пожал сильную сухую руку товарища Русакова, узкую крепкую ладонь товарища Банзая, черную лопату товарища Максима и мясистую кисть товарища Федора, честно стараясь запомнить все эти имена, особенно труднопроизносимое «Карацюпа». Впрочем, вскоре выяснилось, что называли они все друг друга не совсем так. К главному обращались «товарищ комиссар», темнокожего называли через раз то Максимкой, то Лумумбой, узкоглазого просто — Банзаем, а бородатого в ушанке — дядей Федором.

— Добро пожаловать в Первую интернациональную красную боевую имени товарища Эрнесто Че Гевары бригаду Московского метрополитена! — торжественно заключил товарищ Русаков.

Артем поблагодарил его и примолк, озираясь по сторонам. Название было очень длинным, конец его вообще слипся во что-то невнятное — красный цвет на Артема с некоторых пор действовал, как на быка, а слово «бригада» вызывало неприятные ассоциации с Женькиными рассказами о бандитском беспределе где-то на Шаболовской. Больше всего его интриговала физиономия на трепещущем на ветру полотне, и он застенчиво поинтересовался:

— А это кто у вас на флаге? — в самый последний момент чуть не ляпнув «на тряпочке».

— А это, брат, и есть Че Гевара, — объяснил ему Банзай.

— Какая чегевара? — не понял Артем, но по налившимся кровью глазам товарища Русакова и издевательской усмешке Максимки сообразил, что сглупил.

— Товарищ. Эрнесто. Че. Гевара, — раздельно отчеканил комиссар. — Великий. Кубинский. Революционер.

Сейчас все прозвучало намного разборчивей, и хотя понятнее не стало, Артем предпочел восторженно округлить глаза и промолчать. В конце концов, эти люди спасли ему жизнь, и злить их сейчас своей безграмотностью было бы невежливо.

Ребра туннельных спаек мелькали фантастически быстро, за время разговора они уже успели промчаться мимо одной полупустой станции и остановились в полутьме туннеля позади нее. Тут в сторону уходил тупиковый отросток.

— Посмотрим, решится ли фашистская гадина нас преследовать, — произнес товарищ Русаков.

Теперь надо было перешептываться очень тихо, потому что товарищ Русаков и Карацюпа внимательно прислушивались к звукам, доносящимся из глубины.

— Почему вы это сделали?.. Меня... отбили? — пытаясь подобрать правильное слово, спросил Артем.

— Плановая вылазка. Поступила информация, — загадочно улыбаясь, объяснил Банзай.

— Обо мне? — с надеждой спросил Артем, которому после слов Хана о его особой миссии хотелось верить в собственную исключительность.

— Нет, вообще, — Банзай сделал рукой неопределенный жест, — что планируются зверства. Товарищ комиссар решил: предотвратить. Кроме того, у нас задача такая — трепать этих сволочей постоянно.

— У них с этой стороны заграждений нет, даже фонаря сильного, только заставы простые с кострами, — добавил Максимка. — Ну, мы прямо по ним и проехались. Жалко, пришлось пулемет использовать. А потом — шашку дымовую, сами в противогазы, тебя сняли вот, эсэсовца этого доморощенного — революционным трибуналом, и обратно.

Дядя Федор, молчавший и покуривавший из кулака какую-то дрянь, от дыма которой начинали слезиться глаза, вдруг проникся:

— Да, малой, хорошо они тебя оприходовали. Хочешь спиртяшки? — и, достав из стоявшего на полу железного ящика полупустую бутыль с мутной жижей, взболтал ее и протянул Артему.

Тому понадобилось немало храбрости, чтобы сделать глоток. Внутри словно прошлись наждаком, но тиски, в которых он был зажат последние сутки, немного ослабли.

— Так вы... красные? — осторожно спросил он.

— Мы, брат, коммунисты! Революционеры! — сказал гордо Банзай.

— С Красной Линии? — гнул свое Артем.

— Нет, сами по себе, — как-то неуверенно ответил тот и поспешил добавить: — Это тебе товарищ комиссар объяснит, он у нас по части идеологии.

Товарищ Русаков, вернувшийся спустя некоторое время, сообщил:

— Все тихо, — его красивое мужественное лицо излучало спокойствие. — Можем устроить привал.

Костер развести было не из чего. Маленький чайник повесили над спиртовкой, поровну разделили кусок холодного свиного окорока. Питались революционеры подозрительно хорошо.

— Нет, товарищ Артем, мы не с Красной Линии, — твердо заявил товарищ Русаков, когда Банзай передал ему Артемов вопрос. — Товарищ Москвин занял сталинскую позицию, отказавшись от всеметрополитенной революции, официально открестившись от Интерстанционала и прекратив поддерживать революционную деятельность. Он ренегат и соглашатель. Мы же с товарищами придерживаемся скорее троцкистской линии. Можно еще провести параллель с Кастро и Че Геварой. Поэтому он на нашем боевом знамени, — и он широким жестом указал на уныло повисший лоскут. — Мы остались верны революционной идее, в отличие от коллаборациониста товарища Москвина. Мы с товарищами осуждаем его линию.

— Ага, а кто тебе горючее дает? — некстати ввернул дядя Федор, попыхивая самокруткой.

Товарищ Русаков вспыхнул и уничтожающе посмотрел на дядю Федора. Тот только ехидно хмыкнул и затянулся поглубже.

Артем мало что понял из объяснения комиссара, кроме главного: с теми красными, что намеревались намотать кишки Михаила Порфирьевича на палку и заодно расстрелять его самого, эти имели мало общего. Это его успокоило и, желая произвести хорошее впечатление, он блеснул:

— Сталин — это тот, что в Мавзолее, да?

На этот раз он точно переборщил. Гневная судорога исказила красивое мужественное лицо товарища Русакова, Банзай вовсе отвернулся, и даже дядя Федор нахмурился.

— Нет, нет, это же Ленин в Мавзолее! — поспешил поправиться Артем.

Суровые морщины на высоком лбу товарища Русакова разгладились, и он только сказал строго:

— Над вами еще работать и работать, товарищ Артем!

Артему очень не хотелось, чтобы товарищ Русаков над ним работал, но он сдержался и ничего не ответил. В политике он действительно смыслил не много, но она начинала его интересовать, поэтому, подождав, пока буря минует, он отважился:

— А почему вы против фашистов? То есть я тоже против, но вы же революционеры, и...

— А это им, гадам, за Испанию, Эрнста Тельмана и вторую мировую! — свирепо сжав зубы, процедил товарищ Русаков, и хотя Артем опять ничего не понял, еще раз показывать свое невежество он остерегся.

Разлили по кружкам кипяток, и все оживились. Банзай принялся изводить бородатого какими-то дурацкими расспросами, явно чтобы позлить, а Максимка, подсев поближе к товарищу Русакову, негромко спросил у него:

— А вот скажите, товарищ комиссар, что марксизм-ленинизм говорит о безголовых мутантах? Меня это давно уже беспокоит. Я хочу быть идеологически крепок, а тут у меня пробел выходит, — его ослепительно-белые зубы блеснули в виноватой улыбке.

— Понимаешь, товарищ Максим, — не сразу ответил комиссар, — это, брат, дело не простое, — и крепко задумался.

Артему тоже было интересно, что мутанты собой представляют с политической точки зрения, да и вообще, существуют ли они на самом деле. Но товарищ Русаков молчал, и мысли Артема соскользнули обратно на ту колею, из которой не могли выбраться все последние дни. Ему надо в Полис. Чудом ему удалось спастись, ему дали еще один шанс, и, может, этот был последним. Все тело болело, дышалось тяжело, слишком глубокие вдохи срывались в кашель, а один глаз по-прежнему никак не получалось открыть. Так хотелось сейчас остаться с этими людьми! С ними он чувствовал себя намного спокойней и увереннней, и сгустившаяся вокруг тьма незнакомого туннеля совсем не угнетала — о ней просто не было времени и желания думать. Шорохи и скрипы, летевшие из черных недр, больше не пугали, не настораживали, и он мечтал, чтобы эта передышка длилась вечно: так сладко было переживать заново свое спасение. Хотя смерть лязгнула железными зубами над самым ухом, не дотянувшись до Артема лишь чуть-чуть, липкий, мешающий думать, парализующий тело страх, овладевший им перед экзекуцией, уже испарился, улетучился, не оставив и следа, и последние остатки его, затаившиеся под сердцем и в животе, были выжжены адским самогоном бородатого товарища Федора. А сам Федор, и бесшабашный Банзай, и серьезный кожаный комиссар, и огромный Максим-Лумумба — с ними было так легко, как не было ему уже с тех пор, как вышел он сто лет назад с ВДНХ. У него не осталось больше ничего из прежнего его имущества. Чудесный новенький автомат, почти пять рожков патронов, паспорт, еда, чай, два фонаря — все пропало. Все осталось у фашистов. Только куртка, штаны да закрученная гильза в кармане, палач положил: «Может, еще пригодится». Как теперь быть? Остаться бы здесь, с бойцами Интернациональной, пусть даже красной, бригады имени... имени... неважно. Жить их жизнью и забыть свою...

Нет. Нельзя. Нельзя останавливаться ни на минуту, нельзя отдыхать. У него нет права. Это больше не его жизнь, его судьба принадлежит другим с тех самых пор, как он согласился на предложение Хантера. Сейчас уже поздно. Надо идти. Другого выхода нет.

Он долго сидел молча, стараясь не думать ни о чем, но угрюмая решимость зрела в нем с каждой секундой, не в сознании даже, а в изможденных мышцах, в растянутых и ноющих жилах, словно мягкую игрушку, из которой выпотрошили все опилки и превратили в бесформенную тряпку, кто-то надел на жесткий металлический каркас. Это был уже не совсем он, его прежняя личность разлетелась вместе с опилками, подхваченными туннельным сквозняком, распалась на частицы, и теперь в его оболочке поселился кто-то другой, кто просто не желал слышать отчаянной мольбы кровоточащего измученного тела, кто кованым каблуком давил в зародыше желание сдаться, остаться, отдохнуть, бездействовать раньше, чем оно успевало принять завершенную, осознанную форму. Этот другой принимал решения на уровне инстинктов, мышечных рефлексов, спинного мозга, они миновали сознание, в котором сейчас воцарилась тишина и пустота, и бесконечный внутренний диалог оборвался на полуслове.

Внутри Артема словно распрямилась скрученная пружина. Он деревянным неловким движением поднялся на ноги, и комиссар удивленно взглянул на него, а Максим даже опустил руку на автомат.

— Товарищ комиссар, можно вас... поговорить, — лишенным интонаций голосом попросил Артем.

Тут встревоженно обернулся и Банзай, отвлекшись, наконец, от несчастного дяди Федора.

— Говорите прямо, товарищ Артем, у меня нет секретов от моих бойцов, — осторожно отозвался комиссар.

— Понимаете... Я вам очень всем благодарен за то, что вы меня спасли. Но мне нечем вам отплатить. Я очень хочу с вами остаться. Но я не могу. Я должен идти дальше. Мне... надо.

Комиссар ничего не отвечал.

— А куда тебе надо-то? — вмешался неожиданно дядя Федор.

Артем сжал губы и уставился в пол. Повисло неловкое молчание. Ему показалось, что сейчас они смотрят на него напряженно и подозрительно, пытаясь разгадать его намерения. Шпион? Предатель? Почему скрытничает?

— Ну, не хочешь, не говори, — примирительно сказал дядя Федор.

— В Полис, — не выдержал Артем. Не мог он рисковать из-за дурацкой конспирации доверием и расположением таких людей.

— Что, дело есть какое? — осведомился бородатый с невинным видом.

Артем молча кивнул.

— Срочное? — продолжал выведывать тот.

Артем кивнул еще раз.

— Ну, смотри, парень, мы держать тебя не станем. Не хочешь про свое дело сказать ничего, бог с тобой. Но не можем же мы тебя посреди туннеля бросить! Не можем ведь, ребята? — обернулся он к остальным.

Банзай решительно помотал головой, Максимка тут же убрал руки со ствола и тоже подтвердил, что никак не может. Тут вступил товарищ Русаков.

— Готовы ли вы, товарищ Артем, перед лицом бойцов нашей бригады, спасших вам жизнь, поклясться, что не планируете своим заданием нанести ущерб делу революции? — сурово спросил он.

— Клянусь, — с готовностью ответил Артем. Делу революции он никакого вреда причинять не собирался, были дела и поважнее.

Товарищ Русаков долго и внимательно всматривался ему в глаза и, наконец, вынес вердикт:

— Товарищи бойцы! Лично я верю товарищу Артему. Прошу голосовать за то, чтобы помочь ему добраться до Полиса.

Дядя Федор первым поднял руку, и Артем подумал, что это именно он, наверное, и вынул его из петли. Потом проголосовал Максим, а Банзай просто кивнул.

— Видите ли, товарищ Артем, здесь недалеко есть неизвестный широким народным массам перегон, который соединяет Замоскворецкую ветку и Красную Линию, — сказал командир. — Мы можем переправить вас...

Закончить он не успел, потому что Карацюпа, лежавший до этого спокойно у его ног, вдруг вскочил и оглушительно залаял. Товарищ Русаков молниеносным движением выхватил из кобуры лоснящийся ТТ. За остальными Артем просто не успевал уследить: Банзай уже дергал за шнур, заводя двигатель, Максим занял позицию сзади, а дядя Федор достал из того же железного ящика, в котором хранился его самогон, бутылку с торчащим из крышки фитилем.

Туннель в этом месте нырял вниз, так что видимость была очень плохая, но собака продолжала надрываться, и Артему передалось общее тревожное ощущение.

— Дайте мне тоже автомат, — попросил он шепотом.

Недалеко вспыхнул и погас довольно мощный фонарь, потом послышался чей-то лающий голос, отдающий короткие команды. Застучали по шпалам тяжелые сапоги, кто-то приглушенно чертыхнулся, и снова все затихло. Карацюпа, которому комиссар зажал было пасть рукой, высвободился и снова зашелся в лае.

— Не заводится, — сдавленно пробормотал Банзай, — надо толкать!

Артем первым слез с дрезины, за ним соскочил бородатый, потом Максим, и они тяжело, упираясь ребрами подошв в скользкие шпалы, сдвинули махину с места. Она разгонялась слишком медленно, и, когда пробудившийся наконец двигатель, начал издавать похожие на кашель звуки, сапоги гремели уже совсем рядом.

— Огонь! — скомандовали из темноты, и узкое пространство туннеля наполнилось звуком. Грохотало сразу не меньше четырех стволов, пули беспорядочно били вокруг, рикошетили, высекая искры, со звоном ударяясь о трубы.

Артем подумал, что отсюда им уже не выбраться, но Максим, выпрямившись в полный рост и держа пулемет в руках, дал длинную очередь, и автоматы замолчали. Тут дрезина пошла легче, и под конец за ней пришлось уже бежать, чтобы успеть запрыгнуть на платформу.

— Уходят! Вперед! — закричали сзади, и автоматы позади них застрочили с утроенной силой, но большинство пуль уходило в стены и потолок туннеля.

Лихо подпалив окурком зловеще зашипевший фитиль, бородач завернул бутылку в какую-то ветошь и бросил на пути. Через минуту сзади ярко полыхнуло и раздался тот самый хлопок, который Артем уже слышал однажды, стоя с петлей на шее.

— Еще давай! И дыму! — приказал товарищ Русаков.

Моторизованная дрезина — это просто чудо, думал Артем, когда преследователи остались далеко позади, пытаясь пробраться сквозь дымовую завесу. Машина легко летела вперед и, распугивая зевак, промчалась через Новокузнецкую, на которой товарищ Русаков наотрез отказался останавливаться. Они пронеслись мимо так быстро, что Артем даже не успел толком разглядеть станции. Сам он ничего особенного в ней не нашел, разве что очень скупое освещение, хотя народу там было достаточно, но Банзай шепнул ему, что станция эта очень нехорошая и жители на ней тоже странные, и в последний раз, когда они пытались здесь остановиться, потом об этом очень пожалели и еле унесли ноги.

— Извини, товарищ, не получится теперь тебе помочь, — впервые переходя на «ты», обратился к нему товарищ Русаков. — Теперь нам сюда долго нельзя возвращаться. Мы уходим на нашу запасную базу, на Автозаводскую. Хочешь, присоединяйся к бригаде.

Артему снова пришлось пересилить себя и отказаться от предложения, но теперь это далось ему легче. Им овладело веселое отчаяние. Весь мир был против него, все шло наперекосяк. Сейчас он удалялся от центра, от заветной цели своего похода, и с каждой секундой эта цель теряла очертания, погружаясь во мрак туннелей, отделявших ее от Артема, утрачивала свою реальность, снова превращаясь во что-то абстрактное и недостижимое. Однако враждебность мира к нему и к его делу будила в Артеме ответную злобу, которой наливались теперь его мускулы, и упрямую злобу, зажигавшую его потухший взгляд бунтарским огнем, подменявшую собой и страх, и чувство опасности, и разум, и силу.

— Нет, — сказал он впервые твердо и спокойно. — Я должен идти.

— Тогда мы доедем вместе до Павелецкой и там расстанемся, — помолчав, принял его выбор комиссар. — Жаль, товарищ Артем. Нам нужны бойцы.

Недалеко от Новокузнецкой туннель раздваивался, и дрезина взяла влево. Когда Артем спросил, что находится в правом перегоне, ему объяснили, что туда им путь заказан: через несколько сотен метров располагается форпост Ганзы, настоящая крепость. Этот неприметный туннель, оказывается, вел сразу к трем кольцевым станциям: Октябрьской, Добрынинской и Павелецкой. Рушить этот межлинейник и уничтожать тем самым такой важный транспортный клапан Ганза не собиралась, но использовался он только ганзейскими тайными агентами. Если кто-то чужой пытался приблизиться к форпосту, его уничтожали еще на подступах, не давая даже объясниться.

Через некоторое время за этой развилкой показалась и Павелецкая. Артем подумал, что правду говорил кто-то из его знакомых на ВДНХ, что когда-то все метро из конца в конец было можно пересечь за час, а ведь он тогда не поверил. Эх, будь у него такая дрезина...

Да только не помогла бы и дрезина, мало где можно было проехать вот так просто, с ветерком, может, только по Ганзе и еще по этому вот участку.

Нет, незачем было мечтать, в новом мире такого больше быть не могло, в нем каждый шаг давался ценой невероятных усилий и обжигающей боли. Те времена ушли безвозвратно. Тот волшебный, прекрасный мир умер. Его больше нет. И не стоит скулить по нему всю оставшуюся жизнь.

Надо плюнуть на его могилу и больше никогда не оборачиваться назад.

Глава 10

НО ПАСАРАН!

Перед Павелецкой никаких дозоров видно не было, расступилась только, давая проехать и уважительно глядя на их дрезину, кучка бродяг, сидевшая метров за тридцать от выхода на станцию.

— А что, здесь никто не живет? — спросил Артем, стараясь, чтобы его голос звучал равнодушно. Ему совсем не хотелось остаться одному на заброшенной станции без оружия, еды и документов.

— На Павелецкой? — товарищ Русаков удивленно посмотрел на него. — Конечно, живут!

— Но почему тогда застав нет? — упорствовал Артем.

— Так это ж Па-ве-лец-ка-я! — встрял Банзай, причем название станции он произнес со значением, по слогам. — Кто же ее тронет?

Артем понял, что прав был тот древний мудрец, который, умирая, заявил, что знает только то, что ничего не знает. Все они говорили о неприкосновенности Павелецкой как о чем-то, не требующем объяснений и понятном каждому.

— Не в курсе, что ли? — не поверил Банзай. — Погоди, сейчас сам все увидишь!

Павелецкая поразила воображение Артема с первого взгляда. Потолки здесь были такими высокими, что факелы, торчащие во вбитых в стены кольцах, не доставали до них своими трепещущими сполохами, и это создавало пугающее и завораживающее ощущение бесконечности прямо над головой. Огромные круглые арки держались на стройных узких колоннах, которые неведомым образом поддерживали могучие своды. Пространство между арками было заполнено потускневшим, но все еще напоминавшим о былом величии бронзовым литьем, и хотя здесь были только традиционные серпы и молоты, в обрамлении этих арок полузабытые символы разрушенной империи смотрелись так же гордо и вызывающе, как в те дни, когда их выковали. Нескончаемый ряд колонн, местами залитый подрагивающим кровавым светом факелов, таял в неимоверно далекой мгле, и не верилось, что там он обрывается. Казалось, что свет пламени, лижущего такие же грациозные мраморные опоры через сотни и тысячи шагов отсюда, просто не может пробиться через густой, почти осязаемый мрак. Эта станция некогда была, верно, жилищем циклопа, и поэтому здесь все было такое гигантское...

Неужели никто не смеет посягать на нее только потому, что она так красива?

Банзай перевел двигатель на холостые обороты, дрезина катилась все медленнее, постепенно останавливаясь, а Артем все жадно смотрел на диковинную станцию. В чем же дело? Почему никто не решается тревожить Павелецкую? В чем ее святость? Не только ведь в том, что она похожа на сказочный подземный дворец больше, чем на транспортную конструкцию?..

Вокруг остановившейся дрезины собралась тем временем целая толпа оборванных и немытых мальчишек всех возрастов. Они завистливо оглядывали машину, а один даже осмелился спрыгнуть на пути и трогал двигатель, уважительно цыкая, пока Федор не прогнал его.

— Все, товарищ Артем. Здесь наши пути расходятся, — прервал размышления Артема командир. — Мы с товарищами посовещались и решили сделать тебе небольшой подарок. Держи! — и протянул Артему автомат, наверное, один из снятых с убитых конвоиров. — И вот еще, — в его руке лежал фонарь, которым освещал себе дорогу усатый фашист в черном мундире. — Это все трофейное, так что бери смело. Это твое по праву. Мы бы остались здесь еще, но задерживаться нельзя. Кто знает, докуда фашистская гадина решит за нами гнаться. А за Павелецкую они точно не посмеют сунуться.

Несмотря на новообретенную твердость и решимость, сердце у Артема неприятно потянуло, когда Банзай жал ему руку, желая удачи, Максим хлопнул дружески по плечу, а бородатый дядя Федор сунул ему недопитую бутыль своего зелья, не зная, что бы еще подарить:

— Давай, парень, встретимся еще. Живы будем — не помрем!

Товарищ Русаков тряхнул еще раз его руку, и его красивое мужественное лицо посерьезнело.

— Товарищ Артем! На прощание я хочу сказать тебе две вещи. Во-первых, верь в свою звезду. Как говаривал товарищ Эрнесто Че Гевара, аста ла виктория сьемпре! И во-вторых, и это самое главное — НО ПАСАРАН!

Все остальные бойцы подняли вверх сжатые в кулак правые руки и хором повторили заклинание: «Но пасаран!». Артему ничего не оставалось делать, как тоже сжать кулак и сказать в ответ так решительно и революционно, как только получилось: «Но пасаран!», хотя лично для него этот ритуал был полной абракадаброй. Но портить торжественный миг прощания глупыми вопросами ему не хотелось. Очевидно, он все сделал правильно, потому что товарищ Русаков взглянул на него горделиво и удовлетворенно, а потом торжественно отдал ему честь.

Мотор затарахтел громче, и, окутанная сизым облаком гари, провожаемая стайкой радостно визжащих детей, дрезина канула во мрак. Артем снова был совсем один и так далеко от своего дома, как никогда прежде.

Первое, на что он обратил внимание, бредя вдоль платформы, были часы. Артем их насчитал сразу четыре штуки. На ВДНХ время было скорее чем-то символическим: как книги, как попытки устроить школу для детей — в знак того, что жители станции продолжают бороться, что они не хотят опускаться, что они остаются людьми. Но тут, казалось, часы играли какую-то другую, несоизмеримо более важную роль. Побродив еще немного, Артем подметил и другие странности: во-первых, на самой станции не было заметно никакого жилья, разве что несколько сцепленных вагонов, стоявших на втором пути и уходивших в туннель, так что в зале была видна только небольшая часть состава, почему Артем и не заметил его сразу. Торговцы всякой всячиной, какие-то мастерские — всего этого здесь имелось вдоволь, но ни одной жилой палатки, ни даже просто ширмы, за которой можно было бы переночевать. Валялись только на картонных подстилках немногочисленные нищие и бомжи. Сновавшие по станции люди время от времени подходили к часам, некоторые, у кого были свои, беспокойно сверяли их с красными цифрами на табло и снова принимались за свои дела. Вот бы Хана сюда, подумал Артем, интересно, что он сказал бы на это.

В отличие от Китай-Города, где к путникам проявляли оживленный интерес: пытались их накормить, что-то им продать, затащить куда-то — здесь все казались погруженными в свои дела. До Артема им не было никакого дела, и чувство одиночества, оттесненное вначале любопытством, стало ощущаться им еще сильнее.

Пытаясь отвлечься от нарастающей тоски, он снова начал вглядываться в окружающих. Артем и людей ожидал здесь увидеть каких-то других, с особенным выражением лиц, ведь жизнь на такой станции не могла не наложить на них отпечатка. На первый взгляд вокруг суетились, кричали, работали, ссорились обычные люди, такие же, как и везде. Но чем пристальней он их рассматривал, тем больше пробирал его озноб: поразительно много здесь было молодых калек и уродов: кто без пальцев, кто покрытый мерзкой коростой, у кого грубая культя на месте отпиленной третьей руки. Взрослые были зачастую лысыми, болезненными, здоровых крепких людей почти не встречалось. Их чахлый, выродившийся вид до рези в глазах контрастировал с мрачным величием станции, на которой они жили.

Посреди широкой платформы двумя прямоугольными проемами, уходящими в глубину, открывался переход на Кольцо, к Ганзе. Но здесь не было ни ганзейских пограничников, ни пропускного пункта, как на Проспекте Мира, а ведь говорил же кто-то Артему, что Ганза держит в железном кулаке все смежные станции. Нет, тут явно творилось что-то странное.

Он так и не дошел до противоположного края зала. Для начала купил себе за пять патронов миску рубленых жареных грибов и стакан гниловатой, отдающей горечью воды и с отвращением проглотил эту дрянь, сидя на перевернутом пластмассовом ящике, в каких раньше хранилась стеклотара. Потом дошел до поезда, надеясь, что тут ему удастся передохнуть, потому что силы уже были на исходе, а тело все еще болело после допроса. Но состав был совсем другим, чем тот, на Китай-Городе: вагоны оказались ободранными и совсем пустыми, местами обожженными и оплавленными; мягкие кожаные диваны были вырваны и куда-то унесены; повсюду виднелись пятна въевшейся крови, на полу мрачно поблескивали россыпи гильз. Это место явно не было подходящим пристанищем, а больше напоминало крепость, выдержавшую не одну осаду.

Пока Артем осматривал поезд, прошло совсем немного времени, но, вернувшись на платформу, он не узнал станции. Прилавки опустели, гомон стих и кроме нескольких бродяг, сбившихся в кучку недалеко от перехода, на платформе больше не было видно ни одной живой души. Стало заметно темнее, потухли факелы с той стороны, где он вышел на станцию, горело только несколько в центре зала, да еще вдалеке, в противоположном его конце поблескивал неяркий костер. На часах было восемь часов вечера с небольшим. Что произошло? Артем поспешно, насколько позволяла боль в теле, зашагал вперед. Переход был заперт с обеих сторон, не просто обычными металлическими дверцами, а надежными воротами, обитыми железом. На второй лестнице стояли точно такие же, но одна их половина оставалась приоткрытой, и за ней виднелись добротные решетки, сваренные, как в казематах на Тверской, из толстой арматуры. За ними был установлен столик, освещенный слабой лампадкой, за которым сидел охранник в застиранной серо-синей форме.

— После восьми вход запрещен, — отрезал он в ответ на просьбу пустить внутрь. — Ворота открываются в шесть утра, — и отвернулся, давая понять, что разговор окончен.

Артем опешил. Почему после восьми вечера жизнь на станции прекращалась? И что ему было теперь делать? Бомжи, копошившиеся в своих картонных коробках, выглядели совсем отталкивающе, к ним не хотелось даже приближаться, и он решил попытать счастья у костерка, мерцавшего в противоположном конце зала.

Уже издалека стало ясно, что это не сборище бродяг, а пограничная застава или что-то подобное: на фоне огня виднелись крепкие мужские фигуры, угадывались резкие контуры автоматных стволов; но что там можно было стеречь, сидя на самой платформе? Посты надо выставлять в туннелях, на подходах к станции, чем дальше, тем лучше, а так... Если и выползет оттуда какая тварь или нападут бандиты, постовые даже и сделать ничего не успеют.

Но подойдя ближе, Артем приметил и еще кое-что: сзади, за костром, вспыхивал время от времени яркий белый луч, направленный вроде бы вверх, но слишком короткий, словно отрезанный в самом начале, бьющий не в потолок, а исчезающий, вопреки всем законам физики, через несколько метров. Прожектор включался не часто, через определенные промежутки времени, и, наверное, поэтому Артем не заметил его раньше. Что же это могло быть?

Он подошел к костру, вежливо поздоровался, объяснил, что сам здесь проездом и по незнанию пропустил закрытие ворот, и спросил, нельзя ли ему передохнуть здесь, с дозорными.

— Передохнуть? — насмешливо переспросил ближайший к нему взлохмаченный, темноволосый мужчина с крупным мясистым носом, невысокий, но казавшийся очень сильным. — Тут, юноша, отдыхать не придется. Если до утра дотянете, будет хорошо.

На вопрос, что такого опасного в сидении у костра посреди платформы, мужчина ничего не ответил, а только кивнул себе за спину, где зажигался прожектор. Остальные были заняты своим разговором и не обратили на Артема никакого внимания. Тогда он решил выяснить наконец что же здесь происходит, и побрел к прожектору. То, что он увидел, удивило его, но многое объяснило.

В самом конце зала стояла небольшая будка, вроде тех, что располагались иногда у эскалаторов на переходах на другие линии. Вокруг были навалены мешки, кое-где закреплены массивные железные листы, один из дозорных снимал чехлы с весьма грозного вида орудий, а другой сидел в будке. На ней и был установлен тот самый прожектор, светивший вверх. Вверх! Никакой заслонки, никакого барьера здесь и в помине не было, сразу за будкой начинались ступени эскалаторов, ведущие на поверхность. И луч прожектора бил именно туда, беспокойно шныряя от стенки к стенке, будто пытаясь высмотреть кого-то в кромешной тьме, но выхватывал из нее только поросшие чем-то бурым остовы ламп, отсыревший потолок, с которого огромными кусками отваливалась штукатурка, а дальше... Дальше ничего не было видно.

Все сразу встало на свои места.

По какой-то причине здесь не было обычного металлического заслона, отрезавшего станцию от поверхности, ни на платформе, ни наверху. Павелецкая сообщалась с внешним миром напрямую, и ее жители находились под постоянной угрозой вторжения. Они дышали зараженным воздухом, пили зараженную воду, вот почему, наверное, она была такой странной на вкус... Поэтому здесь было намного больше мутаций среди молодых, чем, например, на ВДНХ. Поэтому взрослые были такими чахлыми: оголяя и начищая до блеска их черепа, истощая и заставляя разлагаться заживо тела, их постепенно съедала лучевая болезнь.

Но и это еще, видимо, было не все, иначе как объяснить то, что вся станция вымирала после восьми часов вечера, а темноволосый дежурный у костра сказал, что и до утра здесь дожить — большое дело?

Поколебавшись, Артем приблизился к человеку, сидящему в будке.

— Вечер добрый, — отозвался тот на приветствие.

Было ему около пятидесяти, но он уже порядком облысел, оставшиеся серые волосы спутались на висках и затылке, темные глаза с люботытством смотрели на Артема, а простенький, на завязках, бронежилет не мог скрыть круглого животика. На груди у него висел бинокль, а рядом с ним — свисток.

— Присаживайся, — указал он Артему на ближайший мешок. — Они там, понимаешь, веселятся, оставили меня здесь одного скучать. Дай хоть с тобой поболтаю. Кто это тебе так глаз оформил?..

Завязался разговор.

— Не можем, понимаешь, ничего мало-мальски приличного смастерить, — сокрушенно рассказывал дежурный, указывая рукой на проем, — здесь не железку, здесь бетоном бы надо, железку пробовали уже, да без толку. Как осень, все к чертям водой сносит, причем сначала накапливается, а потом как прорывает... Было так несколько раз, и много народу погибло, с тех пор мы уж так обходимся. Только вот жизни здесь спокойной нет, как на других станциях, постоянно ждем: что ни ночь, то мразь какая-нибудь начинает ползти. Днем-то они не суются, то ли спят, то ли, наоборот, поверху шастают. А вот как стемнеет, хоть караул кричи. Ну, мы здесь приноровились, конечно, после восьми — все в переход, там и живем, а здесь больше по хозяйственной части. Погоди-ка... — прервался он, щелкнул тумблером на пульте, и прожектор ярко вспыхнул.

Разговор продолжился только после того, как белый луч облизал все три эскалатора, прошелся по потолку и стенам и наконец умиротворенно погас.

— Там, наверху, — ткнул пальцем в потолок дежурный, понизив голос, — Павелецкий вокзал. По крайней мере, когда-то стоял. Богом проклятое место. Уж не знаю, куда от него шли рельсы, только сейчас там что-то страшное творится. Такие звуки иногда доходят, что мороз по коже. А уж когда вниз поползут... — он замолчал. — Мы их приезжими называем, тварей этих, которые сверху лезут, — продолжил он через минуту. — Из-за вокзала. Вроде и не так страшно. Несколько раз приезжие, что посильнее были, этот кордон сметали. Видал, у нас там поезд отогнанный стоит на путях? До него добрались. Снизу им не открыли бы — там женщины, дети, если приезжие туда пролезут — все, дело табак. Да мужики наши и сами это понимали, отступили к поезду, засели там и несколько тварей положили. Но и сами... осталось их в живых всего двое из десяти. Один приезжий ушел, к Новокузнецкой пополз. Его утром выследить хотели, за ним такая полоса густой слизи оставалась, но он в боковой туннель свернул, вниз, а мы туда не суемся. У нас своих бед хватает.

— Я вот слышал, что на Павелецкую никто никогда не нападает, — вспомнил Артем, — это правда?

— Конечно, — важно кивнул дежурный. — Кто нас трогать будет? Если бы мы здесь не держали оборону, они бы отсюда по всей ветке расползлись. Нет, на нас никто руки не поднимет. Ганза вот и та переход почти весь нам отдала, в самом-самом конце их блокпост. Оружие подкидывают, только чтобы мы их прикрывали. Любят они чужими руками жар загребать, я тебе скажу! Как тебя звать, говоришь? А я Марк. Погоди-ка, Артем, что-то там шебуршит... — и торопливо снова включил прожектор. — Нет, послышалось, наверное, — неуверенно сказал он через минуту.

Артема по капле наполняло тягостное ощущение опасности. Как и Марк, он внимательно вглядывался вверх, но там, где тот видел только тени разбитых ламп, Артему чудились застывшие в слепящем луче зловещие фантастические силуэты. Сначала он думал, что это его воображение шутит с ним, но один из странных контуров еле заметно шевельнулся, как только пятно света его миновало.

— Подождите... — прошептал он. — Попробуйте вон в тот угол, где такая большая трещина, только резко...

И, словно пригвожденное к месту лучом, где-то далеко, дальше середины эскалатора что-то большое, костлявое замерло на мгновенье, а потом вдруг ринулось вниз. Марк поймал выпрыгивающий из рук свисток и дунул изо всех сил, и в ту же секунду все сидевшие у костра сорвались со своих мест и бросились к позиции.

Там, как выяснилось, был еще один прожектор, послабее, но хитро скомбинированный с необычным тяжелым пулеметом. Артем таких раньше никогда не видел: у орудия был длинный ствол с раструбом на конце, прицел напоминал формой паутину, а патроны вползали внутрь масляно блестевшей лентой.

— Вон он, около десятой! — нашарил лучом приезжего хриплый худой мужик, подсевший к Марку. — Дай бинокль... Леха! Десятая, правый ряд!

— Есть! Все, милый, приехали, теперь сиди спокойно, — забормотал пулеметчик, наводя оружие на затаившуюся черную тень. — Держу его!

Громыхнула оглушительная очередь, десятая снизу лампа разлетелась вдребезги, и сверху что-то пронзительно заверещало.

— Кажись, накрыли, — определил хриплый. — Ну-ка, посвети еще... Вон лежит. Готов, зараза.

Но сверху еще долго, не меньше часа, доносились тяжелые, почти человеческие стоны, от которых Артему становилось не по себе. Когда он предложил добить приезжего, чтобы тот не мучался, ему ответили:

— Хочешь, сбегай, добей. У нас тут, пацан, не тир, каждый патрон на счету.

Марка сменили, и они с Артемом отправились к костру. Марк прикурил от огня самокрутку и задумался о чем-то, а Артем стал прислушиваться к общему разговору.

— Вот Леха вчера про кришнаитов рассказывал, — низким, утробным голосом говорил массивный мужчина с низким лбом и мощной шеей, — которые на Октябрьском Поле сидят и хотят в курчатовский институт забраться, чтобы ядерный реактор рвануть и всем устроить нирвану, но пока никак не соберутся. Ну, я тут вспомнил, что со мной было четыре года назад, когда я еще на Савеловской жил. Я однажды по делам собрался на Белорусскую. Тогда у меня связи были на Новослободской, так что я прямо через Ганзу пошел. Ну, прихожу на Белорусскую, быстро добрался, кого надо встретил, мы с ним дельце обделали, думаю, надо обмыть. Он мне говорит, ты, мол, осторожнее, здесь пьяные часто пропадают. А я ему: да ладно, брось, такое дело нельзя оставить. В общем, банку мы с ним на двоих раздавили. Последнее, что помню, — это как он на четвереньках ползает и кричит «Я — Луноход-1!». Просыпаюсь — матерь божья! — связанный, во рту кляп, башка наголо обрита, сам лежу в какой-то каморке, наверное, в бывшей ментовке. Что за напасть, думаю. Через полчаса приходят какие-то черти и тащат меня за шкирку в зал. Куда я попал, так и не понял, все названия сорваны, стены чем-то измазаны, пол в крови, костры горят, почти вся станция перекопана, и вниз уходит глубоченный котлован, метров двадцать по крайней мере, а то и все тридцать. На полу и на потолке звезды нарисованы, такие, знаете, одной линией, как дети рисуют. Ну, думаю, может, к красным попал? Потом башкой повертел — не похоже. Меня к этому котловану подвели, а там веревка вниз спускается, говорят, лезь по веревке. И калашом подталкивают. Я туда глянул — а там народу куча на дне, с ломами и лопатами, и яму эту углубляют. Землю наверх на лебедке вытаскивают, грузят в вагонетки и куда-то отвозят. Ну, делать нечего, эти ребята с калашами — просто бешеные, все в татуировках с ног до головы, я так подумал — уголовщина какая-то. На зону, наверное, попал. Эти, типа, авторитеты подкоп делают, сбежать хотят. А сявки на них батрачат. Но потом понял: ерунда выходит. Какая в метро зона, если здесь даже ментов нет? Я говорю им, высоты боюсь, рухну сейчас прямо этим на башку, пользы от меня будет немного. Они посовещались и поставили меня землю, которая снизу поступает, на вагонетки грузить. Наручники, падлы, надели, на ноги цепи какие-то, вот и грузи. Ну, я все никак понять не мог, чем они занимаются. Работенка, прямо скажем, не из простых. Я-то что, — повел он аршинными плечами, — там послабее были, так кто на землю валился, бритые поднимали и волокли куда-то к лестницам. Потом я мимо проходил один раз, смотрю, у них там, типа, чурбан такой, как на Красной площади раньше стоял, где бошки рубили, в него топор здоровый всажен, а вокруг все в кровище и головы на палках торчат. Меня чуть не вывернуло. Нет, думаю, надо отсюда делать ноги, пока из меня чучело не набили.

— Ну, и кто это был? — нетерпеливо прервал его тот хриплый, который сидел за прожектором.

— Я потом спросил у мужиков, с которыми грузил. Знаешь, кто? Сатанисты, понял? Они, значит, решили, что конец света уже наступил, и метро — это ворота в ад. И что-то он там про круги говорил, я уж не помню...

— Врата, — поправил его пулеметчик.

— Ну. Метро — это врата в ад, а сам ад лежит немного глубже, и дьявол, значит, их там ждет, надо только до него добраться. Вот и роют. С тех пор четыре года прошло. Может, уже докопались.

— А где это? — спросил пулеметчик.

— Не знаю! Вот ей-богу, не знаю. Я ведь оттуда как выбрался: меня в вагонетку кинули, пока охрана не смотрела и грунтом присыпали. Долго я куда-то катился, потом высыпали с высоты, я сознание потерял, очнулся, пополз, выполз на какие-то рельсы, ну, и по ним вперед, а эти рельсы с другими скрещиваются, я на перекрестке и вырубился. Потом меня кто-то подобрал, и очнулся я только на Дубровке, понял? А тот, кто меня подобрал, уже свалил, добрый человек. Вот и думай, где это...

Потом заговорили о том, что, по слухам, на Площади Ильича и на Римской какая-то эпидемия и много народу перемерло, но Артем пропустил все мимо ушей. Мысль, что метро — это преддверие ада или, может, даже первый его круг, загипнотизировала его, и перед глазами возникла невероятная картина: сотни людей, копошащихся, как муравьи, роющих вручную бесконечный котлован, шахту в никуда, пока однажды лом одного из них не воткнется в грунт странно легко и не провалится вниз, и тогда ад и метро окончательно сольются воедино.

Потом он подумал, что вот, эта станция живет почти так же, как ВНДХ: ее беспрестанно атакуют какие-то чудовищные создания с поверхности, а они в одиночку сдерживают натиск, и если Павелецкая дрогнет, то эти монстры распространятся по всей линии. Выходило, что роль ВДНХ вовсе не так исключительна, как ему представлялось раньше. Кто знает, сколько еще таких станций в метро, каждая из которых прикрывает свое направление, сражаясь не за всеобщее спокойствие, а за собственную шкуру... Можно уходить назад, отступать к центру, подрывая за собой туннели, но тогда будет оставаться все меньше жизненного пространства, пока все оставшиеся в живых не соберутся на небольшом пятачке и там сами не перегрызут друг другу глотки.

Но ведь если ВДНХ ничего особенного собой не представляет, если есть и другие выходы на поверхность, которые невозможно закрыть... Значит... Спохватившись, Артем запретил себе думать дальше. Это просто голос слабости, предательский, слащавый, подсказывающий аргументы, чтобы не продолжать Похода, перестать стремиться к Цели. Но нельзя ей поддаваться. Этот путь ведет в тупик.

Чтобы отвлечься, он снова прислушался к разговору. Сначала обсудили шансы некоего Пушка на какую-то победу. Потом хриплый начал рассказывать о том, что какие-то отмороженные напали на Китай-Город, перестреляли кучу народа, но подоспевшая калужская братва все-таки одолела их, и головорезы отступили назад к Таганской. Артем хотел было возразить, что вовсе не к Таганской, а к Третьяковской, но тут вмешался еще какой-то жилистый тип, лица которого было не разглядеть, и сказал, что калужских вообще выбили с Китай-Города и теперь его контролирует новая группировка, о которой раньше никто не слышал. Хриплый горячо заспорил с ним, а Артема стало клонить в сон. На этот раз ему не снилось совсем ничего, и спал он так крепко, что даже когда раздался тревожный свист и все вскочили со своих мест, он так и не смог проснуться. Наверное, тревога была ложной, потому что выстрелов не последовало.

Когда его наконец разбудил Марк, на часах было уже без четверти шесть.

— Вставай, отдежурили! — весело потряс он Артема за плечо. — Пойдем, я тебе переход покажу, куда тебя вчера не пустили. Паспорт есть?

Артем помотал головой.

— Ну ничего, как-нибудь уладим, — пообещал Марк, и действительно через несколько минут они уже были в переходе, а охранник умиротворенно посвистывал, перекатывая в ладони два патрона.

Переход был очень долгим, длиннее даже, чем станция. Вдоль одной стены стояли брезентовые ширмы, и горели довольно яркие лампочки («Ганза заботится» — ухмыльнулся Марк), а вдоль другой тянулась длинная, но невысокая, не больше метра, перегородка.

— Это, между прочим, один из самых длинных переходов во всем метро! — гордо заявил Марк. — Что за перегородка, спрашиваешь? А ты не знаешь? Это же знаменитая штука! Половина всех, кто до нас добирается, к ней идут! Погоди, сейчас рано еще. Попозже начнется. Вообще-то самое оно — вечером, когда выход на станцию перекрывают и людям больше заняться нечем. Но, может, днем будет квалификационный забег. Нет, ты правда ничего не слышал об этом? Да у нас тут крысиные бега, тотализатор! Мы его ипподромом называем. Надо же, я думал, все знают, — удивился он, когда понял наконец, что Артем не шутит. — Ты как вообще, играть любишь? Я вот, например, игрок.

Артему было, конечно, интересно посмотреть на бега, но особенно азартным он никогда не был. К тому же теперь, после того как он проспал столько времени, над его головой грозовой тучей росло и сгущалось чувство вины. Он не мог ждать вечера, он вообще больше не мог ждать. Ему надо было двигаться вперед, слишком много времени и так потеряно зря. Но путь к Полису лежал через Ганзу, и теперь ее уже было не миновать.

— Я, наверное, не смогу здесь остаться до вечера, — сказал Артем. — Мне надо идти... к Полянке.

— Да ведь это тебе через Ганзу, — заметил Марк, прищурившись. — Как же ты собрался через Ганзу, если у тебя не только визы, но и паспорта нет? Тут, друг, я тебе помочь уже не могу. Но идею подкинуть попробую. Начальник Павелецкой — не нашей, а кольцевой, — большой любитель вот этих самых бегов. Его крыса Пират — фаворит. Он здесь каждый вечер появляется, при охране и в полном блеске. Поставь, если хочешь, лично против него.

— Но ведь мне и ставить нечего, — возразил Артем.

— Поставь себя, в качестве прислуги. Хочешь, я тебя поставлю, — глаза Марка азартно сверкнули. — Если выиграем, получишь визу. Проиграем — попадешь туда все равно, там уж, правда, от тебя будет зависеть, как выкрутишься. Вариант? Вариант.

Артему этот план совсем не понравился. Продавать себя в рабство и, тем более, проигрывать себя на крысином тотализаторе было как-то обидно. Он решил попробовать пробиться на Ганзу иначе. Несколько часов он вертелся около серьезных пограничников в сером пятнистом обмундировании — они были одеты точно так же, как и те, на Проспекте Мира, — пытался заговаривать с ними, но те отказывались отвечать. После того как один из них презрительно назвал его одноглазым (это было несправедливо, потому что левый глаз уже начал открываться, хотя все еще чертовски болел) и порекомендовал проваливать, Артем бросил наконец бесплодные старания и начал искать самых темных и подозрительных личностей на станции, торговцев оружием, дурью — всех, кто мог оказаться контрабандистом. Но никто не брался провести Артема на Ганзу за его автомат и фонарь.

Наступил вечер, который Артем встретил в тихом отчаянии, сидя на полу в переходе и погрузившись в самоуничижение. К этому времени в переходе возникло оживление, взрослые возвращались с работы, ужинали со своими семьями, дети галдели все тише, пока их не укладывали спать, и наконец после того, как заперли ворота, все высыпали из своих палаток и ширм к беговым дорожкам. Народу здесь было много, не меньше трехсот человек, и найти в такой толпе Марка было нелегко. Люди гадали, как сегодня пробежит Пират, удастся ли Пушку хоть раз обойти его, упоминались клички и других бегунов, но эти двое явно были вне конкуренции.

К стартовой позиции подходили важные хозяева крыс, неся своих холеных питомцев в маленьких клетках. Начальника Павелецкой-кольцевой видно не было, и Марк тоже как сквозь землю провалился. Артем испугался даже, что тот сегодня опять стоит в дозоре и не придет. Но тогда как же он собирался играть?..

Наконец в другом конце перехода показалась небольшая процессия. Шествуя в сопровождении двух угрюмых телохранителей, не спеша, с достоинством нес свое грузное тело бритый наголо старик с пышными ухоженными усами, в очках и строгом черном костюме. Один из охранников держал в руке обитую красным бархатом коробку с решетчатой стенкой, в которой металось что-то серое. Это, наверное, и был знаменитый Пират.

Телохранитель понес коробку с крысой к стартовой черте, а усатый старик подошел к судье, восседавшему за столиком, по-хозяйски прогнал со стула его помощника, тяжело уселся на освободившееся место и завел чинную беседу. Второй охранник встал рядом, спиной к столику, широко расставив ноги и положив ладони на короткий черный автомат, висевший у него на груди. Такому солидному человеку не то что предлагать пари, но и просто приближаться к нему было боязно.

И тут Артем увидел, как к этим почтенным людям запросто подходит неряшливо одетый Марк, почесывая давно не мытую голову, и начинает что-то втолковывать судье. С такого расстояния слышны были только интонации, но зато было хорошо видно, как усатый старик сначала возмущенно побагровел, потом скорчил надменную гримасу, в конце концов недовольно кивнул и, сняв очки, принялся тщательно их протирать.

Артем стал пробираться через толпу к стартовой позиции, где стоял Марк.

— Все шито-крыто! — радостно возвестил тот, потирая руки.

На вопрос, что конкретно он имеет в виду, Марк пояснил, что только что навязал старику начальнику личное пари против Пирата, утверждая, что его новая крыса обгонит фаворита в первом же забеге. Пришлось поставить на кон Артема, сообщил Марк, но взамен он потребовал визы по всей Ганзе для него и для себя. Начальник, правда, отверг такое предложение, заявив, что работорговлей не занимается (Артем облегченно вздохнул), но добавил, что такую самонадеянную наглость надо наказать. Если их крыса проиграет, Марку и Артему придется в течение года чистить нужники на Павелецкой-кольцевой. Если она выиграет, что ж, они получат по визе. Он, конечно, был совершенно убежден, что второй вариант исключен, и поэтому согласился. Решил наказать самоуверенных нахалов, посмевших бросить вызов его любимцу.

— А у вас есть своя крыса? — осторожно осведомился Артем.

— Конечно! — заверил его Марк. — Просто зверь! Она этого Пирата на куски порвет! Знаешь, как она от меня сегодня удирала? Еле поймал! Чуть не до Новокузнецкой за ней гнался.

— А как ее зовут?

— Как зовут? Действительно, как же ее зовут? Ну, скажем, Ракета, — предположил Марк. — Ракета — грозно звучит?

Артем не был уверен, что смысл соревнования заключается в том, чья крыса быстрее порвет соперника на куски, но смолчал. Потом выяснилось, что свою крысу Марк поймал только сегодня, и на этот раз Артем не выдержал.

— А откуда вы знаете, что она победит?

— Я в нее верю, Артем! — торжественно произнес Марк. — И вообще, ты знаешь, я ведь давно уже хотел иметь свою крысу. На чужих ставил, они проигрывали, и я думал тогда: ничего, наступит день, и у меня будет своя, и уж она-то принесет мне удачу. Но все никак не решался, да это и не так просто, надо получить разрешение судьи, а это такая тягомотина... Вся жизнь пройдет, какой-нибудь приезжий меня сожрет, или сам помру, а собственной крысы у меня так и не будет... А потом ты мне попался, и я подумал: вот оно! Сейчас или никогда. Если ты и сейчас не рискнешь, сказал я себе, значит, так и будешь всегда ставить на чужих крыс. И решил: если уж играть, так по-крупному. Мне, конечно, хочется тебе помочь, но это не главное, ты уж извини. А хотелось вот так подойти к этому усатому хрычу, — понизил голос Марк, — и заявить: ставлю лично против вашего Пирата! Он так взбеленился, что заставил судью мою крысу вне очереди аттестовать. И ты знаешь, — прибавил он, чуть помолчав, — за такой момент стоит потом год чистить нужники.

— Но ведь наша крыса точно проиграет! — отчаянно, в последний раз попытался образумить его Артем.

Марк посмотрел на него внимательно, потом улыбнулся и сказал:

— А вдруг?..

Строго оглядев собравшуюся публику, судья пригладил седеющие волосы, важно прокашлялся и начал зачитывать клички крыс, участвующих в забеге. Ракета шла последней, но Марк не обратил на это никакого внимания. Больше всех аплодисментов сорвал Пират, а Ракете хлопал только Артем, потому что у Марка были заняты руки: он держал клетку. В этот момент Артем все еще надеялся на чудо, которое избавит его от бесславного конца в зловонной пучине.

Затем судья сделал холостой выстрел из своего макарова, и хозяева открыли клетки. Ракета вырвалась на свободу первой, так что сердце Артема радостно сжалось, но зато потом, когда остальные крысы бросились вперед через весь переход, кто медленнее, кто быстрее, Ракета, не оправдывая своего гордого имени, забилась в угол метров через пять от старта, да так там и осталась. Подгонять крыс по правилам было запрещено. Артем с опаской глянул на Марка, ожидая, что тот станет буйствовать, или наоборот, сникнет, сраженный горем. Но суровым и гордым выражением своего лица Марк напоминал скорее капитана крейсера, который отдает приказ о затоплении боевого корабля, чтобы тот не достался врагу, — как в потрепанной книжке про какую-то войну русских с кем-то там еще, которая лежала в библиотеке на ВДНХ.

Через пару минут первые крысы добрались до финиша. Выиграл Пират, на втором месте оказалось нечто неразборчивое, Пушок пришел третьим. Артем бросил взгляд на судейский столик. Усатый старик, протирая той же тряпочкой, которой до этого чистил стекла очков, вспотевший от волнения лысый череп, обсуждал результаты с судьей. Артем понадеялся уже, что про них забыли, как старик вдруг хлопнул себя по лбу и, ласково улыбаясь, поманил к себе пальцем Марка.

Сейчас Артем чувствовал себя почти как в тот момент, когда его вели на казнь, разве что ощущение было не таким сильным. Пробираясь вслед за Марком к судейскому столику, он утешал себя тем, что так или иначе проход на территорию Ганзы ему теперь открыт, надо только найти способ сбежать.

Но впереди его ждал позор.

Учтиво пригласив их подняться на помост, усатый обратился к публике и вкратце изложил суть заключенного пари, а потом громогласно объявил, что оба неудачника отправляются, как и было договорено, на работы по очищению санитарных сооружений сроком на год, считая с сегодняшнего дня. Невесть откуда появились два пограничника Ганзы, у Артема отобрали его автомат, заверив, что главный противник в ближайший год у него будет неопасный, и пообещали вернуть оружие по окончании срока. Потом, под свист и улюлюканье толпы, их проводили на Кольцевую.

Переход уходил под пол в центре зала, как и на смежной станции, но на этом сходство между двумя Павелецкими заканчивалось. Кольцевая производила очень странное впечатление: с одной стороны, потолок здесь был низкий и настоящих колонн не было совсем — через равные промежутки в стене располагались арки, ширина каждой из которых была такой же, как ширина промежутка между ними. Казалось, первая Павелецкая далась строителям легко, словно грунт там был мягче и сквозь него просто было пробиваться, а тут попалась какая-то твердая, упрямая порода, прогрызаться через которую оказалось мучительно тяжело. Но почему-то здесь не возникало такого тягостного, тоскливого настроения, как на Тверской, может оттого, что света на этой станции было непривычно много, а стены были украшены незамысловатыми узорами и по краям арок из стен выступали имитации старинных колонн, как на картинках из книжки «Мифы Древней Греции». Одним словом, это было не самое плохое место для принудительных работ.

И конечно, сразу было ясно, что это — территория Ганзы. Во-первых, здесь было необычайно чисто, уютно, и на потолке мягко светились в стеклянных колпаках настоящие большие лампы. В самом зале, который, правда, не был таким просторным, как на станции-близнеце, не стояло ни одной палатки, но зато много было рабочих столов, на которых лежали горы замысловатых деталей. За ними сидели люди в синих спецовках, а в воздухе висел приятный легкий запах машинного масла. Рабочий день здесь, наверное, заканчивался позже, чем на Павелецкой-радиальной. На стенах висели знамена Ганзы — коричневый круг на белом фоне, плакаты, призывавшие повысить производительность труда, и выдержки из какого-то А.Смита. Под самым большим штандартом, между двумя застывшими солдатами почетного караула, стоял застекленный столик, и, когда Артема проводили мимо, он специально задержался, чтобы полюбопытствовать, что же за святыни лежат под стеклом.

Там, на красном бархате, любовно подсвеченные крошечными лампочками, покоились две книги. Первая — превосходно сохранившееся солидное издание в черной обложке, тисненая золотом надпись на которой гласила «Адам Смит. Богатство народов». Вторая — изрядно зачитанная книжонка, в порванной и заклеенной узкими бумажными полосками тонкой обложке, на которой жирными буквами значилось «Дейл Карнеги. Как перестать беспокоиться и начать жить».

Ни об одном, ни о другом авторе Артем никогда ничего не слышал, поэтому гораздо больше его занимал вопрос, не остатками ли этого самого бархата начальник станции обил клетку своей любимой крысы.

Один путь был свободен, и по нему время от времени проезжали груженные ящиками дрезины, в основном ручные. Но продымила раз и моторизованная, задержавшись на минуту на станции, прежде чем отправиться дальше, и Артем успел рассмотреть восседавших на ней крепких бойцов в черной форме и черно-белых тельняшках. На голове у каждого из них были приборы ночного видения, на груди висели странные короткие автоматы, а тела были надежно защищены тяжелыми бронежилетами. Командир, поглаживая огромный темно-зеленый шлем с забралом, лежавший у него на коленях, перекинулся несколькими словами с охранниками станции, одетыми в обычный серый камуфляж, и дрезина скрылась в туннеле.

На втором пути стоял полный состав, он был даже в лучшем состоянии, чем тот, что Артем видел на Кузнецком Мосту. За зашторенными окнами, наверное, находились жилые отсеки, но были и другие, с открытыми стеклами, и сквозь них виднелись письменные столы с печатными машинками, за которыми сидели делового вида люди, а на табличке, прикрученной над дверями, было выгравировано «ЦЕНТРАЛЬНЫЙ ОФИС».

Эта станция произвела на Артема неизгладимое впечатление. Нет, она не поразила его, как первая Павелецкая, здесь не было и следа того таинственного мрачноватого великолепия, напоминания выродившимся потомкам о минувшем сверхчеловеческом величии и мощи создателей метро. Но зато люди здесь жили так, словно и не кипело за пределами Кольцевой линии упадочное безумие подземного существования. Тут жизнь шла размеренно, благоустроенно, после рабочего дня наступал заслуженный отдых, молодежь уходила не в иллюзорный мир дури, а на предприятия — чем раньше начнешь карьеру, тем дальше продвинешься, а люди зрелые не боялись, что как только их руки потеряют силу, их вышвырнут в туннель на съедение крысам. Теперь становилось понятно, почему Ганза пропускала чужаков на свои станции так мало и неохотно. Количество мест в раю ограничено, и только в ад вход всем открыт.

— Вот наконец и эмигрировал! — довольно осматриваясь по сторонам, радовался Марк.

В конце платформы, в стеклянной кабине с надписью «дежурный», сидел еще один пограничник, рядом стоял небольшой крашенный в бело-красную полоску шлагбаум. Когда следовавшие мимо дрезины подъезжали к нему, почтительно замирая, пограничник с важным видом выходил из кабины, просматривал документы, а иногда груз и поднимал, наконец, шлагбаум. Артем отметил про себя, что все пограничники и таможенники очень гордятся своим местом, сразу видно, что они занимаются любимым делом. С другой стороны, такую работу нельзя не любить, подумал он.

Их завели за ограду, от которой в туннель тянулась дорожка и уходили в сторону коридоры служебных помещений, и ознакомили с вверенным хозяйством. Тоскливый желтоватый кафель, выгребные ямы, горделиво увенчанные настоящими унитазными стульчаками, невыразимо грязные спецовки, обросшие чем-то жутким совковые лопаты, тачка с одним колесом, выделывающим дикие восьмерки, вагонетка, которую следовало нагружать и отгонять к ближайшей, уходящей в глубину штольне. И все это окутано чудовищным, невообразимым зловонием, въедающимся в одежду, пропитывающим собой каждый волос от корня до кончика, проникающим под кожу, так что начинаешь думать, что оно теперь стало частью твоей природы и останется с тобой навсегда, отпугивая тебе подобных и заставляя их свернуть с твоего пути раньше, чем они тебя увидят.

Первый день этой однообразной работы тянулся так медленно, что Артем решил: им дали бесконечную смену, они будут выгребать, кидать, катить, снова выгребать, снова катить, опорожнять и возвращаться обратно только для того, чтобы этот треклятый цикл повторился в очередной раз. Работе не было видно конца-края, постоянно приходили новые посетители. Ни они, ни охранники, стоявшие у входа в помещение и в конечном пункте их маршрута, у штольни, не скрывали отвращения к бедным работягам. Брезгливо сторонились, зажимая носы руками, или, кто поделикатнее, набирая полную грудь воздуха, чтобы случайно не вдохнуть поблизости с Артемом и Марком. На их лицах читалось такое омерзение, что Артем с удивлением спрашивал себя: разве не из их внутренностей берется вся эта мерзость, от которой они так поспешно и решительно отрекаются? В конце дня, когда руки были истерты до мяса, несмотря на огромные холщовые рукавицы, Артему показалось, что он постиг истинную природу человека, как и смысл его жизни. Человек теперь виделся ему как хитроумная машина по уничтожению продуктов и производству дерьма, функционирующая почти без сбоев на протяжении всей жизни, у которой нет никакого смысла, если под словом «смысл» иметь в виду какую-то конечную цель. Смысл был в процессе: истребить как можно больше пищи, переработать ее поскорее и извергнуть отбросы, все, что осталось от дымящихся свиных отбивных, сочных тушеных грибов, пышных лепешек — теперь испорченное и оскверненное. Черты лиц приходящих стирались, они становились безликими механизмами по разрушению прекрасного и полезного, создающими взамен зловонное и никчемное. Артем был озлоблен на людей и чувствовал к ним не меньшее отвращение, чем они к нему. Марк стоически терпел и время от времени подбадривал Артема высказываниями вроде: «Ничего-ничего, мне и раньше говорили, что в эмиграции всегда поначалу трудно».

И главное, ни в первый, ни во второй день возможности сбежать не представилось, охрана была бдительна, и хотя всего-то и надо было, что уйти в туннель дальше штольни, к Добрынинской, сделать это так и не получилось. Ночевали они в соседней каморке, на ночь двери тщательно запирались, и в любое время суток на посту, в стеклянной кабине при въезде на станцию, сидел стражник.

Наступил третий день их пребывания на станции. Время здесь шло не сутками, оно ползло, как слизень, секундами непрекращающегося кошмара. Артем уже привык к мысли, что никто больше никогда не подойдет к нему и с ним не заговорит, и ему уготована теперь судьба изгоя. Словно он перестал быть человеком и превратился в какое-то немыслимо уродливое существо, в котором люди видят не просто что-то гадкое и отталкивающее, но еще и нечто неуловимо родственное, и это отпугивает и отвращает их еще больше, как будто от него можно заразиться этим уродством, как будто он — прокаженный.

Сначала он строил планы побега. Потом пришла гулкая пустота отчаяния. После нее наступило мутное отупение, когда рассудок отстранился от его жизни, сжался, втянул в себя ниточки чувств и ощущений и закуклился где-то в уголке сознания. Артем продолжал работать механически, движения его отточились до автоматизма, надо было только выгребать, кидать, катить, снова выгребать, снова катить, опорожнять и возвращаться обратно побыстрее, чтобы снова выгребать. Сны потеряли осмысленность, и в них он, как и наяву, бесконечно бежал, выгребал, толкал, толкал, выгребал и бежал.

К вечеру пятого дня Артем налетел вместе с тачкой на валявшуюся на полу лопату и опрокинул содержимое, а потом еще и упал туда же сам. Когда он поднялся медленно с пола, что-то вдруг щелкнуло у него в голове, и вместо того, чтобы бежать за ведром и тряпкой, он неторопливо направился ко входу в туннель. Он сам ощущал сейчас себя настолько мерзким, настолько отвратительным, что его аура должна была оттолкнуть от него любого. И именно в этот момент, по невероятному стечению обстоятельств, неизменно торчавший в конце его обычной дороги охранник почему-то отсутствовал. Ни на секунду не задумываясь о том, что его могут преследовать, он зашагал по шпалам. Вслепую, но почти не спотыкаясь, он шел все быстрее и быстрее, пока не перешел на бег, но разум его и тогда не вернулся к управлению телом, он все еще боязливо жался, забившись в свой угол. Сзади не было слышно ни криков, ни топота преследователей, и только дрезина, груженная товаром и освещавшая свой путь неярким фонарем, проскрипела мимо. Артем просто вжался в стену, пропуская ее вперед. Люди на ней то ли не заметили его, то ли не сочли нужным обращать на него внимание; их взгляды скользнули по нему не задержавшись, и они не произнесли ни слова.

Внезапно его охватило ощущение собственной неуязвимости, дарованной падением; покрытый вонючей жижей, он словно сделался невидим, это придало ему сил, и сознание стало постепенно возвращаться к нему. Ему удалось это! Неведомым образом, вопреки здравому смыслу, вопреки всему ему удалось бежать с чертовой станции, и никто даже не преследует его! Это было странно, это было удивительно, но ему показалось, что, если сейчас он хотя бы попробует осмыслить произошедшее, препарировать чудо холодным скальпелем рацио, магия сразу же рассеется, и в спину немедленно ударит луч прожектора с патрульной дрезины.

В конце туннеля показался свет. Он замедлил шаг и через минуту вступил на Добрынинскую.

Пограничник удовлетворился немудрящим «Сантехника вызывали?» и поскорее пропустил его мимо, разгоняя воздух вокруг себя ладонью и прижав вторую ко рту. Дальше надо было идти вперед, уходить скорее с территории Ганзы, пока не опомнилась наконец охрана, пока не застучали за спиной окованные сапоги, не загремели предупредительные выстрелы в воздух, а потом... Скорее.

Ни на кого не глядя, опустив глаза в пол и кожей ощущая то омерзение, которое окружающие испытывают к нему, создавая вокруг себя вакуум, через какую густую толпу он бы ни пробирался, Артем шагал к пограничному посту. Что говорить теперь? Опять вопросы, опять требования предъявить паспорт — что ему отвечать?

Голова Артема была опущена так низко, что подбородок упирался в грудь, и он совсем ничего не видел вокруг себя, так что из всей станции ему запомнились только аккуратные темные гранитные плиты, которыми был выложен пол. Он шел вперед, замирая в ожидании того момента, когда услышит грубый оклик, приказывающий ему стоять на месте. Граница Ганзы была все ближе. Сейчас... Вот сейчас...

— Это еще что за дрянь? — раздался над ухом сдавленный голос.

Вот оно.

— Я... это... Заплутал.. Я не местный сам... — то ли заплетаясь от смущения, то ли вживаясь в роль, забормотал Артем.

— Проваливай отсюда, слышь, ты, мурло?! — голос звучал очень убедительно, почти гипнотически, хотелось ему немедленно подчиниться.

— Дык я... Мне бы... — промямлил Артем, боясь, как бы не переиграть.

— Попрошайничать на территории Ганзы строго запрещено! — сурово сообщил голос, и на этот раз он долетал уже с большего расстояния.

— Дык чуть-чуть... у меня детки малые... — Артем понял наконец, куда надо давить, и оживился.

— Какие еще детки? Совсем оборзел?! — рассвирипел невидимый пограничник. — Попов, Ломако, ко мне! Выбросить эту мразь отсюда!

Ни Попов, ни Ломако не желали марать об Артема руки, поэтому его просто вытолкали в спину стволами автоматов. Вслед летела раздраженная брань старшего. Для Артема она звучала как небесная музыка.

Серпуховская! Ганза осталась позади!

Он наконец поднял взгляд, но то, что он читал в глазах окружавших его людей, заставило его опять уткнуться взором в пол. Здесь уже была не ухоженная ганзейская территория, он снова окунулся в грязный нищий бедлам, царивший во всем остальном метро, но даже и для него Артем был слишком мерзок. Чудесная броня, спасшая его по дороге, делавшая его невидимым, заставлявшая людей отворачиваться от беглеца и не замечать его, пропускать его через все заставы и посты, теперь опять превратилась в смердящую навозную коросту. Видимо, двенадцать уже пробило.

Теперь, когда прошло первое ликование, та чужая, словно взятая взаймы сила, что заставляла его упрямо идти через перегон от Павелецкой к Добрынинской, разом исчезла и оставила его наедине с самим собой, голодным, смертельно усталым, не имеющим за душой ничего, источающим непереносимое зловоние, все еще несущим следы побоев недельной давности.

Нищие, рядом с которым он присел к стене, решив, что теперь такой компании он больше может не чураться, с чертыханиями расползлись от него в разные стороны, и он остался совсем один. Обхватив себя руками за плечи, чтобы было не так холодно, он закрыл глаза и долго сидел так, не думая совсем ни о чем, пока его не сморил сон.

Артем шел по нескончаемому туннелю. Он был длиннее, чем все те перегоны, через которые ему пришлось пройти в своей жизни, вместе взятые. Туннель петлял, то поднимался, то катился вниз, в нем не было ни единого прямого участка дольше десяти шагов. Но он все не кончался и не кончался, а идти становилось все сложнее, болели сбитые в кровь ноги, ныла спина, каждый новый шаг отзывался эхом боли по всему телу, однако покуда оставалась надежда, что выход совсем недалеко, может, сразу за этим углом, Артем находил в себе силы, чтобы идти. А потом ему вдруг пришла в голову простая, но страшная мысль: а что, если у туннеля нет выхода? Если вход и выход замкнуты, если кто-то, незримый и всемогущий, посадил его, — барахтающегося, как крысу, безуспешно пытающуюся тяпнуть за палец экспериментатора, в этот лабиринт без выхода, чтобы он тащился вперед, пока не выбьется из сил, пока не упадет, — сделав это безо всякой цели, просто для забавы? Крыса в лабиринте. Белка в колесе. Но тогда, подумал он, если продолжение пути не приводит к выходу, может, отказ от бессмысленного движения вперед подарит освобождение? Он сел на шпалы, не потому что устал, а потому, что его путь был окончен. И стены вокруг исчезли, а он подумал: чтобы достичь цели, чтобы завершить поход, надо просто перестать идти. Потом эта мысль расплылась и исчезла.

Когда он проснулся, его охватила непонятная тревога, и сначала он все не мог сообразить, что произошло. Только потом он начал вспоминать кусочки сна, составлять из этих осколков мозаику, но осколки никак не держались вместе, расползались, не хватало клея, который бы соединил их воедино. Этим клеем была какая-то мысль, которая пришла ему во сне, она была стержнем, сердцевиной видения, она придавала ему значение. Без нее это была просто груда рваной холстины, с ней — прекрасная картина, полная волшебного смысла, открывающая бескрайние горизонты. И этой мысли он не помнил. Артем грыз кулаки, вцеплялся в свою грязную голову грязными руками, губы шептали что-то нечленораздельное, и проходящие мимо смотрели на него боязливо и неприязненно. А мысль не желала возвращаться. И тогда он медленно, осторожно, словно пытаясь за волосок вытянуть из болота завязшего, начал восстанавливать ее из обрывков воспоминаний. И — о чудо! — ловко ухватившись за один из образов, он вдруг вспомнил ее в том самом первозданном виде, в котором она прозвучала в его сновидении.

Чтобы завершить поход, надо просто перестать идти.

Но теперь, при ярком свете бодрствующего сознания, мысль эта показалась ему банальной, жалкой, не заслуживающей никакого внимания. Чтобы закончить поход, надо перестать идти? Ну, разумеется. Перестань идти, и твой поход закончится. Чего уж проще. Но разве это выход? И разве это — то окончание похода, к которому он стремился?..

Часто бывает, что мысль, кажущаяся во сне гениальной, при пробуждении оказывается бессмысленным сочетанием слов...

— О, возлюбленный брат мой! Скверна на теле твоем и в душе твоей, — услышал он голос прямо над собой.

Это было для него так неожиданно, что и возвращенная мысль, и горечь разочарования от ее возвращения мгновенно растаяли. Он даже не подумал отнести обращение на свой счет, настолько уже успел привыкнуть к мысли, что люди разбегаются в разные стороны еще до того, как он успеет промолвить хоть слово.

— Мы привечаем всех сирых и убогих, — продолжал голос, он звучал так мягко, так успокаивающе, так ласково, что Артем, не выдержав, кинул сначала косой взгляд влево, а потом угрюмо глянул вправо, боясь обнаружить там кого-либо другого, к кому обращался говоривший.

Но поблизости больше никого не было. Разговаривали с ним. Тогда он медленно поднял голову и встретился глазами с невысоким улыбающимся мужчиной в просторном балахоне, русоволосым и розовощеким, который дружески тянул ему руку. Любое участие Артему сейчас было жизненно необходимо, и он, несмело улыбнувшись, тоже протянул руку.

— Почему он не шарахается от меня, как все остальные? — подумал Артем. — Он даже готов пожать мне руку. Почему он сам подошел ко мне, когда все вокруг стараются находиться как можно дальше от меня?

— Я помогу тебе, брат мой! — продолжил розовощекий. — Мы с братьями дадим тебе приют и вернем тебе душевные силы твои.

Артем только кивнул, но собеседнику хватило и этого.

— Так позволь мне отвести тебя в Сторожевую Башню, о возлюбленный брат мой, — пропел он и, цепко ухватив Артема за руку, повлек его за собой.

Глава 11

НЕ ВЕРЮ

Артем не запомнил, да и не запоминал дороги, понял только, что со станции его повели в туннель, но в какой из четырех, он не знал. Его новый знакомый представился ему братом Тимофеем. По дороге, и на серой, невзрачной Серпуховской, и в темном глухом туннеле, он говорил не замолкая:

— Возрадуйся, о возлюбленный брат мой, ибо встретил ты меня на своем пути, и отныне все переменится в жизни твоей. Закончился беспросветный мрак твоих бесцельных скитаний, ибо вышел ты к тому, что искал.

Артем не очень хорошо понимал, что тот имеет в виду, потому что лично его скитания были далеки от конца, но розовый благостный Тимофей так складно и так ласково говорил, что его хотелось слушать и слушать, общаться с ним на одном языке, благодарить его за то, что он не отверг Артема, когда от него отвернулся весь мир.

— Веруешь ли ты в Бога истинного, единого, о брат мой Артем? — как бы невзначай полюбопытствовал Тимофей, заглядывая внимательно Артему в глаза.

Артем смог только неопределенно мотнуть головой и пробормотать нечто неразборчивое, что при желании можно было бы расценить и как согласие, и как отрицание.

— И хорошо, и пречудесно, брат Артем, — ворковал Тимофей, — только лишь вера истинная спасет тебя от вечных адовых мук и дарует тебе искупление грехов твоих. Потому что, — он принял вид строгий и торжественный, — грядет царствие Бога нашего Иеговы, и сбываются священные библейские пророчества. Изучаешь ли ты Библию, о брат?

Артем опять замычал, и розовощекий на этот раз глянул на него с некоторым сомнением.

— Когда мы придем в Сторожевую Башню, ты убедишься воочию, что Священную Книгу, дарованную нам свыше, изучать необходимо, и великие блага нисходят на вернувшихся на путь истинный. Библия — драгоценный дар Бога нашего Иеговы, она сравнима лишь с письмом любящего отца к отрокам его, — добавил брат Тимофей на всякий случай. — Знаешь ли ты, кто писал Библию? — чуть строго спросил он у Артема.

Артем решил, что больше притворяться смысла не имеет, и честно помотал головой.

— Об этом, как и о многом другом, поведают тебе в Сторожевой Башне, и многое откроется глазам твоим, — посулил брат Тимофей. — Знаешь ли ты, что сказал Иисус Христос, сын Божий, своим последователям в Лаодикии? — Видя, что Артем отводит глаза в сторону, он с мягким укором покачал головой. — Иисус сказал: «Советую купить у меня глазную мазь, чтобы, втерев ее в глаза, ты мог видеть». Но Иисус говорил не о телесной болезни, — подняв указательный палец, подчеркнул брат Тимофей, и его голос замер на повышенной интригующей интонации, обещавшей любознательным удивительное продолжение.

Артем немедленно изобразил живой интерес.

— Иисус говорил о слепоте духовной, которую необходимо исцелить, — растолковал загадку Тимофей. — Так и ты, и тысячи других заблудших странствуют впотьмах, ибо слепы они. Но вера в истинного Бога нашего Иегову есть та мазь глазная, от которой вежды твои распахнутся широко и увидят подлинный мир, ибо зряч ты физически, но слеп духовно.

Артем подумал, что глазную мазь ему было бы очень хорошо дня четыре назад. Так как он ничего не отвечал, брат Тимофей решил, что эта сложная идея требует осмысления, и некоторое время молчал, позволяя ему постичь услышанное.

Но через пять минут впереди мелькнул свет, и брат Тимофей прервал размышления, чтобы сообщить радостную весть:

— Видишь ли огни в отдалении? Сие есть Сторожевая Башня. Мы пришли!

Никакой башней это не было, и Артем почувствовал легкое разочарование. Это был стоявший посреди туннеля обычный состав, фары которого неярко лучились в темноте, освещая ближайшие пятнадцать метров. Когда брат Тимофей с Артемом приблизились к поезду, навстречу им из кабины машиниста спустился тучный мужчина в таком же балахоне, обнял розовощекого и тоже обратился к нему «возлюбленный брат мой», из чего Артем сделал вывод, что это скорее фигура речи, чем признание в любви.

— Кто сей отрок? — ласково улыбаясь Артему, низким голосом спросил тучный.

— Артем, новый брат наш, который хочет вместе с нами идти по пути истинному, изучать святую Библию и отречься от дьявола, — объяснил розовощекий Тимофей.

— Так позволь стражнику Башни приветствовать тебя, о возлюбленный брат мой Артем! — прогудел толстяк, и Артем опять поразился тому, что и он словно не замечает той нестерпимой вони, которой сейчас было пропитано все его существо.

— А теперь, — ворковал брат Тимофей, когда они не спеша продвигались по первому вагону, — прежде, чем попадешь ты на встречу братьев в Зал Царства, ты должен очистить тело твое, ибо Иегова Бог наш чист и свят, и ожидает он, чтобы его поклонники сохраняли духовную, нравственную и физическую чистоту, а также чистоту в мыслях. Мы живем в мире нечистом, — он с прискорбным лицом оглядел одежду Артема, которая действительно находилась в плачевном состоянии, — и, чтобы оставаться чистыми в глазах Бога, от нас требуются серьезные усилия, брат мой, — заключил он и втолкнул Артема в обитый пластмассовыми листами закуток, оборудованный недалеко от входа в вагон. Тимофей попросил его раздеться, а потом вручил тошнотворно пахнущий брикет серого мыла и минут пять поливал его водой из резинового шланга.

Артем старался не думать, из чего было сделано мыло. Во всяком случае, оно не только разъедало кожу, но и уничтожало мерзкий запах, исходивший от тела. По завершении процедуры брат Тимофей выдал Артему относительно свежий балахон, вроде своего, и неодобрительно посмотрел на висевшую у него на шее гильзу, усмотрев в ней языческий талисман, но ограничился лишь укоризненным вздохом.

Удивительно было и то, что в этом странном поезде, застрявшем невесть когда посреди туннеля и служащем теперь братьям пристанищем, есть вода и подается она под таким напором. Но когда Артем поинтересовался, что же за вода идет из шланга и как удалось соорудить подобное устройство, брат Тимофей только загадочно улыбнулся и заявил, что стремление угодить Господу Иегове поистине подвигает людей на поступки героические и славные. Объяснение было более чем туманным, но им пришлось удовлетвориться.

Затем они перешли во второй вагон, где между жестких боковых диванов были устроены длинные столы, сейчас пустые. Брат Тимофей подошел к человеку, колдовавшему над большими чанами, от которых шел соблазнительный пар, и вернулся с большой тарелкой какой-то кашицы, оказавшейся вполне съедобной, хотя Артему так и не удалось определить ее происхождения.

Пока он торопливо черпал облезшей алюминиевой ложкой горячую похлебку, брат Тимофей умиленно созерцал его, не упуская возможности ввернуть:

— Не подумай, что я не доверяю тебе, брат, но твой ответ на мой вопрос о вере в Бога нашего звучал неуверенно. Неужели ты мог бы представить себе мир, в котором нет Его? Неужели наш мир мог бы возникнуть сам по себе, а не в соответствии с мудрой Его волей? Неужели все бесконечное разнообразие форм жизни, все красоты земли, — он обвел подбородком обеденный зал, — все это могло возникнуть случайно?..

Артем внимательно оглядел вагон, но не обнаружил в нем иных форм жизни, кроме них самих и повара. Снова пригнувшись к миске, он только издал скептическое урчание.

Вопреки его ожиданию, несогласие вовсе не огорчило брата Тимофея. Напротив, он заметно оживился, и его розовые щеки зажглись задорным боевым румянцем.

— Если это не убеждает тебя в Его существовании, — энергично продолжил брат Тимофей, — то подумай о другом. Ведь если в этом мире нет проявления Божественной воли, то это значит... — голос его замер, будто от ужаса, и только спустя несколько долгих мгновений, за которые Артем совсем потерял аппетит, он закончил: — Ведь это значит, что люди предоставлены сами себе, и в нашем существовании нет никакого смысла, и нет никакой причины продолжать его... Это значит, что мы совсем одиноки, и некому заботиться о нас. Это значит, что мы погружены в хаос, и нет ни малейшей надежды на свет в конце туннеля... В таком мире жить страшно. В таком мире жить невозможно.

Артем не ответил ему ничего, но эти слова заставили его задуматься. До этого момента он видел свою жизнь именно как полный хаос, как цепь случайностей, лишенных связи и смысла. И пусть это угнетало его и соблазн довериться любой простой истине, наполнявшей его жизнь смыслом, был велик, он считал это малодушием и сам, сквозь боль и сомнения, укреплял себя в мысли, что его жизнь никому, кроме него самого, не нужна, что каждый живущий должен сам противостоять бессмыслице и хаосу бытия. Но спорить с ласковым Тимофеем ему сейчас совсем не хотелось.

Наступило сытое, умиротворенное, благостное состояние, он чувствовал искреннюю признательность к человеку, который подобрал его, усталого, голодного, смердящего, тепло побеседовал с ним, а теперь накормил его и дал ему чистую одежду. Хотелось хоть как-нибудь отблагодарить его, и поэтому, когда тот поманил его за собой, обещая отвести на собрание братьев, Артем с готовностью вскочил с места, всем своим видом показывая, что он с удовольствием пойдет и на это самое собрание, и вообще куда угодно.

Для собраний был отведен следующий, третий по счету вагон. Он был весь забит людьми самого разного вида, в основном одетых в такие же балахоны. В середине вагона находился небольшой помост, и человек, стоявший на нем, возвышался надо всеми на полкорпуса, почти упираясь головой в потолок.

— Тебе важно сейчас слышать все, — наставительно сказал Артему брат Тимофей, расчищая дорогу ласковыми прикосновениями и увлекая его за собой, в самую гущу толпы.

Оратор был довольно стар, на его грудь спускалась благообразная седая борода, а глубоко посаженные глаза непонятного цвета смотрели мудро и спокойно. Лицо его, не худое и не толстое, было изборождено глубокими морщинами, но выглядело от этого не стариковски беспомощно и бессильно, а мудро и излучало необъяснимую силу.

— Старейшина Иоанн, — с благоговением в голосе шепнул Артему брат Тимофей. — Тебе сильно повезло, брат Артем, проповедь только начинается, и ты получишь несколько уроков сразу.

Старейшина поднял руку; шуршание и шепот немедленно прекратились. Тогда он глубоким, звучным голосом начал:

— Мой первый урок вам, возлюбленные братья мои, о том, как узнать, чего требует от нас Бог. Для этого ответьте на три вопроса: какие важные сведения содержит Библия? Кто ее автор? Почему ее надо изучать?

Его речь отличалась от витиеватой манеры изъясняться брата Тимофея: он говорил совсем просто, складывая незамысловатые обороты в короткие предложения. Артем сначала удивился этому, но потом он огляделся по сторонам и увидел, что большинство присутствующих способны понять только такие слова, а розовощекий Тимофей произвел бы на них не большее впечатление, чем стол или стена. Тем временем седой проповедник сообщил, что в Библии изложена истина о Боге: кто он и каковы его законы. После этого он перешел ко второму вопросу и рассказал, что Библию на протяжении 1600 лет писали примерно сорок разных людей, но всех их вдохновлял Бог.

— Поэтому, — заключил старейшина, — автор Библии не человек, а Бог, живущий на небесах. А теперь ответьте мне, братья, почему нужно изучать Библию? — И, не дожидаясь, пока братья ответят, сам разъяснил: — Потому что познание Бога и исполнение его воли — залог вашего вечного будущего. Не все будут рады тому, что вы изучаете Библию, — предупредил он, — но не позволяйте никому помешать вам! — Он обвел суровым взором собравшихся.

Наступил минутная тишина, и старец, сделав глоток воды, продолжил.

— Второй мой урок вам, братия, о том, кто такой Бог. Для этого ответьте мне на три вопроса: кто такой истинный Бог и какое у Него имя? Каковы самые главные Его качества? Как следует поклоняться Ему?

Кто-то из толпы хотел было ответить на один из вопросов, но на него яростно зашикали, а Иоанн, как ни в чем не бывало, стал отвечать сам:

— Люди поклоняются многому. Но в Библии говорится, что есть лишь один истинный Бог. Он создал все, что на небе и на земле. Раз он дал нам жизнь, поклоняться следует только Ему одному. Как же зовут истинного Бога? — возвысил голос старец, делая паузу.

— Иегова! — грянул многоголосый хор.

Артем с опаской огляделся по сторонам.

— Имя Бога истинного — Иегова! — подтвердил проповедник. — У него много титулов, но только одно имя. Запомните имя Бога нашего и называйте его не трусливо, по титулу, а прямо, по имени! Кто ответит мне теперь: каковы главные качества Бога нашего?

Артем думал, что уж сейчас точно найдется в толпе кто-нибудь, достаточно образованный, чтобы ответить на этот вопрос. И стоявший неподалеку серьезного вида юноша потянул вверх руку, чтобы ответить, но старец опередил его:

— Личность Иеговы открывается в Библии. Главные качества Его — любовь, справедливость, мудрость и сила. В Библии говорится, что Бог милосерд, добр, готов прощать, великодушен и терпелив. Мы, подобно послушным детям, должны во всем подражать Ему.

Сказанное не вызвало возражений у собравшихся, и старец, огладив рукой свою роскошную бороду, спросил:

— А теперь скажите мне: как следует поклоняться Господу нашему Иегове?.. Иегова говорит, что мы должны поклоняться только Ему. Мы не должны почитать образы, картины, символы и молиться им! Бог наш не будет делить славу с кем-то еще! Образы бессильны нам помочь! — голос вещавшего грозно возвысился.

В толпе согласно зашумели, а брат Тимофей повернул к Артему свое радостно сияющее лицо и сказал:

— Старейшина Иоанн — великий оратор, благодаря ему братство наше растет с каждым днем, и ширится число последователей веры истинной!

Артем кисло улыбнулся. Пока пламенные речи старейшины Иоанна не производили на него того же зажигательного впечатления, что и на всех остальных. Но, может, стоило послушать дальше?

— В третьем моем уроке я расскажу вам, кто такой Иисус Христос, — поведал старец. — И вот три вопроса: почему Иисус Христос назван первородным сыном Бога? Почему он пришел на землю как человек? Что сделает Иисус в недалеком будущем?

Дальше выяснилось, что первородным сыном Бога Иисус назван потому, что он был первым творением Бога, до воплощения на земле был духовной личностью и жил на небе. Артема это сильно удивило — настоящее небо в сознательном возрасте он видел только однажды, в тот самый роковой день на Ботаническом Саду. Кто-то говорил ему однажды, что на звездах, возможно, есть жизнь. Не об этом ли говорил проповедник?..

Когда с этим разобрались, старейшина Иоанн воззвал:

— Но кто из вас скажет мне, отчего Иисус Христос, сын Божий, пришел на землю как человек? — и сделал артистическую паузу.

Теперь Артем начал уже немного разбираться в том, что происходит вокруг, и стало заметно, кто из присутствующих принадлежит к числу новообращенных, а кто уже давно посещает эти уроки. Ветераны никогда не делали попыток отвечать на вопросы старейшины, новички же, наоборот, старались показать свои знания и рвение, выкрикивая ответы и размахивая руками, но только до того момента, как старец начинал объяснять сам.

— Не послушавшись повеления Бога, первый человек Адам совершил то, что в Библии названо грехом, — издалека начал старейшина. — Поэтому Бог приговорил Адама к смерти. Постепенно Адам состарился и умер, но он передал грех всем своим детям, и поэтому мы тоже стареем, болеем и умираем. И тогда Бог послал своего первородного сына, Иисуса, чтобы тот научил людей истине о Боге, сохранив совершенную непорочность, показал людям пример и пожертвовал своей жизнью, чтобы освободить человечество от греха и смерти.

Артему эта идея показалась очень странной. Зачем надо было сначала карать всех смертью, чтобы потом жертвовать собственным сыном, чтобы вернуть все, как было? И это при условии собственного всемогущества?

— Иисус возвратился на небо, воскрешенный, как духовная личность. Позднее Бог назначил его Царем. Скоро Иисус устранит с земли все зло и страдания! — пообещал старец. — Но об этом — после молитвы, возлюбленные братья мои!

Собравшиеся послушно склонили головы и предались таинству молитвы. Теперь Артем купался в многоголосом гудении, из которого можно было выудить отдельные слова, но общий смысл все время ускользал. После пятиминутной молитвы братья стали оживленно переговариваться, переживая, видимо, душевный подъем. У Артема на душе заскребли кошки, но он решил пока остаться здесь, потому что самая убедительная часть урока могла быть еще впереди.

— И в четвертом своем уроке я поведаю вам, кто такой Диавол, — обводя стоящих вокруг мрачно горящим взглядом, угрожающе предупредил старейшина. — Все ли готовы к этому? Все ли братья достаточно сильны духом, чтобы узнать об этом?

Здесь уж точно надо было отвечать, но Артем не смог выдавить из себя ни звука. Откуда ему знать, достаточно ли он крепок духом, если неясно, о чем идет речь?

— И вот три вопроса: откуда взялся Сатана Диавол? Как Сатана обманывает людей? Почему нам необходимо сопротивляться Диаволу?

Артем пропустил почти весь ответ на этот вопрос мимо ушей, задумавшись о том, где же он находится и как ему теперь выбираться отсюда. Услышал только, что главный грех Сатаны заключался в том, что тот захотел себе поклонения, которое по праву принадлежит Богу. А еще усомнился в том, правильно ли Бог владычествует и учитывает ли интересы всех своих подданных, а также сохранит ли хоть один человек беззаветную преданность Богу? Язык старца казался теперь Артему пугающе канцелярским и неподходящим для обсуждения подобных вопросов. Брат Тимофей время от времени поглядывал внимательно на него, безуспешно пытаясь обнаружить в его лице хоть искорку, обещавшую скорое просветление, но Артем становился только мрачнее и мрачнее.

— Сатана обманывает людей, чтобы они поклонялись ему, — вещал тем временем старец. — Есть три способа обманывать: ложная религия, спиритизм и национализм. Если религия учит лжи о Боге, она служит целям Сатаны. Приверженцы ложных религий могут искренне думать, что они поклоняются истинному Богу, но в действительности они служат Сатане. Спиритизм, когда люди призывают духов, чтобы они охраняли их, вредили другим людям, предсказывали будущее и совершали чудеса. За всеми этими действиями стоит злая сила, Сатана! — голос старца задрожал от ненависти и отвращения. — Кроме того, Сатана обманывает людей, возбуждая в них крайнюю национальную гордость и побуждая их поклоняться политическим организациям, — старейшина предостерегающе воздел перст. — Люди порой считают, что их народ или раса лучше других. Но это неправда.

Артем потер шею, на которой все еще оставался красный рубец, и кашлянул. С последним он не мог не согласиться.

— Бытует мнение, что проблемы человечества устранят политические организации. Убежденные в этом отвергают Царство Бога. Но проблемы человечества решит только Царство Иеговы. А теперь скажу вам, о братья, почему необходимо сопротивляться Диаволу. Чтобы заставить вас отойти от Иеговы, Сатана может прибегнуть к гонениям и противодействию. Кто-то из ваших близких может рассердиться на вас за то, что вы изучаете Библию. Другие могут начать насмехаться над вами. Но кому вы обязаны своей жизнью?! — вопросил старец, и железные нотки зазвенели в его голосе. — Сатана хочет запугать вас! Чтобы вы перестали узнавать об Иегове! Не позволяйте! Сатане! Одержать! Верх! — голос Иоанна зарокотал подобно раскатам грома. — Сопротивляясь Диаволу, докажете Иегове, что вы за владычество его!

Толпа восторженно заревела.

Мановением руки старейшина Иоанн остановил всеобщую истерию, чтобы завершить собрание последним, пятым уроком.

— Что Бог замыслил для земли? — обратился он к присутствующим, разводя руками. — Иегова сотворил землю, чтобы на ней вечно и счастливо жили люди! Он хотел, чтобы землю населяло праведное, радостное человечество. Земля никогда не будет уничтожена. Она будет существовать вечно!

Артем не выдержал и фыркнул, и на него тут же устремились гневные взгляды, а брат Тимофей погрозил ему пальцем.

— Первые люди, Адам и Ева, согрешили, намеренно нарушив закон Бога, — продолжал оратор. — Поэтому Иегова изгнал их из рая, и рай был утерян. Но Иегова не забыл, для чего сотворил землю. Он обещал превратить ее в рай, в котором будут вечно жить люди. Как Бог исполнит свой замысел? — поинтересовался старец у самого себя.

Судя по затянувшейся паузе, сейчас должен был настать ключевой момент проповеди, и Артем весь обратился в слух.

— Прежде чем земля станет раем, должны быть удалены злые люди, — зловеще произнес Иоанн. — Нашим предкам было завещано, что очищение случится в Армагеддоне — Божьей войне по уничтожению зла. Затем Сатана будет скован на тысячу лет. Не будет никого, кто вредил бы земле. В живых останется только народ Бога! Тысячу лет землей будет править Царь Христос Иисус! — старец обратил пылающий взор на ближние ряды внимающих. — Понимаете ли вы, что это значит? Божья война по уничтожению зла уже закончена! То, что случилось с этой грешной землей,— это и есть Армагеддон! Зло испепелено! Согласно предреченному, выживет только народ Бога. Мы, живущие в метро, и есть народ Божий! Мы выжили в Армагеддоне! Царство Божие грядет! Вскоре не будет ни старости, ни болезней, ни смерти! Больные избавятся от недугов, старые вновь станут молодыми! При тысячелетнем правлении Иисуса верные Богу люди превратят землю в рай, Бог воскресит к жизни миллионы умерших!

Артем вспомнился разговор Сухого с Хантером о том, что уровень радиации на поверхности не снизится в течение, по крайней мере, пятидесяти лет, о том, что человечество обречено, что грядут другие биологические виды... Старец не пояснял, как именно получится так, что поверхность земли превратится в цветущий рай.

Артему хотелось спросить его, что за жуткие растения будут цвести в этом выжженном раю, и какие люди осмелятся подняться наверх, чтобы населить его, и были ли его родителями детьми Сатаны, и за это ли они погибли в войне по уничтожению зла, но он не сказал ничего. Его переполнили такая горечь и такое недоверие, что глазам стало горячо, и он со стыдом ощутил сползшую вниз по щеке слезу. Собравшись с силами, он произнес только одно:

— А скажите, что говорит Иегова, Бог наш истинный, о безголовых мутантах?..

Вопрос повис в воздухе. Старейшина Иоанн не удостоил Артема даже взглядом, но стоявшие рядом оглянулись на него испуганно и отчужденно, и вокруг него тут же образовалась пустота, словно он снова испускал зловоние. Брат Матфей взял его было за руку, но Артем вырвался и, расталкивая толпившихся братьев, стал пробираться к выходу. Несколько раз ему пытались поставить подножку, однажды кто-то даже ударил кулаком в спину, вслед несся возмущенный шепот.

Он выбрался из Зала Царства и пошел через столовую. Теперь за столами было много людей, перед которыми стояли пустые алюминиевые миски. Посередине происходило что-то любопытное, и все глаза были устремлены туда.

— Прежде чем мы приступим к трапезе, братия, — говорил худой невзрачный человек с кривым носом, — давайте послушаем маленького Давида и его историю, которая дополнит услышанную сегодня проповедь о насилии.

Он отошел в сторону, и его место занял пухлый курносый мальчик с зачесанными белесыми волосами.

— Он был в ярости и хотел меня поколотить, — начал Давид тем тоном, каким обычно дети рассказывают заученное наизусть стихотворение. — Наверное, просто потому, что я был маленького роста. Я попятился от него и закричал: «Стой! Подожди! Не бей меня! Я же тебе ничего не сделал. Чем я тебя обидел? Ты лучше расскажи, что случилось?» — лицо Давида приняло отрепетированно одухотворенное выражение.

— И что же сказал тебе этот ужасный громила? — взволнованно вступил худой.

— Оказалось, что кто-то украл его завтрак, и он просто выплеснул раздражение на первого встречного, — объяснил Давид, но что-то в его голосе заставляло усомниться в том, что он сам хорошо понимает смысл только что сказанного.

— И как ты поступил? — нагнетая напряжение, давил худой.

— Я просто сказал ему: «Если ты меня побьешь, это не вернет тебе твоего завтрака», и предложил ему вместе пойти к брату повару, чтобы рассказать о случившемся. Мы попросили для него еще один завтрак. Он пожал мне после этого руку и всегда был со мной дружелюбен.

— Присутствует ли здесь обидевший маленького Давида? — спросил худой голосом следователя.

Вверх тут же взметнулась рука, и крупный парень, лет двадцати, с глупым и злобным лицом начал пробираться к импровизированной сцене, чтобы рассказать, какое чудесное действие на него оказали слова маленького Давида. Ему это далось непросто, малыш был явно способнее в заучивании слов, смысла которых не понимал. Когда представление закончилось, а маленького Давида и раскаявшегося громилу проводили одобрительными аплодисментами, худосочный тип снова заступил на их место и задушевно обратился к сидящим:

— Да, кроткие слова обладают огромной силой! Как говорится в Притчах, кроткая речь переламывает кость. Мягкость и кротость не есть слабость, о возлюбленные братья мои, за мягкостью скрывается огромная сила воли! И примеры из Святой Библии доказывают это... — И, найдя в замусоленной книжке нужную страницу, он воодушевленно принялся зачитывать какую-то историю.

Артем двинулся дальше, провожаемый удивленными взглядами, и наконец выбрался в первый вагон. Там его никто не задержал, и он хотел было выйти на пути, но стражник Башни, добродушный и невозмутимый толстяк, радушно приветствовавший его при входе, перегородил теперь ему своей тушей путь и, нахмурив густые брови, спросил строго, имеет ли Артем разрешение на выход. Обойти его было никак нельзя.

Подождав объяснений с полминуты, охранник с сухим треском размял кулачищи и двинулся на Артема. Загнанно оглядываясь по сторонам, тот вспомнил историю маленького Давида. Может быть, вместо того, чтобы кидаться на слоноподобного стражника, стоило узнать у него, не украл ли кто его завтрак?

К счастью, тут подоспел брат Тимофей и, ласково посмотрев на охранника, произнес:

— Этот отрок может идти, мы никого не удерживаем против его желания.

Стражник, удивленно посмотрев на него, послушно отступил в сторону.

— Но позволь мне сопровождать тебя хоть недолго, о возлюбленный брат мой Артем, — пропел брат Тимофей, и Артем, не в силах сопротивляться магии его голоса, кивнул. — Может, в первый раз тебе и показалось непривычным то, как мы здесь живем, — успокаивающе говорил Тимофей, — но теперь семя Божье заронено и в тебя, и видят глаза мои, что упало оно на благодатную почву. Хочу рассказать тебе только, как не следует тебе поступать теперь, когда Царство Божие близко как никогда, чтобы не был ты отвергнут. Ты должен научиться ненавидеть зло и избегать дел, которые Бог ненавидит: блуд, подразумевающий неверность, скотоложество, кровосмешение и гомосексуализм, азартные игры, ложь, воровство, приступы гнева, насилие, колдовство, спиритизм, пьянство, — скороговоркой перечислял брат Тимофей, беспокойно заглядывая Артему в глаза. — Если ты любишь Бога и хочешь ему угождать, избавься от таких грехов! Помощь тебе могут оказать зрелые друзья твои, — намекая, должно быть, на себя, прибавил он. — Чти имя Бога, проповедуй о Царстве Бога, не участвуй в делах этого злого мира, отрекись от людей, которые говорят тебе обратное, ибо Сатана глаголет их устами, — бормотал он, но Артем не слышал ничего, он шел все быстрее, и брат Тимофей уже не поспевал за ним. — Скажи, где я смогу найти тебя в следующий раз? — запыхавшись, взывал он с приличного расстояния, почти сокрытый уже полумраком.

Артем промолчал и перешел на бег, и тогда сзади, из темноты, донесся отчаянный вопль:

— Верни балахон!..

Артем бежал вперед, спотыкаясь, не видя перед собой ничего, несколько раз он упал, разодрав о бетонный пол ладони и ссадив колени, но останавливаться было нельзя, слишком отчетливо ему виделся черный автомат на пульте, и сейчас он уже не так верил в то, что братья предпочтут кроткое слово насилию, если смогут его догнать.

Он был еще на шаг ближе к своей цели, он совсем уже недалеко находился от Полиса, на одной с ним линии, и оставалось пройти только две станции. Главное, идти вперед, не сворачивая ни на шаг с пути, и тогда...

Артем вышел на Серпуховскую и, не задержавшись на ней ни секунды, сверив только направление, снова нырнул в черную дыру туннеля, ведущего вперед.

Но здесь с ним что-то случилось.

Забытое уже чувство страха туннеля обрушилось на него, прижав к земле, мешая идти, думать, дышать. Ему казалось, что теперь у него появилась привычка, что после всех странствий ужас оставит его и не посмеет больше ему досаждать. Он не чувствовал ни страха, ни тревоги, когда шел от Китай-Города к Пушкинской, когда ехал от Тверской к Павелецкой, даже когда совсем один шагал от Павелецкой к Добрынинской. И вот — вернулось.

С каждым шагом вперед это чувство давило его все больше, хотелось немедленно развернуться и броситься сломя голову на станцию, где был хоть какой-то свет, где были люди, где спину не щекотало постоянное ощущение злобного пристального взгляда.

Он слишком много общался с людьми и от этого перестал чувствовать то, что нахлынуло на него при выходе с Алексеевской. Но сейчас его снова захлестнуло понимание того, что метро — это не просто сооруженное некогда транспортное предприятие, не просто атомное бомбоубежище или обиталище нескольких десятков тысяч человек... Что в него кто-то вдохнул собственную, загадочную, ни с чем не сравнимую жизнь, что оно обладает неким непривычным и непонятным человеку разумом и чуждым ему сознанием.

Ощущение было таким четким и ярким, что Артему показалось: страх туннеля — просто враждебность этого огромного существа, ошибочно принимаемого людьми за свое последнее пристанище, к мелким созданиям, копошащимся в его теле. Оно сейчас не хотело, чтобы Артем шел вперед, оно противопоставило его стремлению добраться до конца пути, до Цели, свою волю, древнюю, могучую. И его сопротивление нарастало с каждым пройденным Артемом метром.

Он шел в той же кромешной темноте, не видя собственных рук, даже если подносил их к самому лицу. Он словно выпал из пространства и из течения времени, и ему чудилось, что его тело перестало существовать. Он будто не ступал по туннелю, а субстанцией чистого разума парил в неизвестном измерении.

Артем не видел уходящих назад стен, и от этого казалось, что он стоит на месте и не продвигается вперед ни на шаг, что цель его пути так же недостижима, как и пять, и десять минут назад. Да, ноги перебирали шпалы, и это могло свидетельствовать о том, что он перемещается в пространстве. С другой стороны, сигнал, оповещавший его мозг о каждой новой шпале, на которую ступала нога, был однотипным, будто записанным однажды и теперь бесконечно повторявшимся. Это тоже заставляло усомниться в реальности движения. Приближается ли он к цели, двигаясь? Внезапно вспомнилось бывшее ему видение, которое давало ответ на мучивший его вопрос.

Он тряхнул головой, пытаясь выкинуть из нее эти глупые, никчемные мысли, парализующие мышцы и разум, но они только укрепились от этого проявления его слабины. И тогда, то ли из страха перед тем неведомым, злым, враждебным, что сгущалось за его спиной, то ли чтобы доказать себе, что он все-таки перемещается, Артем ринулся вперед с утроенной силой. И еле успел остановиться, шестым чувством угадав впереди препятствие и чудом не налетев на него.

Осторожно ощупав руками холодное ржавое железо, торчащие из резиновых прокладок стеклянные осколки, стальные блины колес, он узнал в загадочной преграде поезд. Состав, кажется, был заброшен, во всяком случае, вокруг стояла тишина. Вспомнив страшный рассказ Михаила Порфирьевича, внутрь подниматься Артем не стал и вместо этого прошел вдоль вереницы вагонов, прижимаясь к стене туннеля. Наконец миновав состав, он вздохнул с облегчением и заспешил дальше, снова перейдя на бег.

В темноте это было действительно трудно, но ноги приноровились, и он бежал, пока вдруг впереди и чуть сбоку не засиял красноватый свет костра.

Это было непередаваемое облегчение — знать, что он находится в реальном мире и рядом с ним есть настоящие люди. Неважно, как они настроены по отношению к нему. Пусть это будут убийцы, воры, сектанты, революционеры, — не имеет значения, главное, чтобы они были подобными ему созданиями из плоти и крови. Он ни на секунду не сомневался, что у них он сможет найти убежище и укрыться от незримого огромного существа, которое хотело задушить его, — или, может, от собственного взбесившегося разума?..

Перед ним предстала настолько странная картина, что он не мог с уверенностью сказать, вернулся ли в действительность или скитается все еще по закоулкам собственного подсознания.

На станции Полянка, а это могла быть только она, горел всего один небольшой костер, но никаких иных источников света здесь не было, и поэтому он казался ярче, чем электрические лампы на Павелецкой. У костра сидели два человека, один спиной, другой лицом к Артему, но никто из них не заметил и не услышал его. Они словно были отделены от него невидимой стеной, изолировавшей их от внешнего мира.

Вся станция, сколько ее видно было в свете костра, была завалена разнообразным невообразимым хламом: можно было различить очертания сломанных велосипедов, автомобильных покрышек, остатков мебели и какой-то аппаратуры, высилась гора макулатуры, из которой сидящие время от времени вытаскивали стопку газет или книгу и подбрасывали в костер. Прямо перед огнем стоял на подстилке чей-то белый гипсовый бюст, рядом с ним уютно свернулась кошка. Больше здесь не было ни души.

Один из сидящих что-то неспешно рассказывал другому. Приблизившись, Артем начал разбирать:

— Вот ведь муссируют слухи про Университет... Совершенно ошибочные, между прочим. Это все отголоски древних мифов о Подземном городе в Раменках. Тот, что был частью Метро-2. Но, конечно, нельзя ничего отрицать с полной уверенностью. Здесь вообще ничего нельзя говорить с полной уверенностью. Империя мифов и легенд. Метро-2 было бы, конечно, главным, золотым мифом, если бы о нем знало больше людей. Взять хотя бы веру в Невидимых Наблюдателей!..

Артем подошел совсем близко, когда тот, что сидел к нему спиной, сообщил своему собеседнику:

— Там кто-то есть.

— Конечно, — закивал второй.

— Можешь присесть с нами, — сказал первый, обращаясь к Артему, но не поворачивая к нему головы. — Все равно дальше сейчас нельзя.

— Почему? — забеспокоился Артем. — Там что, кто-нибудь есть, в этом туннеле?

— Разумеется, никого, — терпеливо пояснил тот. — Кто туда сунется? Туда ведь сейчас нельзя, я же говорю. Так что садись.

— Спасибо, — Артем сделал несмелый шаг вперед и опустился на пол напротив бюста.

Им было уже за сорок. Один — седеющий, в квадратных очках, второй — светловолосый, худой, с небольшой бородкой. Одеты оба были в старые ватники, подозрительно не соответствовавшие их лицам. Они курили, вдыхая дым через тонкий шланг из похожего на кальян приспособления, от которого шел кружащий голову аромат.

— Как зовут? — поинтересовался светлый.

— Артем, — механически ответил парень, занятый изучением этих странных людей.

— Артем его зовут, — передал светлый второму.

— Ну, это-то понятно, — откликнулся тот.

— Я Евгений Дмитриевич. А это Сергей Андреевич, — сказал светловолосый.

— Может, не стоит так официально? — усомнился Сергей Андреевич.

— Нет, Сереж, раз уж мы с тобой дожили до этого возраста, надо пользоваться, — возразил Евгений Дмитриевич. — Статус там и все такое.

— Ну, и что дальше? — спросил тогда Сергей Андреевич у Артема.

Вопрос прозвучал очень странно, словно требовал продолжения, хотя никакого начала не было, и Артема это сильно озадачило.

— Артем и Артем, но это еще ничего не значит. Где живешь, куда идешь, во что веришь, во что не веришь, кто виноват и что делать? — объяснил мысль Сергея Андреевича светловолосый.

— Как это тогда, помнишь? — сказал вдруг непонятно к чему Сергей Андреевич.

— Да-да! — засмеялся Евгений Дмитриевич.

— На ВДНХ живу... жил раньше, во всяком случае, — нехотя начал Артем.

— Как это... Кто положил сапог на пульт управления? — усмехнулся светловолосый.

— Да! Нет больше никакой Америки! — ухмыльнулся Сергей Андреевич, снимая очки и разглядывая их на свет.

Артем опасливо посмотрел на них еще раз. Может, лучше просто уйти отсюда, пока не поздно? Но то, о чем они говорили, прежде чем заметили его, удержало его у костра.

— А что там с Метро-2? Вы простите, я подслушал немного, — признался он.

— Хочешь приобщиться к главной легенде метро? — покровительственно улыбнулся Сергей Андреевич. — Что именно тебя беспокоит?

— Вы про какой-то подземный город говорили и про каких-то наблюдателей...

— Ну, вообще Метро-2 — это убежище богов советского пантеона на время Рагнарека, если силы зла одержат верх... — уставясь в потолок и пуская дым колечками, не спеша начал Евгений Дмитриевич. — Легенды гласят, что под городом, мертвое тело которого лежит там, наверху, было построено еще одно метро, для избранных. То, что ты видишь вокруг себя — метро для стада. То, о котором говорят легенды, — для пастухов и их псов. В начале начал, когда пастухи не утратили еще власти над стадом, они правили оттуда, но потом их сила иссякла, и овцы разбрелись. Только одни врата соединяли эти два мира, и, если верить преданиям, они находились там, где теперь карта рассечена пополам багровым рубцом, — на Сокольнической ветке, где-то за Спортивной. Потом произошло нечто, отчего выход в Метро-2 закрылся навеки. Живущие здесь утратили всякие знания о том, что происходит там, и само существование Метро-2 стало чем-то мифическим и нереальным. Но, — он поднял палец вверх, — несмотря на то, что выхода в Метро-2 больше нет, на самом деле это вовсе не означает, что оно перестало существовать. Напротив, оно вокруг нас. Его туннели оплетают перегоны нашего метро, а его станции находятся, может, всего в нескольких шагах за стенами наших станций. Эти два сооружения неразделимы, они как кровеносная система и лимфатические сосуды одного организма. И те, кто верят, что пастухи не могли бросить свое стадо на произвол судьбы, говорят, что они присутствуют неощутимо в нашей жизни, направляют нас, следят за каждым нашим шагом, но никак не проявляют себя при этом и не дают о себе знать. Это и есть вера в Невидимых Наблюдателей.

Кошка, свернувшаяся калачиком рядом с закоптившимся бюстом, подняла голову и, открыв громадные лучисто-зеленые глаза, посмотрела на Артема неожиданно ясно и осмысленно. Ее взгляд не имел ничего общего со взглядом животного, и Артем не смог бы сейчас поручиться, что ее глазами его сейчас не изучает внимательно кто-то другой. Но стоило кошке зевнуть, вытянув розовый острый язычок и, уткнувшись мордочкой в свою подстилку, погрузиться в дремоту, как наваждение рассеялось.

— Но почему они не хотят, чтобы люди знали о них? — вспомнил Артем свой вопрос.

— На это есть две причины. Во-первых, овцы грешны тем, что отвергли своих пастухов в минуту их слабости. Во-вторых, за то время, когда Метро-2 оказалось отрезанным от нашего мира, развитие пастырей шло иначе, нежели наше, и теперь они являются не людьми, а существами высшего порядка, чья логика нам непонятна и мысли неподвластны. Неизвестно, что задумано ими для нашего метро, но в их силах изменить все, даже вернуть нас в утраченный прекрасный мир, потому что они вновь обрели свое былое могущество. Оттого, что мы взбунтовались против них однажды и предали их, они не участвуют больше в нашей судьбе. Однако пастыри присутствуют повсюду, и им ведом каждый наш вздох, каждый шаг, каждый удар — все, что происходит в метро. Пока они просто наблюдают. И только когда мы искупим свой страшный грех, они обратят на нас благосклонный взор и протянут нам руку. И тогда начнется возрождение. Так говорят те, кто верит в Невидимых Наблюдателей, — он замолчал, вдыхая ароматный дым.

— Но как люди могут искупить свою вину? — спросил Артем.

— Это не известно никому, кроме самих Невидимых Наблюдателей. Людям этого не понять, потому что они не разумеют промысла Наблюдателей.

— Тогда выходит, что люди не смогут искупить свой грех перед ними никогда? — недоумевал Артем.

— Тебя это расстраивает? — пожал плечами Евгений Дмитриевич и выпустил еще два больших красивых кольца, так что одно из них проскользнуло сквозь второе.

Повисла тишина, сначала легкая и прозрачная, но постепенно густеющая и делающаяся все громче и ощутимее. Артем почувствовал нарастающую потребность разбить ее чем угодно, любой ничего не значащей фразой, даже бессмысленным звуком.

— А вы откуда? — придумал он.

— Я раньше жил на Смоленской, недалеко от метро, минут пять, — ответил Евгений Дмитриевич, и Артем пораженно уставился на него: как же это он жил недалеко от метро? Недалеко от станции, он имел в виду, в туннеле, наверное? — Надо было через чебуречные палатки идти, мы там пиво иногда покупали, а рядом с этими палатками все время проститутки стояли, у них там был... э... штаб, — продолжил Евгений Дмитриевич, и Артем начал догадываться, что речь идет о древнем времени, о том, что было еще до.

— Да... Я вот тоже недалеко оттуда жил, на Калининском, в высотке, — сказал Сергей Андреевич. — Кто-то мне говорил лет пять назад, а ему рассказывал знакомый сталкер, что от этих высоток теперь одна труха осталась... Дом книги вот стоит, и макулатура вся лежит нетронутая, представляешь? А от высоток пыль только да блоки бетонные. Странно.

— А как тогда вам жилось? — поинтересовался Артем.

Он любил задавать этот вопрос старикам и слушать потом, как они, бросив все дела, с удовольствием принимаются вспоминать, как же это было — тогда. Их глаза затягивались мечтательной поволокой, голос начинал звучать совсем по-другому, а лица будто молодели на десятки лет. И пусть те картины, которые вставали перед их мысленным взором, ни в чем не походили на образы, рисовавшиеся Артему во время их рассказов, все равно это было невероятно увлекательно. И как-то сладко и мучительно щемило сердце...

— Ну, видишь ли, было очень хорошо. Мы тогда... э... зажигали, — затягиваясь, ответил Евгений Дмитриевич.

Здесь Артему точно представилось не то, что имел в виду светловолосый, и второй, видя его замешательство, поспешно разъяснил:

— Веселились, хорошо проводили время.

— Да, именно это я имел в виду. Зажигали, — подтвердил Евгений Дмитриевич. — У меня был зеленый «Москвич-2141», я на него всю зарплату спускал, ну, музыку там сделать, масло поменять, однажды сдуру даже карбюратор спортивный поставил, а потом и закись азота, — он явно перенесся душой в те сладкие времена, когда можно было запросто взять и поставить спортивный карбюратор, и на лице его появилось то самое мечтательное выражение, которое Артем так любил. Жаль только, что из сказанного понятно было немного.

— Вряд ли Артем знает даже, что такое «Москвич», не говоря уже о карбюраторах, — прервал сладкие воспоминания приятеля Сергей Андреевич.

— Как это не знает? — худой уперся гневным взглядом в Артема.

Тот принялся рассматривать потолок, собираясь с мыслями.

— А почему вы здесь книги жжете? — перешел он в контрнаступление.

— Прочитали уже, — ответил Евгений Дмитриевич.

— В книжках правды нет! — назидательно добавил Сергей Андреевич.

— Ты вот лучше расскажи, что это на тебе за наряд? Ты, часом, не сектант? — нанес ответный удар Евгений Дмитриевич.

— Нет, нет, что вы, — поспешил оправдаться Артем. — Но они меня подобрали, помогли, когда мне очень плохо было, — в общих чертах описал он свое состояние, не уточняя, насколько плохо ему было.

— Да-да, именно так они и работают. Узнаю почерк. Сирые и убогие... э... или что-то в этом духе, — закивал Евгений Дмитриевич.

— Знаете, был я у них на собрании: они там очень странные вещи говорят, — сказал Артем. — Я постоял, послушал, но долго не выдержал. Например, что главное злодеяние Сатаны — в том, что он захотел себе тоже славы и поклонения... Я думал раньше, что там все было намного серьезней. А тут просто ревность, оказывается. Неужели мир так прост, и все крутится вокруг того, что кто-то не поделил славу и поклонников?..

— Мир не так прост, — заверил его Сергей Андреевич, принимая кальян у светловолосого и затягиваясь.

— И еще кое-что... Вот они там говорят, что главные качества Бога — это милосердие, доброта, готовность прощать, что он — Бог любви, что он всемогущ. Но при этом за первое же ослушание человек был изгнан из рая и стал смертным. Потом несчетное количество людей умирает — не страшно, и под конец Бог посылает своего сына, чтобы он спас людей. И сын этот сам погибает страшной смертью, перед смертью взывает к Богу, спрашивает, почему тот его оставил. И все это для чего? Чтобы своей кровью искупить грех первого человека, которого Бог сам же спровоцировал и наказал, и чтобы люди вернулись в рай и вновь обрели бессмертие. Какая-то бессмысленная возня, ведь можно было просто не наказывать так строго их всех за то, чего они даже не делали. Или отменить наказание за сроком давности. Но зачем жертвовать любимым сыном, да еще и предавать его? Где здесь любовь, где здесь готовность прощать, где здесь всемогущество?..

— Примитивно и грубовато изложено, но в общих чертах верно, — передавая кальян товарищу, одобрил Сергей Андреевич.

— Вот что я могу сказать по этому поводу... — набирая в легкие дым и блаженно улыбаясь, Евгений Дмитриевич прервался на минуту, а потом продолжил: — Так вот, если их бог и имеет какие-то качества или отличительные свойства — это уж точно не любовь, не справедливость и не всепрощение. Судя по тому, что творилось на земле с момента ее... эээ... сотворения, богу свойственна только одна любовь: он любит интересные истории. Сначала устроит заварyху, а потом смотрит, что из этого выйдет. Если пресновато получается, перцу добавит. Так что прав был старик Шекспир: весь мир — театр. Вот только вовсе не тот, на который он намекал, — заключил он.

— Только с сегодняшнего утра ты уже успел наговорить на несколько столетий горения в аду, — заметил Сергей Андреевич.

— Значит, тебе будет там с кем поболтать, — Евгений Дмитриевич передал кальян товарищу.

— С другой стороны, сколько интересных знакомств там можно завязать, — сказал Сергей Андреевич.

— Например, среди высшей иерархии католической церкви.

— Да, они-то уж точно. Но, строго говоря, наши тоже...

Оба Артемовых собеседника явно не очень верили в то, что за все сказанное сейчас придется когда-нибудь расплачиваться. Но слова Евгения Дмитриевича о том, что происходящее с человечеством — просто интересная история, навело Артема на другую мысль.

— Я вот довольно много разных книг читал, — сказал он, — и меня всегда удивляло, что там все не как в жизни. Ну, понимаете, там события выстраиваются в линию, и все друг с другом связано, одно из другого вытекает, ничего просто так не происходит. Но ведь на самом-то деле все совершенно по-другому! Ведь жизнь, она просто наполнена бессвязными событиями, которые происходят с нами в случайном порядке, и не бывает такого, чтобы все шло в логической последовательности. Или вот еще: книги, например, заканчиваются в том месте, где обрывается логическая цепочка, то есть начало — развитие — потом пик — и конец.

— Кульминация, а не пик, — поправил его Сергей Андреевич, со скучающим видом выслушивавший наблюдения Артема.

Евгений Дмитриевич тоже не проявлял особого интереса. Он подвинул к себе курительное устройство и, втянув ароматный дым, задержал дыхание.

— Хорошо, кульминация, — слегка обескураженно продолжил Артем. — Но в жизни-то все не так, логическая цепочка, во-первых, может не прийти к своему концу, а во-вторых, если и придет, то на этом ничего не заканчивается.

— Ты имеешь в виду, что жизнь не имеет сюжета? — помог ему сформулировать Сергей Андреевич.

Артем задумался на минуту, потом кивнул.

— А в судьбу ты веришь? — склонив голову на бок и изучающе оглядывая Артема, спросил Сергей Андреевич, а Евгений Дмитриевич заинтересованно оторвался от кальяна.

— Нет, — решительно отрезал Артем. — Нет никакой судьбы. Просто случайные события, которые с нами происходят, а мы потом уже сами придумываем.

— Зря, зря... — разочарованно вздохнул Сергей Андреевич, строго глядя на Артема поверх очков. — Вот я тебе предложу сейчас маленькую теорию, а ты сам посмотри, подходит ли она к твоей жизни. Мне так кажется, что жизнь, конечно, пустая штука, и смысла в ней в целом нет, и нет судьбы, то есть такой определенной, явной, так чтобы родился, и все уже знаешь: моя судьба — быть космонавтом или, скажем, балериной, или погибнуть во младенчестве... Нет, не так. Когда проживаешь отведенное тебе время... как бы это объяснить... Может случиться, что происходит с тобой какое-то событие, которое заставляет тебя совершать определенные поступки и принимать определенные решения, причем у тебя есть свободный выбор: хочешь сделай так, хочешь этак. Но если ты примешь правильное решение, то дальнейшие вещи, которые с тобой будут происходить, — это уже будут не просто случайные, как ты выражаешься, события. Они будут обусловлены тем выбором, который ты сделал. Я не имею в виду, что, если ты решил жить на Красной Линии до того, как она стала красной, тебе оттуда уже никуда не деться и события с тобой будут происходить соответствующие, я говорю о более тонких материях. Но если ты опять оказался на перепутье и вновь принял нужное решение, потом перед тобой встанет выбор, который тебе уже не покажется случайным, если ты, конечно, догадаешься и сумеешь осмыслить его. И твоя жизнь постепенно перестанет быть просто набором случайностей, она превратится... в сюжет, что ли, все будет соединено некими логическими, не обязательно прямыми связями. Вот это и будет твоя судьба. На определенной стадии, если ты достаточно далеко ушел по своей стезе, твоя жизнь настолько превращается в сюжет, что с тобой начинают происходить странные, необъяснимые с точки зрения голого рационализма или твоей теории случайных событий вещи. Зато они будут очень хорошо вписываться в логику сюжетной линии, в которую теперь превратилась твоя жизнь. Думаю, судьбы просто так не бывает, к ней надо прийти, и если события в твоей жизни соберутся и начнут выстраиваться в сюжет, тогда тебя может забросить в такие дали... Самое интересное, что сам человек может и не подозревать, что с ним это творится, или представлять себе происходящее в корне неверно, пытаться систематизировать события в соответствии со своим мировоззрением. Но у судьбы — своя логика.

Эта странная теория, показавшаяся Артему вначале полной абракадаброй, вдруг заставила его посмотреть под другим углом на все то, что случилось с ним с самого начала, когда он согласился на предложение Хантера отправиться к Полису.

Теперь все его приключения, все его странствия, до этого видевшиеся ему скорее как безуспешные, отчаянные попытки пробиться к цели своего похода, к которой он стремился отовсюду, куда бы его ни забрасывало, к которой его тянуло, как к магниту, хотя он и сам уже почти не осознавал, зачем ему это нужно, представали перед ним в ином свете, казались ему сложно организованной системой, образуя вычурную, но продуманную конструкцию.

Ведь если считать согласие Артема на предложение Охотника первым шагом по стезе, как сказал Сергей Андреевич, то все последующие события — и экспедиция на Рижскую, и то, что на Рижской к нему подошел Бурбон, и Артем не отшатнулся от него, — следующий шаг, и что Хан вышел Артему навстречу, хотя вполне мог остаться на Сухаревской... Но это еще можно было объяснить и по-другому, во всяком случае, сам Хан называл совсем иные причины своих действий. Потом Артем попадает в плен к фашистам, на Тверскую, его должны повесить, но по маловероятному стечению обстоятельств интернациональная бригада решает нанести удар по Тверской именно в этот день. Появись революционеры на день раньше, на день позже, гибель Артема была бы неминуема, но тогда прервался бы его поход.

Могло ли так быть в действительности, что упорство, с которым он продолжал свой путь, влияло на дальнейшие события? Неужели решимость, злость, отчаяние, которые побуждали его делать каждый следующий шаг, могли неизвестным образом формировать действительность, сплетая из беспорядочного набора происшествий, чьих-то поступков и мыслей стройную систему, как сказал Сергей Андреевич, превращая обычную жизнь в сюжет?

На первый взгляд, ничего такого произойти не могло. Но если задуматься... Как иначе объяснить тогда встречу с Марком, предложившим Артему единственно возможный способ проникнуть на территорию Ганзы? И главное, самое главное, что пока он мирился со своей долей, расчищая нужники, судьба, казалось, отвернулась от него, но когда он, не пытаясь даже осмыслить своих действий, пошел напролом, случилось невозможное: охранник, который был просто обязан стоять на своем посту, куда-то исчез, и не было даже никакой погони. Значит, когда он вернулся с уходящей в сторону кривой тропки на свою стезю, поступил в соответствии с сюжетным рисунком своей жизни, на той стадии, где он находился сейчас, это смогло вызвать уже серьезные искажения реальности, исправив ее так, чтобы главная линия Артемовой судьбы могла беспрепятственно развиваться дальше?...

Тогда это должно означать, что, отступись он от своей цели, сойди со своей стези,— судьба тут же отвернется от него, и ее невидимый щит, оберегающий сейчас Артема от гибели, тотчас рассыплется на куски, Ариаднина нить, по которой он осторожно ступает, оборвется, и он останется один на один с бушующей действительностью, взбешенной его дерзким посягательством на хаотическую сущность бытия... Может, тот, кто однажды попробовал обмануть судьбу, у кого хватило легкомыслия продолжать упорствовать и после того, как зловещие тучи сгустились над головой, не может просто так сойти с пути? Пусть ему все сойдет с рук, но с этих пор его жизнь превратится в нечто абсолютно заурядное, серое, и никогда в ней больше не случится ничего необычного, волшебного, необъяснимого, потому что сюжет будет оборван, а на герое поставят крест...

Значит ли это, что Артем не просто не имеет права, а уже не может теперь отступить от своего пути? Вот она, судьба? Судьба, в которую он не верил? И не верил только потому, что не умел правильно воспринять происходившее с ним, не умел прочесть знаков, стоявших вдоль его дороги, и продолжал наивно считать уходящий к далеким горизонтам специально для него проложенный тракт — путаным переплетением заброшенных тропинок, ведущих в разные стороны?

Выходило, что он ступал по своей стезе, и события его жизни образовывали стройный сюжет, обладавший властью над человеческой волей и рассудком, так что его враги слепли, а друзья прозревали, чтобы прийти вовремя ему на помощь. Сюжет, управлявший реальностью так, что непреложные законы вероятности послушно, словно пластилин, меняли свою форму под натиском растущей мощи невидимой длани, двигающей его по шахматной доске жизни... И если это было действительно так, отпадал сам собою вопрос, на который раньше можно было ответить лишь угрюмым молчанием и стискиванием зубов: зачем все это? Теперь мужество, с которым он признавался сам себе и упрямо твердил другим, что никакого провидения или высшего замысла, никаких законов и никакой справедливости в мире нет, оказывалось ненужным, потому что замысел начинал угадываться... Этой мысли не хотелось сопротивляться, она была слишком соблазнительна, чтобы отвернуться от нее с тем же твердолобым упрямством, с которым отвергал он объяснения, предлагаемые религиями и идеологиями.

Все вместе это означало только одно.

— Я больше не могу здесь оставаться, — отчетливо произнес Артем и поднялся, чувствуя, как новой, гудящей силой наполняются его мышцы. — Я больше не могу оставаться здесь, — повторил он еще раз, вслушиваясь в собственный голос. — Мне надо идти. Я должен.

Ни разу больше не обернувшись, забыв все страхи, гнавшие его к этому костерку, он спрыгнул на пути и двинулся вперед, во тьму. Сомнения отпустили Артема, уступив место совершенному спокойствию и уверенности в том, что наконец-то он все делает правильно. Словно, сбившись было с курса, он все же сумел встать на прямые блестящие рельсы своей судьбы. Шпалы, по которым он ступал, теперь будто сами уносились назад, не требуя от него никаких усилий. Через мгновение он полностью исчез во мгле.

— Красивая теория, правда? — затягиваясь, сказал Сергей Андреевич.

— Можно подумать, ты в нее веришь...— ворчливо отозвался Евгений Дмитриевич, почесывая кошку за ухом.

Глава 12

ПОЛИС

Оставался всего один туннель. Всего один туннель, и поставленная Хантером цель, к которой Артем шел упрямо и отчаянно, достигнута. Два, может, три километра по сухому и тихому перегону, и он на месте. В голове Артема царила почти такая же гулкая пустота, как в этом туннеле, и он больше не задавал себе вопросов. Еще сорок минут, и он на месте. Сорок минут, и его поход завершен.

Он даже не отдавал себе отчета в том, что шагает в кромешной темноте. Ноги продолжали, не сбиваясь, отсчитывать шпалы. Он словно забыл обо всех угрожавших ему опасностях, о том, что безоружен, что у него нет ни документов, ни фонаря, ни оружия, что он наряжен в чудной сектантский балахон, о том, наконец, что он никогда ничего не слышал ни про этот туннель, ни про опасности, подстерегающие в нем путников.

Убежденность в том, что, пока он следует своей стезей, ему ничего не угрожает, занимала все место в его сознании. Куда подевался неизбежный, казалось, страх туннелей? Куда пропали усталость и неверие?

Все испортило эхо.

Из-за того, что в этом туннеле было так пусто, звуки шагов разлетались назад и вперед. Отраженные от стен, они гремели, постепенно удаляясь и переходя в шелест, и отзывались через такое время, что казалось, идет не только Артем, но еще и кто-то другой. Через некоторое время это ощущение стало настолько острым, что Артему захотелось остановиться и прислушаться — продолжает ли эхо шагов жить своей жизнью?

Несколько минут он продолжал бороться с искушением. Его поступь становилась все медленнее и тише, а он прислушивался, не сказывается ли это на громкости эха. Наконец Артем замер совсем. Боясь глубоко вдохнуть, чтобы шум входящего в легкие воздуха не помешал ему различить малейшие шорохи вдали, он стоял так в кромешной тьме и ждал.

Тишина.

Теперь, когда он перестал перемещаться, у него снова пропало ощущение реальности пространства. Пока он шел, то словно цеплялся за действительность подошвами сапог. Остановившись посреди чернильного мрака туннеля, Артем вдруг перестал понимать, где находится.

Показалось.

И показалось ему еще, что, когда он опять тронулся с места, еле слышное эхо шагов долетело до ушей еще до того, как его собственная нога успела ступить на бетонный пол.

Сердце его забилось тяжелее. Но через мгновение он сумел убедить себя, что обращать внимание на все шорохи в туннелях глупо и бессмысленно. Некоторое время Артем старался не прислушиваться к эху вообще. Потом, когда ему почудилось, что последний из затихающих отголосков приблизился к нему, он заткнул уши и продолжал идти вперед. Но и так его не хватило надолго.

Оторвав через пару минут ладони от ушей и продолжая шагать, он к своему ужасу услышал, что эхо его шагов впереди действительно звучит все громче, будто приближаясь. Но стоило ему замереть на месте, как звуки впереди тут же, запаздывая на доли секунды, тоже затихали.

Этот туннель испытывал Артема, его способность противостоять страху. Но он не сдастся. Он прошел уже слишком через многое, чтобы испугаться темноты и эха.

Эха ли?

Оно приближалось, теперь в этом не оставалось никакого сомнения. В последний раз Артем остановился, когда призрачные шаги слышались уже метрах в двадцати. Это было так необъяснимо и жутко, что, не выдержав, отирая со лба холодную испарину, он, дав петуха, крикнул в пустоту:

— Есть там кто-нибудь?..

Эхо отозвалось пугающе близко, и своего голоса Артем не узнал. Дрожащие отголоски понеслись наперегонки в глубину туннелей, теряя звуки: «там кто-нибудь... о-нибудь... будь...». Никто на них так и не отозвался. И вдруг случилось невероятное: они стали возвращаться назад, повторяя его вопрос, в обратном порядке набирая оброненные слоги и становясь все громче, пока в тридцати шагах от него кто-то не повторил его вопрос испуганным голосом.

Этого Артем вынести не смог. Развернувшись, он пошел назад, сначала стараясь идти не слишком быстро, а потом и вовсе позабыв о том, что нельзя давать страху поблажек, и, спотыкаясь, побежал. Но уже через минуту он понял, что отзвуки шагов все так же слышатся на расстоянии в двадцать метров. Незримый преследователь не желал отпускать его. Задыхаясь, Артем бежал уже, не разбирая направления, и в конце концов налетел на туннельную сбойку.

Эхо немедленно стихло. Прошло некоторое время, пока он не сумел собрать волю в кулак, подняться и сделать шаг вперед. Это было верное направление: с каждым пройденным метром звук шаркающих о бетон ступней становился все ближе, двигаясь ему навстречу. И только стучащая в ушах кровь чуть заглушала зловещий шорох. Каждый раз, когда Артем замирал на месте, останавливался в темноте и его преследователь — в том, что это не эхо, он теперь уже был совершенно уверен.

Так продолжалось, пока шаги не зазвучали на расстоянии вытянутой руки. И тогда Артем, крича и размахивая вслепую кулаками, бросился вперед, туда, где должно было находиться по его расчетам оно.

Кулаки со свистом рассекли пустоту. Никто не пытался защититься от его ударов. Он тщетно рубил воздух, кричал, отпрыгивал, расставлял руки в стороны, пытаясь схватить невидимого в темноте противника. Пустота. Там никого не было. Но только он отдышался и сделал еще один шаг к Полису, как тяжелый шаркающий звук раздался уже прямо перед ним. Еще взмах рукой — и снова ничего. Артем почувствовал, что сходит с ума. До боли выкатив глаза, он пытался увидеть хоть что-нибудь, уши старались уловить близкое дыхание другого существа. Но там просто никого не было.

Простояв неподвижно несколько долгих секунд, Артем подумал, что как бы ни объяснялось это странное явление, опасности оно не представляет. Наверное, акустика. Приду домой, спрошу у отчима, сказал себе он, и, когда занес уже ногу, чтобы сделать еще шаг к цели, прямо в ухо ему кто-то шепнул негромко:

«Жди. Тебе туда сейчас нельзя».

— Кто это? Кто здесь? — тяжело дыша, выкрикнул Артем. Но никто ему не отвечал. Вокруг него опять была густая пустота. Тогда он, вытерев пот со лба тыльной стороной ладони, заспешил в сторону Боровицкой. Призрачные стопы его преследователя с той же скоростью зашуршали в обратном направлении, постепенно стихая вдали, пока не канули в тишину. И только тогда Артем остановился. Он не знал и не мог знать, что это было, он никогда не слышал ни о чем подобном ни от кого из своих друзей, и отчим не рассказывал ему о таком вечерами у костра. Но кто бы ни шепнул ему в ухо приказание остановиться и подождать, теперь, когда Артем больше не боялся его, когда у него было время осознать произошедшее и поразмыслить над ним, это звучало гипнотически убедительно.

Следующие двадцать минут он провел, сидя на рельсе, раскачиваясь, словно пьяный, из стороны в сторону, борясь с ознобом и вспоминая странный, не человеку принадлежавший голос, приказавший ему ждать. Дальше он двинулся, только когда дрожь начала наконец проходить, а страшный шепот в его голове — сливаться с тихим свистом поднимающегося туннельного сквозняка.

Все оставшееся время он просто шагал вперед, стараясь ни о чем не думать, спотыкаясь иногда о лежащие на полу кабели, но это было самым страшным, что с ним случилось. Времени прошло, как ему показалось, немного, хотя он и не мог сказать, сколько, потому что в темноте минуты слиплись. А затем он увидел в конце туннеля свет.

Боровицкая.

Полис.

И тут же со станции послышался грубый окрик, грянули выстрелы, и Артем, отпрянув назад, спрятался в углублении в стене. Издалека неслись протяжные стоны раненых, брань, потом еще раз, усиленный туннелем, долетел грохот автоматной очереди.

Жди...

Из своего укрытия Артем отважился показаться только через четверть часа после того, как все стихло. Подняв вверх руки, он медленно пошел на свет.

Это действительно был вход на платформу. Дозоров на Боровицкой не выставляли, видимо надеясь на неприкосновенность Полиса. За пять метров до места, где обрывались круглые своды туннеля, стояли цементные блоки пропускного пункта и лежало в луже крови распростертое тело.

Когда Артем показался в поле зрения одетых в зеленую форму и фуражки пограничников, ему приказали подойти ближе и встать лицом к стене. Увидев на земле труп, он немедленно повиновался.

Быстрый обыск, вопрос про паспорт, заломленные за спину руки, и наконец станция. Свет. Тот самый. Они говорили правду, они все говорили правду, легенды не лгали. Свет был таким ярким, что Артему пришлось зажмуриться, чтобы не ослепнуть. Но сияние достигало зрачков и сквозь веки, слепило до боли, и только когда пограничники закрыли его глаза повязкой, их перестало саднить. Возвращение к той жизни, которой жили предыдущие поколения людей, оказалось болезненней, чем Артем мог себе представить.

Тряпку с глаз сняли только в караулке, похожей на все другие, крошечной, служебной комнате, облицованной растрескавшимся кафелем. Здесь было темно, только на крашенном охрой деревянном столе мерцала в алюминиевой миске свеча. Собирая жидкий воск пальцем и наблюдая, как он остывает, начальник караула, грузный и небритый мужчина в зеленой военной рубашке с закатанными рукавами и галстуке на резинке долго рассматривал Артема, прежде чем спросить:

— Откуда пожаловали? Где паспорт? Что с глазом?

Артем решил, что изворачиваться смысла не имеет, и рассказал честно, что паспорт остался у фашистов, и глаз тоже чуть было не остался там же. Начальник это воспринял неожиданно благосклонно.

— Знаем, как же. Вот, противоположный туннель выходит аккурат на Чеховскую. У нас там целая крепость выстроена. Пока не воюем, но добрые люди советуют держать ухо востро. Как говорится, si vic pacem, para bellum, — подмигнул он Артему.

Последней фразы Артем не понял, но предпочел не переспрашивать. Его внимание привлекла татуировка на сгибе локтя начальника караула — изуродованная радиацией птица с двумя головами, распахнутыми крыльями и крючковатыми клювами. Она что-то ему смутно напомнила, но что именно, понять он не мог. А потом, когда начальник обернулся к одному из солдат, Артем увидел, что точно такой же знак, но в миниатюре, вытатуирован на его левом виске.

— И с чем вы к нам? — продолжал начальник.

— Я ищу одного человека... Его зовут Мельник. Прозвище, наверное. У меня к нему важное сообщение.

Выражение лица пограничника мгновенно переменилось. Лениво-добродушная улыбка сползла с губ, глаза удивленно блеснули в свете свечи.

— Можете передать мне.

Артем замотал головой и, извиняясь, принялся объяснять, что никак нельзя, что секретность, вы понимаете, поручено было сторого-настрого никому не говорить, кроме этого самого Мельника.

Начальник изучающе осмотрел его еще раз, сделал знак одному из солдат, и тот подал черный пластмассовый телефонный аппарат, аккуратно отмотав прорезиненный телефонный шнур на нужную длину. Покрутив пальцем диск, пограничник сказал в трубку:

— Застава Бор-Юг. Ивашов. Полковника Мельникова.

Пока он дожидался ответа, Артем успел отметить, что татуировка с птицей была и на висках у обоих солдат, находившихся в комнате.

— Как представить? — осведомился начальник караула у Артема, прижав щекой телефонную трубку к плечу.

— Скажите, от Хантера. Срочное сообщение.

Тот кивнул и, перекинувшись еще парой фраз с собеседником на другом конце провода, закончил разговор.

— Быть на Арбатской, у начальника станции, завтра в девять. До тех пор свободен, — и, махнув рукой тут же отступившему от дверного проема солдату, добавил, обращаясь к Артему: — Подожди-ка... Ты у нас, кажется, почетный гость и в первый раз. Держи, но с возвратом! — и он протянул Артему темные очки в облезлой металлической оправе.

Только завтра? Артема захлестнуло жгучее разочарование и обида. Ради этого он шел сюда, рискуя своей и чужими жизнями? Ради этого спешил, заставлял себя переставлять ноги, даже когда сил уже совсем не оставалось? И разве не срочное это было дело — сообщить обо всем, что знал, этому чертову Мельнику, который не может найти для него свободной минуты?

Или Артем просто опоздал, и тому уже все известно? А может, Мельник уже знает нечто, о чем сам Артем еще и не догадывается? Может, он опоздал настолько, что вся его миссия потеряла смысл?..

— Только завтра? — не выдержал он.

— Полковник сегодня на задании, вернется ранним утром, — пояснил Ивашов. — Иди-иди, заодно передохнешь, — и он выпроводил Артема из караулки.

Успокоившись, но все же затаив обиду, Артем нацепил очки и подумал, что они ему очень кстати: заодно и синяка под глазом видно не будет. Стекла в них были царапанные и к тому же чуть искажали перспективу, но когда он, поблагодарив караульных, вышел на платформу, то понял, что без очков ему было бы не обойтись. Свет ртутных ламп был слишком ярок для него. Впрочем, не один Артем не мог здесь открыть глаз — на станции многие прятали их за темными очками. Наверное, тоже нездешние, подумал он.

Видеть полностью освещенную станцию метро ему было странно. Здесь совсем не было теней. И на ВДНХ, и на всех других станциях и полустанках, где ему до сих пор пришлось побывать, источников света было немного, и они не могли осветить все видимое пространство, поэтому лишь выхватывали его куски. Всегда оставались места, куда не проникал ни один луч. Теней у каждого человека было несколько: одна, от свечи, блеклая и чахлая; другая, багровая, — от аварийной лампы; третья, черная и резко очерченная, — от электрического фонарика. Они мешались, наплывали друг на друга и на чужие тени, пластались по полу иногда на несколько метров, пугали, обманывали, заставляли догадываться и додумывать. А в Полисе беспощадное сияние ламп дневного света испепелило все тени до одной.

Артем замер, восхищенно рассматривая Боровицкую. Она оставалась в поразительно хорошем состоянии. На мраморных стенах и беленом потолке не было заметно ни следа копоти, станция была убрана, а над потемневшим от времени бронзовым панно в конце платформы трудилась женщина в синей спецовке, усердно отскабливая барельеф губкой с чистящим раствором.

Жилые помещения здесь были устроены в арках. Только по две арки оставили с каждой стороны для прохода к путям, остальные, заложенные кирпичом с обеих сторон, превратились в настоящие апартаменты. В каждой имелся дверной проем, а в некоторых даже стояли настоящие деревянные двери и застекленные окна. Из одного из них доносилась музыка. Перед несколькими дверями лежали коврики, чтобы входящие могли вытереть ноги. Подобное Артем видел впервые. От этих жилищ веяло таким уютом, таким спокойствием, что у него защемило сердце: перед глазами вдруг промелькнула картина из детства. Но самым удивительным было то, что вдоль обеих стен по всей станции тянулась цепь книжных стеллажей. Они занимали пространство между «квартирами», и от этого вся станция обретала какой-то чудесный, нездешний вид, напоминая Артему описания библиотек в средневековых университетах, о которых он читал в книжке писателя Борхеса.

У дальнего края зала начинались эскалаторы — там находился переход на станцию Арбатская. Гермоворота оставались открытыми, но у перехода располагался небольшой блокпост. Впрочем, всех желающих охрана беспрепятственно пропускала в обоих направлениях, даже не проверяя документов.

Зато у противоположного конца платформы, рядом с бронзовым барельефом, был виден настоящий военный лагерь. Там размещались несколько зеленых военных палаток с нарисованными на них знаками вроде вытатуированных на висках у пограничников. Там же стояла тележка с укрепленным на ней неизвестным оружием, которое выдавал только торчащий из-под чехла длинный ствол с раструбом на конце. Рядом несли дежурство двое солдат в темно-зеленой форме, шлемах и бронежилетах. Лагерь окружал лестницу перехода, поднимавшуюся над путями. Светящиеся указатели поясняли, что там находится «Выход в город», и Артему стали понятны принятые меры предосторожности. Вторая лестница, ведущая туда же, и вовсе оказалась замурованной стеной из огромных цементных блоков.

Посреди станции располагались крепкие деревянные столы, за которыми, оживленно беседуя, сидели люди в долгополых серых халатах из плотной ткани. Подойдя к ним поближе, Артем с удивлением заметил татуировки и на их висках тоже, — но не с изображением птицы, а в виде раскрытой книги на фоне нескольких вертикальных черточек, напоминавших колоннаду. Перехватив пристальный взгляд Артема, один из сидевших за столом приветливо улыбнулся и спросил его:

— Приезжий? Впервые у нас?

От слова «приезжий» Артема передернуло, но, справившись с собой, он кивнул. Заговоривший с ним был ненамного старше, и, когда он встал, чтобы пожать Артему руку, выпростав ладонь из широкого рукава халата, оказалось, что роста они приблизительно одинакового. Только сложения тот был более хрупкого.

Звали нового знакомого Артема Данилой. Про себя он рассказывать не спешил, и было видно, что с Артемом он решил заговорить, потому что ему любопытно, что происходит за пределами Полиса, какие новости на Кольце, что слышно о фашистах и о красных...

Через полчаса они уже сидели дома у худого Данилы, в одной из ютившихся между арками «квартир», и пили горячий чай, наверняка привезенный сюда окольными путями с ВДНХ. Из мебели в комнате был заваленный книгами стол, высокие, до потолка железные полки, тоже заставленные доверху толстыми томами, и кровать. С потолка свисала на проводе несильная, ватт на сорок, электрическая лампочка, освещавшая искусный рисунок огромного древнего храма, в котором Артем не сразу признал Библиотеку, возведенную на поверхности где-то над Полисом.

После того как вопросы у хозяина закончились, пришел черед Артема.

— А почему у вас тут у людей татуировки на голове? — поинтересовался он.

— Ты что, про касты ничего не знаешь? — удивился Данила. — И про Совет Полиса тоже не слышал?

Артем внезапно вспомнил, что кто-то (да нет же, как он мог забыть, это был тот старик, Михаил Порфирьевич, убитый фашистами) говорил ему, что в Полисе власть делят военные и библиотекари, потому что наверху раньше стояли здания Библиотеки и какой-то организации, связанной с армией.

— Слышал! — кивнул он. — Военные и библиотекари. Ты, значит, библиотекарь?

Данила глянул на него испуганно, побледнел и закашлялся. Потом, справившись с собой, тихо сказал:

— Какой еще библиотекарь? Ты библиотекаря хоть живого видел? И не советую! Библиотекари сверху сидят... Видел, какие тут у нас укрепления? Не дай бог, спустятся... Ты эти вещи не путай никогда. Я не библиотекарь, а хранитель. Нас еще браминами называют.

— Что за название такое странное? — поднял брови Артем.

— Понимаешь, у нас тут вроде кастовой системы. Как в древней Индии. Каста... Ну, это как класс... Тебе красные не объясняли? Не важно. Каста жрецов, хранителей знаний, тех, кто собирает книги и работает с ними, — объяснял он, а Артем не переставал удивляться тому, как старательно он избегает слова «библиотекарь». — И каста воинов, которые занимаются защитой, обороной. На Индию очень похоже, там еще была каста торговцев и каста слуг. У нас это все тоже есть. Ну, мы между собой и называем это по-индийски. Жрецы — брамины, воины — кшатрии, купцы — вайшьи, слуги — шудры. Членом касты становишься раз и на всю жизнь. Есть особые обряды посвящения, особенно в кшатрии и брамины. В Индии это семейное было, родовое, а у нас сам выбираешь, когда тебе восемнадцать исполняется. Здесь, на Боровицкой, больше браминов, почти все. Школа наша тут, библиотеки, кельи. На Библиотеке — там особый режим из-за транзита Красной Линии, охранять приходится, а до войны больше наших было. Теперь на Александровский Сад переместились. А на Арбатской — почти одни кшатрии, из-за Генштаба.

Услышав еще одно шипящее древнеиндийское слово, Артем тяжело вздохнул. Вряд ли ему удастся запомнить все эти мудреные названия с одного раза. Данила, однако, не обратил на это внимания и продолжал рассказывать:

— В Совет, понятное дело, входят только две касты: наша и кшатриев. Мы их вообще-то просто вояками зовем, — подмигнул он Артему.

— А почему они себе птиц двухголовых татуируют? — вспомнил Артем. — У вас, по крайней мере, книги, с книгами все ясно. Но птицы?..

— Тотем у них такой, — пожал плечами брамин Данила. — Это раньше, по-моему, был дух-покровитель войск радиационной защиты. Орел, кажется. Они ведь во что-то свое, странное верят. У нас, вообще говоря, между кастами особенно хороших отношений нет. Раньше даже враждовали.

Через штору стало видно, как на станции ослабили освещение. Наступала здешняя ночь. Артем засобирался.

— А у вас здесь гостиницы есть, чтобы переночевать? А то у меня завтра в девять на Арбатской встреча, а остаться негде.

— Хочешь — ночуй у меня, — пожал плечами Данила. — Я на пол лягу, мне не привыкать. Я как раз ужин готовить собирался. Оставайся, расскажешь, что еще видел по дороге. А то я, знаешь, отсюда и не выбираюсь совсем. Завет хранителей не разрешает дальше одной станции уходить.

Подумав, Артем кивнул. В комнате было уютно и тепло, да и хозяин ее Артему понравился с самого начала. Что-то у них было общее. Через пятнадцать минут он уже чистил грибы, пока Данила нарезал ломтиками свинину.

— А ты Библиотеку видел хоть раз сам? — спросил Артем с набитым ртом через час, когда они ели тушеную свинину с грибами из алюминиевых солдатских мисок.

— Ты про Великую Библиотеку? — строго уточнил брамин.

— Про ту, которая сверху... Она ведь все еще там? — указал вилкой в потолок Артем.

— В Великую Библиотеку поднимаются только наши старейшины. И сталкеры, которые работают на браминов, — ответил Данила.

— Это ведь они сверху книги приносят? Из Библиотеки? Из Великой Библиотеки, я имею в виду, — поспешно поправился Артем, видя, что его хозяин опять нахмурился.

— Они, но по поручению старейшин касты. Нам самим это не под силу, поэтому приходится использовать наемников, — нехотя объяснил брамин. — По Завету это должны были бы делать мы: хранить знания и передавать их ищущим. Но, чтобы передавать эти знания, их сначала надо добыть. А кто из наших посмеет туда сунуться? — со вздохом он поднял глаза вверх.

— Из-за радиации? — понимающе кивнул Артем.

— Из-за нее тоже. Но главное, из-за библиотекарей, — приглушенным голосом ответил Данила.

— Но это разве не вы библиотекари? Ну, или потомки библиотекарей? Мне так рассказывали.

— Знаешь что, давай за столом об этом не будем. И вообще, пусть тебе кто-нибудь другой расскажет. Я эту тему не особо люблю.

Данила начал убирать со стола, а потом, на секунду задумавшись, отодвинул часть книг с полки в сторону, и между томами, стоявшими в заднем ряду, обнаружилась брешь, в которой поблескивала пузатая бутылка с самогоном. Среди посуды обнаружились и граненые стаканы.

Через некоторое время Артем, восхищенно оглядывавший полки, решил нарушить молчание.

— Надо же, как у тебя много книг, — сказал он. — У нас на ВДНХ, наверное, во всей библиотеке столько не наберется. Я там уже все перечитал давно. К нам ведь редко когда хорошие приходят, разве что отчим принесет что-нибудь стоящее, а челноки все время дрянь разную тащат, детективы всякие. Там к тому же половину не понять. Я ведь еще и поэтому мечтал в Полис попасть, из-за Великой Библиотеки. Просто не могу себе представить, сколько их там наверху должно быть, если ради них такую громадину построили, — и он кивнул на рисунок над столом.

Глаза у обоих уже блестели. Данила, польщенный словами Артема, наклонился над столом и веско проговорил:

— Да ведь это никакого значения не имеет, все эти книги. И Великую Библиотеку не для них строили. И не их там хранят.

Артем удивленно посмотрел на него. Брамин открыл было рот, чтобы продолжить, но вдруг встал со стула, подошел к двери, приоткрыл ее и прислушался. Потом тихонько притворил ее, сел на место и шепотом досказал:

— Всю Великую Библиотеку строили для одной-единственной Книги. И лишь одна она там и спрятана. Остальные нужны только, чтобы ее скрыть. Ее-то на самом деле и ищут. Ее и стерегут, — прибавил он, и его передернуло.

— И что это за книга? — тоже понизив голос, спросил Артем.

— Древний фолиант. На антрацитно-черных страницах золотыми буквами там записана вся История. До конца.

— И зачем же ее ищут? — шепнул Артем.

— Неужели не понимаешь? — покачал головой брамин. — До конца, до самого конца. А ведь до него еще не близко... И у кого есть это знание...

За занавеской мелькнула вдруг полупрозрачная тень, и Артем, хотя и смотрел в глаза Даниле, успел ее заметить и подать ему знак. Оборвав рассказ на полуслове, тот вскочил с места и кинулся к двери. Артем бросился за ним.

На платформе никого не было, только из перехода доносились удаляющиеся шаги. Охрана мирно спала на стульях по обе стороны эскалатора.

Когда они вернулись в комнату, Артем ждал, что брамин продолжит рассказ, но тот уже протрезвел и только хмуро мотал головой.

— Нельзя нам это рассказывать, — отрезал он. — Это та часть Завета, что для посвященных. Спьяну проболтался, — он досадливо поморщился. — И не вздумай рассказывать кому-нибудь, что слышал это. Если до кого дойдет, что ты о Книге знаешь, не оберешься потом хлопот. И я с тобой заодно.

И тут Артем вдруг понял, отчего вспотели у него ладони в тот момент, когда брамин сказал ему про Книгу. Он вспомнил.

— Их ведь несколько, этих книг? — замирая сердцем, спросил он.

Данила настороженно заглянул ему в глаза.

— Что ты имеешь в виду?

— Бойся истин, сокрытых в древних фолиантах... где слова тиснены золотом, и бумага аспидно-черная не тлеет, — произнес он, а перед глазами у него маячило в мутном мареве пустое, ничего не выражающее лицо Бурбона, который механически выговаривал чужие и непонятные слова.

Брамин пораженно уставился на него.

— Откуда ты знаешь?

— Откровение было. Там ведь не одна Книга... Что в других? — зачарованно глядя на рисунок Библиотеки, спросил Артем.

— Осталась только одна. Было три фолианта, — сдался наконец Данила. — Прошлое, настоящее и будущее. Прошлое и Настоящее сгинули безвозвратно века назад. Остался последний, самый главный.

— И где же он?

— Затерян в Главном Книгохранилище. Там больше сорока миллионов томов. Один из них — с виду совершенно обычная книга, в стандартном переплете — и есть Он. Чтобы узнать Его, надо раскрыть книгу и перелистать — по преданию, страницы у фолианта действительно черные. Но чтобы перелистать все книги в Главном Книгохранилище, придется потратить семьдесят лет жизни, без сна и отдыха. А люди там больше дня оставаться не могут, и потом, никто тебе не даст спокойно стоять и рассматривать все тома, которые там хранятся. И хватит об этом.

Он постелил себе на полу, зажег на столе свечу и выключил свет. Артем нехотя улегся. Отчего-то спать ему совсем не хотелось, хотя он и не мог вспомнить, когда ему удавалось отдохнуть в последний раз.

— Интересно, а Кремль видно, когда к Библиотеке поднимаешься? — сказал он в пустоту, потому что Данила уже начинал посапывать.

— Конечно, видно. Только на него смотреть нельзя. Затягивает, — пробормотал тот.

— То есть как — затягивает?

Данила приподнялся на локте, и его недовольно наморщенное лицо попало в желтое пятно света.

— Сталкеры говорят, что нельзя на Кремль смотреть, когда выходишь. Особенно на звезды на башнях. Как глянешь, так глаз уже не оторвать. А если подольше посмотришь, туда затягивать начинает, недаром все ворота открытые стоят. Поэтому в Великую Библиотеку сталкеры поодиночке никогда не поднимаются. Если один случайно заглядится на Кремль, другой его сразу в чувство приведет.

— А внутри Кремля что? — сглотнув, прошептал Артем.

— Никто не знает, потому что туда только входят, а обратно никто еще не возвращался. Там на полке, если хочешь, книжка стоит, в ней есть интересная история про звезды и свастики, в том числе и про те, на кремлевских башнях, — он встал, нашарил на полке нужный том, открыл на нужной странице и залез опять под одеяло.

Через пару минут Данила уже спал, а Артем, пододвинув свечу поближе, начал читать.

«...будучи самой малочисленной и невлиятельной из политических групп, боровшихся за влияние и власть в России после первой революции, большевики не рассматривались как серьезные соперники никем из противоборствующих сторон. Они не пользовались поддержкой крестьянства и опирались лишь на немногочисленных сторонников в рядах рабочего класса и на флоте. Главных же союзников В.И. Ленину, который обучался алхимии и заклинаниям духов в закрытых швейцарских школах, удалось найти по другую сторону барьера между мирами. Именно в этот период всплывает впервые пентаграмма как символ коммунистического движения и Красной Армии.

Пентаграмма, как известно, наиболее распространенный и доступный для начинающих тип портала между мирами, допускающий в нашу реальность демонов. При этом создатель пентаграммы при умелом ее использовании устанавливает контроль над вызванным в наш мир демоном, который обязан служить ему. Обычно, чтобы лучше контролировать призванное существо, вокруг пентаграммы чертится защитная окружность, и демон не способен покинуть ее периметр.

Неизвестно, как именно удалось предводителям коммунистического движения добиться того, к чему стремились самые могущественные чернокнижники всех времен: установления связи с демонами-повелителями, которым подчинялись орды их более мелких собратьев. Специалисты убеждены, что сами повелители, почувствовав грядущие войны и самые страшные за всю историю человечества кровопролития, приблизились к границе между мирами и призвали тех, кто мог им позволить собрать жатву человеческих жизней. Взамен они обещали им поддержку и защиту.

История с финансированием большевистского руководства германской разведкой, разумеется, правдива, но было бы глупо и поверхностно считать, что только благодаря зарубежным партнерам В.И. Ленину и его соратникам удалось склонить чашу весов на свою сторону. У будущего коммунистического вождя уже тогда были покровители неизмеримо более сильные и мудрые, чем чины из военной разведки кайзеровской Германии.

Детали тайного соглашения с силами мрака, разумеется, недоступны современным исследователям. Однако результат их налицо: уже через короткое время пентаграммы располагаются на знаменах, головных уборах солдат Красной Армии и на броне ее немногочисленной пока военной техники. Каждая из них открывала врата в наш мир демону-защитнику, который оберегал носителя пентаграммы от внешних посягательств. Плату демоны получали, как водится, кровью. Только за XX век, по самым скромным подсчетам, в жертву были принесены около 30 миллионов жителей страны.

Договор с повелителями призванных сил очень скоро оправдал себя: большевики захватили и закрепили за собой власть, и хотя сам Ленин, выступавший связующим звеном между двумя мирами, не выдержал и погиб всего пятидесяти четырех лет от роду, сожранный изнутри адским пламенем, последователи продолжили его дело без колебаний. Вскоре наступила демонизация всей страны. Идущие в школу дети прикалывали на грудь первую пентаграмму. Мало кто знает, что изначально ритуал посвящения в октябрята предполагал прокалывание булавкой значка детской плоти. Таким образом, демон октябрятской «звездочки» отведывал крови своего будущего хозяина, раз и навсегда вступая с ним в сакральную связь. Взрослея и становясь пионером, ребенок получал новую пентаграмму — на ней прозревавшим приоткрывалась часть сути Договора: тисненный золотом портрет Вождя был охвачен пламенем, в котором тот сгинул. Таким образом, подрастающему поколению напоминалось о подвиге самопожертвования. Затем был комсомол, и наконец избранным была открыта дорога в жреческую касту — Коммунистическую партию.

Мириады призванных духов обороняли все и вся в советском государстве: детей и взрослых, здания и технику, а сами демоны-повелители расположились в гигантских рубиновых пентаграммах на башнях Кремля, добровольно согласившись на заточение во имя увеличения своего могущества. Именно отсюда расходились по всей стране невидимые силовые линии, удерживавшие ее от хаоса и развала и подчинявшие ее жителей воле обитателей Кремля. В некотором смысле, весь Советский Союз превратился в одну гигантскую пентаграмму, защитной окружностью вокруг которой стала государственная граница.»

Артем оторвался от страницы и огляделся вокруг. Свеча уже догорала и начинала коптить. Данила крепко спал, отвернувшись лицом к стене. Потянувшись, Артем вернулся к книге.

«Решающим испытанием для советской власти стало столкновение с национал-социалистической Германией. Защищенные силами не менее древними и могущественными, чем Советский Союз, закованные в броню тевтоны во второй раз за тысячелетие смогли пробиться в глубь нашей страны. На их знаменах на этот раз был начертан повернутый вспять символ солнца, света и процветания. Танки с пентаграммами на башнях и до сих пор, пятьдесят лет спустя после Победы, продолжают вечный бой с танками, сталь которых несет на себе свастику — в музейных панорамах, на экранах телевизоров, на листках в клеточку, вырванных из школьных тетрадей...»

Свеча мигнула в последний раз и погасла. Пора было ложиться.

Если повернуться к памятнику спиной, в просвет между полуразрушенными домами было видно небольшой кусок высокой стены и силуэты остроконечных башен. Но поворачиваться и смотреть на них было нельзя, это Артему хорошо объяснили. Да и двери со ступенями без присмотра оставлять было тоже запрещено, потому что, если что — необходимо срочно дать сигнал тревоги, а заглядишься — и все, сам пропадешь, и другие пострадают.

Поэтому Артем стоял на месте, хотя обернуться так и подмывало, и рассматривал пока монумент, основание которого заросло мхом. Он изображал сидевшего в глубоком кресле мрачного старика, опершегося на локоть. Из выщербленных бронзовых зрачков на грудь капало что-то медленное и густое, отчего казалось, что памятник плачет.

Долго смотреть на это было невыносимо. Поэтому Артем обошел статую вокруг и внимательнее пригляделся к дверям. Все было спокойно, стояла полная тишина, и только чуть подвывал ветер, гулявший между обглоданных остовов зданий. Отряд ушел довольно давно, но Артема с собой не взяли. Приказали остаться и сторожить, а если что, спуститься на станцию и предупредить о случившемся.

Время шло медленно, и он измерял его шагами, которые делал вокруг основания памятника: раз, два, три...

Это произошло, когда он дошел до пятисот — топот и рычание раздались сзади, из-за спины, оттуда, куда нельзя было взглянуть. Что-то находилось поблизости, и оно могло броситься на Артема в любой момент. Он замер, прислушиваясь, потом упал на землю и прижался к постаменту, держа автомат наготове.

Теперь оно было совсем рядом, видимо, с другой стороны памятника. Артем отчетливо слышал его хриплое животное дыхание; огибая постамент, оно медленно приближалось к нему. Он попытался унять дрожь в руках и удерживать место, откуда существо должно было появиться, под прицелом.

Но дыхание и звуки шагов неожиданно стали удаляться. А когда Артем выглянул из-за статуи, чтобы воспользоваться случаем и срезать неведомого противника очередью в спину, он тут же позабыл и про него, и про все остальное.

Звезда на кремлевской башне была ясно видна даже отсюда. Сама башня оставалась лишь мутным силуэтом в неверном свете выглядывавшей из-за облаков луны, но звезда выделялась на ее фоне четко, она приковывала к себе внимание всякого смотрящего на нее по вполне понятной причине. Она сияла. Не веря своим глазам, он приник к полевому биноклю.

Звезда пылала неистовым ярко-красным светом, освещая несколько метров пространства вокруг себя, и когда Артем присмотрелся получше, то заметил, что свечение это неровное. В гигантском рубине словно была заточена буря — он озарялся сполохами, в нем что-то перетекало, бурлило, вспыхивало... Зрелище оказалось потрясающей, невозможной для этого мира красоты, но с такого расстояния было видно слишком плохо. Надо подойти поближе.

Закинув автомат за плечо, Артем бегом спустился по лестнице, проскочил растрескавшийся асфальт улицы и остановился только на углу, откуда было видно уже всю кремлевскую стену... и башни. На каждой из них лучилась красная звезда. Едва переведя дыхание, Артем снова приник к окулярам. Звезды полыхали тем же бурлящим неровным светом, и на них хотелось смотреть вечно.

Сосредоточившись на ближайшей из них, Артем все любовался ее фантастическими переливами, пока ему вдруг не почудилось, что он различает очертания того, что движется внутри, под поверхностью кристаллов.

Чтобы лучше разглядеть странные контуры, ему пришлось подойти чуть ближе. Забыв обо всех опасностях, он остановился посреди открытого пространства и не отрывался уже от бинокля, стараясь понять, что же ему удалось увидеть.

Демоны-повелители, вспомнил он наконец. Маршалы армии бесов, призванных на защиту советского государства. Страна, да и весь мир уже распались на куски, но пентаграммы на кремлевских башнях оставались нетронутыми: правители, заключившие договор с демонами, давно были мертвы, и некому было вернуть им свободу... Некому? А как же он?

Надо найти ворота, подумал он. Надо найти вход...

— Вставай, тебе уже идти скоро! — растолкал его Данила.

Артем зевнул и протер глаза. Ему только что снилось что-то невероятно интересное, но сон мгновенно улетучился, и вспомнить, что же он видел, не удавалось. На станции уже включили полное освещение, и слышно было, как уборщицы, весело переругиваясь, подметают платформу.

Он нацепил темные очки и поплелся умываться, перекинув через плечо не очень чистое вафельное полотенце, которое ему вручил хозяин. Туалеты находились с той же стороны, что и бронзовое панно, и очередь к ним была немаленькая. Заняв место и все еще зевая, Артем пытался вернуть хоть часть образов, которые видел во сне.

Очередь отчего-то перестала продвигаться вперед, а люди, стоявшие в ней, громко зашептались. Силясь понять, в чем дело, Артем оглянулся. Все глаза были устремлены на железную дверь на засове. Сейчас она была распахнута, а в проеме стоял высокий человек, увидев которого Артем и сам позабыл, зачем здесь находится.

Сталкер.

Именно так он их себе и представлял — по рассказам отчима и байкам челноков. Испачканный и опаленный местами защитный костюм, длинный тяжелый бронежилет, широченные плечи, на правом — небрежно закинутая громада ручного пулемета, с левого наподобие портупеи спускается маслянисто поблескивающая лента с патронами. Грубые шнурованные ботинки, заправленные в них штаны, за спиной — просторный брезентовый ранец.

Сталкер снял круглый спецназовский шлем, стянул резиновую маску противогаза и, раскрасневшийся, мокрый, разговаривал о чем-то с командиром поста. Он был уже немолод, Артем видел седую щетину на его щеках и подбородке и серебристые нити в коротких черных волосах. Но от него веяло силой, уверенностью в себе, он был весь жесткий, подобранный, словно даже здесь, на тихой и светлой станции, был готов в любой момент встретить опасность и не дать ей застать себя врасплох.

Теперь только один Артем все еще бесцеремонно разглядывал пришельца, а остальные люди, стоявшие в очереди, сначала понукали парня, требуя продвигаться вперед, а потом стали попросту обходить его.

— Артем! Ты чего там так долго? Смотри, опоздаешь! — подошел Данила.

Услышав его имя, сталкер обернулся в сторону Артема, внимательно оглядел его и вдруг сделал широкий шаг к нему навстречу.

— Не с ВДНХ? — спросил он глубоким звучным голосом.

Артем молча кивнул, чувствуя, как у него затряслись поджилки.

— Не ты Мельника ищешь? — продолжил тот.

Артем кивнул еще раз.

— Я Мельник. У тебя для меня что-нибудь есть? — сталкер посмотрел Артему в глаза.

Артем поспешно нашарил на шее шнурок с гильзой, с которой, словно с талисманом, было уже даже как-то странно теперь расставаться, и протянул ее сталкеру.

Тот стащил кожаные перчатки, открутил крышку и бережно вытряхнул что-то из капсулы на ладонь. Маленький клочок бумаги. Записка.

— Пойдем со мной. Извини, вчера не смог, позвонили, когда мы уже наверх шли.

Наспех попрощавшись с Данилой и поблагодарив его, Артем поспешил за Мельником по эскалаторам, ведущим в переход на Арбатскую.

— От Хантера никаких известий нет? — несмело спросил он, еле поспевая за широко шагавшим сталкером.

— Вообще ничего от него не слышно. Я боюсь, теперь про него надо у ваших черных спрашивать, — через плечо глянув на Артема, ответил Мельник. — Зато с ВДНХ новостей даже слишком много.

Артем почувствовал, как у него сильнее забилось сердце.

— Какие? — он постарался скрыть свое волнение.

— Хорошего мало, — сухо сказал сталкер, — черные опять пошли в наступление. Неделю назад был тяжелый бой. Пятеро человек погибли. А черных там, кажется, все больше становится. Со станции вашей люди начинают бежать. Говорят, не могут выдержать ужаса. Так что прав был Хантер, когда говорил мне, что у вас там что-то жуткое кроется. Чувствовал он.

— А кто погиб, не знаете? — испуганно спросил Артем, стараясь припомнить, кто должен был в тот день дежурить, неделю назад? Какой это был день? Женька? Андрей? Только не Женька...

— Откуда мне знать? Да там ведь мало того, что нежить лезет, так еще и с туннелями вокруг Проспекта Мира какая-то чертовщина. Люди память теряют, несколько человек по пути умерли.

— Что же делать?

— Сегодня заседание Совета будет. Послушаем мнение старейшин браминов и генералов. Только вряд ли они чем-то смогут помочь твоей станции. Они сам Полис еле обороняют — да и то потому только, что на него никто не смеет покушаться всерьез.

Вышли на Арбатскую. Здесь тоже светили ртутные лампы и, как и на Боровицкой, жилища располагались в застроенных кирпичом арках. Возле некоторых из них стоял караул, и вообще военных тут было необычайно много. Крашенные белой краской стены были местами завешены почти не тронутыми временем парадными армейскими знаменами с вышитыми золотом орлами. Вокруг царило оживление: расхаживали одетые в долгополые халаты брамины; мыли пол, окрикивая тех, кто пытался пройти по мокрому, уборщицы; немало здесь было и народу с других станций — их можно было узнать по темным очкам или по сложенным козырьком ладоням, которыми они прикрывали сощуренные глаза. На платформе размещались только жилые и административные помещения, все торговые ряды и забегаловки были вынесены в переходы.

Мельник провел Артема в конец платформы, где начинались служебные помещения и, усадив на мраморную скамейку, обшитую отполированным тысячами пассажиров деревом, попросил подождать его и ушел.

Рассматривая затейливую лепнину под потолком, Артем думал, что Полис не обманул его ожиданий. Жизнь тут действительно была налажена совсем по-другому, и люди были не такие ожесточенные, озлобленные, забитые, как на других станциях. Знания, книги, культура играли здесь, кажется, совершенно особенную роль. Одних только книжных развалов они миновали не меньше пяти, пока шли по переходу от Боровицкой к Арбатской. Висели даже афиши, анонсировавшие на завтрашний вечер спектакль по Шекспиру, и, как и на Боровицкой, где-то играла музыка.

И переход, и обе станции поддерживались в отличном состоянии, и хотя были видны на стенах разводы и потеки, все бреши немедленно заделывали сновавшие повсюду ремонтные бригады. Из любопытства Артем заглянул в туннель — полный порядок был и там: сухо, чисто, а через каждые сто метров светила электрическая лампочка, и так насколько хватало глаз. Время от времени мимо проезжали груженные ящиками дрезины, останавливаясь, чтобы высадить случайного пассажира или принять коробку с книгами, которые Полис рассылал по всему метро.

«Скоро всему этому может прийти конец, — неожиданно подумал Артем. — ВДНХ уже не выдерживает напора этих чудовищ... Неудивительно», — сказал он себе, вспоминая одну из ночей в дозоре, когда ему пришлось отбивать атаку черных, и все кошмары, мучившие его после боя.

Неужели ВДНХ падет? Это значит, что у него не будет больше дома, и счастье, если его друзья и отчим успеют бежать: тогда у него останется надежда встретить их однажды в метро. Если Мельник скажет ему сегодня, что Артем выполнил свое задание и больше ничего не может сделать, тогда он тотчас же пустится в обратный путь, пообещал он себе. Если его станции суждено стать единственным заслоном на пути черных, а его друзьям и близким — погибнуть, обороняя ее, то он скорее предпочтет быть вместе с ними, чем укрываться в этом раю. Ему вдруг захотелось вернуться домой, взглянуть на ряд армейских палаток, чайную фабрику... Поболтать с Женькой, рассказать ему о своих приключениях. Наверняка тот не поверит и половине... Если он еще жив.

— Пойдем, Артем, — позвал его Мельник. — С тобой хотят поговорить.

Он уже успел избавиться от своего защитного костюма и был одет в водолазку, черную военную пилотку без кокарды и штаны с карманами, такие же, как у Хантера. Сталкер чем-то напоминал Охотника, не внешне, конечно, а поведением. Был он такой же собранный, напружиненный и говорил похоже: короткими, рублеными фразами.

Стены в помещении были обшиты мореным дубом, а на них друг напротив друга висели две большие картины маслом. На одной Артем без труда узнал Библиотеку, на другой было изображено высокое, облицованное белым камнем здание, подпись под которым гласила: «Генштаб Минобороны РФ».

Посреди просторной комнаты стоял большой деревянный стол, на стульях вокруг него сидели, изучающе разглядывая Артема, человек десять. Половина в серых браминских халатах, другая — в летней офицерской военной форме. Получалось так, что военные сидели под картиной с Генштабом, а брамины — под Библиотекой.

Во главе стола важно восседал невысокого роста, но начальственного вида человек в строгих очках и с большой залысиной. Он был одет в костюм с галстуком, и татуировки, обозначающей принадлежность к касте, у него не было.

— К делу, — не представляясь, начал он. — Расскажите нам все, что вам известно, включая ситуацию с туннелями от вашей станции до Проспекта Мира.

Артем принялся подробно описывать историю борьбы ВДНХ с черными, потом задание Хантера и, наконец, поход к Полису. Когда он рассказывал о случившемся в туннелях между Алексеевской, Рижской и Проспектом Мира, военные и брамины зашептались между собой, одни недоверчиво, другие оживленно, а сидевший в углу офицер пару раз переспросил его, старательно протоколируя рассказ.

Когда обсуждения наконец улеглись, Артему разрешили продолжить рассказ, но повествование его вызывало у слушателей мало интереса, пока он не дошел до Полянки и ее жителей.

— Позвольте! — возмущенно прервал его один из военных, плотный мужчина лет пятидесяти, с зализанными назад волосами и очками в стальной оправе, врезавшейся в мясистую переносицу. — Совершенно точно известно, что Полянка необитаема. Станция давным-давно заброшена. Через нее ежедневно проходят десятки людей, это правда, но жить там никто не может. Там периодически происходят выбросы газа, и повсюду развешены знаки, предупреждающие об опасности. И уж, конечно, никаких кошек и макулатуры там нет и подавно. Совершенно пустой перрон. Совершенно. Прекратите ваши инсинуации.

Остальные военные согласно закивали, и Артем озадаченно замолчал. Когда он останавливался на Полянке, ему в голову пришла на мгновение мысль, что умиротворенная обстановка, царившая на станции, невероятна для метро. Но от этих размышлений его тут же отвлекли обитатели Полянки, которые были более чем настоящими.

Брамины, однако, гневного опровержения не поддержали. Старший из них, лысый старик, с длинной седой бородой, с интересом посмотрел на Артема и перекинулся несколькими фразами на непонятном языке с сидевшими рядом.

— Этот газ, как вы знаете, обладает галлюциногенными свойствами, в определенных пропорциях смешиваясь с воздухом, — примирительно сказал брамин, сидящий по правую руку от старика

— Вопрос в том, можно ли теперь верить ему в остальном, — глядя на Артема исподлобья, возразил военный.

— Спасибо за ваш доклад, — оборвал дискуссию человек в костюме. — Совет обсудит его, и вам сообщат о результатах. Вы можете идти.

Артем стал пробираться к выходу. Неужели весь его разговор с двумя курившими кальян жителями Полянки оказался галлюцинацией? Но ведь это значило бы тогда, что и идея о его избранности, о том, что он может изгибать реальность, пока воплощает сюжет предначертанного, — это просто плод его воображения, попытка утешить себя... Теперь и загадочная встреча в туннеле между Боровицкой и Полянкой больше не казалась ему чудом. Газ? Газ.

Он сидел на скамейке у дверей и даже не вслушивался в отдаленные голоса споривших членов Совета. Мимо ходили люди, проезжали дрезины и мотовозы, минута за минутой шло время, а он сидел и думал. Существовала ли его миссия на самом деле, или он сам выдумал ее? Что ему делать теперь? Куда теперь идти?

Его кто-то тронул за плечо. Это был офицер, который вел записи во время его рассказа.

— Члены Совета сообщают, что Полис ничем не в состоянии помочь вашей станции. Они благодарят вас за подробный отчет о ситуации в метрополитене. Вы свободны.

Вот и все. Полис ничем не может помочь. Все зря. Он сделал все, что смог, но это ничего не изменило. Ему оставалось только вернуться на ВДНХ и встать плечом к плечу с теми, кто еще держал там оборону. Артем тяжело поднялся со скамьи и побрел сам не зная куда.

Когда он почти дошел уже до перехода на Боровицкую, сзади послышался негромкий кашель. Артем обернулся и увидел брамина, присутствовавшего на Совете, того самого, что сидел по правую руку от старика.

— Постойте, молодой человек... Мне кажется, нам с вами нужно обсудить кое-что... В приватном порядке, — вежливо улыбаясь, обратился к нему брамин. — Если Совет не в состоянии ничего для вас сделать, то, может, ваш покорный слуга окажется полезнее.

Он ухватил Артема под локоть и увлек его за собой в одно из кирпичных жилищ в арках. Окна здесь не было, электрическая лампочка не горела, и только пламя маленькой свечи обрисовывало контуры лиц нескольких людей, собравшихся в комнате. Рассмотреть их как следует Артем не успел, потому что приведший его брамин поспешно задул огонь, и помещение погрузилось во мрак.

— Правда ли то, что ты рассказывал о Полянке на заседании Совета? — раздался сиплый голос.

— Да, — твердо ответил Артем.

— Знаешь ли ты, как зовется Полянка среди нас, браминов? Станция судьбы. Пусть кшатрии считают, что это газ наводит морок, мы не против. Мы не станем излечивать от слепоты недавнего врага. Мы верим, что на этой станции люди встречаются с посланниками Провидения. Большинству из них Провидению сказать нечего, и они просто проходят через пустую, заброшенную станцию. Но те, кто кого-то встретил на Полянке, должны отнестись к этой встрече со всем вниманием и на всю жизнь запомнить то, что им там было сказано. Ты помнишь это?

— Забыл, — соврал Артем, не доверяя особенно этим людям, напоминавшим ему членов какой-то секты.

— Наши старейшины убеждены, что ты не случайно пришел к нам. Ты не обычный человек, и твои особые способности, которые уже не раз спасали тебя в пути, могут помочь и нам. А мы за это протянем руку помощи тебе и твоей станции. Мы — хранители знаний, и среди этих знаний есть такие, что способны спасти ВДНХ.

— При чем здесь ВДНХ?! — взорвался Артем. — Вы все говорите только о ВДНХ! Вы как будто не понимаете, что я пришел сюда не только ради своей станции, не только из-за своей беды! Вам всем, всем угрожает опасность! Сначала падет ВДНХ, за ним вся линия, а потом придет конец всему метро....

Ему никто не отвечал. Тишина сгустилась, было слышно только мерное дыхание присутствующих. Артем подождал еще немного и спросил, не выдержав молчания:

— Что я должен сделать?

— Подняться наверх, в большое книгохранилище. Найти там нечто, что принадлежит нам по праву, и вернуть это сюда. Если ты сможешь обнаружить то, что мы ищем, мы укажем тебе знания, которые помогут тебе уничтожить угрозу. И пусть сгорит Великая Библиотека, если я лгу.

Глава 13

ВЕЛИКАЯ БИБЛИОТЕКА

Артем вышел на станцию, очумело озираясь по сторонам. Он только что заключил одно из самых странных соглашений в своей жизни. Его наниматели отказались даже объяснить, что именно он должен разыскать в книгохранилище, пообещав, что детали ему сообщат потом, когда он уже поднимется наверх. И хотя мелькнула на секунду мысль, что речь может идти о Книге, о которой ему накануне рассказывал Данила, спросить про нее у браминов он не посмел. Да и потом, оба они вчера были изрядно навеселе, когда гостеприимный хозяин поведал ему эту тайну, так что основания сомневаться в ее достоверности были.

Ему пообещали, что на поверхность он пойдет не один. Брамины собирались снарядить целый отряд. Вместе с Артемом должны были подняться по крайней мере два сталкера и один человек от касты, которому он должен будет немедленно передать найденное, если экспедиция завершится успехом. Он же должен будет показать Артему нечто, что поможет устранить угрозу, нависшую над ВДНХ.

Сейчас, когда он вышел из кромешного мрака комнаты на платформу, условия договора казались Артему абсурдными. Как в старой сказке, от него требовалось пойти туда, не знаю куда, принести то, не знаю что, и за это ему обещали чудесное спасение, не уточняя даже, каким оно будет. Но что ему оставалось делать? Вернуться с пустыми руками? Разве этого ожидал от него Охотник?

Когда Артем спросил у своих таинственных собеседников, каким же образом он найдет в гигантских хранилищах Библиотеки то, что они ищут, ему было сказано, что он поймет все на месте. Он услышит. Больше он дознаваться не стал, боясь, что у браминов пропадет уверенность в его необычайных способностях, в которые он и сам не очень верил. Напоследок его строго предупредили, что военные не должны знать ничего, иначе соглашение потеряет силу.

Артем уселся на скамейку в центре зала и задумался. Это был потрясающий шанс выйти на поверхность, совершить то, что пока в сознательном возрасте ему удалось лишь раз, и сделать это, не боясь наказания и последствий. Подняться наверх — и не одному, а с настоящими сталкерами, выполняя секретное задание касты хранителей... Он так и не спросил их, почему они так не любят слова «библиотекарь».

Рядом с ним на скамейку тяжело опустился Мельник. Сейчас он выглядел усталым и напряженным.

— Зачем ты на это пошел? — безо всякого выражения спросил он, глядя перед собой.

— Откуда вы знаете? — удивился Артем: с момента его разговора с браминами не прошло еще и четверти часа.

— Придется с тобой идти, — не удостоив его ответом, скучным голосом продолжил Мельник, — я за тебя теперь перед Хантером отвечаю, что бы там с ним ни случилось. А от договора с браминами отказаться нельзя. Ни у кого еще не выходило. И главное, не вздумай военным проболтаться. — Он поднялся, покачал головой и добавил: — Знал бы ты, во что ввязался... Пойду я спать. Сегодня вечером поднимаемся.

— А вы разве не из военных? — спросил его вдогонку Артем. — Я слышал, они вас полковником называли.

— Полковник-то полковник, да не их ведомства, — нехотя отозвался Мельник и ушел.

Оставшуюся часть дня Артем посвятил изучению Полиса: бесцельно разгуливал по безграничному пространству переходов и лестниц, оглядывал величественные колоннады, удивляясь, сколько народу может вместить в себя этот подземный город, вдоль и поперек изучил напечатанную на оберточной бумаге газетку «Новости метро», слушал бродячих музыкантов, листал книги на лотках, играл с выставленными на продажу щенками, узнавал последние сплетни — и все это время не мог избавиться от ощущения, что за ним кто-то следует и наблюдает. Несколько раз он даже оборачивался резко, надеясь встретить чей-то внимательный взгляд, но тщетно — вокруг кишела занятая толпа, и никому до него не было дела.

Обнаружив в одном из переходов гостиницу, он проспал несколько часов, прежде чем явиться в десять вечера, как было условлено, к заставе у выхода в город с Боровицкой. Мельник опаздывал, но караул был в курсе, и Артему предложили дождаться сталкера за чашкой чая.

Прервавшийся на минуту, чтобы налить в эмалированную кружку кипятка, пожилой караульный продолжил свой рассказ:

— Так вот... Мне тогда поручили следить за радиоэфиром. Все надеялись сигнал из правительственных бункеров за Уралом поймать. Да только напрасно старались, по стратегическим объектам они в первую очередь ударили. Тут тебе и Раменкам хана, и всем загородным дачам с их подвалами на тридцать метров в глубину хана... Раменки, они, может, и пожалели бы... Они по мирному населению старались не очень-то... Никто же тогда не знал, что эта война — до самого конца, когда уже все равно. Так вот, Раменки они, может, и пожалели бы, но там рядом командный пункт находился, и вот они туда и всадили... А уж гражданские жертвы — это, как говорится, сопутствующий ущерб, извините. Но, пока еще в это не верил никто, начальство посадило меня за эфиром следить, там, рядом с Арбатской, в бункере. И поначалу много чудного ловил... Сибирь молчала, зато другие отзывались. Подводные лодки отзывались, стратегические, атомные. Спрашивали, бить или не бить... Люди не верили, что Москвы больше нет. Капитаны первого ранга прямо в эфире, как дети, рыдали. Странно это, знаешь, когда прожженные морские офицеры, которые за всю жизнь и слова одного цензурного не сказали, плачут, просят поискать, нет ли среди спасшихся их жен, дочерей... Пойди, поищи их тут... А потом — все по-разному: кто говорил, все теперь, не нашим, так и не вашим, пропади оно к чертям, и уходил к их берегам — весь боекомплект разряжать по городам. А другие, наоборот, решали: раз уж все равно все летит в тартарары, больше и воевать смысла не имеет. Зачем еще людей убивать? Только это уже ничего не решало. И тех, кто за семью отомстить решил, хватило. А лодки еще долго отвечали. Они по полгода под водой на дежурстве находиться могли. Кого-то, конечно, вычислили, но всех найти не могли. Вот уж наслушался историй, до сих пор как вспомню, дрожь по коже. Но я все не к этому. Поймал я однажды экипаж танка, который чудом при ударе уцелел: перегоняли они свою машину из части, или еще что-то... Новое поколение бронетехники от радиации защищало. И вот как их было там трое человек в этом танке, так и пошли они на полной скорости от Москвы на восток. Проезжали через горящие деревни, баб с собой каких-то подобрали — и дальше, на заправке соляры зальют и снова в дорогу. Забрались в какую-то глухомань, где уже и бомбить-то нечего было, тут у них наконец горючее и вышло. Фон радиационный и там, конечно, оставался будь здоров, но все же не такой, как рядом с городами. Разбили они там лагерь, танк на полкорпуса в землю вкопали — вышло у них вроде укрепления. Палатки рядом поставили, со временем землянки вырыли, генератор ручной устроили для электричества и довольно долго жили вокруг этого танка. Я с ними года два чуть не каждый вечер разговаривал, все дела их семейные знал. Сначала у них спокойно все было, хозяйство завели, дети у двоих родились... почти что нормальные. Боеприпасов хватало. Они там всякого насмотрелись, такие твари из лесу выходили, что он и описать-то их как следует не мог, этот лейтенант, с которым мы говорили. А потом пропали они. Я еще с полгода их поймать пытался, но что-то у них случилось. Может, генератор или передатчик из строя вышли, а может, боеприпасы кончились...

— Ты про Раменки говорил, — вспомнил его напарник, — что их разбомбили, и я подумал: вот сколько здесь уже служу, никто мне про Кремль сказать не может, как же так вышло, что он целым остался? Почему его не тронули? Вот уж там должны быть бункеры так бункеры...

— Кто тебе сказал, что не тронули? Еще как тронули! — заверил его караульный. — Просто разрушать не хотели, потому что памятник архитектуры, ну, заодно и новые разработки на нем испытали. Вот и получили мы... Уж лучше бы они его сразу с лица земли стерли, — он сплюнул и замолчал.

Артем сидел тихонько, стараясь не отвлекать ветерана от воспоминаний. Редко ему удавалось услышать столько подробностей о том, как это происходило. Но пожилой караульный замолчал, задумавшись о чем-то своем, и в конце концов Артем, выждав, решился задать вопрос, который его занимал и раньше:

— А ведь в других городах тоже метро есть? Было, по крайней мере, я слышал. Неужели больше нигде людей не осталось? Вы когда связистом работали, никаких сигналов не принимали?

— Нет, ничего не было. Но ты прав, в Питере, к примеру, должны были люди спастись, у них станции в метрополитене глубоко залегали, некоторые даже глубже, чем у нас тут. И устроено было так же. Помню, я туда ездил, когда молодой был. У них там на одной линии выходов на пути не было, а стояли такие здоровенные железные ворота. Поезд приходит, и створки вместе с дверями поезда открываются. Меня это очень тогда удивило, помню. Сколько ни спрашивал, никто толком объяснить не мог, зачем так устроено. Один говорит, чтобы от наводнения защищало, другой — при строительстве на отделке сэкономили. А потом познакомился с метростроевцем одним, и он мне рассказал, что они пока эту линию сооружали, у них половину строительной бригады кто-то сожрал, да и в других бригадах то же самое творилось. Только кости находили обглоданные и инструменты. Населению, понятное дело, ничего не сообщили, но двери эти чугунные по всей линии поставили, от греха подальше. А ведь это еще когда было... А что уж там от радиации началось, и представить себе трудно.

Разговор оборвался: к заставе подошел Мельник и с ним еще один человек, невысокий и кряжистый, с массивной челюстью, обросшей короткой бородой, и глубоко посаженными глазами. Оба были уже в защитных костюмах и с большими рюкзаками за плечами. Мельник молча осмотрел Артема, поставил ему под ноги большую черную сумку и жестом указал на армейскую палатку.

Артем скользнул внутрь и, расстегнув молнию на сумке, достал из нее черный комбинезон, вроде тех, что были на Мельнике и его напарнике; необычный противогаз, с широким обзорным стеклом и двумя фильтрами по бокам; высокие шнурованные ботинки и, главное, — новый автомат Калашникова с лазерным целеуказателем и складным металлическим прикладом. Это было оружие совершенно особенное, похожее Артем видел только у элитных подразделений Ганзы, патрулировавших линию на мотовозах. На дне сумки лежали длинный фонарь и круглый шлем, обтянутый снаружи тканью.

Он не успел еще переодеться, как полог палатки приподнялся, и в нее пробрался брамин Данила. В руках у него была точно такая же безразмерная сумка на молнии. Оба изумленно уставились друг на друга. Первым, что к чему, сообразил Артем.

— Наверх идешь? Нас сопровождать? Искать то, не знаю что? — ехидно спросил он.

— Я-то знаю, — огрызнулся Данила, — а вот как ты это искать собираешься, понятия не имею.

— Я тоже, — признался Артем. — Мне сказали, потом объяснят... Вот, жду.

— А мне сказали, наверх ясновидящего отправляют, который должен почувствовать, куда идти.

— Это я-то ясновидящий? — фыркнул Артем.

— Старейшины считают, что у тебя дар и что судьба у тебя особенная. Где-то в Завете есть предсказание, что должен явиться юноша, ведомый судьбой, который найдет сокрытые тайны Великой Библиотеки. Найдет то, что наша каста безуспешно пытается обнаружить последнее десятилетие. Старейшины уверены, что этот человек — ты.

— Это та книга, про которую ты говорил? — напрямик спросил Артем.

Данила долго не отвечал, потом наконец кивнул.

— Ты должен почувствовать ее. Она спрятана не от всех. Если ты действительно тот самый «юноша, ведомый судьбой», тебе даже не придется рыскать по книгохранилищам. Книга сама найдет тебя, — он окинул Артема испытующим взглядом и добавил нерешительно: — Что ты попросил у них взамен?

Скрывать смысла не было. Артема только неприятно удивило, что Данила, который должен был сообщить ему сведения, способные спасти ВДНХ от нашествия черных, ничего не знал об этой опасности и об условиях его соглашения с членами Совета. Вкратце он объяснил Даниле, в чем суть его договора и какую катастрофу он пытается предотвратить. Тот внимательно выслушал его до конца и, когда Артем выходил из палатки, все еще стоял неподвижно и о чем-то думал.

Мельник и бородатый сталкер уже ждали их в полном боевом облачении, держа противогазы и шлемы в руках. Ручной пулемет был сейчас у напарника, а сам Мельник сжимал такой же автомат, как тот, что достался Артему. На шее у него висел прибор ночного видения.

Когда наружу вышел Данила, они с Артемом с важным видом оглядели друг друга, потом Данила подмигнул, и оба рассмеялись. Выглядели они сейчас как заправские сталкеры.

— Повезло... Сталкеры новичков, прежде чем на серьезное дело посылать, за дровами наверх года два гоняют, а мы с тобой сразу в дамки! — шепнул Данила Артему.

Мельник неодобрительно посмотрел на них, но ничего не сказал, только дал знак идти за собой. Они подошли к арке перехода и, поднявшись по лестнице, остановились у очередной стены из бетонных блоков с небольшой бронированной дверью, которую охранял усиленный караул. Сталкер поздоровался с охраной и дал знак открывать. Один из солдат встал со своего места, подошел к выходу и потянул тугой засов. Толстая стальная створка мягко отошла в сторону. Мельник пропустил всех троих вперед, отдал честь караульным и вышел последним.

За дверью начиналась короткая, метра в три, буферная зона между стеной и гермоворотами. Там несли дежурство еще двое тяжеловооруженных солдат и офицер. Прежде чем отдать приказ о подъеме железного заслона, Мельник решил провести с новичками инструктаж.

— Значит, так. По дороге не болтать. Наверх когда-нибудь уже поднимались? Неважно... Дай карту, — обратился он к офицеру. — До самого вестибюля ступаете за мной шаг в шаг, не сбиваться. По сторонам не смотреть. Не разговаривать. На выходе из вестибюля не вздумайте пробираться через турникеты, без ног останетесь. Продолжаете идти за мной, никакой самодеятельности. Потом я выйду наружу, Десятый, — он указал на бородатого сталкера, — останется сзади, прикрывать вестибюль станции. Если все чисто, как только окажемся на улице, сразу поворачиваем налево. Сейчас еще пока не очень темно, на улице фонарями не пользоваться, чтобы не привлекать внимания. Про Кремль вам все объяснили? Он будет справа, но одну башню видно поверх домов сразу, как выходишь из метро. Ни в коем случае не смотреть на Кремль. Кто будет смотреть, получит затрещину лично от меня.

«Так это правда, про Кремль и про правило сталкеров не смотреть на него, что бы ни случилось», — пораженно подумал Артем. Что-то вдруг зашевелилось в нем, какие-то обрывки мыслей, образов... Шевельнулось и затихло.

— Поднимаемся в Библиотеку. Доходим до дверей и ступеней. Я захожу первым. Если лестница свободна, Десятый держит ее на прицеле, мы поднимаемся наверх, потом прикрываем Десятого, поднимается он. На лестнице не разговаривать. Если видите опасность, подаете сигнал фонарем. Стрелять только в случае крайней необходимости. Выстрелы могут их привлечь.

— Кого? — не выдержал Артем.

— Как кого? — переспросил Мельник. — Кого ты вообще ожидаешь встретить в Библиотеке? Библиотекарей, понятное дело.

Данила сглотнул и побледнел. Артем посмотрел на него, потом на Мельника и решил, что сейчас не время притворяться, будто он знает все на свете.

— А кто это?

Мельник удивленно выгнул бровь. Его бородатый напарник закрыл рукой глаза. Данила смотрел в пол. Сталкер долго не сводил с Артема вопрошающего взгляда и когда наконец понял, что тот не шутит, невозмутимо ответил:

— Сам увидишь. Главное, запомни: ты можешь помешать им напасть, если будешь смотреть им в глаза. Прямо в глаза, понял? И не давай зайти со спины... Все, двинулись! — он натянул противогаз, водрузил на голову шлем и показал большой палец охране.

Офицер сделал шаг к рубильникам и открыл гермоворота. Стальной занавес медленно пополз вверх. Представление начиналось.

Мельник махнул рукой, давая знак, что можно выходить. Артем толкнул прозрачную дверь, подняв автомат, и выскочил на улицу. И хотя сталкер требовал от него следовать шаг в шаг, не отставая, послушаться его было невозможно...

...Сейчас небо было совсем другим, чем в тот раз, когда Артем видел его мальчишкой. Вместо безграничного прозрачно-синего пространства над головой низко висели плотные серые облака, и этот ватный потолок начинал сочиться первыми каплями осеннего дождя. Порывами налетал холодный ветер, Артем чувствовал его даже через ткань защитного комбинезона.

Здесь было поразительно, невообразимо много места — и справа, и слева, и впереди. Этот необозримый простор завораживал и одновременно нагонял непонятную тоску. На долю секунды Артему захотелось вернуться в вестибюль Боровицкой, под землю, почувствовать себя под защитой близких стен, окунуться в безопасность и уют замкнутого, ограниченного пространства. Справиться с этим гнетущим ощущением ему удалось, лишь заставив себя отвлечься на изучение ближайших домов.

Солнце уже зашло, и город постепенно погружался в грязноватый сумрак. Полуразрушенные и изъеденные за десятилетия кислотными ливнями скелеты невысоких жилых домов смотрели на путников пустыми глазницами разбитых окон.

Город... Зрелище мрачное и прекрасное. Не слыша окриков, Артем стоял неподвижно, зачарованно озираясь по сторонам: он мог наконец сравнить действительность со своими снами и почти такими же расплывчатыми воспоминаниями детства.

Рядом с ним замер и Данила, тоже, наверное, никогда прежде не поднимавшийся на поверхность. Последним из вестибюля станции вышел Десятый. Пытаясь привлечь внимание, он похлопал Артема по плечу и показал ему направо, туда, где вдалеке вырисовывался силуэт увенчанного куполом собора.

— На крест посмотри, — прогудел через фильтры противогаза сталкер.

Сначала Артем ничего особенного не заметил и даже не увидел самого креста. И только когда от перекладины с протяжным, леденящим кровь воплем оторвалась гигантская крылатая тень, он понял, что Десятый имел в виду. За пару взмахов крыльями чудище набрало высоту и стало планировать вниз широкими кругами, выискивая добычу.

— Гнездо у них там, — махнув рукой, пояснил Десятый, — прямо на храме Христа Спасителя.

Прижимаясь к стене, они двинулись ко входу в Библиотеку. Мельник вел группу, держась на несколько шагов впереди, а Десятый отступал вполоборота, прикрывая тылы. Именно оттого, что оба сталкера отвлеклись, Артем и успел еще до того, как они поравнялись со статуей старика в кресле, бросить взгляд на Кремль.

Артем не собирался этого делать, но когда он увидел памятник, его словно тряхнуло, и в голове что-то прояснилось. На поверхность вдруг всплыл целый кусок вчерашнего сна. Но теперь ему не казалось, что это было только сон: привидевшаяся панорама и колоннада Библиотеки оказались точь-в-точь похожи на тот вид, который ему открывался сейчас. Значило ли это, что и Кремль выглядел так же, каким он представал в его видениях?

На Артема никто не смотрел, даже Данилы не было рядом, он замешкался сзади, с Десятым. Сейчас или никогда, сказал себе Артем.

В горле у него пересохло, в висках застучала кровь.

Звезда на башне действительно сияла.

— Эй, Артем! Артем! — его кто-то тряс за плечо.

Оцепеневшее сознание с трудом оживало. В глаза ударил яркий свет фонаря. Артем заморгал и закрылся ладонью. Он сидел на земле, привалившись спиной к гранитному постаменту памятника, а над ним склонились Данила и Мельник. Оба озабоченно глядели ему в глаза.

— Зрачки сузились, — констатировал Мельник. — Ну, как ты его проворонил? — недовольно спросил он у Десятого, стоявшего чуть поодаль и не спускавшего глаз с улицы.

— Там сзади что-то шумело, не мог спиной повернуться, — оправдывался сталкер. — Кто же знал, что он прыткий такой... Вон, чуть не до Манежа за минуту добрался... Так и ушел бы. Хорошо наш брамин спохватился, — он хлопнул Данилу по спине.

— Она светится, — слабым голосом сказал Артем Мельнику. — Она светится, — посмотрел он на Данилу.

— Светится, светится, — успокаивающе подтвердил тот.

— Тебе сказали не смотреть туда, балда? — зло бросил Артему Мельник, убедившись, что опасность миновала. — Ты будешь старших слушаться? — и отвесил ему подзатыльник.

Шлем несколько смягчил педагогический эффект, и Артем продолжал сидеть на земле, хлопая глазами. Выругавшись, сталкер схватил его за плечи, сильно встряхнул и поставил на ноги.

Артем начинал постепенно приходить в себя. Ему стало стыдно за то, что он не смог противостоять соблазну. Он стоял, разглядывая носки своих сапог, не решаясь посмотреть на Мельника. К счастью, у того не было времени читать морали: его отвлек стоявший на перекрестке Десятый. Знаком он подозвал напарника к себе и, прижав палец к фильтру противогаза, попросил молчать. Артем решил от греха подальше теперь всюду следовать за Мельником и ни в коем случае не оборачиваться в сторону загадочных башен.

Подойдя к Десятому, Мельник тоже замер на месте. Бородатый указывал пальцем вдаль, в направлении, противоположном Кремлю, где гнилыми клыками рассыпающихся от времени высоток ощерился Калининский проспект. Осторожно подойдя к ним, Артем выглянул из-за широкого плеча сталкера и сразу понял, в чем дело.

Прямо посреди проспекта, метрах в шестистах от них, в сгущающихся сумерках он рассмотрел три неподвижных человеческих силуэта. Человеческих?.. На таком расстоянии Артем не стал бы ручаться, что это именно люди, но роста они были среднего и стояли на двух ногах. Это обнадеживало.

— Кто это? — хрипло прошептал Артем, стараясь сквозь запотевающее стекло противогаза самостоятельно угадать в далеких фигурах людей или кого-либо из тех отродий, о которых ему доводилось слышать.

Мельник молча покачал головой, давая понять, что знает не больше него. Он направил на замерших существ луч своего фонаря и сделал им три круговых движения, а потом погасил его. В ответ вдалеке тоже вспыхнуло яркое пятно света, описало три круга и погасло.

Напряжение тут же спало, и наэлектризованная атмосфера разрядилась. Артем ощутил это еще до того, как Мельник дал отбой.

— Сталкеры, — пояснил проводник. — Учти на будущее: три круга фонарем — наш опознавательный знак. Если тебе отвечают тем же, можешь смело идти навстречу, своего не обидят. Если не светят вообще или светят не так, делай ноги. Немедленно.

— Но ведь если у них фонарь, значит, это люди, а не твари какие-нибудь с поверхности, — возразил Артем.

— Неизвестно, что хуже, — отрезал Мельник и, не давая больше никаких пояснений, двинулся по ступеням наверх, ко входу в Библиотеку.

Тяжелая дубовая дверь, почти в два человеческих роста высотой, медленно, словно нехотя, подалась. Истерически завизжали проржавевшие петли, на которых она была подвешена. Мельник проскользнул внутрь, прижав к глазам прибор ночного видения и удерживая автомат на весу одной рукой. Через секунду он дал знак идти остальным.

Впереди виднелся длинный коридор, с искореженными остовами железных вешалок по бокам: здесь когда-то находился гардероб. Вдалеке, в пробивающемся с улицы слабом свете гаснущего дня, вырисовывались белые мраморные ступени уходящей вверх широкой лестницы. До потолка было метров пятнадцать, и примерно посередине можно было различить кованую ограду галерей второго этажа. В холле стояла хрупкая тишина, гулко отзывавшаяся на каждый шаг.

Стены вестибюля поросли чуть шевелящимся, словно дышащим, мхом, а с потолка свисали доходящие почти до земли странные, лианоподобные растения в руку толщиной. Их стебли отсвечивали жирным блеском в лучах фонарей и были покрыты крупными уродливыми цветами, источавшими удушливый, кружащий голову аромат. Они тоже еле заметно покачивались, и Артем не взялся бы определить, движет ими ветер, проникающий сквозь разбитые окна второго этажа, или они перемещаются по своей воле.

— Что это? — тронув лиану рукой, спросил Артем у Десятого.

— Озеленение... — процедил тот. — Комнатные растения после облучения, вот что. Вьюнки. Доразводились, ботаники...

Следуя за Мельником, они дошли до лестницы и под прикрытием Десятого начали подниматься, прижимаясь к левой стене. Шедший первым сталкер не спускал глаз с видневшегося впереди черного квадрата входа в другие помещения, остальные лучами своих фонарей облизывали мраморные стены и изъеденный ржавым мхом потолок.

Широкая мраморная лестница, на которой они стояли, вела на второй этаж вестибюля. Перекрытий над ней не было, и за счет этого оба этажа вестибюля сливались в единое огромное пространство. Второй уровень вестибюля имел форму буквы П — в центре был проем, из которого поднималась лестница, а по краям располагались площадки с деревянными шкафчиками. Большая часть их была сожжена или сгнила, но некоторые выглядели так, словно люди пользовались ими еще вчера. В каждом отсеке были сделаны сотни маленьких выдвижных ящиков.

— Картотека, — с благоговением оглядываясь вокруг, пояснил тихонько Данила. — На этих ящичках можно гадать. Посвященные умеют. После ритуала нужно вслепую выбрать один из шкафов, потом наугад вытянуть ящик и взять любую карточку. Если ритуал был проведен правильно, то название книги предскажет тебе будущее, предостережет или напророчит удачу.

На секунду Артему захотелось подойти к ближайшему шкафчику и узнать, в какое отделение этой картотеки судеб его занесли. Но его внимание отвлекла гигантская паутина, растянувшаяся на несколько метров у разбитого окна, в дальнем углу. В тонких, но, видимо, необычайно прочных волокнах застряла внушительных размеров птица, которая была еще до сих пор жива и слабо подергивалась. Того, кто сплел эту чудовищную сеть, Артем, к своему облегчению, не обнаружил. Кроме них, в просторном вестибюле не было ни души.

Мельник дал всем знак остановиться.

— Теперь прислушайся, — обратился он к Артему. — Слушай не то, что снаружи... Попытайся услышать, что звучит у тебя внутри, в голове. Книга должна позвать тебя. Старейшины браминов думают, что она, скорее всего, находится на одном из ярусов Главного Книгохранилища. Но фолиант может быть где угодно: в одном из читальных залов, на забытой библиотекарской тележке, в коридоре, в столике смотрительницы... Поэтому до того, как мы попытаемся пробраться в хранилище, постарайся уловить ее голос здесь. Закрой глаза. Расслабься.

Артем зажмурился и стал напряженно вслушиваться. В полной темноте тишина распадалась на десятки крошечных шумов: скрип деревянных полок, гуляющие по коридорам сквозняки, неясные шорохи, доносящееся с улицы завывание, долетающий из читальных залов звук, похожий на старческий кашель... Но ничего похожего на зов, на голос, Артему услышать не удалось. Он стоял так, замерев, пять, десять минут, тщетно задерживая дыхание, которое могло помешать ему вычленить из мешанины звуков, шедших от мертвых книг, голос, который подавала книга живая...

— Нет, — виновато покачал он головой, наконец открыв глаза. — Ничего нет.

Мельник ничего не сказал, промолчал и Данила, но Артему удалось перехватить его разочарованный взгляд, который говорил сам за себя.

— Может быть, ее здесь действительно нет. Значит, пойдем в книгохранилище. Скажем так, попытаемся туда попасть, — после минутной паузы решил сталкер и дал знак следовать за собой.

Он шагнул вперед, в широкий дверной проем, в котором из двух створок на петлях оставалась только одна, обугленная по краям и изрисованная непонятными символами. За ним начиналась небольшая круглая комната, с шестиметровой высоты потолком и четырьмя выходами. Десятый прошел следом за Мельником, а Данила, пользуясь тем, что они его не видят, шагнул к ближайшему уцелевшему шкафу и, потянув один из ящичков, вытащил из него карточку, пробежал по ней глазами, а потом, недоуменно скривившись, сунул ее в нагрудный карман. Поняв, что Артем все видел, он заговорщически прижал палец к губам и поспешил за сталкерами.

Стены круглой комнаты тоже были покрыты рисунками и надписями, а в углу стоял продавленный диван с изрезанной дерматиновой обивкой. В одном из четырех проходов, на полу, лежал опрокинутый книжный стенд, из которого выпало несколько брошюр.

— Ни к чему не прикасаться! — предостерег Мельник.

Десятый опустился на диван, скрипнув пружинами. Данила последовал его примеру. Артем, как зачарованный, уставился на раскиданные по полу книги.

— Их никто не трогает... — пробормотал он. — У нас на станции библиотеку приходится крысиным ядом обрабатывать, иначе бы крысы все съели... Здесь что, нет этих тварей? — спросил он, снова вспоминая слова Бурбона, что беспокоиться надо не тогда, когда крысы кишат вокруг, а когда их нет совсем.

— Какие еще крысы? Что ты несешь? — недовольно поморщился Мельник. — Откуда здесь крысы? Они всех крыс сто лет назад сожрали...

— Кто? — растерянно спросил Артем.

— Как кто? Библиотекари, разумеется, — объяснил Десятый.

— Так это звери или люди? — спросил Артем.

— Не звери, это точно, — задумчиво покачал головой сталкер и замолчал.

Находящаяся в глубине одного из проходов массивная деревянная дверь вдруг протяжно скрипнула. Оба сталкера мгновенно метнулись в разные стороны, спрятавшись за полуколонны, находившиеся по краям арки. Данила сполз с дивана на пол и откатился вбок. Артем последовал его примеру.

— Там дальше — Главный Читальный Зал, — шепнул ему брамин. — Они там иногда появляются...

— Хватит трепаться! — зло оборвал его Мельник. — Ты что, не знаешь, что библиотекари не переносят шума? Что он для них как для быка красная тряпка? — Он ругнулся и указал Десятому на двери читального зала.

Тот кивнул. Прижимаясь к стенам, они стали медленно продвигаться к огромным дубовым створкам. Артем и Данила не отставали от них ни на шаг. Первым внутрь вошел Мельник. Прислонившись спиной к одной из дверей и подняв автомат стволом вверх, он глубоко вдохнул, выдохнул и резким движением толкнул створку плечом, одновременно наводя ствол на раскрывшийся черный зев Главного Зала.

Через секунду все они были там. Зал оказался помещением неимоверных размеров, с потолком, теряющимся на двадцатиметровой высоте. Как и в вестибюле, с потолка свисали тяжелые жирные лианы с цветами. Этим же чудовищным вьюном были оплетены стены зала. С каждой стороны в них было проделано по шесть гигантских окон, причем в нескольких из них еще уцелела часть стекол. Однако освещение было очень скудным: лунные лучи с трудом пробивались сквозь густые переплетения жирно поблескивавших стеблей.

Слева и справа раньше, видимо, располагались ряды столов, за которыми сидели читатели. Большую часть из этой мебели растащили, некоторую сожгли или сломали, но еще с десяток столов оставались нетронутыми: те, что стояли ближе к украшенной растрескавшимся панно противоположной стене, в самом центре которой возвышалась плохо различимая в полумраке скульптура. Повсюду были прикручены пластиковые таблички с надписью: «Соблюдайте тишину».

Тишина здесь стояла совсем другая, чем в вестибюле. Тут она была такая плотная, что, казалось, ее можно потрогать. Она словно наполняла собой весь этот циклопический зал, и нарушать ее было боязно.

Обшаривая фонарями пространство перед собой, они стояли так, пока Мельник не резюмировал:

— Ветер, наверное...

Но в это самое мгновение Артем заметил серую тень, мелькнувшую впереди между двумя разломанными столами и исчезнувшую в черном проломе в книжных стеллажах. Увидел ее и Мельник. Приложив к глазам прибор ночного видения, он вздернул автомат и, осторожно ступая по заросшему мхом полу, стал приближаться к тайному проходу.

Десятый двинулся вслед за ним. Артем с Данилой, хоть им и дали знак оставаться на месте, не выдержали и тоже последовали за сталкерами: стоять у входа одним было слишком страшно. При этом Артем не смог удержаться, чтобы не окинуть восхищенным взглядом все еще сохранявший признаки своего былого величия зал. Это спасло жизнь не только ему самому, но и остальным.

По всему периметру на высоте нескольких метров помещение опоясывали галереи: неширокие проходы, огороженные деревянными перилами. С них можно было посмотреть в окна, а кроме того, в стене, у которой они стояли, и в противоположной, по обе стороны от старинного панно, открывались двери в служебные помещения. Подняться на галереи можно было по парным лестницам, спускавшимся с двух сторон к читающей скульптуре, или по точно таким же ступеням, карабкавшимся вверх от входа.

И именно по этим лестницам, спиной к которым они только что стояли, сейчас неспешно и бесшумно скользили вниз сгорбленные серые фигуры. Их было больше десятка — не до конца растворившихся в сумраке тварей, каждая из которых была бы ростом с Артема, если бы не сгибалась почти вдвое, так что длинные передние лапы, поразительно напоминавшие руки, едва не касались пола. Передвигались существа на двух задних лапах, шагая вразвалку, но при этом удивительно ловко и неслышно. Издалека они больше всего напоминали горилл из учебника по биологии, по которому отчим пытался учить Артема в детстве.

На все эти наблюдения у Артема было не больше секунды. Как только луч его фонаря упал на одну из сгорбленных фигур, отбросив на стену за ней яркую черную тень, со всех сторон раздалось дьявольское верещание, и твари, больше не пытаясь прятаться, хлынули вниз.

— Библиотекари! — закричал изо всех сил Данила.

— Ложись! — приказал Мельник.

Артем с Данилой кинулись на пол. Стрелять они не решались, помня предостережение сталкера, что выстрелы, как и любые громкие звуки, привлекают и раздражают библиотекарей. Их колебания развеял подлетевший и упавший рядом с ними Мельник, который первым открыл огонь. Несколько созданий с ревом рухнули вниз, другие стремглав бросились в темноту, но только чтобы подкрасться поближе: через несколько мгновений одно из чудовищ неожиданно возникло всего в двух метрах от них и, сделав длинный прыжок, попыталось вцепиться Десятому в горло. Падая на пол, тот успел срезать тварь короткой очередью.

— Бегите отсюда! Возвращайтесь в круглую комнату и старайтесь пробиться в хранилище! Брамин должен знать, как туда идти, их учат! Мы останемся здесь, прикроем вас и попробуем отбиться, — велел Артему Мельник и, не обращая больше на него внимания, отполз к своему напарнику.

Артем дал Даниле знак, и оба, пригибаясь к земле, бросились к выходу. Один из библиотекарей прыгнул из темноты им навстречу, но его тут же смел свинцовый шквал: сталкеры не упускали ребят из виду.

Выскочив из Главного Читального Зала, Данила кинулся назад, в вестибюль, откуда они пришли. У Артема на мгновенье промелькнула мысль, что его напарник до того напуган библиотекарями, что пытается сбежать. Но Данила рвался не к лестнице, которая вела к выходу. Обогнув ее, он помчался мимо уцелевших шкафчиков картотеки к противоположному концу вестибюля. Там помещение сужалось и заканчивалось тремя парными дверями — прямо и по бокам. Правая вела на лестницу, где царила абсолютная темнота. Здесь брамин наконец остановился и перевел дух. Артем нагнал его только через несколько секунд — он никак не ожидал от своего спутника такой прыти. Замерев, оба прислушались. Из Главного Зала доносились выстрелы и крики, сражение продолжалось. Кто в нем возьмет верх, было неясно, и терять время, ожидая исхода боя, они не могли.

— А почему мы возвращаемся? Почему мы сначала в обратную сторону шли? — спросил, переведя дух, Артем.

— Не знаю, куда они нас вели, — пожал плечами Данила. — Может, они по другому пути идти собирались. Нас старейшины учили только одному, и он ведет в хранилище именно с этой стороны вестибюля. По лестнице теперь на один этаж подняться, потом по коридору, опять по лестнице, потом через запасную картотеку, и мы в хранилище.

Он направил автомат в темноту и шагнул на лестничную клетку. Артем последовал за ним, освещая себе лучом дорогу.

Посреди лестницы уходила этажа на три вниз и на столько же вверх лифтовая шахта. Когда-то она была, видимо, застеклена, из чугунного каркаса местами до сих пор торчали острые стеклянные осколки, матовые от накопившейся за десятилетия пыли. Квадратный колодец шахты огибали подгнившие деревянные ступени лестницы, забросанные битым стеклом, стреляными гильзами и засохшими кучками чьего-то помета. Перил не было и в помине, и Артему пришлось жаться к стене и тщательно смотреть себе под ноги, чтобы не поскользнуться и не угодить в проем.

Они поднялись на один этаж и оказались в небольшой квадратной комнате. Отсюда тоже открывались три прохода, и Артем начал отдавать себе отчет, что без проводника вряд ли сможет выбраться из этого лабиринта. Левая дверь вела в широкий темный коридор, до конца которого луч фонаря не доставал. Правая была закрыта и почему-то заколочена досками крест-накрест, и сажей на стене рядом с ней было написано: «Не открывать! Смертельная опасность!»

Данила повел Артема за собой прямо, в убегающий под углом проход, за которым открывался еще один коридор, более узкий и полный новых дверей. Через него брамин продвигался уже не так стремительно, часто останавливался и прислушивался. Пол здесь был выложен паркетом, а на выкрашенных в желтый цвет стенах, как и везде в Библиотеке, висели зловещие таблички: «Соблюдайте тишину». За теми дверями, что были распахнуты, виднелись комнаты и разоренные рабочие кабинеты. Из-за закрытых же иногда доносилось шуршание, а один раз Артему показалось, что он услышал шаги. Судя по лицу его напарника, ничего хорошего это не предвещало, и оба поспешили убраться оттуда как можно скорее.

Потом, как и предполагал Данила, справа появился выход на новую лестничную клетку. По сравнению с темнотой залов, здесь было довольно светло — в стенах на каждом пролете были сделаны окна. Из них с высоты пятого этажа был виден двор, хозяйственные постройки, обгоревшие каркасы каких-то технических устройств. Но долго рассматривать двор Артему не удалось: из-за угла здания, в котором они находились, вынырнули две серые скособоченные фигуры. Они медленно побрели через двор, словно что-то разыскивая. Неожиданно одна из них замерла на месте, подняла голову и, как показалось Артему, взглянула прямо на то окно, из которого он смотрел. Отпрянув, Артем присел на корточки. Ему не пришлось объяснять напарнику, что к чему, тот и сам все понял.

— Библиотекари? — шепнул он испуганно, тоже приседая, чтобы его не было заметно с улицы.

Артем молча кивнул. Данила зачем-то протер рукой плексиглас на своем противогазе, будто это могло помочь ему осушить вспотевший от волнения лоб, потом собрался с мыслями и заспешил по лестнице наверх, увлекая за собой Артема. Один пролет вверх, потом снова извилистые коридоры... Наконец, брамин в нерешительности остановился перед несколькими дверями.

— Про это место я ничего не помню, — растерянно сказал он. — Здесь должен быть вход в запасную картотеку. Но про то, что проходов несколько, нам никто не говорил.

Он задумался, потом несмело подергал за ручку одной из дверей. Она была заперта. Закрытыми оказались и остальные выходы. Данила непонимающе, словно отказываясь верить, помотал головой и потянул ручки еще раз. Вслед за ним попробовал и Артем, но тоже безрезультатно.

— Закрыто, — с отчаянием констатировал он.

Данила вдруг мелко затрясся, так что Артем, испуганно оглядев его, на всякий случай отступил от своего напарника на шаг. Но тот просто смеялся.

— А ты постучи! — предложил он Артему и, всхлипнув, добавил: — Извини, наверное, уже истерика.

Артем почувствовал, как неуместный смех разбирает и его. Сказывалось напряжение, накопившееся за последний час, и как он ни сдерживался, глупое хихиканье прорвалось наружу. С минуту оба стояли, прислонившись спинами к стене, и хохотали.

— Постучи! — повторил Артем, держась за живот и жалея, что не может снять противогаз и вытереть слезы.

Он шагнул к ближайшей двери и три раза стукнул по дереву костяшками пальцев.

А через секунду три ответных гулких удара раздались с обратной стороны. В горле у Артема мгновенно пересохло, сердце бешено заколотилось в груди. За дверью кто-то стоял, слушая их смех и выжидая. Чего? Данила бросил на него обезумевший от страха взгляд и попятился от двери. А с другой ее стороны кто-то снова постучал, громче и требовательней.

И тогда Артем сделал то, чему его научил однажды Сухой. Оттолкнувшись от стены, он ногой ударил в замок соседней двери. На успех он не рассчитывал, но дверь с грохотом распахнулась. Стальной механизм замка был с мясом вырван из трухлявого дерева.

Помещение, начинавшееся сразу за этой дверью, ничем не напоминало других комнат и коридоров Библиотеки, через которые они сегодня шли. Почему-то здесь было очень влажно и душно, а в свете фонарей стало видно, что небольшой зал густо зарос странными растениями. Толстые стебли, тяжелые маслянистые листья, смесь запахов, настолько густая, что пробивалась даже сквозь фильтры противогаза, покрытый переплетениями корней и стволов пол, шипы, цветы... Некоторые из них уходили корнями в сохранившиеся или расколотые цветочные горшки и кадки. Знакомые уже лианы обвивали и поддерживали ряды деревянных шкафчиков, таких же, как в большом вестибюле, но из-за высокой влажности прогнивших насквозь. Это стало ясно, как только Данила попытался открыть один из выдвижных ящиков.

— Запасная картотека, — облегченно выдохнув, сообщил он Артему. — Теперь уже недалеко.

Сзади снова донесся стук в дверь, а потом кто-то осторожно, словно пробуя, подергал дверную ручку. Раздвигая стволами автоматов лианы и стараясь не споткнуться о ползущие по полу корни, они спешили пробраться через зловещий тайный сад, спрятанный в глубине Библиотеки. С другой стороны зала находилась еще одна дверь, на этот раз не запертая. Последний коридор, и они наконец остановились.

Они были в хранилище, это сразу чувствовалось. В воздухе стояла книжная пыль; библиотека спокойно дышала, чуть слышно шелестя миллиардами страниц. Артем осмотрелся вокруг, и ему показалось, что он чувствует любимый с детства запах старых книг. Он вопросительно посмотрел на Данилу.

— Все, пришли, — подтвердил тот и добавил с надеждой в голосе: — Ну, как?

— Ну так... Страшно, — не сообразив сразу, чего от него хочет напарник, признался Артем.

— Книгу не слышишь? — уточнил брамин. — Отсюда ее голос должен более отчетливо звучать.

Артем закрыл глаза и постарался сосредоточиться. В голове у него было пусто и гулко, словно в заброшенном туннеле. Простояв так немного, он снова начал различать мелкие шумы, которые заполняли здание Библиотеки, но ничего похожего на голос, на зов, ему услышать не удалось. Хуже того, он ровным счетом ничего и не чувствовал, и даже если предположить, что голос, о котором говорил Данила и другие брамины, на самом деле мог быть ощущением совсем другого рода, дела это не меняло.

— Нет, ничего не слышно, — развел он руками.

— Ладно... — помолчав, вздохнул Данила. — Пойдем на другой ярус, их здесь девятнадцать. Будем искать, пока не найдем. С пустыми руками нам лучше не возвращаться.

Выйдя на служебную лестницу, они поднялись по бетонным ступеням на несколько этажей, прежде чем попытать счастья еще раз. На этом ярусе все было похоже на место, куда они пришли вначале: средних размеров комната с застекленными окнами, несколько канцелярских столов, привычная уже поросль на потолке и в углах и два расходящиеся в разные стороны коридора, заполненные бесконечными рядами книжных полок по обе стороны узкого прохода. Потолок и в комнате, и коридорах был низкий, чуть больше двух метров, и после невероятного простора вестибюля и Главного Читального Зала казалось, что не только протиснуться между полом и потолком, но даже и дышать здесь нелегко. Стеллажи были плотно заставлены тысячами разнообразных книг, причем многие из них казались совершенно нетронутыми и прекрасно сохранившимися — должно быть, Библиотека строилась так, что даже когда люди забросили ее, в ней сохранялся особенный микроклимат. От такого сказочного богатства Артем ненадолго даже забыл, зачем он здесь, и углубился в один из рядов, осматривая корешки и с благоговением проводя по ним ладонью. Решив, что его напарник услышал то, ради чего его сюда отправили, Данила сначала не мешал ему, но потом наконец понял, в чем дело, и, довольно грубо схватив Артема за руку, потянул дальше.

Три, четыре, шесть коридоров, сотня, вторая стеллажей, тысячи и еще тысячи книг, вырываемые из кромешной тьмы хранилища желтым пятном света, следующий ярус, еще один... Все тщетно. Артем не ощущал ровным счетом ничего такого, что можно было бы принять за голос, за зов. Вообще ничего необычного. Он вспомнил, что если брамины на заседании Совета Полиса посчитали его за избранного, наделенного особым даром, ведомого судьбой, то у военных нашлось собственное объяснение его видениям: галлюцинации.

На последних этажах он что-то начал чувствовать, но совсем не то, чего ожидал и хотел. Это было неясное ощущение чьего-то присутствия, чем-то напомнившее ему пресловутый страх туннелей. Хотя все ярусы, на которых они побывали, казались совершенно покинутыми и ни следа библиотекарей или других созданий здесь заметно не было, именно здесь все время хотелось обернуться, чудилось, что сквозь книжные полки за ними кто-то внимательно наблюдает...

Данила тронул его за плечо и направил фонарь на свой ботинок. Длинный шнурок, который брамин не умел завязывать по-особому, тащился за ним по полу.

— Я завяжу пока, посмотри, что впереди, может, услышишь все-таки, — шепотом произнес он и присел на корточки.

Артем кивнул и продолжил медленно, шаг за шагом, продвигаться вперед, ежесекундно оглядываясь на Данилу. Тот мешкал: завязывать скользкий шнурок пальцами в толстых перчатках было непросто. Проходя вперед, Артем освещал сначала открывавшийся справа бесконечный ряд полок, потом резким движением переводил луч налево, силясь высмотреть в рядах пыльных и покоробившихся от времени книг перекошенные серые тени библиотекарей. Удалившись от своего напарника метров на тридцать, Артем вдруг отчетливо услышал шорох в двух рядах впереди. Автомат был уже наготове, и, прижав фонарь к стволу, Артем одним прыжком оказался у того коридора, где, по его расчетам, кто-то скрывался.

Два ряда доверху забитых томами полок, уходящие в перспективу. Пустота. Луч метнулся влево — вдруг враг прячется там, в противоположном направлении этой бесконечности? Пустота.

Артем затаил дыхание, стараясь вслушиваться в малейший шум. Ничего, только призрачный шелест страниц. Он вернулся в проход и посветил туда, где возился со шнурками Данила. Пусто. Пусто?!

Не разбирая дороги, Артем бросился назад. Пятно света от его фонаря бешено скакало из стороны в сторону, выхватывая из темноты один за другим одинаковые ряды полок. Где же он остался? Тридцать метров... Приблизительно тридцать метров, он должен быть здесь... Никого. Куда он мог подеваться, не предупредив Артема? Почему не сопротивлялся, если на него напали? Что произошло? Что вообще с ним могло произойти?

Нет, он уже вернулся слишком далеко назад. Данила должен был оставаться гораздо ближе... Но его нигде не было! Артем почувствовал, что перестает отдавать себе отчет в своих действиях, что его начинает охватывать паника. Остановившись на том месте, где он оставил Данилу перешнуровывать ботинок, Артем обессиленно прислонился спиной к торцу полки, когда из глубины книжного ряда послышался тихий нечеловеческий голос, срывающийся в жутковатый клекот:

— Артем...

Задыхаясь от страха, почти ничего не видя сквозь запотевшее стекло противогаза, Артем резко обернулся в ту сторону, откуда его позвали, и, пытаясь поймать коридор в прыгающий прицел автомата, пошел на голос.

— Артем...

Теперь это было совсем близко. Неожиданно сквозь полки прорезался тонкий веер света, проникающего между неплотно стоящими книгами на уровне пола. Лучи перемещались назад и вперед, словно кто-то водил фонариком влево-вправо, влево-вправо... Артему послышалось позвякивание металла.

— Артем... — почти неслышный, на этот раз это был обычный шепот, и голос, несомненно, принадлежал Даниле.

Артем обрадованно сделал широкий шаг вперед, надеясь увидеть своего напарника, и тут в двух шагах от него раздалось то зловещее горловое клекотание, которое он и слышал вначале. Луч фонаря продолжал бессмысленно блуждать по полу туда-сюда.

— Артем... — позвал его и этот странный голос.

Артем шагнул еще раз, бросил взгляд направо и почувствовал, как от увиденного зашевелились волосы у него на голове.

Ряд полок здесь прерывался, и в образовавшейся нише на полу сидел в луже крови Данила. Его шлем и противогаз, сорванные, валялись на полу в отдалении. Хотя лицо у него было бледным, как у мертвеца, открытые глаза смотрели осознанно, губы старались сложить какие-то слова. А за спиной у него, наполовину сливаясь с мраком, пряталась серая сгорбленная фигура. Длинная, поросшая жесткой серебристой шерстью, костлявая рука — не лапа, а именно рука с мощными загнутыми когтями задумчиво перекатывала оброненный и лежащий в полуметре от Данилы фонарь. Вторая была погружена в распоротый живот брамина.

— Ты пришел... — прошептал Данила.

— Ты пришел... — точно воспроизводя его интонацию, проскрежетал голос за его спиной.

— Библиотекарь... Сзади. Мне все равно конец. Стреляй, убей его, — попросил слабеющим голосом Данила.

— Стреляй, убей его, — повторила тень.

Фонарь в очередной раз неспешно покатился по полу налево, чтобы потом вернуться на место и повторить весь цикл еще раз. Артем почувствовал, что сходит с ума. В голове крутились слова Мельника о том, что звуки выстрелов могут привлечь кошмарных тварей.

— Уходи, — попросил он библиотекаря, не надеясь впрочем, что тот поймет его.

— Уходи, — почти ласково раздалось в ответ, а когтистая рука продолжила что-то перебирать в животе Данилы, отчего тот негромко застонал, а из уголка рта прочертила к подбородку жирную линию капля крови.

— Стреляй! — собрав силы, чуть громче сказал Данила.

— Стреляй! — потребовал библиотекарь из-за его спины.

Убить своего нового товарища самому и привлечь этим других чудовищ или оставить Данилу умирать здесь и бежать, пока не поздно? Спасти его уже вряд ли удастся, распоротый живот и вываливающиеся внутренности оставляли брамину меньше часа.

Из-за откинутой назад головы Данилы показалось сначала заостренное серое ухо, а за ним — огромный зеленый глаз, искрящийся в свете фонаря. Библиотекарь медленно, словно стеснительно, выглянул из-за его умирающего напарника, и его глаза искали глаза Артема. Не отворачиваться. Смотреть прямо туда, прямо на него, прямо в зрачки... Звериные, вертикальные зрачки. И как странно было видеть в этих жутких, невозможных глазах отблески разума!

Сейчас, вблизи, библиотекарь уже ничем не напоминал гориллу, да и вообще обезьяну. Его хищная морда заросла шерстью, полная длинных клыков пасть доходила чуть не до ушей, а глаза были такого размера, что делали тварь не похожей ни на одно из животных, которых Артем видел живьем или на картинках.

Ему показалось, что это продолжается целую вечность. Нырнув во взгляд чудовища, он уже никак не мог оторваться от его зрачков. И только когда Данила издал протяжный глухой стон, Артем пришел в себя и, направив крошечное красное пятнышко прицела прямо в низкий, заросший серой шерстью лоб библиотекаря, переключил автомат на одиночный режим стрельбы. Услышав негромкий металлический щелчок, тварь зло зашипела и снова спряталась за спиной Данилы.

— Уходи... — вдруг проклекотала она оттуда, точно повторяя услышанную от Артема интонацию.

Артем ошалело замер. На сей раз библиотекарь не отзывался эхом на его слова, он будто запомнил их, понял смысл. Могло ли такое быть?

— Артем... Пока я еще говорить могу... — собравшись с силами и пытаясь сфокусировать мутнеющий с каждой минутой взгляд, заговорил Данила. — У меня в нагрудном кармане — конверт... Сказали тебе передать, если ты Книгу найдешь...

— Но я же ничего не нашел, — помотал головой Артем.

— Ничего не нашел, — подтвердил жуткий голос из-за спины Данилы.

— Не важно... Я же знаю, зачем ты на это пошел. Ты же не для себя... Вдруг это тебе поможет. А мне уже все равно, выполнил я приказ или нет... Главное, запомни — в Полис тебе уже нельзя... Если они узнают, что ты ничего не смог достать... И военные если узнают... Иди через другие станции. Теперь стреляй, а то очень больно... Я больше не хочу...

— Не хочу... больно... — путая слова, с присвистом повторил за ним библиотекарь, и его рука сделала резкое движение в распоротом животе Данилы, отчего тот судорожно дернулся и закричал почти во весь голос.

Больше смотреть на это Артем не мог. Плюнув на предосторожности, он снова переключился на автоматический огонь, зажмурившись, нажал на спусковой крючок и полоснул очередью по своему напарнику и по скрывавшейся за его телом бестии. Неожиданно громкий грохот в клочья разорвал тишину Библиотеки, за ним последовало пронзительное верещание, потом все звуки разом оборвались: пыльные книги, как губка, впитали в себя их эхо. Когда Артем снова открыл глаза, все уже было кончено.

Подойдя на шаг к библиотекарю, уронившему разможженную свинцом голову на плечо своей жертвы и даже после смерти робко прячущемуся за ее спину, Артем осветил фонарем эту жуткую картину, чувствуя, как стынет в его жилах кровь, а ладони потеют от напряжения. Потом он брезгливо толкнул библиотекаря носком ботинка, и тот тяжело повалился назад. Он был мертв, сомнений не оставалось.

Стараясь не смотреть на превратившееся в кровавое месиво лицо Данилы, Артем начал поспешно расстегивать молнию на его защитном костюме. Одежда быстро пропитывалась густой черной кровью, и в прохладном воздухе книгохранилища от нее поднимался прозрачный пар. Артем почувствовал, как его начинает тошнить. Нагрудный карман... Пальцы в толстых защитных перчатках неуклюже пытались расстегнуть пуговицу, и он вспомнил, что такие перчатки, может, и задержали Данилу на минуту, которая стоила ему жизни.

Вдалеке отчетливо послышался шорох, потом шлепание босых ступней по коридору. Артем нервно обернулся, обвел лучом фонаря проходы и, убедившись, что рядом с ним пока никого нет, продолжил бороться с пуговицей. Она наконец поддалась, и в глубине кармана ему удалось негнущимися пальцами нашарить тонкий конверт из серой бумаги, завернутый в прошитый пулей полиэтиленовый пакет.

Кроме него, в кармане Артем нашел залитый кровью картонный прямоугольник, наверное, тот самый, что Данила вытащил из ящика картотеки в вестибюле. На нем было напечатано: «Шнурков Н.Е. Орошение и перспективы земледелия в Таджикской ССР. Душанбе, 1965».

Шлепание и невнятное бормотание теперь слышалось совсем неподалеку. Времени больше не оставалось. Подобрав Данилин автомат и фонарь, выпавший из клешней библиотекаря, Артем сорвался с места и, почти не разбирая дороги, бросился назад, мимо нескончаемых рядов книжных полок, так быстро, как только мог. Он не знал точно, преследуют ли его: топот собственных сапог и стук крови в ушах не давали ему вслушиваться в звуки за спиной.

Только выскочив на лестничную клетку и скатившись кубарем вниз по бетонным ступеням, он вспомнил, что не знает даже, на каком этаже расположен вход, через который они попали в хранилище. Можно было, конечно, спуститься до первого этажа и, выбив стекло на лестничной площадке, выпрыгнуть через окно во двор... На секунду задержавшись, Артем выглянул на улицу.

Прямо посреди двора, задрав морды вверх, неподвижно стояли и смотрели на окна — и кажется, прямо на него — сразу несколько серых чудовищ. Каменея, Артем прижался к боковой стене и стал тихонько спускаться дальше. Теперь, когда он перестал грохотать сапогами по лестнице, стало слышно, как сверху по бетону шлепают чьи-то босые ступни, все громче и громче. И тогда, уже совсем потеряв над собой контроль, он снова стремглав кинулся вниз.

Выскакивая на очередном ярусе, чтобы судорожно оглядеться в поисках знакомой двери, не находя ее и бросаясь дальше, замирая и вжимаясь в темные углы, когда ему казалось, что поблизости слышатся чьи-то шаги, отчаянно озираясь среди глухих и низких проходов и снова выскакивая на лестницу, чтобы спуститься на этаж ниже или подняться на два яруса выше — вдруг просмотрел? — понимая, что дьявольским шумом, с которым он отчаянно пытался найти выход из этого лабиринта, он привлечет всех населяющих Библиотеку чудовищ, но не в силах заставить себя успокоиться, Артем безуспешно и бессмысленно пытался отыскать выход. Пока в очередной раз, решив вернуться на лестничную клетку, он с ужасом не различил на фоне выбитого окна знакомый полусогнутый силуэт. Артем попятился, нырнув в первый попавшийся проход, прислонился спиной к стене, навел ствол на проем, откуда, по его расчетам, был должен появиться библиотекарь, и затаил дыхание...

Тишина.

Бестия или не решилась преследовать его в одиночку, или сама выжидала, пока Артем совершит оплошность и выйдет из своего укрытия. Но возвращаться было не обязательно, проход вел и дальше. Поразмыслив секунду, Артем начал отступать от проема, не спуская его с прицела.

Коридор заворачивал вбок, но в том самом месте, где начинался поворот, в стене чернел провал, все вокруг было усыпано осколками кирпичей и припорошено известкой. Повинуясь импульсу, Артем шагнул внутрь и оказался в комнате, полной разломанной мебели. По полу были разбросаны куски фото- и кинопленок. Впереди виднелась приоткрытая дверь, из-за которой на пол падал узкий клин бледного лунного света. Осторожно ступая по предательски скрипящему паркету, Артем пробрался к двери и выглянул наружу.

Не узнать это помещение было невозможно, хотя сейчас он оказался в противоположном его конце. Внушительная скульптура читающего человека, невероятной высоты потолок и громадные окна, дорожка, ведущая к причудливому деревянному порталу выхода, и нарушенные ряды читательских столиков по бокам — без сомнения, он находился в Главном Читальном Зале. Он стоял на огороженной деревянной балюстрадой узкой галерее, опоясывающей зал на четырехметровой высоте. Именно с этой галереи спускались к ним библиотекари. Было совершенно непонятно, каким образом ему удалось выйти сюда из хранилища, да еще и с другой стороны, минуя маршрут, который они прошли с Данилой, чтобы туда попасть. Но времени размышлять не было. Библиотекари могли идти за ним по пятам.

Артем сбежал вниз по одной из двух симметричных лестниц, ведших к пьедесталу памятника, и бросился к дверям. Недалеко от резной деревянной арки выхода на полу были распластаны несколько скрюченных тел библиотекарей, и, минуя место схватки, Артем чуть не упал, поскользнувшись в луже загустевающей крови.

Нехотя подалась тяжелая дверь, и сразу же в глаза ударил яркий белый свет. Вспомнив наставления Мельника, Артем схватил собственный фонарь в правую руку и торопливо описал им тройную окружность, подавая знак, что идет с мирными намерениями. Слепивший его луч тут же ушел в сторону, и Артем, закинув автомат за спину в знак своих мирных намерений, медленно двинулся вперед, к круглой комнате, с колоннами и диваном, еще не зная, кого ему предстоит встретить.

...Ручной пулемет стоял на раскрытых сошках на полу, а Мельник склонился над своим напарником. Десятый полулежал с закрытыми глазами на диване и коротко постанывал. Его правая нога была неестественно вывернута, и, приглядевшись, Артем понял, что она сломана в колене и согнута — не назад, а вперед. Как такое могло произойти и какой силой должен был обладать тот, кто смог так изувечить дюжего сталкера, он себе представить не мог.

— Где твой товарищ? — бросил Артему Мельник, на секунду оторвавшись от Десятого.

— Библиотекари... В хранилище. Напали, — попробовал объяснить Артем. Почему-то ему не хотелось рассказывать, что Данилу убил он сам, пусть и из милосердия.

— Книгу нашел? — так же отрывисто спросил сталкер.

— Нет, — Артем помотал головой, — ничего я там не слышал и не чувствовал.

— Помоги-ка мне его поднять... Нет, лучше возьми его рюкзак, да и мой тоже. Видишь, как ему ногу... Чуть вообще не оторвали. Теперь его только на закорках нести можно, — кивнул Мельник на Десятого.

Артем собрал все снаряжение — три рюкзака, два автомата и ручной пулемет, все вместе — килограммов тридцать, не меньше, такое непросто было даже поднять. Мельнику, с трудом взвалившему на плечи обмякшее тело своего напарника, приходилось еще сложнее, и даже короткий путь вниз по лестнице — к выходу — занял у них несколько долгих минут.

Библиотекарей до самых дверей они больше не видели, но когда Артем распахнул тяжелые деревянные двери, пропуская покряхтывающего сталкера, из самых темных недр здания донесся клекочущий вопль, полный ненависти и тоски. Артем почувствовал, как по коже опять бегут мурашки, и поспешил захлопнуть дверь. Теперь главное было поскорее добраться до метро.

— Глаза опусти! — приказал Мельник, когда они оказались на улице. — Звезда сейчас прямо перед тобой будет. Не вздумай смотреть поверх крыш...

Тяжело переставляя деревенеющие ноги, Артем послушно уставился в землю, мечтая лишь поскорее преодолеть невообразимо растянувшиеся двести метров от Библиотеки до спуска на Боровицкую.

Однако войти в метро сталкер Артему не дал.

— В Полис тебе теперь нельзя. Книги у тебя нет, и проводника их ты потерял, — аккуратно опустив на землю своего раненого товарища и тяжело дыша, выговорил Мельник. — Браминам это вряд ли понравится. И главное, это значит, что никакой ты не избранный, и секреты свои они доверили не тому. Вернешься в Полис — пропадешь без вести. У них там есть специалисты, даром что интеллигенция. И даже я тебя защитить не смогу. Тебе теперь уходить надо. К Смоленской лучше всего. Там по прямой идти, домов мало, в переулки углубляться необходимости нет. Может, доберешься. Если до восхода успеешь.

— Какого восхода? — спросил, неудоумевая, Артем. Известие, что ему одному придется пробираться по поверхности к другой станции метро, до которой, судя по карте, было километра два, оказалось для него как удар обухом по голове.

— Солнца. Люди — животные ночные, и днем им лучше на поверхности не показываться. Там такое из развалин вылезает на солнышке погреться — сто раз пожалеешь, что сунулся. Я уже про свет не говорю: ослепнешь в два счета, и очки темные не спасут.

— Но как же я один пойду? — все еще не веря своим ушам, спросил Артем.

— Да ты не бойся. Там по прямой все время. Выйдешь на Калининский и двигайся по нему, никуда не сворачивая. На дорогу не показывайся, но и к домам сильно не прижимайся, там везде живут. Иди, пока не дойдешь до пересечения со вторым широким проспектом, это будет Садовое Кольцо. Там — налево и вперед до квадратного здания, облицованного светлым камнем. Дом моды это когда-то был... Найдешь сразу — ровно напротив, через Садовое, стоит высоченное здание полуразрушенное — торговый центр. За Домом моды будет такая желтая арка, на которой написано «Станция метро Смоленская». Ты в нее поворачивай, очутишься на маленькой площади, вроде внутреннего двора, там саму станцию и увидишь. Если все будет спокойно, попробуй спуститься вниз. У них там один вход открыт и охраняется, для своих сталкеров держат. Постучись в ворота вот так: три быстро — два медленно — три быстро. Должны открыть. Скажи, что от Мельника, и жди меня там. Десятого сдам в лазарет и сразу выйду. До полудня буду. Я сам тебя найду. Автоматы себе оставь, неизвестно, как все обернется.

— Но по карте есть ведь другая станция, ближе... Арбатская, — вспомнил Артем название.

— Есть такая станция. Но приближаться к ней не надо. Да тебе и самому не захочется. Будешь проходить мимо — держись другой стороны улицы, двигайся быстро, но не беги. Все, не теряй времени! — заключил он и подтолкнул Артема к выходу из вестибюля.

Артем больше не пытался спорить. Перекинув один автомат через плечо, он взял второй наизготовку, вышел на улицу и заспешил назад к памятнику, прикрывая правой рукой глаза, чтобы только не увидеть случайно манящее сияние кремлевских звезд.

Глава 14

ТАМ, НАВЕРХУ

Не доходя до каменного старика в кресле, Артем свернул налево, чтобы срезать угол улицы по ступеням Библиотеки. Проходя мимо, он еще раз окинул взглядом величественное здание, и его пробрал озноб: Артем вспомнил о жутких обитателях этого места. Сейчас Библиотека снова погрузилась в мрачное безмолвие. Хранители царившей в ней тишины, наверное, разбрелись по темным углам, зализывая раны после их наглого вторжения и готовясь отплатить за него следующим искателям приключений.

Перед глазами встало бледное, обескровленное лицо Данилы. Артему подумалось, что брамин, верно, недаром панически боялся этих тварей, отказываясь даже говорить о них. Чувствовал, что ему уготовано? Видел собственную смерть в ночных кошмарах? Его тело так и останется навсегда лежать в книгохранилище, в обнимку с убившим его библиотекарем. Конечно, если эти твари брезгуют падалью… Артема передернуло. Сможет ли он когда-нибудь забыть, как погиб его напарник, который всего за двое суток стал ему почти другом? Ему казалось, что Данила будет еще долго тревожить его сны, пытаясь снова и снова заговорить с ним по ночам, складывая невнятные слова окровавленными непослушными губами.

Выйдя на широкий проспект, Артем поспешно перебрал в уме инструкции, данные ему Мельником. Двигаться прямо, никуда не сворачивая, до пересечения Калининского с Садовым кольцом… Попробуй еще угадать, какая из улиц — это самое Кольцо! Не выходить на середину дороги, но и не прижиматься к стенам домов, а главное, успеть добраться до Смоленской до восхода солнца.

Знаменитые многоэтажки Калининского, которые Артем знал по пожелтевшим туристическим открыткам с видами Москвы, начинались в полукилометре от того места, где он стоял. Пока по сторонам улицы стояли невысокие особняки, за длинным рядом которых она изгибалась влево и именно за этим извивом перетекала в Новый Арбат. Очертания зданий, четкие вблизи, при удалении расползались и смешивались с сумраком. Луна пряталась за низкими облаками. Скудный молочный свет с трудом просачивался через них, и, только когда туманная завеса чуть рассеивалась, призрачные силуэты домов ненадолго снова обретали плоть.

Но даже при таком освещении слева, в переулках, которые рассекали улицу через каждые сто метров, просматривался могучий контур древнего храма. Огромная крылатая тень снова кружила над венчавшим купол крестом.

Может быть, именно потому, что Артем остановился, чтобы поглазеть на парящую в воздухе бестию, он заметил это. В сумраке было трудно определить, не воображение ли рисует ему странную фигуру, замершую в глубине переулка и сливающуюся с полуразрушенными стенами домов. И только когда он присмотрелся как следует, ему почудилось, что этот сгусток темноты чуть движется и обладает собственной волей. На таком расстоянии точно определить форму и размеры существа было нелегко, но оно явно стояло на двух ногах, и Артем решил поступить так, как ему велел сталкер. Включив свой фонарь, он направил луч в переулок и три раза сделал им круговое движение.

Ответа не последовало. Минуту Артем напрасно ждал его, пока не осознал, что оставаться на том же месте становится просто опасно. Но прежде чем пойти дальше, он, не удержавшись, осветил неподвижную фигуру в переулке еще раз. Увиденное заставило его немедленно выключить фонарь и постараться как можно скорее миновать переулок.

Это явно был не человек. В пятне света его силуэт стал отчетливее, и можно было сказать наверняка, что роста в нем не меньше двух с половиной метров, плечи и шея отсутствуют почти полностью, а большая круглая голова сразу переходит в мощное туловище. Существо затаилось, выжидая, но несмотря на эту кажущуюся нерешительность, Артем кожей ощутил исходящую от него угрозу.

Полторы сотни метров до следующего переулка он преодолел меньше чем за минуту. Приглядевшись, понял, что это даже не переулок, а просека, выжженная в жилом квартале каким-то оружием: здесь то ли бомбили, то ли просто снесли целый ряд зданий тяжелой военной техникой. Артем мельком оглядел уходившие в глубину полуразрушенные дома, и снова его взгляд приковала к себе неясная неподвижная тень. Достаточно было на секунду провести по ней лучом фонаря, чтобы сомнения рассеялись: это было то же самое создание или его собрат. Стоя прямо посреди переулка в одном квартале от него, оно даже не пыталось спрятаться.

Если тварь была той же, что наблюдала за ним кварталом раньше, значит, она проскользнула по улице, параллельной проспекту, по которому шел он сам, подумал Артем. Получалось, что она покрыла это расстояние вдвое быстрее него: ведь к тому моменту, как он достиг следующего перекрестка, она уже ждала его там. Но еще страшнее было другое: похожую фигуру он увидел на сей раз и в переулке, уходящем от проспекта направо. Как и первая, она стояла, замерев на месте, словно статуя. На миг Артем подумал, что, может быть, это не живые существа, а знаки, установленные здесь неведомо кем для устрашения или предостережения...

До третьего перекрестка он уже бежал, остановившись лишь у последнего особняка, чтобы осторожно выглянуть из-за угла в переулок... и убедиться, что загадочные преследователи снова опередили его. Огромных фигур было уже несколько, и сейчас их было видно намного лучше: слой облаков, закрывавший луну, чуть истончился.

Как и прежде, существа стояли не шелохнувшись и будто ждали, пока он появится в проеме между домами. И все же не обманулся ли он, приняв камни или бетонные огрызки развалившихся строений за живых существ? Его обостренные чувства могли сослужить ему хорошую службу внизу, в метро. На поверхности лежал непонятный ему, обманчивый мир, здесь все было иначе и жизнь текла по другим правилам. Полагаться на свои ощущения и интуицию больше не стоило.

Постаравшись как можно быстрее и незаметнее проскочить новый переулок, Артем прижался к стене дома, переждал секунду и снова заглянул за угол. У него перехватило дыхание: фигуры двигались, причем удивительным образом. Вытянувшись еще выше и поведя головой, словно принюхиваясь, одна из них неожиданно опустилась на четвереньки и одним длинным скачком скрылась за углом. Спустя несколько секунд остальные последовали за ней. Артем спрятался обратно и, сев на землю, перевел дыхание.

Сомнений больше не оставалось — они его преследовали. Твари будто вели его, перемещаясь по параллельным улицам с обеих сторон от проспекта, по которому он шел. Выжидали, пока он пройдет новый отрезок от квартала до квартала, показывались в переулке, чтобы убедиться, что он не свернул со своего пути, и продолжали безмолвную слежку. Зачем? Выбирая удобный момент для нападения? Просто из любопытства? Почему они не решались выйти на проспект и предпочитали таиться в заполненных мраком переулках? Он опять вспомнил слова Мельника, который запретил ему сворачивать с прямой дороги. Не потому ли, что там его подстерегали, и Мельник знал об этой опасности?

Чтобы успокоиться, Артем сменил рожок у своего автомата, щелкнул затвором, включил и выключил лазерный прицел. Он был во всеоружии, и, в отличие от Библиотеки, здесь позволялось стрелять без опасений; защититься от неизвестных тварей было проще. Глубоко вдохнув, он поднялся на ноги. Что бы там ни было, оставаться на месте и тянуть время сталкер ему запретил. Надо спешить. Кажется, здесь, на поверхности, спешить надо было всегда.

Пройдя еще один квартал, Артем замедлил шаг, чтобы осмотреться. Улица здесь расширялась, образуя подобие площади, часть которой, отрезанная от дороги оградой, была превращена в парк. Во всяком случае, можно было понять, что там когда-то был разбит парк: деревья все еще оставались на своих местах, но это были совсем не те деревья, которые Артему приходилось видеть на открытках и фотографиях. Толстые узловатые стволы уносили разлапистые кроны на высоту пятого этажа стоявшего позади парка здания. Наверное, именно в такие парки сталкеры ходили за дровами, которые потом отапливали и освещали все метро. В просветах между стволами мелькали странные тени, а где-то в глубине мерцал неяркий огонь, который Артем мог бы принять за пламя костра, если бы не его зеленоватый свет. Само здание тоже выглядело зловеще: создавалось впечатление, что оно неоднократно становилось ареной жестоких и кровопролитных сражений. Его верхние этажи обрушились, во многих местах чернели пробоины, а кое-где уцелело только две стены и сквозь пустые окна виднелось мутное ночное небо.

За площадью здания и вовсе расступались, и улицу пересекал широкий бульвар. Над ним, выступая из темноты, словно сторожевые башни, возвышались первые многоэтажки Нового Арбата. Судя по карте, вход на Арбатскую должен был находиться поблизости, по левую руку от него. Артем еще раз оглядел мрачный парк. Мельник был прав: углубляться в эти дебри, пытаясь отыскать среди них спуск в метро, совсем не хотелось. Чем дольше он всматривался в черные заросли, раскинувшиеся у подножья разрушенного строения, тем больше ему казалось, что он видит, как среди корней исполинских деревьев движутся те самые таинственные фигуры, что следовали за ним раньше.

Налетевший порыв ветра качнул тяжелые ветви, и кроны натужно заскрипели. Издалека донесся чей-то протяжный вой. Сама чаща молчала, но не потому что была мертва. Ее тишина была сродни безмолвию таинственных преследователей Артема, казалось, она тоже чего-то ждет.

Артема охватило чувство, что, если он останется на месте, беззастенчиво рассматривая ее сокровенные глубины, кары избежать не удастся. Он перехватил автомат поудобнее, осмотрелся — не подобрались ли создания слишком близко — и двинулся вперед.

Но уже через несколько секунд вновь остановился — когда пересекал бульвары перед началом Калининского проспекта. Отсюда открывался такой вид, что заставить себя идти дальше Артем просто не смог.

Он стоял на крестообразном пересечении широких дорог, по которым, наверное, раньше ездили машины. Развязка была сделана необычно, часть асфальтового полотна уходила в туннель, чтобы потом снова вынырнуть на поверхность. Справа вдаль уходили бульвары — их можно было узнать по черным дебрям разросшихся деревьев, таких же огромных, как те, мимо которых он только что пробирался. Слева виднелась большая, застеленная асфальтом площадь — сложное сплетение многополосных трасс, за которым опять начинались заросли. Видно сейчас было уже довольно далеко, и Артем спросил себя, не потому ли это, что восход страшного солнца уже близится.

Дороги были усеяны искореженными и сожженными каркасами, в которых Артем узнал автомобили. Ничего мало-мальски сохранившегося здесь не осталось: за два десятилетия походов на поверхность сталкеры успели поживиться всем, чем только можно. Бензин из топливных баков, аккумуляторы и генераторы, фары и стоп-сигналы, выдранные с мясом сиденья — все это можно было найти и на ВДНХ, и на любом крупном рынке в метро.

Асфальт был здесь и там изрыт воронками разного диаметра, повсюду виднелись широкие трещины, сквозь которые пробивалась трава и гибкие стебли, гнущиеся под тяжестью венчающих их шаров, видимо, с семенами. Прямо перед Артемом в перспективу уходило сумрачное ущелье Нового Арбата, с одной стороны застроенное неизвестно как уцелевшими домами, по форме напоминавшими раскрытые книги, а с другой — частично обрушившимися высотками, этажей в двадцать, не меньше. За спиной у Артема оставалась дорога к Библиотеке и Кремлю.

Он стоял посреди этого величественного кладбища цивилизации и чувствовал себя археологом, раскопавшим древний город, остатки былой мощи и красоты которого и многие века спустя заставляют увидевших его испытывать озноб благоговения. Представить себе, как жили люди, населявшие эти циклопические здания, перемещавшиеся на этих машинах, тогда еще блестевших свежей краской и мягко шуршавших по ровному дорожному покрытию разогретой резиной колес, спускавшиеся в метро только затем, чтобы поскорее добраться из одной точки этого бескрайнего города в другую... Это было невозможно. О чем они думали каждый день? Что их тревожило? Что вообще может тревожить людей, если им не приходится каждую секунду опасаться за свою жизнь и постоянно бороться за нее, пытаясь продлить ее хотя бы на день?

В этот момент тучи наконец расступились и показался надкушенный желтоватый диск луны, испещренный странными рисунками. Яркий свет, который хлестал вниз через пробоину в облаках, заливал мертвый город, стократно усиливая его мрачное великолепие. Дома и деревья, до сих пор казавшиеся лишь плоскими и бесплотными силуэтами, ожили и обрели объем, проявились невидимые раньше детали и подробности.

Не в силах двинуться с места, Артем восхищенно и зачарованно оглядывался по сторонам, пытаясь унять охватившую его дрожь. Только сейчас он начал на самом деле понимать тоску, которая звучала в голосах стариков, вспоминавших прошлое, возвращавшихся в своем воображении к городу, в котором они жили раньше. Только сейчас он начал осознавать, как далеко от своих прежних достижений и завоеваний находится теперь человек. Словно гордо парившая птица, смертельно раненная и опустившаяся на землю, чтобы забиться в щель и, спрятавшись там, тихо умереть. Ему вспомнился подслушанный им спор отчима и Хантера. Сможет ли человек выжить, и даже если сможет, будет ли это тот же человек, который покорил мир и уверенно правил им? Теперь, когда Артем сам смог оценить, с какой высоты человечество обрушилось в пропасть, его вера в прекрасное будущее испарилась окончательно.

Прямой и широкий Калининский проспект уходил от него, постепенно сужаясь, пока не растворялся в темной дали. Сейчас Артем стоял на дороге совсем один, окруженный лишь призраками и тенями прошлого, пытаясь вообразить, сколько же людей раньше днем и ночью заполняли тротуары, сколько машин с фантастической скоростью проносилось по тому самому месту, где он находится, как уютно и тепло светились теперь пустые и черные окна жилых домов. Куда все это кануло? Мир казался опустевшим и заброшенным, но Артем понимал, что это иллюзия: земля не была покинутой и мертвой, она просто сменила хозяев. Подумав об этом, он обернулся назад, к Библиотеке.

...Они неподвижно стояли всего в ста с небольшим метрах от него, как и он, посреди дороги. Существ было не менее пяти, и они больше не собирались прятаться в переулках, хотя и привлечь его внимание тоже не пытались. Артем не мог понять, как им удалось подобраться к нему так быстро и так бесшумно. В лунном свете их фигуры были видны особенно отчетливо: мощные, с развитыми задними конечностями и, может быть, даже более высокие, чем ему казалось сначала. Хотя Артем не мог видеть их глаза на таком расстоянии, он все же точно знал, что сейчас они, выжидая, рассматривают его и втягивают сырой воздух, изучая его запах. Должно быть, к нему примешался знакомый им привкус пороха, и твари пока не решаются напасть, наблюдая за Артемом с расстояния и выискивая в его поведении признак неуверенности, слабости. А может, они просто провожают Артема до границы своих владений и не собираются причинять ему вреда? Откуда ему знать, как себя ведут создания, появившиеся на Земле вопреки эволюционным законам?

Стараясь сохранять самообладание, Артем развернулся и с деланной неторопливостью пошел дальше, на всякий случай оглядываясь через плечо каждый десяток шагов. Вначале существа оставались на своих местах, но затем стали сбываться его худшие опасения. Опустившись на четвереньки, они медленно побрели за ним. Но как только дистанция в сотню метров, на которой преследователи держались с самого начала, была восстановлена, они снова замерли. Уже начав привыкать к своему странному эскорту, Артем, тем не менее, боялся выпускать его из виду и держал автомат наготове. Они так и шли вместе по пустому проспекту, залитому лунным светом: впереди — настороженный, сжатый в пружину человек, останавливающийся и озирающийся каждые полминуты, за ним — пять или шесть странных существ, неторопливо нагонявших его, после чего поднимавшихся на задние конечности, зачем-то давая ему снова немного оторваться и уйти вперед.

Однако вскоре ему показалось, что расстояние, которое они выдерживали, стало сокращаться. Кроме того, державшиеся до этого группой, сейчас твари стали расходиться веером, словно пытаясь зайти с боков. Артему еще никогда не приходилось иметь дело со стаей охотящихся хищников, но почему-то у него не возникало сомнений, что создания готовятся напасть. Пора было действовать. Резко развернувшись, он вскинул автомат и поймал в прицел одну из темных фигур.

Их поведение действительно изменилось. На сей раз они не остановились, чтобы дождаться, пока он двинется дальше. Еле заметно они продолжали приближаться к нему, постепенно выстраиваясь полукругом. Надо было попробовать отпугнуть их до того, как они успеют сократить расстояние до того предела, за которым последует атака.

Артем чуть поднял ствол и выстрелил в воздух. Грохот отразился от стен многоэтажек и эхом понесся в другой конец проспекта. Звякнула, упав на асфальт, стреляная гильза. А затем раздался глухой, полный ярости рев, и твари рванулись вперед. Отделявшие их от Артема десятки метров они могли покрыть за несколько секунд, но он был готов и к такому развитию событий. Как только ближайшая к нему бестия оказалась в прицельной планке, он дал по ней короткую очередь и кинулся бежать к домам.

Как ни странно, судя по отчаянному воплю, который испустило создание, ему удалось попасть. Задержит ли это остальных тварей или, наоборот, разъярит их, угадать было невозможно.

И тут послышался новый крик — не угрожающий рев охотившихся на него тварей, а долгое, пронзительное верещание, от которого в жилах стыла кровь. Оно долетало сверху, и Артем понял, что в игру вступил новый участник. Очевидно, звуки выстрелов привлекли внимание летающего монстра, наподобие того, что свил себе гнездо на куполе храма.

Над головой стрелой пронеслась огромная тень. На миг обернувшись назад, Артем увидел, что твари бросились врассыпную, и только одна из них, видимо та, которую он ранил, осталась посреди улицы. Продолжая верещать, она неуклюже ковыляла к зданиям, тоже надеясь там укрыться. Но шансов на спасение у нее не было: описав еще один круг на высоте в несколько десятков метров, чудище сложило громадные кожистые крылья и обрушилось на жертву. Оно спикировало вниз так стремительно, что Артем даже не успел его как следует рассмотреть. Схватив истошно взвизгнувшую в последний раз тварь, гигантская махина без видимых усилий поднялась с добычей в воздух и неспешно понесла ее на крышу одной из многоэтажек.

Преследователи пока не решались показываться из своих укрытий, опасаясь, что чудовище может вернуться, а Артему терять было нечего. Прижимаясь к стенам домов, он побежал вперед, туда, где по его расчетам, должно было находиться Садовое кольцо. Он смог преодолеть не меньше полукилометра, прежде чем запыхался и обернулся назад проверить, не опомнились ли охотившиеся на него бестии. Проспект был пуст. Но пройдя еще несколько десятков метров и заглянув в один из отходивших от Нового Арбата переулков, Артем, к своему ужасу, заметил в нем знакомые неподвижные тени. Теперь он начал понимать, почему эти создания не торопились выходить на открытое пространство и предпочитали выслеживать своих жертв из тесных улочек. Охотясь на него, они боялись привлечь внимание более крупных хищников и стать их добычей.

Теперь Артему опять приходилось поминутно оглядываться: он помнил, что твари могут передвигаться чрезвычайно быстро и при этом практически беззвучно, и боялся, что его застанут врасплох. Конец проспекта уже был виден, когда они снова выбрались из переулков и стали окружать его. Наученный опытом, Артем сразу же пальнул в воздух, надеясь, что, как и раньше, это привлечет крылатое чудовище и отпугнет бестий. Те действительно замерли ненадолго, встав на задние конечности и вытянув шеи. Но небо оставалось пустым — монстр, должно быть, еще не успел расправиться с первой порцией. Артем понял это немного раньше, чем его преследователи, кинулся вправо, обогнул один из домов и нырнул в ближайший подъезд. Пусть Мельник и предостерегал его от этого, сказав, что в домах кто-то обитает, но столкнуться на открытом пространстве с таким мощным и подвижным противником, как загонявшие его твари, было бы безумием. Они разорвали бы Артема на части прежде, чем он успел бы передернуть затвор своего автомата.

В подъезде было темно, и ему пришлось включить фонарь. В круглом пятне света возникли обшарпанные стены, исписанные похабщиной несколько десятилетий назад, загаженная лестница, выломанные двери разоренных и выгоревших квартир. Картину запустения дополняли по-хозяйски сновавшие вокруг непуганые крысы.

Подъезд он выбрал удачно — окна лестничной клетки выходили на проспект, и, поднявшись на очередной этаж, он мог удостовериться, что твари пока не решаются последовать за ним. Они уже подобрались вплотную к входным дверям, но вместо того, чтобы войти в подъезд, окружили его, рассевшись на задних лапах, и снова превратились в каменные статуи. Артем не верил, что они отступятся и дадут добыче ускользнуть. Рано или поздно они сделают попытку достать его изнутри, если, конечно, в подъезде не скрывается нечто такое, из-за чего Артем сам будет вынужден бежать оттуда.

Он поднялся этажом выше, привычно осветил двери квартир и обнаружил, что одна из них закрыта. Толкнул плечом и убедился, что замок заперт. Недолго думая, он приставил к замочной скважине дуло автомата, выстрелил и пинком распахнул дверь настежь. По большому счету ему было все равно, в какой из квартир держать оборону, но упустить свой шанс взглянуть на нетронутое жилье людей ушедшей эпохи он не мог.

Первым делом он захлопнул дверь и задвинул ее стоявшим в прихожей шкафом. Серьезного штурма эта баррикада не выдержала бы, но, по крайней мере, незаметно преодолеть ее им не удастся. После этого Артем подошел к окну и осторожно выглянул наружу. Это была практически идеальная огневая позиция — с высоты четвертого этажа ему было отлично видно подступы к подъезду и с десяток тварей, полукругом сидящих у входа. Теперь преимущество было за ним, и он не замедлил им воспользоваться. Включив лазерный прицел, он навел красную точку на голову самой крупной из осадивших подъезд бестий и, выдохнув, спустил курок. Громыхнула короткая очередь, и создание беззвучно завалилось на бок. Остальные молниеносно метнулись в разные стороны, и через мгновение улица была пуста. Но в том, что далеко они уходить не собираются, сомневаться не приходилось. Артем решил переждать и убедиться, что смерть их собрата действительно отпугнула остальных тварей.

А пока у него было немного времени, чтобы исследовать квартиру.

Хотя стекла здесь, как и во всем доме, давно были выбиты, мебель и вообще вся обстановка сохранились на удивление хорошо. По полу были разбросаны маленькие комочки, напоминавшие крысиный яд, который использовали на ВДНХ. Может, это он и был, потому что ни одной крысы в комнатах Артем не заметил. Чем дольше он ходил по квартире, тем больше убеждался, что жильцы не бросили ее впопыхах, а законсервировали, надеясь однажды вернуться. В ней царил идеальный порядок, на кухне не было оставлено никаких продуктов, которые могли бы привлечь грызунов или насекомых, а большая часть мебели была заботливо укутана целлофаном.

Переходя из комнаты в комнату, Артем пытался представить себе, каким был быт людей, обитавших здесь. Сколько их здесь жило? В котором часу они вставали, приходили с работы, ужинали? Кто сидел во главе стола? О многих занятиях, ритуалах и вещах он имел представление только по книгам и сейчас, видя настоящее жилье, убеждался в том, что раньше многое воображал себе совсем неверно.

Артем аккуратно приподнял полупрозрачную полиэтиленовую пленку и осмотрел книжные полки. Среди знакомых по книжным развалам в метро детективов там стояло несколько красочных детских книг. Он взялся за корешок одной из них и тихонько потянул на себя. Пока он листал украшенные изображениями веселых зверей страницы, из книги выпал листок плотной бумаги. Нагнувшись, Артем поднял его с пола: это оказалась выцветшая фотография улыбающейся женщины с маленьким ребенком на руках.

Он окаменел.

Ритм, с которым билось его сердце, нарушился. Только что разгонявшее по телу кровь размеренными толчками, оно вдруг заспешило, застучало невпопад. Артему страшно захотелось снять тесный противогаз, глотнуть свежего воздуха, каким бы ядовитым он ни был. Осторожно, словно опасаясь, что снимок рассыплется в прах от прикосновения, он взял его с полки и поднес к глазам.

Женщине на вид было лет тридцать, малышу на ее руках — не больше двух, и из-за смешной шапочки на голове трудно было определить, мальчик это или девочка. Ребенок смотрел прямо в камеру, и взгляд у него был удивительно взрослый, серьезный. Артем перевернул фотографию, и стекло его противогаза затуманилось. На обратной стороне синей шариковой ручкой было написано: «Артемке 2 годика и 5 месяцев».

Из него словно выдернули стержень. Ноги обмякли, и он уселся на пол, подставив снимок под падавший из окна лунный свет. Почему улыбка женщины на фотографии казалась ему такой знакомой, такой родной? Почему он начал задыхаться, как только увидел ее?..

До того, как этот город погиб, в нем жили больше десяти миллионов человек. Артем — не самое распространенное имя, но на многомиллионный мегаполис детей с таким именем должно было приходиться несколько десятков тысяч. Все равно как если бы так звали всех нынешних обитателей метро. Шанс был так мал, что считаться с ним просто не имело смысла. Но почему тогда ему казалась такой знакомой улыбка женщины на фотографии?..

Он попытался вызвать в памяти обрывки воспоминаний о детстве, иногда за доли секунды промелькивавшие перед его мысленным взором или всплывавшие в снах. Уютная маленькая комната, мягкое освещение, читающая книгу женщина... Широкая тахта. Он вскочил с места и вихрем пронесся по помещениям, пытаясь найти в одном из них обстановку, похожую на ту, что ему грезилась. На мгновение ему показалось, что в одной из комнат мебель расставлена так же, как в его воспоминаниях. Диван выглядел чуть иначе, и окно было не там, ну и пусть, в конце концов, в сознании трехлетнего ребенка эта картина могла отпечататься чуть искаженно...

Трехлетнего? Возраст на фотоснимке стоял другой, но это тоже ничего не значило. Даты рядом с подписью не было. Он мог быть сделан когда угодно, не обязательно за несколько дней до того, как жильцам квартиры пришлось навсегда оставить ее. Фото могло быть снято и за полгода, и за год до этого, убеждал он себя. Тогда возраст мальчика в шапочке на снимке совпал бы с его собственным... Тогда вероятность того, что на снимке изображен он сам.... и его мать... возросла бы в десятки раз. «Но фотография могла быть сделана и за три, и за пять лет до этого»,— холодно произнес внутри него чей-то чужой голос. Могла.

Внезапно ему в голову пришла еще одна мысль. Распахнув дверь в ванную комнату, он огляделся вокруг и еле нашел то, что искал: зеркало было покрыто таким слоем пыли, что даже не отражало света его фонаря. Артем снял с крючка оставленное хозяевами квартиры полотенце и протер зеркальную гладь. В образовавшейся проруби всплыло его отражение в противогазе и шлеме. Он осветил себя фонарем и посмотрел в зеркало.

Худого, изможденного лица было почти не видно под пластиковым забралом противогаза, но с трудом пробивавшийся из зазеркалья взгляд глубоко запавших темных глаз вдруг показался ему похожим на взгляд мальчика на фотографии. Артем поднес к лицу фотографию, внимательно вгляделся в личико мальчика, потом перевел глаза на зеркало. Снова посветил на снимок и опять посмотрел на свое лицо под противогазом, пытаясь вспомнить, как оно выглядело в последний раз, когда он видел свое отражение. Когда это было? Незадолго до выхода с ВДНХ, но сколько времени прошло с тех пор, он сказать не взялся бы. Судя по человеку, которого он видел в зеркале сейчас, несколько лет... Если бы только можно было стащить эту чертову маску и сравнить себя с ребенком на фото! Разумеется, вырастая, люди порой меняются до неузнаваемости, но ведь в лице каждого всегда остается что-то, напоминающее о далеком детстве.

Оставалось одно: когда он вернется на ВДНХ, спросить у Сухого, похожа ли женщина, улыбающаяся ему сейчас с кусочка бумаги, на женщину, которая передала ему из рук в руки детскую жизнь на станции, обреченной на пожирание крысами... На его мать. Пусть ее лицо было тогда искажено гримасой отчаяния и мольбы, Сухой все равно узнает ее. У него профессиональная память, он точно сможет сказать, кто на фото. Она это или нет?

Артем осмотрел снимок еще раз, потом с неожиданной для самого себя нежностью погладил изображение женщины, аккуратно положил фотографию в книжку, из которой она выпала, и убрал ее в рюкзак. Странно, подумал он, всего несколько часов назад он находился в самом большом хранилище знаний на континенте, где мог запросто взять себе любой из миллионов самых разных томов, многие из которых были просто бесценны. Но он оставил их пылиться на полках, и у него даже не возникло мысли поживиться богатствами Библиотеки. Вместо этого он берет дешевую книжку с немудреными рисунками для детей и при этом ощущает себя так, словно ему досталось величайшее из земных сокровищ.

Артем вернулся в коридор, собираясь пролистать и остальные книги со стеллажа, а может быть, и заглянуть в шкафы в поисках альбомов с фотографиями. Но, подняв глаза к окну, он почувствовал там почти неуловимые изменения. Его охватило легкое беспокойство: что-то было не так. Подойдя ближе, он понял, в чем дело: цвет ночи менялся, в нем появились желтовато-розовые оттенки. Светало.

Твари сидели рядом с подъездом, не решаясь войти внутрь. Трупа их сородича нигде видно не было, но утащил ли его крылатый гигант, или они растерзали его сами, было неясно. Артем не понимал, что удерживает их от того, чтобы взять квартиру штурмом, но пока это его вполне устраивало.

Успеет ли он дойти до Смоленской до восхода солнца? И главное, сможет ли оторваться от преследования? Можно было остаться в забаррикадированной квартире, спрятаться от солнечных лучей в ванной комнате, дождаться, пока они прогонят этих хищных созданий, и выйти в путь с наступлением темноты. Но сколько выдержит защитный костюм? На какое время рассчитан фильтр его противогаза? Что предпримет Мельник, не найдя его в условленном месте в нужное время?

Артем подошел к двери, ведущей на лестничную клетку, и прислушался. Тишина. Он осторожно отодвинул шкаф и медленно приоткрыл дверную створку. На площадке никого не было, но, посветив фонарем на лестницу, Артем заметил нечто, чего он не видел раньше. Или просто не обратил внимания?

Ступени густо покрывала прозрачная слизь. Выглядело это так, будто кто-то только что прополз по ним, оставив за собой след. К двери квартиры, где он все это время просидел, след не приближался, но Артема это не утешало. Значит, заброшенные дома и вправду не были такими пустыми, как казались?

Теперь оставаться в этой квартире и уж тем более спать здесь ему совсем расхотелось. Оставалось только одно: отпугнуть не желающих отказываться от его мяса бестий и попытаться добежать до Смоленской. Сделать это до того, как солнце выжжет ему глаза и разбудит невиданных чудовищ, о которых его предупреждал Мельник.

На этот раз он целился не так тщательно, а просто старался, чтобы очередью задело как можно больше хищных тварей. Две из них взревели и рухнули на землю, остальные исчезли в переулках. Кажется, дорога была свободна.

Артем сбежал вниз, осторожно, опасаясь засады, выглянул из подъезда и кинулся что было сил к Садовому кольцу. Какая же там должна быть кошмарная чаща, в садах на этом кольце, подумал он, если даже тонкие полоски деревьев на бульварах за эти годы превратились в темные дебри... Не говоря уже о Ботаническом саде и том, что там выросло.

Его преследователи дали ему небольшую фору, собираясь в стаю, и ему удалось добраться почти до самого конца проспекта. Становилось все светлее, но этих тварей солнечные лучи, видимо, совсем не смутили: разбившись на две группы, они мчались вдоль домов, с каждой секундой сокращая отделявшее их от Артема расстояние. Здесь, на открытом пространстве, преимущество было за ними: остановиться, чтобы прицелиться как следует, Артем не мог. К тому же они передвигались на четырех конечностях, и их силуэты сейчас не поднимались над землей больше чем на метр, почти сливаясь с дорогой. Как бы быстро Артем ни старался бежать, защитный костюм, рюкзак, два автомата и усталость, накопившаяся за казавшуюся бесконечной ночь, давали о себе знать.

Скоро эти адские гончие настигнут его и сделают свое дело, обреченно подумал он. Вспомнились уродливые, но могучие тела хищников, лежащие в лужах крови у подъезда, там, где их опрокинула автоматная очередь. У Артема совсем не было времени, чтобы их рассматривать, но и одного взгляда хватило, чтобы они надолго врезались ему в память: лоснящаяся бурая шерсть, огромная круглая голова, пасть, усеянная десятками мелких острых зубов, которые, кажется, росли в несколько рядов. Перебрав в памяти всех известных ему животных, Артем не мог вспомнить ни одного, которое под воздействием облучения могло бы породить таких тварей.

К счастью, на Садовом кольце, если это действительно было оно, не росло никаких деревьев. Это была просто еще одна широкая улица, простиравшаяся вправо и влево от перекрестка, насколько хватало глаз. Прежде чем снова броситься бежать, Артем не глядя выпустил по бестиям короткую очередь. Они уже были меньше чем в пятидесяти метрах от него и опять разошлись полукругом, так что некоторые двигались почти вровень с ним.

На Садовом ему пришлось искать дорогу между нескольких огромных воронок, уходивших на пять-шесть метров в землю, и сделать в одном месте большой крюк, чтобы обогнуть глубокую трещину, надвое рассекавшую дорожное полотно. Стоявшие поблизости строения выглядели странно: они не то чтобы обгорели, а, скорее, оплавились. Создавалось впечатление, что здесь происходило что-то особенное, от чего этот район пострадал намного больше, чем Калининский проспект. А чуть в отдалении величественным и мрачным фоном этого тревожного пейзажа на несколько сотен метров возвышалось не тронутое ни временем, ни огнем невообразимых размеров здание, похожее на средневековый замок. На долю секунды Артем взглянул вверх, и у него вырвался вздох облегчения: над замком парила страшная крылатая тень, которая сейчас могла стать для него спасительной. Надо было только привлечь ее внимание, чтобы она занялась его преследователями. Приподняв автомат в одной руке и направив на летучее чудище ствол, он нажал на курок.

Ничего не произошло.

У него кончились патроны.

На бегу было нелегко даже перетащить вперед висевший на спине запасной автомат. Нырнув в один из ближайших переулков, Артем прислонился к стене и сменил оружие. Теперь он мог не подпускать тварей близко, пока не опустеет магазин во втором автомате.

Первая из них уже показалась из-за угла и привычным движением села на задние конечности, вытянувшись во весь свой огромный рост. Она осмелела и подобралась так близко, что сейчас Артем впервые смог разглядеть ее глаза: маленькие, спрятанные под массивными надбровиями, горящие злобным зеленым огнем, похожим на отсветы того загадочного пламени в парке.

Лазерного целеуказателя на Данилином Калашникове не было, но с такого расстояния он и с обычным не промахнется. Замершая фигура бестии спокойно устроилась в прицельной рамке. Артем прижал автомат покрепче к плечу и спустил курок.

Мягко дойдя до середины, затвор остановился. Что произошло? Неужели впопыхах он перепутал автоматы? Да нет же, на его оружии — лазерный прицел... Артем попытался передернуть затвор. Заело.

У него в голове закрутился смерч мыслей. Данила, библиотекари... Вот почему тот не сопротивлялся, когда в книжном лабиринте на него напало это серое чудовище! У него просто не сработал автомат. Он, наверное, так же судорожно дергал затвор, пока библиотекарь тащил его в глубину коридоров...

Рядом с первой бестией тихо, как призраки, возникли еще две другие. Они внимательно изучали Артема, который уже отчаялся справиться с Данилиным автоматом, и, кажется, делали выводы. Ближайшее из существ, наверное, вожак, сделало прыжок и оказалось в пяти метрах от Артема.

В этот момент у них над головами пронеслась гигантская тень. Твари прижались к земле и подняли головы. Воспользовавшись их замешательством, Артем ринулся в одну из арок, не надеясь уже выйти живым из этого переплета, совсем по-звериному стараясь просто отсрочить момент своей гибели. В переулках у него не было против них ни малейшего шанса, но путь назад, на Садовое кольцо, был уже отрезан.

Он оказался посреди квадрата пустого пространства, ограниченного по краям стенами домов, в которых виднелись арки и проходы. Позади здания, лицом к которому он стоял, вздымался в небо тот самый мрачный замок, который поразил его еще на Садовом Кольце. Наконец оторвав от него взгляд, Артем увидел на здании напротив надпись: «Московский метрополитен им. В.И. Ленина» и чуть пониже — «Станция «Смоленская»». Высокие дубовые двери были чуть-чуть приоткрыты.

...Было сложно сказать, как ему удалось увернуться. Это была странная смесь предчувствия опасности и ощущения легкого воздушного потока, неизбежного спутника метнувшегося к своей добыче хищника. Тварь приземлилась всего в полуметре от него. Скользнув вбок, он что было сил бросился бежать к входу в метро. Там был его дом, его мир, там, под землей, он снова становился хозяином положения.

Вестибюль «Смоленской» выглядел именно так, как Артем и предполагал: темный, сырой, пустой. Сразу же становилось ясно, что на этой станции люди часто поднимаются на поверхность: кассы и все служебные помещения — открыты и разграблены, все полезное перекочевало вниз уже многие годы назад. Не осталось ни турникетов, ни будки дежурного — о них напоминало только бетонное основание. Позади виднелся полукруглый свод туннеля, на неимоверную глубину уходили несколько эскалаторов. Луч терялся где-то в середине спуска, и удостовериться, что там действительно есть вход, Артем не мог. Но и оставаться на месте было нельзя: твари уже пробрались в вестибюль, он понял это по скрипнувшей двери. Через секунду они могли выйти к эскалаторам, и та крошечная фора, которая у него все еще оставалась, исчезла бы.

Неловко ступая толстыми подошвами ботинок по расшатанным рифленым ступеням, Артем начал спуск. Он попробовал скакнуть вперед через несколько ступеней, но нога проехала по влажному покрытию чуть дальше, чем надо, и он загремел вниз, ударившись затылком об угол. Остановиться удалось, только когда он отсчитал шлемом и поясницей с десяток ступеней. Обшарив лучом оставшийся за спиной отрезок пути (как мало, оказывается, он прошел!) Артем обнаружил там именно то, что искал и боялся найти: неподвижные темные фигуры. По своей привычке, прежде чем кинуться в атаку, они замерли на месте, изучая обстановку или неслышно совещаясь. Артем развернулся и попытался опять прыгнуть через две ступеньки. На этот раз у него получилось лучше, и, скользя по резиновой ленте поручня правой рукой, а фонарь зажав в левой, он бежал еще секунд двадцать, пока снова не упал.

Сзади раздался тяжелый топот. Твари решились.

Артем от всей души надеялся, что жалобно скрипевшие под его небольшим весом старые ступени просто провалятся вниз, не выдержав веса его преследователей. Но приближавшийся из темноты стук свидетельствовал о том, что эскалатор вполне справлялся с нагрузкой.

В луче фонаря стала видна кирпичная стена с большой дверью посередине. До нее оставалось метров двадцать, не больше. С трудом поднявшись на ноги, Артем преодолел последний отрезок пути за пятнадцать секунд, растянувшиеся на вечность.

Дверь была сделана из стальных листов и на удары кулаков отзывалась звонко, как колокол. Артем барабанил в нее из всех сил — приближавшиеся тени, которые он смутно видел в полумраке, подгоняли его. Только через несколько секунд он понял, холодея, какую ужасную ошибку только что совершил: вместо того, чтобы постучать в дверь условным кодом, только переполошил охрану. Теперь та наверняка, уже ни при каких обстоятельствах не станет отпирать. Мало ли кто пытается проникнуть сюда с поверхности... Тем более если солнце уже встает.

Как же звучал условный сигнал? Три быстрых — три медленных — три быстрых? Да нет же, это SOS. Точно было три в начале и три в конце, но вот быстрые или медленные, он вспомнить уже не мог. А если сейчас начать экспериментировать, о надежде попасть внутрь вообще можно забыть. Уж лучше SOS... По крайней мере, так охрана поймет, что по другую сторону находится человек. Хотя, как сказал Мельник, еще неизвестно, что страшнее.

Громыхнув по стали еще раз, Артем стянул с плеча автомат и трясущимися руками поменял в нем рожок с патронами. Хорошо, что в Данилином автомате они были. Потом он прижал фонарь к стволу автомата и нервно обвел им уходящие вверх своды. Длинные тени от уцелевших светильников наползали друг на друга в блуждающем луче света, и нельзя было поручиться, что в одной из них не притаился темный силуэт...

С другой стороны железной двери по-прежнему стояла полная тишина. Господи, неужели это не та Смоленская, подумал Артем. Может быть, этот вход был закупорен десятилетие назад и с тех пор им никто не пользовался? Ведь он попал сюда совершенно случайно, а вовсе не следуя инструкциям сталкера. Он мог и ошибиться!

Совсем близко, метрах в пятнадцати, скрипнула ступень. Не выдержав, Артем полоснул очередью в том направлении, откуда раздался звук. Эхо больно хлестнуло Артема по ушам и стало подниматься по эскалатору на поверхность. Но ничего похожего на рев раненой бестии слышно не было. Патроны ушли впустую.

Не отваживаясь отвести взгляд, Артем прижался к двери спиной и опять застучал кулаком по железу: три быстрых, три медленных, три быстрых. Ему послышалось, что из-за двери раздалось тяжелое металлическое скрежетание. И именно в этот момент из мрака вылетела с поразительной скоростью фигура хищника.

Автомат Артем держал на весу в правой руке, и спусковой крючок нажал почти случайно, когда инстинктивно отпрянул назад. Пули развернули тело твари в воздухе, и вместо того, чтобы вцепиться ему в горло, она, не долетев двух метров, рухнула на последние ступени эскалатора. Но уже через мгновение поднялась и, не обращая внимания на хлещущую из раны кровь, двинулась вперед. Потом, качнувшись, прыгнула снова и припечатала Артема к холодной стали двери. Атаковать она больше не могла: последние выпущенные им пули попали ей в голову, и на излете своего броска тварь уже была мертва. Но и силы инерции, с которой ее тело ударило по Артему, было достаточно, чтобы проломить ему череп. Не будь на нем шлема...

Дверь открылась, и наружу хлынул яркий белый свет. От эскалаторов раздался испуганный рев: судя по звуку, этих созданий сейчас было там не меньше пяти. Чьи-то сильные руки схватили его за шиворот и втянули за стену, после чего снова лязгнул металл — створку закрыли и засов задвинули на место.

— Не ранен? — спросил чей-то голос рядом.

— Черт его знает... — отозвался другой. — Видел, кого он за собой привел? Еле их отвадили в прошлый раз, да и то только газом. Еще не хватало, чтобы они теперь на Смоленской поселились, мало им Арбатской. А что — вполне возможно! Они человечинку уважают...

— Оставьте его. Он со мной. Артем! Эй, Артем! Да очнись же! — позвал кто-то знакомый, и Артем с трудом и нехотя открыл глаза.

Над ним склонились три человека. Двое из них, наверное, стражники ворот, были одеты в теплые серые куртки и вязаные шапки, у обоих были бронежилеты. В третьем Артем с облегчением узнал Мельника.

— Это он и есть, что ли? — слегка разочарованно спросил один из стражников. — Тогда забирайте, только про карантин и обеззараживание не забудьте.

— Учить еще будете? — усмехнулся сталкер. — Вставай, Артем. Долго ты... — добавил он, протягивая ему руку.

Артем попытался встать, но ноги отказывались служить. Его закачало и начало подташнивать, в голове помутилось.

— Его надо в лазарет. Ты помоги мне, а ты закрой гермоворота, — распорядился Мельник.

Пока его осматривал врач, Артем изучал белый кафель, которым были облицованы стены операционной. Комната была вылизана до блеска, в воздухе стоял резкий запах хлорки, а под потолком были закреплены сразу несколько ламп дневного света. Операционных столов тут тоже стояло немало, и у каждого висел ящик с готовыми к использованию инструментами. Состояние здешнего маленького госпиталя впечатляло, но зачем он нужен мирной, насколько Артем помнил, Смоленской, было неясно.

— Переломов нет, только ушибы. Несколько царапин, мы их продезинфицировали, — резюмировал доктор, вытирая руки чистым полотенцем.

— Вы нас не оставите ненадолго? — попросил врача Мельник. — Хотелось бы кое-что обсудить с глазу на глаз.

Понимающе кивнув, медик вышел. Сталкер, присев на край кушетки, на которой лежал Артем, потребовал от него подробного рассказа о произошедшем. По его расчетам, Артем должен был оказаться на Смоленской на два часа раньше, и Мельник уже собирался подниматься на поверхность, чтобы попытаться разыскать его. Историю с преследованием он выслушал до конца, хотя и без особенного интереса, летающих чудищ назвал книжным словом «птеродактиль», а по-настоящему впечатлил его только рассказ о том, как Артем прятался в подъезде. Узнав, что пока тот отсиживался в квартире, по лестничной клетке кто-то прополз, сталкер нахмурился.

— Уверен, что не вступил в слизь на лестнице? — покачал он головой. — Не приведи бог занести эту дрянь на станцию. Говорил же я тебе, к домам не подходить! Считай, тебе крупно повезло, что когда ты был в квартире, оно не решило наведаться в гости...

Мельник поднялся, подошел к ботинкам Артема, оставленным на входе, и придирчиво осмотрел подошвы каждого из них. Не обнаружив ничего подозрительного, он поставил их на место.

— В Полис, как я и говорил, тебе пока дорога заказана. Браминам я правды сказать не мог, поэтому они считают, что во время похода в Библиотеку пропали вы оба, а я отправился вас искать. Так что там произошло с твоим напарником?

Артем еще раз рассказал всю историю от начала до конца, на этот раз честно объяснив, как именно умер Данила. Сталкер поморщился.

— Эту концовку тебе лучше держать при себе. Если честно, первая версия мне нравилась куда больше. Вторая вызовет у браминов слишком много вопросов. Их человек убит тобой, Книги ты не нашел, зато вознаграждение осталось при тебе. Да, кстати, — добавил он, глянув на Артема исподлобья, — что там было, в этом конверте?

Приподнявшись на локте, Артем достал из кармана покрытый засохшей кровью пакет, внимательно посмотрел на Мельника и открыл его.

Глава 15

ПЛАН

Сложенный вчетверо листок, вырванный из школьной тетрадки, и кусок плотной чертежной бумаги с карандашными набросками туннелей. Именно это Артем и ожидал увидеть внутри конверта — карту и пояснения к ней. Пока он бежал к Смоленской через Калининский проспект, у него совсем не было времени подумать о том, что может быть внутри пакета, который ему передал Данила. Волшебное решение заведомо неразрешимой проблемы, нечто, способное отвести от ВДНХ и всего метро дамоклов меч непостижимой и неумолимой угрозы.

Посередине листка с пояснениями расплылось красно-бурое пятно. Склеенную кровью брамина бумагу пришлось чуть смочить, чтобы она раскрылась, не повредив мелко написанных на ней инструкций.

«Часть №... туннель... Д6... уцелевшие установки... до 400 000 кв. метров... смерч... неисправно... непредвиденные...» От волнения слова прыгали у Артема в глазах, пытаясь соскочить с горизонтальных линий, сливались в одно целое, а их смысл оставался абсолютно ему непонятен. Отчаявшись сложить их в нечто осмысленное, он передал письмо Мельнику. Тот аккуратно взял листок в руки и жадным взглядом впился в буквы. Некоторое время он ничего не говорил, а потом Артем увидел, как его брови недоверчиво поползли вверх.

— Быть этого не может, — прошептал сталкер. — Это же все вранье! Не могли они такое упустить...

Он перевернул листок, просмотрел его с другой стороны, а потом принялся перечитывать с самого начала.

— Для себя берегли... Военным не говорили. Неудивительно... Им такое покажи, они тут же за старое возьмутся, — невнятно бормотал Мельник, пока Артем терпеливо дожидался объяснений. — Но неужели упустили? Неисправно... Ну, это, допустим, ладно... Значит, все-таки поверили!

— Это действительно может помочь? — не выдержал Артем в конце концов.

— Если все, что здесь написано, — правда, то у нас появляется надежда, — кивнул сталкер.

— О чем там речь? Я ничего не понял.

Мельник ответил не сразу. Он еще раз дочитал письмо до конца, потом задумался на несколько секунд и только после этого начал рассказ:

— Я про такое слышал раньше. Легенды всегда ходили, но их ведь в метро тысячи. Только легендами и живем, не хлебом единым. И про Университет, и про Кремль, и про Полис, не разберешь, что правда, а что у костра на Площади Ильича выдумали. Вот и про это... Ходили, в общем, слухи, что где-то в Москве или под Москвой уцелела ракетная часть. Такого, конечно, никак произойти не могло. Военные объекты — это всегда цель номер один. Но говорили, мол, не успели, или не доглядели, или забыли — и одна ракетная часть совсем не пострадала. Рассказывали, что кто-то туда даже ходил, что-то там видел, стоят там, мол, установки под брезентом, новенькие, в ангарах... Пользы в метро от них, правда, никакой — на такой глубине своих врагов все равно не достанешь. Стоят — ну и пусть себе стоят.

— При чем здесь ракетные установки? — Артем удивленно посмотрел на сталкера и спустил ноги с кушетки.

— Черные идут к ВДНХ от Ботанического Сада. Хантер подозревал, что они спускаются в метро с поверхности именно в этом районе. Логично предположить, что они обитают именно там. Собственно, есть два варианта. Первый: место, откуда они приходят, условно говоря, улей, расположен сверху, неподалеку от входа в метро. Второй: на самом деле никакого улья нет, и черные наступают на город извне. Тогда вопрос: почему больше их нигде не замечали? Нелогично. Хотя, может, дело времени. В общем, ситуация такая: если они приходят откуда-то издалека, мы ничего с ними все равно сделать не сможем. Взорвем туннели за ВДНХ или пусть даже за Проспектом Мира — рано или поздно они найдут новые входы. Останется забаррикадироваться в метро, закрыться наглухо, забыть о надеждах вернуться наверх и полагаться только на свиней и грибы. Как сталкер, могу точно сказать: долго мы так не протянем. Но! Если у них есть улей, и он где-то поблизости, как думал Хантер...

— Ракеты? — наконец догадался Артем.

— Залп двенадцати ракет с кассетными осколочно-фугасными элементами накрывает площадь в 400 000 квадратных метров, — найдя нужное место в письме, прочитал Мельник. — Несколько таких залпов — и от Ботанического Сада, или где они там живут, останутся одни угли.

— Но вы же говорите, это легенды, — недоверчиво возразил Артем.

— А вот брамины говорят, что нет, — сталкер помахал листком. — Тут даже объясняется, как пробраться на территорию этой военной части. Еще, правда, написано, что установки частично неисправны.

— Ну, и как же туда попасть?

— Д-6. Здесь упоминается Д-6. Метро-2. Указывается расположение одного из входов. Они утверждают, что туннель оттуда ведет, в том числе, и к этой части. Но оговариваются, что при попытке проникновения в Метро-2 могут возникнуть непредвиденные препятствия.

— Невидимые Наблюдатели? — припомнил Артем когда-то услышанный разговор.

— Наблюдатели — это чушь и болтовня, — поморщился Мельник.

— Ракетная часть тоже была всего лишь легендой, — вставил Артем.

— Она и остается легендой до тех пор, пока я ее сам не увижу, — отрезал сталкер.

— А где выход в Метро-2?

— Здесь написано: станция «Маяковская». Странно... Сколько раз бывал на Маяковской, никогда ничего подобного не слышал.

— Что же мы теперь будем делать? — поинтересовался Артем.

— Пойдем со мной, — отозвался сталкер. — Поешь, отдохнешь, а я пока подумаю. Завтра обсудим.

Только когда Мельник заговорил про еду, Артем вдруг ощутил, до чего голоден. Он спрыгнул на холодный кафельный пол и заковылял было к своим ботинкам, но сталкер жестом остановил его.

— Обувь и всю одежду оставь, сложи вон в тот ящик. Ее чистить и обеззараживать будут. Рюкзак тоже проверят. Вон на стуле штаны и куртка, переоденься в них.

Смоленская выглядела угрюмо: низкий полукруглый потолок, неширокие арки в мощных стенах, облицованных белым когда-то мрамором. Хотя по углам из арок выступали декоративные ложные колонны, а стены поверху украшала неплохо сохранившаяся лепнина, все это только усугубляло первое ощущение. Станция производила впечатление давно осаждаемой цитадели, которую ее защитники скупо украсили на свой лад, отчего крепость только приняла еще более суровый вид. Двойная цементная стена с массивными стальными дверями по обе стороны от гермоворот, бетонированные огневые точки у входов в туннели — все говорило о том, что у здешних обитателей есть основания беспокоиться за свою безопасность. Женщин на Смоленской заметно почти не было, зато все встретившиеся мужчины ходили при оружии. Когда Артем спросил у Мельника напрямую, что происходит на этой станции, тот только неопределенно мотнул головой и сказал, что ничего необычного тут не видит.

Однако Артема не оставляло странное ощущение висевшей в воздухе напряженности. Все здесь словно чего-то ждали, и это чувство быстро передавалось вновь прибывшим. Палатки, в которых жили люди, были выстроены цепью посреди зала, а все арки оставались свободными, как будто их боялись загромождать, чтобы не помешать срочной эвакуации. При этом все жилища были установлены исключительно в промежутках между арками, так что с одного пути сквозь проходы был виден другой.

Посереди каждой посадочной платформы, у спуска на рельсы, сидели дежурные, постоянно державшие в поле зрения туннели с обеих сторон. Картину дополняла почти полная тишина, которая стояла на станции. Люди здесь переговаривались между собой негромко, иногда и вовсе переходя на шепот, как если бы они боялись, что их голоса могут заглушить какие-то тревожные звуки, долетающие из туннелей.

Артем постарался вспомнить, что он знает о Смоленской. Может быть, у нее были опасные соседи? Нет, с одной стороны рельсы уходили к светлому и благополучному Полису, сердцу метро, с другой — туннель вел к Киевской, о которой Артем помнил только то, что она населена преимущественно теми самыми «кавказцами», которых он видел на Китай-Городе и в тюремных камерах у фашистов, на Пушкинской. Но, в конечном итоге, это были обычные люди, и вряд ли их стоило так опасаться...

Столовая находилась в центральном тенте. Обеденное время, судя по всему, уже закончилось, потому что за грубыми, самодельными столами оставались всего несколько человек. Усадив Артема за один из столов, Мельник через пару минут вернулся с миской, в которой дымилась неаппетитная серая кашица. Под ободряющим взглядом сталкера Артем все же отважился ее попробовать и уже не останавливался, пока миска не опустела. На вкус местное блюдо оказалось просто замечательным, хотя он и затруднился определить, из чего именно оно было приготовлено. Одно можно было сказать наверняка: мяса повар не пожалел.

Закончив с едой и отставив плошку в сторону, Артем умиротворенно осмотрелся вокруг. За соседним столом все еще сидели, тихонько беседуя, два человека. Хотя одеты они были в обычные ватники, в их облике было что-то такое, что заставляло воображать их в костюмах полной защиты и с ручными пулеметами наперевес.

Артем перехватил внимательный взгляд, которым обменялся один из них с Мельником. Вслух при этом не было произнесено ни слова. Человек в ватнике вскользь осмотрел Артема и вернулся к своему неторопливому разговору.

Еще несколько минут протекли в молчании. Артем попытался было снова заговорить с Мельником о станции, на которой они находились, но тот отвечал нехотя и односложно.

Потом человек в ватнике встал со своего места, подошел к их столу, и, наклонившись к Мельнику, произнес:

— Что с Киевской-то делать будем? Назревает...

— Ладно, Артем, иди отдохни, — сказал сталкер. — Третья палатка отсюда — для гостей. Постель уже застелена, я распорядился. Я посижу пока, мне поговорить надо.

Со знакомым неприятным чувством, будто его отослали, чтобы он не подслушивал взрослых разговоров, Артем послушно встал и поплелся к выходу. По крайней мере, он мог самостоятельно исследовать станцию, утешил он себя.

Сейчас, когда у него была возможность внимательнее присмотреться, Артем обнаружил еще несколько маленьких странностей. Зал был идеально расчищен, и разнообразный хлам, которым неизбежно было завалено большинство жилых станций в метро, здесь совершенно отсутствовал. Да Смоленская больше и не производила впечатление жилой станции. Она вдруг напомнила ему картинку из школьного учебника по истории, на которой был изображен военный лагерь римских легионеров. Правильно, симметрично организованное, просматривающееся во всех направлениях пространство, ничего лишнего, расставленные повсюду караулы, укрепленные входы и выходы...

Долго разгуливать по станции у него не получилось. Наткнувшись на откровенно подозрительные взгляды ее обитателей, Артем уже через несколько минут понял, что за ним следят, и предпочел ретироваться в палатку для гостей. Там его действительно ждала застеленная раскладушка, а в углу стоял полиэтиленовый пакет с прикрепленной к нему запиской на его имя. Опустившись на взвизгнувшую пружинами койку, Артем раскрыл пакет. Внутри лежали его личные вещи, оставленные в рюкзаке. Покопавшись секунду, он достал из пакета принесенную с поверхности детскую книжку. Интересно, проверяли ли они его маленькое сокровище счетчиком Гейгера? Наверняка дозиметр нервно защелкал бы вблизи книги, но Артем предпочитал об этом не думать. Он перелистнул пару страниц, разглядывая чуть выцветшие картинки на пожелтевшей бумаге и оттягивая тот момент, когда между очередными листами он найдет свою фотографию.

Свою ли?

Что бы ни случилось теперь с ним, с ВДНХ, да со всем метро, вначале он должен вернуться на свою станцию, чтобы спросить у Сухого: кто на этом фото? Мама это или не она? Артем прижался к снимку губами, потом снова заложил его между страницами и спрятал книгу назад в рюкзак. На секунду ему показалось, что в его жизни что-то постепенно становится на свое место. А еще через мгновение он уже спал.

Когда Артем открыл глаза и вышел из палатки, он даже не сразу сообразил, где очутился, настолько станция изменилась. Целых жилищ на ней оставалось меньше десятка, остальные были сломаны или сожжены. Стены были покрыты копотью и исклеваны пулями, штукатурка с потолка осыпалась и большими кусками лежала на полу. По краям платформы текли зловещие черные ручейки, предвестники грядущего затопления. В зале почти никого не было, только рядом с одной из палаток на полу возилась с игрушками маленькая девочка. С другого края, где уходила наверх лестница нового выхода со станции, доносились приглушенные крики, и стены изредка озарялись пламенем. Кроме него, мрак в зале разгоняли только две уцелевшие лампы аварийного освещения.

Автомат, который Артем, кажется, оставлял у изголовья раскладушки, куда-то исчез. Тщетно обыскав всю палатку, он смирился с тем, что ему придется идти безоружным.

Что же здесь произошло? Артем хотел было расспросить игравшую девочку, но та, только завидев его, отчаянно разревелась, так что добиться от нее хоть чего-то оказалось невозможно.

Оставив захлебывающуюся в рыданиях малышку, Артем осторожно прошел через арку и выглянул на пути. Первым, что приковало к себе его взгляд, были три привинченные к мраморной облицовке бронзовые буквы: «В..НХ». Вместо второй «Д», которой не хватало для родного четырехбуквенника, виднелся лишь темный след. Через всю надпись по мрамору шла глубокая трещина.

Надо было проверить, что происходит в туннелях. Если станцию кто-то захватил, то, прежде чем вернуться назад за подмогой, Артем должен разведать обстановку, чтобы точно объяснить союзникам с юга, что за опасность им угрожает.

Сразу после входа в перегон сгустилась такая непроглядная темнота, что даже собственную руку Артем видел не дальше локтя. В глубине туннеля что-то издавало странные чавкающие звуки, и идти туда безоружным было безумием. Когда звуки ненадолго смолкали, становилось слышно, как по полу журчит вода, обтекая кирзовые сапоги Артема и устремляясь назад, к ВДНХ.

Ноги дрожали и отказывались ступать вперед. Тревожный голос в его голове твердил, что идти дальше опасно, что риск неоправданно велик, а в такой темноте ему все равно не удастся ничего разглядеть. Но другая его часть, не обращая внимания на все разумные доводы, тянула его вглубь, во тьму. И, сдавшись, он, словно заведенный, сделал еще один шаг вперед.

Тьма вокруг стала абсолютной, не видно было уже ровным счетом ничего, и от этого у Артема возникало странное ощущение, будто его тело исчезло. От его прежнего «я» сейчас оставался только слух и всецело полагающийся на него разум. Артем продвигался так еще некоторое время, но звуки, по направлению к которым он шел, так и не стали ближе. Зато послышались другие. Шорох шагов, точь-в-точь похожих на те, что он слышал раньше, в такой же темноте, но только как Артем ни старался, он не мог вспомнить, где именно и при каких обстоятельствах это произошло. И с каждым новым шагом, долетающим из невидимой глубины туннеля, Артем чувствовал, как в сердце капля за каплей просачивается черный холодный ужас. Через несколько мгновений он, не выдержав, развернулся и стремглав бросился бежать на станцию, но, не разглядев в темноте шпал, споткнулся об одну из них и упал, понимая, что сейчас настанет неминуемый конец.

Проснулся он весь в поту и не сразу даже сообразил, что во сне он свалился с раскладушки. Голова была необыкновенно тяжелая, в висках пульсировала тупая боль, и Артем еще несколько минут провалялся на полу, пока не пришел наконец в себя и не сумел подняться на ноги.

Но в тот момент, когда в голове чуть прояснилось, из нее полностью выветрились остатки кошмара, и он уже не мог даже приблизительно вспомнить, что же такое ему привиделось. Приподняв полог, он выглянул наружу. Кроме нескольких караульных, никого — видимо, сейчас была ночь. Несколько раз глубоко вдохнув и выдохнув привычный сырой воздух, Артем вернулся в палатку, растянулся на раскладушке и заснул крепким сном без сновидений.

Его разбудил Мельник. Одетый в темную утепленную куртку с поднятым воротником и военные штаны с карманами, он выглядел так, будто с минуты на минуту собирался уходить со станции. На голове у него была все та же старая черная пилотка, а у ног стояли две большие сумки, которые показались Артему знакомыми.

Мельник ботинком пододвинул одну из них к Артему и сказал:

— Вот. Обувь, костюм, ранец, оружие. Переобувайся, готовься. Защиту надевать не надо, не на поверхность собираемся, просто возьми с собой. Выходим через полчаса.

— Куда идем? — хлопая спросонья глазами и мучительно пытаясь сдержать зевок, спросил Артем.

— Киевская. Если все будет в порядке, потом по Кольцу до Белорусской — и к Маяковской. А там увидим. Собирайся.

Сталкер уселся на стоявший в углу табурет и, достав из кармана газетный обрывок, принялся изготавливать самокрутку, время от времени посматривая на Артема. Под этим внимательным взглядом у Артема все валилось из рук, и на сборы ушло куда больше времени, чем ему понадобилось бы, если бы Мельник оставил его одного.

Однако минут через двадцать он все же был готов. Не говоря ни слова, Мельник поднялся с табурета, взял свою сумку и вышел на платформу. Артем оглядел комнату и последовал за ним.

Они прошли через арку и вышли к путям. Спустившись по приставной деревянной лесенке на путь, Мельник кивнул караульному и зашагал к туннелю. Только теперь Артем заметил, как странно здесь устроены входы в перегоны. С той стороны платформы, где рельсы уходили на Киевскую, половина пути была перекрыта бетонированной огневой точкой с узкими бойницами. Проход перегораживала железная решетка, рядом с которой дежурили двое караульных. Мельник перекинулся с ними короткими неразборчивыми фразами, после чего один из охранников открыл навесной замок и толкнул решетку.

По одной из стен туннеля тянулся перемотанный черной изолентой провод, с которого каждые десять-пятнадцать метров свисали слабые лампочки, но даже и такое освещение в перегоне казалось Артему настоящей роскошью. Впрочем, через три сотни шагов провод обрывался, и в этом месте их ждал еще один караул. На дозорных не было никакой формы, но выглядели они куда серьезней, чем военные в Полисе. Узнав Мельника в лицо, один из них кивнул ему, пропуская вперед. Остановившись на краю освещенного пространства, сталкер достал из сумки фонарь и включил его.

Еще через несколько сотен метров впереди раздались голоса и блеснули отсветы фонарей. Неуловимым движением автомат Мельника соскользнул с плеча и оказался у него в руках. Артем последовал его примеру.

Наверное, это был еще один, дальний дозор со Смоленской. Двое крепких вооруженных мужчин в теплых куртках с воротниками из искусственного меха спорили с тремя челноками. На головах у дозорных были круглые вязаные шапки, а на груди у обоих висели на кожаных ремешках приборы ночного видения. У двоих челноков было при себе оружие, но Артем был готов ручаться чем угодно, что это именно торговцы. Огромные тюки с тряпьем, карта туннелей в руке, особенный плутоватый взгляд, задорно блестящие в лучах фонарей глаза — все это он уже видел неоднократно. Челноков обычно без проблем пускали на все станции, кроме разве тех, что входили в состав Ганзы. Но, кажется, на Смоленской их никто не ждал.

— Да ладно, браток, что ты заладил, нам даже и не на твою Смоленскую, так, мимо идем, — убеждал дозорного один из торговцев, долговязый усатый человек в кургузом ватнике.

— Шмотки тут у нас, да вот, сами гляньте, мы в Полисе торговать будем, — поддакивал ему другой челнок, коренастый и заросший щетиной до самых глаз.

— Какой тебе от нас вред, польза только, вот, смотри, джинсы совсем как новые, твой размер, наверное, фирменные, за так отдам, — перехватывал инициативу третий.

Караульный молча качал головой, перекрывая проход. Он почти ничего не отвечал, но как только один из челноков, приняв его молчание за согласие, попробовал шагнуть вперед, оба дозорных почти синхронно щелкнули затворами своих автоматов. Мельник и Артем стояли в пяти шагах за их спинами, и хотя сталкер опустил свое оружие, в его позе чувствовалось напряжение.

— Стоять! Даю пять секунд, чтобы развернуться и уйти. Станция режимная, сюда никого не пускают. Пять... четыре... — начал считать один из дозорных.

— Ну, как нам теперь туда, через Кольцо опять?.. — возмутился было один из челноков, но другой, обреченно покачав головой, потянул его за рукав, торговцы подобрали с земли тюки и потащились назад.

Выждав минуту, сталкер дал Артему знак, и они зашагали на Киевскую вслед за челноками. Когда они проходили мимо караульных, один из них молча кивнул Мельнику и приложил два пальца к виску, словно отдавая честь.

— Режимная станция? — полюбопытствовал Артем, когда они сами миновали кордон. — Что это значит?

— Вернись, спроси, — отрезал тот, начисто отбивая у Артема желание расспрашивать дальше.

Хотя Артем с Мельником и старались держаться подальше от ушедших вперед челноков, звуки их голосов становились все ближе, а потом вдруг оборвались. Но не прошли они и двух десятков шагов, как в лицо им ударил луч света.

— Эй, кто там? Чего надо? — нервно крикнул кто-то, и Артем узнал голос одного из торговцев, которых завернула с полпути выставленная перед Смоленской охрана.

— Спокойно. Дайте пройти, мы вас не тронем. На Киевскую идем, — негромко, но отчетливо ответил сталкер.

— Проходите, пропускаем вас вперед. Нечего в затылок дышать, — посовещавшись, заявили из темноты.

Мельник недовольно пожал плечами и неторопливо двинулся вперед. Метров через тридцать их действительно ждали те самые трое челноков. При приближении Артема и Мельника торговцы вежливо опустили стволы в пол, расступились и дали им пройти. Сталкер, как ни в чем не бывало, зашагал дальше, но Артем отметил, что поступь его изменилась: теперь он шел неслышно, словно боясь заглушить раздающиеся за спиной звуки. И хотя челноки немедленно последовали за ними, Мельник ни разу на них не оглянулся. Сам Артем пытался побороть в себе желание обернуться довольно долго, минуты три, потом все-таки посмотрел назад.

— Эй! — послышался сзади напряженный голос. — Погодите там!

Сталкер остановился. Артем начал недоумевать, отчего тот так послушно выполняет все требования каких-то мелких торговцев.

— Это они так из-за Киевской лютуют или потому что Полис охраняют? — нагнав их, спросил один из челноков.

— Из-за Киевской, понятное дело, — немедленно отозвался Мельник, и Артем почувствовал укол ревности: ему-то сталкер не хотел ничего рассказывать.

— Да уж, это понять можно. На Киевской теперь страшно становится. Ну, ничего. Скоро этим чистюлям из вашего караула придется жарко. Вот как Ганза пускать перестанет, с Киевской все к вам побегут. Сам понимаешь, когда такое творится, кто же на станции жить останется? Лучше уж под пули... — обращаясь то ли к сталкеру, то ли к самому себе, пробурчал долговязый челнок.

— Сам-то небось под пули кинулся? — ехидно хмыкнул другой. — Тоже мне, Матросов нашелся!

— Ну так, пока еще и не припекло, — отозвался долговязый.

— Да что там происходит-то? — не сдержался Артем.

Сразу двое челноков оглянулись на него так, словно он задал глупый вопрос, ответ на который знает каждый ребенок. Сталкер хранил молчание. Молчали и торговцы, так что некоторое время они шагали в полной тишине. От этого ли или, может, оттого, что затягивавшееся молчание становилось жутковатым, Артему вдруг расхотелось слушать объяснения. И когда он решил уже было махнуть на них рукой, долговязый наконец нехотя проговорил:

— Туннели к Парку Победы там, вот что...

Услышав название станции, двое его спутников съежились, и Артему почудилось на секунду, что налетел порыв промозглого туннельного сквозняка, а стены туннеля сжались. Даже Мельник повел плечами, словно пытаясь согреться. Артем, кажется, никогда не слышал ничего плохого про Парк Победы и даже не мог припомнить ни одной байки, связанной с этой станцией. Так отчего же при звуке ее названия ему вдруг стало так неуютно?

— Что, хуже становится? — тяжело спросил сталкер.

— Да мы-то что знаем? Мы люди случайные. Так, мимо проходим иногда. Оставаться там, сами понимаете... — неопределенно промямлил бородатый.

— Люди пропадают, — шепотом сообщил коренастый челнок. — Многие боятся, бегут. Тут уже и не разобрать, кто исчез, кто сам сбежал, а остальным от этого еще страшней.

— Все туннели эти проклятые, — сплюнул на землю долговязый.

— Так завалены же туннели, — не то спросил, не то возразил Мельник.

— Они уже сто лет как завалены, и что с того? Да если ты здешний, лучше нас понимать должен! Там все знают, что страх из туннелей идет, будь они хоть трижды взорваны и перегорожены. Да это любой своей шкурой чувствует, как туда нос покажет, вон даже Сергеич, — долговязый указал на своего бородатого спутника.

— Точно, — подтвердил заросший Сергеич и зачем-то перекрестился.

— Так они ведь туннели охраняют? — уточнил Мельник.

— Каждый день дозоры стоят, — кивнул усатый.

— И хоть раз поймали кого-нибудь? Или видели? — выспрашивал сталкер.

— А нам почем знать? — развел руками челнок. — Я не слышал. Да там и ловить-то некого.

— А что местные про это говорят? — не отступал Мельник.

Долговязый ничего не ответил, только махнул обреченно рукой, зато Сергеич оглянулся зачем-то назад и громким шепотом сказал:

— Город мертвых... — и тут же снова принялся креститься.

Артем хотел было рассмеяться: слишком много он уже слышал историй, басен, легенд и теорий про то, где именно обретаются в метро мертвые. И души в трубах по стенам туннелей, и врата в ад, которые копают на одной из станций... теперь вот город мертвых на Парке Победы. Но призрачный сквозняк заставил Артема подавиться смехом, и, несмотря на теплую одежду, его прохватил озноб. Хуже всего было то, что Мельник умолк и прекратил все расспросы, хотя Артем надеялся, что тот просто пренебрежительно отмахнется от такой нелепой идеи.

Весь остаток пути они прошли молча, каждый, погруженный в свои мысли. До самой Киевской туннель оказался совершенно спокойным, пустым, сухим и чистым, но, вопреки всему, тяжелое, давящее ощущение того, что впереди ждет что-то нехорошее, сгущалось с каждым шагом.

Как только они ступили на станцию, ощущение это нахлынуло, словно прорвавшиеся грунтовые воды, такое же неудержимое, такое же мутное и ледяное. Здесь безраздельно правил страх, и видно это было с первого взгляда. Та ли это «солнечная Киевская», про которую Артему говорил кавказец, сидевший с ним в одной клетке в фашистском плену? Или он имел в виду станцию с тем же названием, расположенную на Филевской ветке?

Сказать, что станция была заброшена и что все ее обитатели бежали, было нельзя. Народу здесь оказалось довольно много, но создавалось впечатление, что Киевская не принадлежит ее жителям. Все они старались держаться кучно, палатки лепились к стенам и друг к другу в центре зала. Необходимая по правилам противопожарной безопасности дистанция нигде соблюдена не была: наверное, живущим в этих палатках людям приходилось остерегаться чего-то более опасного, чем огонь. Проходящие мимо сразу же загнанно отводили взгляд, когда Артем смотрел им в глаза, и, чураясь чужаков, расползались с их пути, будто прячущиеся по щелям тараканы.

Платформа, зажатая между двумя рядами низких круглых арок, с одной стороны несколькими эскалаторами уходила вниз, с другой — чуть приподнималась невысокой лестницей и открывала боковой переход на другую станцию. В нескольких местах тлели угли, и ощущался дразнящий запах жареного мяса, где-то плакал ребенок. Пусть Киевская и находилась на пороге вымышленного перепуганными челноками города мертвых, сама-то она была вполне живая.

Быстро попрощавшись, челноки исчезли в переходе на другую линию. Мельник, по-хозяйски оглядевшись по сторонам, решительно зашагал в сторону одного из переходов. Здесь он бывал регулярно, это было видно сразу. Артем не мог приложить ума, зачем сталкер так подробно выспрашивал у челноков о станции.

Надеялся, что в их байки случайно вплетется намек на истинное положение вещей? Пытался вычислить возможных шпионов?

Через секунду они остановились у входа в служебные помещения. Дверь здесь была выбита, но снаружи стоял охранник. Начальство, догадался Артем.

Навстречу сталкеру вышел гладко выбритый пожилой мужчина с аккуратно зачесанными волосами. На нем была старая синяя форма работника метрополитена, застиранная и выцветшая, но удивительно чистая. Непонятно было, как он умудряется следить за собой на этой станции. Человек отдал Мельнику честь, почему-то приложив к виску всего два пальца, и не всерьез, как это делали дозорные в туннеле, а карикатурно. Его глаза насмешливо щурились.

— День добрый, — сказал он приятным глубоким голосом.

— Здравия желаю, — отозвался сталкер и улыбнулся.

Через десять минут они сидели в теплой комнате и пили непременный грибной чай. На сей раз Артема не выставили наружу, как он ожидал, а позволили присутствовать при обсуждении серьезных дел. К сожалению, из беседы сталкера и начальника станции, которого тот называл Аркадием Семеновичем, он все равно ничего не понял. Сначала Мельник спросил про какого-то Третьяка, затем принялся выяснять, нет ли изменений в туннелях. Начальник сообщил, что Третьяк ушел по своим делам, но вернуться должен совсем скоро, и предложил подождать его. Затем они углубились в детали каких-то соглашений, так что Артем скоро совсем потерял нить разговора. Он просто сидел, тянул горячий чай, грибной дух которого напоминал ему о родной станции, и осматривался вокруг. Киевская явно знавала лучшие времена: стены комнаты были завешены побитыми молью, но сохранившими рисунок коврами, в нескольких местах прямо поверх ковров были приколоты карандашные наброски туннельных разветвлений в широких позолоченных рамах, а стол, за которым они сидели, выглядел совершенным антиквариатом, и Артем даже не мог себе представить, сколько сталкеров потребовалось, чтобы стащить его вниз из чьей-то пустой квартиры, и сколько хозяева станции согласились за него заплатить. На одной из стен висела потемневшая от времени сабля, а рядом — доисторического вида пистолет, явно непригодный для стрельбы. В дальнем конце комнаты, на шифоньере, белел огромный череп, принадлежавший неизвестному существу.

— Да нет там ничего, в туннелях этих, — покачал головой Аркадий Семенович. — Караулим, чтобы людям спокойней было. Ты ведь сам там бывал, прекрасно знаешь, что оба перегона метрах в трехстах от станции завалены. Неоткуда там чему-то взяться. Суеверия это.

— Но люди ведь пропадают? — нахмурился Мельник.

— Пропадают, — согласился начальник, — но ведь неизвестно куда. Я думаю, страшно, вот и бегут. На переходах у нас кордонов нет, а там, — он махнул рукой в сторону лестниц, — целый город. Есть куда податься. И на Кольцо, и на Филевскую. Ганза, говорят, сейчас с нашей станции пускает людей.

— А чего боятся? — спросил сталкер.

— Как чего? Того, что люди пропадают. Вот тебе и замкнутый круг, — Аркадий Семенович развел руками.

— Странно, — недоверчиво протянул Мельник. — Знаешь, мы, пока Третьяка ждать будем, сходим разок в караул. Так, ознакомиться. А то смоленские тревожатся.

— Понимаю, — закивал начальник. — Вы вот что, сейчас в третью палатку зайдите, там Антон живет. Он у следующей смены командиром. Скажи, от меня.

В палатке с намалеванной цифрой «3» было шумно. На полу двое мальчишек лет десяти, оба почти альбиносы, как и большинство родившихся в метро детей, играли со стреляными автоматными гильзами. Рядом с ними сидела маленькая девочка, глядевшая на братьев округлившимися от любопытства глазами, но не решавшаяся участвовать в игре. Опрятная женщина средних лет в переднике нарезала к обеду какую-то снедь. Здесь было уютно, в воздухе стоял вкусный домашний дух.

— Антон вышел, присядьте, подождите, — радушно улыбнувшись, предложила женщина.

Мальчики сначала уставились на них настороженно, потом один из них подошел к Артему.

— У тебя гильзы есть? — спросил он, глядя на него исподлобья.

— Олег, немедленно прекрати клянчить! — строго сказала женщина, не отрываясь от готовки.

К удивлению Артема, Мельник запустил руку в карман штанов, пошарил там и извлек несколько необычных продолговатых гильз, явно не от Калашникова. Зажав их в кулаке и побренчав ими, как погремушкой, сталкер протянул сокровище мальчишке. У того немедленно загорелись глаза, но взять подарок он не отваживался.

— Бери, бери! — сталкер подмигнул ему и ссыпал гильзы в протянутую детскую ладошку.

— Все, теперь я побежу! Смотри, какие огромные! Это будет спецназ! — радостно завопил мальчуган.

Присмотревшись, Артем увидел, что гильзы, в которые они играли, были выстроены в ровные ряды и, видимо, изображали солдатиков. Он и сам так когда-то играл, но только ему повезло: у него были еще настоящие маленькие оловянные бойцы, пусть и из разных наборов.

Пока на полу разворачивалось сражение, в палатку вошел отец мальчишек — невысокий худой человек с жидкими русыми волосами. Увидев чужих, он молча кивнул им и, так и не промолвив ни слова, напряженно уставился на Мельника.

— Папа, папа, ты нам еще гильз принес? У Олега теперь больше, ему длинных дали! — принялся теребить отца за штанину второй мальчик.

— От начальства, — объяснил сталкер. — На дежурство с вами в туннели пойдем. Подкрепление, вроде.

— Куда там еще подкрепление... — проворчал хозяин палатки, но черты его лица разгладились. — Антон меня зовут. Пообедаем только и пойдем. Садитесь, — он указал на набитые мешки, которые заменяли в этом доме стулья.

Несмотря на сопротивление гостей, обоим досталось по дымящейся миске с незнакомыми Артему клубнями. Он вопросительно посмотрел на сталкера, но тот уверенно наколол кусок на вилку, отправил в рот и начал жевать. На его каменном лице отразилось даже нечто похожее на удовольствие, и это придало Артему храбрости. На вкус клубни были совсем не похожи на грибы, они были сладковатыми и чуть жирными, а насыщение от них наступало уже через несколько минут. Сначала Артем хотел спросить, что они едят, но потом подумал, что лучше уж ему этого не знать. Вкусно — и ладно. Держат же кое-где крысиный мозг за деликатес...

— Пап, а можно я с тобой пойду, на дежурство? — съев половину своей порции и размазав по краям остатки, спросил тот мальчишка, которому сталкер подарил гильзы.

— Нет, Олег, ты же сам знаешь, — нахмурившись, ответил хозяин.

— Олеженька! Какое еще дежурство? Что ты выдумываешь? Туда мальчиков не берут! — схватив сына за руку, запричитала женщина.

— Мам, какой я тебе мальчик? — неловко оглядываясь на гостей и пытаясь говорить басом, протянул Олег.

— Даже и не думай! До истерики меня хочешь довести? — повысила голос мать.

— Ну, ладно, ладно... — пробормотал мальчишка.

Но как только женщина отошла в другой конец палатки, чтобы достать еще что-то к столу, он дернул отца за рукав и громко прошептал:

— Но ты же в прошлый раз брал меня...

— Разговор окончен! — строго сказал хозяин.

— Все равно... — последние слова Олег уже промычал себе под нос, так что было не разобрать.

Доев, Антон встал из-за стола, отпер стоящий на полу железный ящик, достал оттуда старый армейский АК-47 и сказал:

— Пойдем, что ли? Сегодня смена короткая, через шесть часов назад буду, — сообщил он жене.

Вслед за ним поднялись и Мельник с Артемом. Маленький Олег отчаянно смотрел на отца и беспокойно ерзал на месте, но не решался ничего сказать.

У черного жерла туннеля, на краю платформы, свесив ноги вниз, сидели двое караульных, третий стоял на путях и всматривался в темноту. На стене была надпись по трафарету: «Арбатская конфедерация. Добро пожаловать!» Буквы были полустертые, сразу становилось ясно, что краску уже давно не обновляли. Переговаривались караульные шепотом и даже шикали друг на друга, если один из них вдруг повышал голос.

Кроме сталкера и Артема, с Антоном шли еще двое местных. Оба они были мрачные и неразговорчивые, на гостей поглядывали недоброжелательно, а как их зовут, Артем так и не расслышал.

Обменявшись короткими фразами с охранявшими вход в туннель людьми, они спустились на пути и медленно двинулись вперед. Круглые своды туннеля были здесь совершенно обычные, пол и стены выглядели не тронутыми временем. И все же Артема уже с первых шагов начало охватывать то неприятное чувство, о котором говорили челноки. Из глубины им навстречу выползал темный, необъяснимый страх. В перегоне было тихо, только издалека слышались человеческие голоса: там, наверное, и располагался дозор.

Это был один из самых странных постов, которые Артему приходилось видеть. На набитых песком мешках сидели кружком несколько человек, посередине стояла железная печка-буржуйка, чуть поодаль — ведро мазута. Лица дозорных освещали только пробивавшиеся сквозь щели в печке язычки пламени да огонек, трепещущий на фитиле свисающей с потолка масляной лампы. От несвежего дыхания туннелей лампа чуть-чуть раскачивалась, и от этого казалось, что тени сидящих неподвижно людей живут своей собственной жизнью. Дозорные спокойно сидели спиной к туннелю, это поражало и резало глаз больше всего.

Прикрываясь ладонями от слепящих лучей карманных фонарей сменщиков, дозорные засобирались домой.

— Ну, как? — спросил у них Антон, зачерпывая ковшом мазут.

— Как тут может быть? — невесело усмехнулся старший смены. — Как всегда. Пусто. Тихо. Тихо... — он шмыгнул носом и, сгорбившись, зашагал к станции.

Пока остальные пододвигали свои мешки ближе к печке и рассаживались, Мельник обратился к Антону:

— Ну что, сходим дальше, посмотрим, что там?

— Да там нечего смотреть, завал как завал, я-то уже сто раз видел. Глянь, если хочешь, тут метров пятнадцать всего, — Антон указал через плечо в сторону Парка Победы.

Туннель перед завалом был полуразрушен. Пол покрылся осколками камней и землей, потолок в некоторых местах просел, а стены осыпались и сузились. Сбоку чернел перекошенный проем входа в неизвестные служебные помещения, а в самом конце этого аппендикса ржавые рельсы упирались в груду раскрошенных бетонных блоков, перемешанных с булыжниками и грунтом. В эту земляную толщу погружались и тянувшиеся вдоль стен железные трубы коммуникаций.

Осветив фонарем обрушившийся туннель и не найдя никаких тайных лазов, Мельник пожал плечами и вернулся к скособоченной двери. Он направил луч внутрь, заглянул туда, но порога так и не переступил.

— Во втором перегоне тоже никаких изменений? — спросил он у Антона, вернувшись к печке.

— Как десять лет назад все было, так и сейчас, — отозвался тот.

Они надолго замолчали. Теперь, при потушенных фонарях, свет снова исходил лишь от неплотно прикрытой печки да от крошечного огонька за закопченным стеклом масляной лампы, и тьма вокруг стала настолько плотной, что, казалось, выталкивала из себя чужеродные тела, словно соленая вода. Поэтому, наверное, все дозорные и сгрудились вокруг буржуйки так близко, как только было возможно: здесь темноту и холод прореживали желтые лучи, и дышалось свободнее. Артем терпел, сколько мог, но потребность услышать хоть какой-то звук заставила его преодолеть застенчивость:

— Я на вашей станции раньше не бывал никогда, — кашлянув, сказал он Антону, — не понимаю вот, зачем вы тут дежурите, если там ничего нет? Вы же туда даже не смотрите!

— Порядок такой, — объяснил старший. — Говорят, что потому здесь ничего такого и нет, что мы дежурим.

— А что там дальше, за завалом?

— Туннель, надо думать. До самого, — он прервался на секунду, обернувшись назад и посмотрев на тупик, — до самого Парка Победы.

— А там живет кто-нибудь?

Антон ничего не ответил, только неопределенно мотнул головой, помолчал, а потом поинтересовался:

— Ты что же, вообще ничего о Парке Победы не знаешь? — и, так и не дождавшись от Артема ответа, продолжил: — Бог знает, что там сейчас осталось, но раньше там была огромная двойная станция, одна из тех, которые в последнюю очередь строились. Те, кто постарше и бывал там еще тогда... ну... до... так вот они говорят, что очень богато было сделано, и залегала станция очень глубоко, не как другие новостройки. И люди там, надо думать, жили припеваючи. Но недолго. Пока туннели не обрушились.

— А как это случилось? — спросил Артем.

— У нас говорят, — Антон оглянулся на остальных, — что само рухнуло. Плохо спроектировали, или на строительстве воровали, или еще что-нибудь. Но это уже так давно было, что точно не помнит никто.

— А я вот слышал, — тихо сказал один из дозорных, — что это здешнее начальство оба перегона взорвало к чертям. То ли конкуренция с Парком Победы у них была, то ли еще что... Может, боялись, что Парк их со временем под себя подомнет. А у нас, на Киевской, в то время сам знаешь, кто распоряжался... Кто на рынке раньше фруктами торговал. Народ горячий, к разборкам привычный. Ящик динамита в этот туннель, ящик в тот, от своей станции подальше, и понеслась. Вроде и без крови, и проблема решена.

— А что с ними потом стало? — поинтересовался Артем.

— Ну, мы-то не знаем, мы потом уже сюда пришли... — начал было Антон, но разговорившийся дозорный перебил его:

— Да что там может стать? Перемерли все. Сам должен понимать, когда станция от метро отрезана, там долго не выживешь. Фильтры сломались, или генераторы, или заливать начало — и все, на поверхности и сейчас-то не разгуляешься. Я слышал, сначала они вроде копать пытались, но потом отступились. Те, кто здесь дежурил вначале, говорят, через трубы крики слышали... Но скоро и это прекратилось.

Он кашлянул и протянул ладони к печке. Согрев руки, дозорный посмотрел на Артема и добавил:

— Это даже не война была. Кто же так воюет? Там ведь у них и женщины, и дети были. Старики... Целый город. И за что? Так просто, денег не поделили.

Вроде сами никого и не убивали, а все равно. Вот ты спрашивал: что там, по ту сторону завала? Смерть там.

Антон покачал головой, но ничего не сказал. Мельник внимательно посмотрел на Артема, открыл было рот, будто собираясь что-то прибавить к услышанной истории, но передумал. Артему стало совсем холодно, и он тоже потянулся к пробивавшимся сквозь печную заслонку огненным язычкам. Он пытался представить себе, что значит жить на этой станции, обитатели которой верят, что рельсы, уходящие от их дома, ведут прямиком в царство смерти.

Артем постепенно начинал понимать, что странное дежурство в этом оборванном туннеле было не необходимостью, а скорее ритуалом. Кого они пытались отпугнуть, сидя здесь? Кому могли помешать пройти на станцию, а то и во все остальное метро? Становилось все холоднее, и от озноба не спасали уже ни печка-буржуйка, ни теплая куртка, выданная Мельником.

Неожиданно сталкер резко обернулся к ведущему на Киевскую туннелю и приподнялся с места, вслушиваясь и всматриваясь. Через несколько секунд причину его беспокойства понял и Артем. Оттуда раздавались быстрые легкие шаги, и в отдалении метался светлячок слабого фонарика, словно кто-то мчался, перескакивая через шпалы, изо всех сил торопясь к ним.

Сталкер вскочил с места, прижался к стене и нацелил на пятно света автомат. Антон спокойно поднялся, вглядываясь в темноту, и по его расслабленной позе сразу становилось понятно, что он не может себе представить никакой серьезной опасности, которая исходила бы с той стороны туннеля.

Мельник щелкнул выключателем своего фонаря, и тьма неохотно отползла назад. Шагах в тридцати от них, посреди полотна, замерла хрупкая фигурка с поднятыми вверх руками.

— Пап, пап, это я, не стреляйте! — голос был, несомненно, детский.

Сталкер отвел луч в сторону и, отряхиваясь, поднялся с земли. Через минуту ребенок уже стоял у печки, смущенно разглядывая свои ботинки. Это был сын Антона, тот самый, который просился на дежурство.

— Случилось что-нибудь? — встревоженно спросил его отец.

— Нет... Я просто с тобой очень хотел. Я уже не маленький, в палатке с мамой сидеть.

— Как ты сюда пробрался? Там же охрана!

— Соврал, что мама к тебе послала. Там дядя Петя, он меня знает. Сказал только, чтобы я ни в какие боковые проходы не заглядывал и шел быстрее, и дал пройти.

— Мы с дядей Петей еще поговорим, — мрачно пообещал Антон. — А ты пока подумай, как маме это объяснять будешь. Обратно я тебя одного не пущу.

— Мне можно с вами остаться? — мальчик не смог сдержать своего восторга и принялся прыгать на месте.

Антон подвинулся в сторону, усаживая сына на нагретые мешки, снял куртку и закутал его было, но мальчишка тут же сполз на пол и, достав из кармана, разложил на тряпочке принесенное с собой добро: пригоршню гильз и еще несколько других предметов. Сидел он рядом с Артемом, и у того было время, чтобы изучить все эти вещи. Самой интересной оказалась маленькая металлическая коробочка с вертящейся ручкой. Когда Олег держал ее в одной руке и проворачивал ручку пальцами другой, коробочка, издавая звонкие металлические звуки, начинала проигрывать несложную механическую мелодию. Занятно было и то, что стоило прислонить ее к другому предмету, как тот начинал резонировать, многократно усиливая звук. Лучше всего это выходило с железной печкой, но долго продержать там устройство не удавалось, потому что оно нагревалось слишком быстро. Артему стало так любопытно, что он решил попробовать сам.

— Это еще что! — передавая ему горячую коробочку и дуя на обожженные пальцы, сказал мальчишка. — Я тебе потом такую штуку покажу! — заговорщически пообещал он.

Следующие полчаса протекли медленно — Артем, не замечая недовольных взглядов дозорных, бесконечно крутил ручку и вслушивался в музыку, Мельник о чем-то шептался с Антоном, мальчик возился на полу с гильзами. Мелодия, которую проигрывала эта крошечная шарманка, была довольно тоскливая, но неведомым образом околдовывала, и остановиться было просто невозможно.

— Нет, не понимаю, — сказал сталкер и встал со своего места, — если оба туннеля обрушены и охраняются, куда же, по-вашему, деваются люди?

— А кто сказал, что все дело в этих туннелях? — Антон посмотрел на него снизу вверх. — И переходы есть на другие линии, целых два, и перегоны к Смоленской... Я думаю, кто-то просто наши суеверия использует.

— Да какие там суеверия! — вмешался тот дозорный, что рассказывал про взорванные туннели и оставшихся по другую сторону людей. — Проклята наша станция за то, что с Парком Победы стало. И мы все, пока на ней живем, прокляты...

— Да брось ты, Саныч, воду мутить, — недовольно оборвал его Антон. — Тут люди серьезные спрашивают, а ты со сказками своими!

— Давай-ка пройдемся, я там по дороге двери видел и отход боковой, посмотреть хочу, — предложил ему Мельник. — На Смоленской тоже люди беспокоятся. Колпаков лично интересовался.

— Вот теперь он заинтересовался, да? — грустно улыбнулся Антон. — Да ладно уж, чего там притворяться, от конфедерации нашей одно название осталось, каждый сам за себя...

— В Полисе даже уже вопросы задают. На вот, ознакомься, — сталкер вытащил из кармана сложенный газетный листок.

Артем видел такие газеты в Полисе. В одном переходе стоял лоток, где их можно было купить, но стоили они десять патронов штука, и платить столько за лист оберточной бумаги с плохо пропечатанными сплетнями он не стал. Мельник, похоже, патронов не жалел.

Под гордым названием «Новости метро» на грубо обрезанном желтоватом листе ютились несколько небольших статей, одна из которых даже сопровождалась черно-белой фотографией. Заголовок гласил: «Загадочные исчезновения на Киевской продолжаются».

— Живы еще курилки, печатают, — Антон осторожно взял в руки газету и разгладил ее. — Ладно, пойдем, покажу тебе твои боковые ответвления. Оставишь почитать?

Сталкер кивнул. Антон поднялся, посмотрел на сына и сказал ему:

— Сейчас приду. Смотри, не шали тут без меня, — и, обернувшись к Артему, попросил: — Присмотри за ним, будь другом.

Артему ничего не оставалось, как кивнуть.

Как только его отец и сталкер отошли подальше, Олег вскочил, с озорным видом отнял у Артема коробочку, крикнул ему «Догоняй!» и бросился бежать к тупику. Вспомнив, что мальчишка теперь под его ответственностью, Артем виновато посмотрел на остальных дозорных, зажег фонарь и пошел за Олегом.

Тот не стал исследовать полуразрушенное служебное помещение, как того опасался Артем. Он ждал у самого завала.

— Смотри, чего сейчас будет! — сказал мальчишка.

Олег вскарабкался на камни, оказавшись на уровне исчезающих в завале труб. Потом он достал свою коробочку, приложил ее к трубе и завертел ручку.

— Слушай! — восторженно предложил он.

Труба загудела, резонируя, и словно вся наполнилась изнутри простой унылой мелодией, которую играла шкатулка. Мальчик припал ухом к трубе и, как завороженный, продолжал крутить ручку, извлекая из металлической коробочки звуки. На секунду он остановился, вслушиваясь, радостно улыбнулся, а потом спрыгнул с каменной груды и протянул шкатулку Артему:

— На, сам попробуй!

Артем вполне мог себе представить, как изменится звук мелодии, пропущенный сквозь полый металл трубы. Но глаза мальчишки так горели, что он решил не вести себя, как последний зануда. Приставив коробочку к трубе, он прижался к холодному железу ухом и начал проворачивать рукоятку. Музыка загремела так громко, что он чуть не отдернул голову. Законы акустики Артему знакомы не были, и каким чудом этот кусок железа может во столько раз усиливать и придавать объем мелодии, до того беспомощно дребезжавшей внутри коробочки, он понять не мог.

Покрутив ручку еще несколько секунд и проиграв коротенький мотив добрых три раза, он кивнул Олегу:

— Здорово.

— Послушай еще! — засмеялся тот. — Не играй, просто слушай!

Артем пожал плечами, оглянулся на пост — не вернулись ли дозорные — и снова приложился ухом к трубе. Что там можно было услышать теперь? Ветер? Отголоски страшного шума, который затопил туннели между Алексеевской и Проспектом Мира?..

...Из невообразимого далека, с трудом пробиваясь через толщу земли, доносились приглушенные звуки. Они шли со стороны мертвого Парка Победы, никаких сомнений в этом быть не могло. Артем замер, вслушиваясь, и, постепенно холодея, понял: он слышит нечто невозможное — музыку.

Одну ноту за другой, кто-то или что-то в нескольких километрах от него воспроизводило тоскливую мелодию из музыкальной шкатулки. Но это было не эхо: в нескольких местах неведомый исполнитель ошибся, кое-где затянул ноту, но мотив оставался вполне узнаваемым. И, главное, это был вовсе не пружинный перезвон, звук напоминал скорее гудение… Или пение? Невнятный хор множества голосов? Нет, все же гудение…

— Что, играет? — с довольным видом спросил у него Олег. — Дай я еще послушаю!

— Что это? — еле разлепив губы, хрипло пробормотал Артем.

— Музыка! Труба играет! — просто объяснил мальчик.

Тоскливое, гнетущее впечатление, которое это жуткое пение произвело на Артема, мальчишке, похоже, не передавалось. Для него это была просто веселая игра, и вряд ли он задавался вопросом, что может отзываться на мелодию с отрезанной от всего мира станции, где все живое кануло в ничто больше десятилетия назад?

Олег снова залез на камни, приготовившись было запустить свою машинку еще раз, но Артему вдруг стало необъяснимо страшно за него и за себя. Он схватил мальчишку за руку и, не обращая внимания на его протесты, потащил за собой к печке.

— Трус! Трус! — кричал Олег. — Только маленькие в эти сказки верят!

— Какие еще сказки? — Артем остановился и заглянул ему в глаза.

— Что они детей забирают, которые в туннели трубы слушать ходят!

— Кто забирает? — Артем потащил его дальше к печке.

— Мертвые!

Разговор оборвался: говоривший про проклятия дозорный встрепенулся и окинул их таким пристальным взглядом, что слова сами собой застряли в горле. Приключение их закончилось как нельзя вовремя: к посту возвращались Антон и сталкер, и с ними шел кто-то еще. Артем быстро усадил мальчика на место. Отец мальчишки просил его присмотреть за Олегом, а не потакать его капризам… Да и кто знает, в какие суеверия верил сам Антон?

— Извини, задержались, — старший опустился на мешки рядом с Артемом. — Не шалил он тут?

Артем покачал головой, надеясь, что у мальчишки хватит ума не хвастаться их авантюрой. Но тот, похоже, и сам прекрасно все понимал. С увлеченным видом Олег принялся заново расставлять свои гильзы.

Третий человек, который пришел со старшим и сталкером, лысеющий худой мужчина со впалыми щеками и мешками под глазами, Артему был незнаком. К печке он подошел только на минуту, дозорным кивнул, а Артема рассмотрел изучающе, но ничего ему не сказал. Представил его Мельник.

— Это Третьяк, — сказал он Артему. — С нами дальше пойдет. Специалист. Ракетчик.

Глава 16

ПЕСНИ МЕРТВЫХ

— Нет там никаких тайных входов, и не было никогда. Неужели ты сам не знаешь? — Третьяк недовольно повысил голос, и его слова долетели до Артема.

Они возвращались с дежурства — назад на Киевскую. Сталкер и Третьяк шагали чуть позади других и оживленно что-то обсуждали. Когда Артем тоже задержался, чтобы принять участие в их разговоре, те перешли на шепот, и ему оставалось только снова присоединиться к основной группе. Маленький Олег, который семенил, стараясь не отставать от взрослых, и отказывался залезать на плечи к отцу, тут же радостно схватил его за руку.

— Я тоже ракетчик! — объявил он.

Артем удивленно поглядел на мальчика. Тот был рядом, когда Мельник представил ему Третьяка и наверняка случайно услышал это слово. Понимал ли он, что оно значит?

— Только никому не говори! — поспешно добавил Олег. — Это другим знать нельзя. Секрет. Этот дядя, наверное, твой друг, если это тебе про себя рассказал.

— Хорошо, никому не скажу, — подыграл ему Артем.

— Это не стыдно, наоборот, этим гордиться надо, но другие могут от зависти плохие вещи про тебя говорить, — объяснил мальчик, хотя Артем и не собирался ничего спрашивать.

Антон шел шагах в десяти впереди, освещая путь. Кивнув на его щуплую фигуру, мальчишка громко прошептал:

— Папа сказал не показывать никому, но ты ведь умеешь секреты хранить. Вот! — он достал из внутреннего кармана маленький кусочек ткани.

Артем посветил на него фонариком. Это оказалась споротая нашивка — кружок из плотной прорезиненной материи, сантиметров семи в поперечнике. С одной стороны он был полностью черным, с другой — на темном фоне было изображено пересечение трех непонятных продолговатых предметов, что-то вроде шестиконечной бумажной снежинки, какими ВДНХ украшали на Новый год. В том из предметов, что располагался вертикально, Артем, присмотревшись, узнал патрон, кажется, от пулемета или снайперской винтовки, но с зачем-то приделанными к основанию крылышками, а вот другие два, одинаковые, желтые, с двойными ободами с обеих сторон, он определить не смог. Загадочная снежинка была вписана в стилизованный венок, как на старых кокардах, а по кругу нашивки шли буквы. Но краска на них была до того вытерта, что прочитать Артему удалось только «...ые войска и ар...», да еще слово «..оссия», написанное снизу, под рисунком. Будь у него чуть больше времени, он, может, и сумел бы понять, что ему показывает мальчик, но получилось иначе.

– Эй, Олежек! Иди сюда, дело есть! – окликнул сына Антон.

– Что это? – успел спросить мальчишку Артем, прежде чем тот выхватил у него нашивку и спрятал к себе в карман.

– Эрвэа! – тщательно выговорил Олег, сияя от гордости, потом подмигнул ему и побежал к отцу.

Взобравшись на платформу по приставной лестнице, дозорные стали разбредаться по домам. Антона у самого выхода ждала жена. Со слезами на глазах она кинулась навстречу маленькому Олегу, подхватила его на руки, а потом набросилась на мужа:

– Ты меня совсем извести хочешь?! Что я должна думать? Ребенок уже сколько часов назад из дому ушел?! Почему я за всех думать должна? Сам как маленький, не мог его домой отвести! – запричитала она.

– Лен, давай не при людях... – смущенно озираясь, пробормотал Антон. – Не мог же я уйти из дозора. Думай, что говоришь, командир заставы и вдруг пост оставит...

– Командир! Вот и командуй! Как будто не знаешь, что тут творится! Вон, у соседей младший неделю назад пропал...

Мельник и Третьяк ускорили шаг и даже не стали прощаться с Антоном, оставив его наедине с женой. Артем поспешил за ними, и долго еще, хотя слов уже было не разобрать, до них доносились плач и укоры Антоновой жены.

Все трое направились к служебным помещениям, где находился штаб начальника станции. Через несколько минут они уже сидели в завешенной потертыми коврами комнате, а сам начальник, понимающе кивнув, когда сталкер попросил оставить их наедине, вышел.

– Паспорта у тебя, кажется, нет? – скорее утвердительно заметил Мельник, обращаясь к Артему.

Тот покачал головой. Без конфискованного фашистами документа он превращался в изгоя, которому был заказан путь почти на все цивилизованные станции метро. Ни Ганза, ни Красная Линия, ни Полис не приняли бы его. Пока сталкер находился рядом, Артему никто не задавал лишних вопросов, но, окажись он один, ему пришлось бы скитаться между заброшенными полустанками и дичающими станциями, такими, как Киевская. И уж нечего было бы и мечтать о том, чтобы вернуться на ВДНХ.

– На Ганзу без паспорта тебя провести я не смогу, мне для этого нужных людей сначала найти надо, – словно подтверждая его мысли, сказал Мельник. – Можно было бы новый выправить, но ведь это время займет. Самый близкий путь до Маяковской – по Кольцу, как ни крути. Что делать?

Артем пожал плечами. Он чувствовал, к чему клонит сталкер. Ждать нельзя, и в обход Ганзы ему самому на Маяковскую тоже не попасть. Туннель, который примыкал к ней с другой стороны, шел прямиком от Тверской. Возвращаться в логово фашистов, да еще и на станцию, превращенную в казематы, было бы безумием. Тупик.

— Лучше будет, если сейчас на Маяковскую мы с Третьяком вдвоем пойдем, — подытожил Мельник. — Поищем вход в Д-6. Найдем — вернемся за тобой, может, и с паспортом уже что-нибудь выйдет, я пока переговорю с кем надо, чтобы бланк подыскали. Не найдем — тоже вернемся. Долго нас ждать тебе не придется. По Кольцу мы вдвоем быстро доберемся, за день все успеем. Подождешь? — он испытующе глянул на Артема.

Артем пожал плечами еще раз. Кивнуть и согласиться он себя заставить не мог. Его не оставляло чувство, что с ним обходятся как с отработанным материалом. Сейчас, когда он выполнил свою основную задачу, сообщил об опасности, взрослые взяли на себя все остальное, а его просто отодвигают в сторону, чтобы он не путался под ногами.

— Вот и отлично, — заключил сталкер. — Жди нас к утру. Мы прямо сейчас и двинемся, чтобы не тратить времени зря. По поводу еды и ночлега мы с Аркадием Семеновичем все обсудим, он тебя не обидит. Все, вроде... Нет, не все. — Он полез в карман и извлек оттуда тот самый окровавленный листок бумаги, на котором был план и пояснения. — Возьми, я его себе срисовал. Кто знает, как повернется. Не показывай только никому...

Мельник и Третьяк ушли меньше чем через час, переговорив перед этим с начальником станции. Аккуратный Аркадий Семенович тут же проводил Артема к его палатке и, пригласив поужинать с ним вечером, оставил отдыхать.

Палатка для гостей стояла чуть на отшибе, и хотя она и содержалась в прекрасном состоянии, Артем с самого начала почувствовал себя в ней очень неуютно. Он выглянул наружу и снова убедился, что остальные жилища жмутся друг к другу, и все они расположены как можно дальше от входов в туннели. Сейчас, когда сталкер ушел и Артем остался один на незнакомой станции, тягостное ощущение, испытанное им вначале, вернулось. На Киевской все же было страшно, просто страшно, без всяких видимых причин. Уже становилось поздно, и голоса детей затихали, а взрослые обитатели станции все реже выходили из палаток. Разгуливать по платформе Артему совсем не хотелось. Перечитав трижды полученное от умирающего Данилы письмо, Артем не вытерпел и на полчаса раньше оговоренного времени отправился к Аркадию Семеновичу на ужин.

Предбанник служебного помещения был сейчас превращен в кухню, где орудовала симпатичная девушка чуть старше Артема. На большой сковороде тушилось мясо с какими-то корешками, рядом отваривались белые клубни, которыми угощала жена Антона. Сам начальник станции сидел рядом на табурете и листал растрепанную книжонку, на обложке которой красовалось изображение револьвера и женских ног в черных чулках. Увидев Артема, Аркадий Семенович смущенно отложил книгу в сторону.

— Скучно у нас здесь, наверное, — понимающе улыбнулся он юноше. — Пойдем ко мне в кабинет, Катерина нам там накроет. А мы пока хряпнем, — подмигнул он.

Сейчас та же комната с коврами и черепом выглядела совсем иначе: освещенная настольной лампой с зеленым матерчатым абажуром, она стала намного уютнее. Напряжение, неотступно преследовавшее Артема на платформе, в лучах этой лампы бесследно рассеялось. Аркадий Семенович извлек из шкафа небольшую бутылку и нацедил в необычный пузатый стакан коричневой жидкости с кружащим голову ароматом. Вышло совсем немного, на палец, и Артем уважительно подумал, что стоит эта бутылка уж точно не меньше целого ящика браги, которую он пробовал на Китай-Городе.

— Коньячок, — откликнулся на его любопытный взгляд Аркадий Семенович, — армянский, конечно, зато почти тридцатилетней выдержки. Сверху, — начальник мечтательно поднял глаза к потолку. — Не бойся, не заражен, сам проверял дозиметром.

Крепости незнакомый напиток был отменной, но приятный вкус и терпкий аромат смягчали его. Глотать сразу Артем не стал, а по примеру хозяина попытался коньяк смаковать. По внутренностям, казалось, медленно разливался огонь, постепенно остывая и превращаясь в приятно согревающее тепло. Комната стала еще уютнее, а Аркадий Семенович — еще симпатичнее.

— Удивительная вещь, — жмурясь от удовольствия, оценил Артем.

— Хорош, правда? Года полтора назад у Краснопресненской сталкеры совсем нетронутый продуктовый нашли, — объяснил начальник станции, — в подвальчике, как часто раньше делали. Вывеска упала — его никто и не замечал. А один из них вспомнил, что раньше, еще до того, как грохнуло, туда иногда захаживал, вот и решил проверить. Столько лет пролежало, только лучше сделалось. По знакомству мне за сто пулек две бутылки отдал. На Китай-Городе за одну двести просят.

Он сделал еще один маленький глоток, потом задумчиво посмотрел сквозь коньяк на свет лампы.

— Вася его звали, сталкера этого, — сообщил начальник. — Хороший был человек. Не мелочь какая-нибудь, которая у них по дрова бегает, а серьезный парень, все стоящие вещи приносил. Как ни вернется сверху, первым делом ко мне шел. Вот, говорит, Семеныч, новые поступления, — он слабо улыбнулся.

— С ним случилось что-то? — участливо спросил Артем.

— Краснопресненскую он очень любил, все время повторял, что там настоящее Эльдорадо, — печально сказал Аркадий Семенович. — Все нетронутое, одна высотка сталинская чего стоит... Понятно, отчего оно там все в целости-сохранности... Зоопарк-то прямо через дорогу. Кто же туда сунется, на Краснопресненскую? Такой страх... Отчаянный он был, Васятка, рисковал всегда, но и зарабатывал зато. И все же допрыгался. Утащили его в зоопарк, а напарник еле успел удрать. Давай выпьем за него, — начальник тяжело вздохнул и налил еще по одной.

Помня о небывало высокой цене коньяка, Артем запротестовал было, но Аркадий Семенович решительно вложил пузатый стакан в его ладонь, объяснив, что отказ оскорбит память бесшабашного сталкера, добывшего этот божественный напиток.

Тем временем девушка накрыла на стол, и Артем с Аркадием Семеновичем незаметно перешли на обычный, но хорошо очищенный самогон. Мясо было приготовлено восхитительно, и под него почти прозрачная жидкость шла на удивление легко.

— Неприятно у вас на станции, — разоткровенничался через полтора часа Артем. — Страшно здесь, гнетет что-то...

— Дело привычки, — неопределенно покачал головой Аркадий Семенович, — и здесь люди живут. Не хуже, чем на некоторых...

— Нет, вы не подумайте, я же понимаю, — решив, что начальник Киевской обиделся, поторопился успокоить его Артем. — Вы, наверняка, все возможное делаете... Но тут такая ситуация. Все только и говорят о том, что люди пропадают.

— Брешут, — отрезал Аркадий Семенович. Но еще через стакан самогона признался: — Не все пропадают. Дети только.

— Мертвые их забирают? — Артема даже передернуло.

— Кто знает, кто их забирает? Я сам в мертвых не верю. Я на своем веку мертвых повидал, будь спокоен. Никого они никуда не забирают. Лежат себе тихо. Но там, за завалами, — Аркадий Семенович махнул рукой в сторону Парка Победы и чуть было не потерял равновесие, — кто-то есть. Это точно. И нам туда ходить нельзя.

— Почему? — Артем постарался сфокусироваться на своем стакане, но тот все время расплывался и куда-то уползал.

— Погоди, покажу...

Начальник станции с грохотом отодвинулся от стола, тяжело поднялся и, качаясь, подошел к шкафу. Покопавшись на одной из полок, он осторожно поднес к свету длинную металлическую иглу с оперением с тупого конца.

— Это что? — нахмурился Артем.

— Вот и я хотел бы знать...

— Откуда вы это взяли?

— Из шеи дозорного, который правый туннель охранял. Крови всего ничего вытекло, а сам весь синий лежал, и пена изо рта.

— С Парка Победы пришли? — догадался Артем.

— Дьявол их разберет, — пробормотал Аркадий Семенович и разом опрокинул остававшиеся полстакана. — Смотри только, — добавил он, убирая иглу обратно в шкаф, — не говори никому.

— А почему вы сами никому не расскажете? Вам помогут, и люди успокоятся.

— Да никто не успокоится, разбегутся все, как крысы! Сейчас уже бегут... Не от кого тут обороняться, врага никакого нет. Не видно его, потому и страшно. Ну, покажу я им эту иглу, и что? Думаешь, все разрешится? Смешно! Все слиняют, гады, одного меня здесь оставят! А какой я начальник станции без населения? Капитан без корабля! — он повысил голос, но дал петуха и замолчал.

— Аркаша, Аркаша, не надо так, все хорошо... — девушка испуганно присела рядом с ним, гладя его по голове, и Артем сквозь туман с сожалением понял, что начальнику она приходится вовсе не дочерью.

— Все, суки, бегут! Как крысы с корабля! Один останусь! Но не сдамся! — не утихал тот.

Артем через силу встал и нетвердо зашагал к выходу. Охранник у дверей вопросительно щелкнул себя пальцем по горлу, кивая на кабинет Аркадия Семеновича.

— Мертвецки, — еле выговорил Артем. — До завтра его лучше не трогать, — и, покачиваясь, побрел к своей палатке.

Дорогу ему пришлось поискать. Пару раз он пытался забраться в чужие жилища, и только грубая мужская брань и истошные женские визги помогали ему понять, что угадать нужную палатку опять не удалось. Самогон оказался коварнее, чем дешевая брага, и в полную силу начинал действовать только теперь. Арки и колонны плыли перед глазами, а в довершение всего его начинало мутить. В обычное время, может быть, кто-нибудь и помог бы Артему добраться до гостевой палатки, но сейчас станция оказалась совершенно пуста. Даже посты у выходов из туннелей, наверное, были покинуты.

На всю станцию ночью оставалось включенными три-четыре тусклых лампочки, и, за исключением световых пятен в тех местах, где они свисали с потолка, вся платформа была погружена во тьму. Когда Артем останавливался и присматривался повнимательнее, ему начинало чудиться, что сумрак чем-то заполнен и тихо шевелится. Не поверив своим глазам, он с любопытством и храбростью пьяного побрел в сторону одного особенно подозрительного места: неподалеку от перехода на Филевскую линию, у одной из арок, движения сгустков темноты были не плавные, как в других углах, а резкие и словно осознанные.

— Эй! Кто там? — приблизившись на расстояние шагов пятнадцати, выкрикнул он.

Никто не ответил, но ему показалось, что из общего темного пятна медленно выделилась продолговатая тень. Она почти сливалась с мраком, однако в Артеме росла уверенность, что из темноты на него кто-то смотрит. Он покачнулся, но устоял и сделал еще шаг.

Тень резко уменьшилась в размерах, словно съежилась, и скользнула вперед. В нос ударил резкий тошнотворный запах, и Артем отшатнулся. Чем это пахло? Перед глазами встала картина, увиденная им в туннеле на подступах к Четвертому Рейху: наваленные друг на друга трупы со скрученными за спиной руками. Запах разложения?..

В тот же миг с дьявольской скоростью, словно вылетающая из арбалета стрела, тень метнулась к нему. На секунду перед глазами мелькнуло лицо, бледное, с глубоко запавшими глазами, покрытое странными пятнами.

— Мертвец! — прохрипел Артем.

Потом его голова раскололась на тысячи частей, потолок заплясал и перевернулся, и все угасло. Выныривая и погружаясь в ватную тишину, раздавались чьи-то голоса, вспыхивали и исчезали какие-то видения.

— ...мне мама не разрешит, она беспокоиться будет, — говорил неподалеку ребенок. — Сегодня точно нельзя, она весь вечер плакала. Нет, я не боюсь, ты не страшный, и поешь красиво. Просто не хочу, чтобы мама опять плакала. Не обижайся! Ну, разве что ненадолго... До утра вернемся?

— ...время не ждет. Время не ждет, — повторял низкий мужской голос. — Времени в обрез. Они уже близко. Вставай, не лежи, вставай! Если потерять надежду, если дрогнуть, капитулировать, твое место быстро займут другие. Я продолжаю бороться. Ты тоже должен. Вставай! Ты не понимаешь...

— ...это еще кто? К начальнику? В гостевую? Ну, конечно, один понесу! Давай, тоже помогай... Хотя бы за ноги возьми. Тяжелый... Что там у него в карманах бренчит, интересно? Да ладно, шучу я. Все, донесли. Да не буду, не буду. Ухожу...

Полог палатки резко отодвинулся, в лицо ударил луч фонаря.

— Ты Артем? — лица вошедшего было не разглядеть, но голос звучал молодо.

Артем вскочил с лежанки, но голова тут же закружилась, и его затошнило. В затылке пульсировала тупая боль, каждое прикосновение к нему обжигало. Волосы там склеились, наверное, от засохшей крови. Что с ним произошло?

— Войти можно? — спросил пришедший и, не дожидаясь разрешения, шагнул в палатку, задернув за собой полог.

Он сунул Артему в руку крошечный металлический предмет. Включив наконец собственный фонарь, Артем рассмотрел его. Это была автоматная гильза, превращенная в завинчивающуюся капсулу — точно такая же, как та, что ему когда-то вручил Хантер. Не веря своим глазам, Артем попытался открыть крышку, но она скользила во вспотевших от волнения ладонях. Наконец на свет выпал крошечный кусок бумаги. Неужели послание от Хантера?

«Непредвиденные осложнения. Выход в Д-6 заблокирован. Третьяк убит. Жди меня, никуда не уходи. Потребуется время на организацию. Постараюсь вернуться как можно скорее. Мельник».

Артем перечитал записку еще раз, силясь разобраться в ее содержании. Третьяк убит? Выход в Метро-2 блокирован? Но ведь это означает, что все их планы и все их надежды рассыпаются в прах! Он непонимающе взглянул на посланника.

— Мельник приказал оставаться здесь и ждать его, — подтвердил тот. — Третьяк мертв. Убили. Мельник сказал, отравленной иглой. Кто это сделал, неизвестно. Он теперь мобилизацию будет проводить. Все, мне пора. Ответ будет?

Артем подумал, о чем он может написать сталкеру. Что делать? На что теперь надеяться? Можно ли бросить все и вернуться на ВДНХ, чтобы в последние минуты быть там с близкими людьми? Он помотал головой. Посланник молча развернулся и вышел наружу.

Артем опустился на лежанку и задумался. Идти ему сейчас было просто некуда. Без паспорта и без сопровождающего он не мог ни выйти на Кольцо, ни вернуться на Смоленскую. Оставалось надеяться, что Аркадий Семенович будет и в ближайшие дни так же гостеприимен, как вчера.

На Киевской стоял «день». Лампочек горело вдвое больше, а рядом со служебными помещениями, где размещалась квартира начальника станции, сияла еще и ртутная трубка лампы дневного света. Морщась от боли в голове, Артем добрел до кабинета начальника. Охранник жестом остановил его на входе. Изнутри доносился шум. Несколько мужчин разговаривали на повышенных тонах.

— Занят он, — объявил караульный. — Хочешь, жди.

Через несколько минут из помещения пулей вылетел Антон, командир дозора, в который Артем ходил накануне. За ним на порог выбежал и хозяин кабинета. Хотя его волосы снова были аккуратно расчесаны, под глазами набухли мешки, а лицо заметно опухло и покрылось серебристой щетиной. Артем потер щеки и подумал, что и сам после вчерашнего, наверное, выглядит немногим лучше.

— А я что могу сделать? Что?! — вдогонку Антону крикнул начальник, а потом, плюнув, хлопнул себя ладонью по лбу. — А... Проснулся? — заметив Артема, криво улыбнулся он.

— Мне тут у вас задержаться придется, пока Мельник не вернется, — оправдывающимся тоном сообщил Артем.

— Знаю, знаю. Доложили. Пойдем-ка внутрь, мне тут касательно тебя поручение дали, — Аркадий Семенович жестом пригласил его в комнату. — Вот, пока Мельника ждать будешь, сказано сфотографировать тебя, на паспорт. У меня тут техника осталась еще с того времени, как Киевская нормальной станцией была... Потом он, может, бланк паспортный достанет, сделаем тебе документ.

Усадив Артема на табурет, он навел на него объектив маленького пластмассового фотоаппарата. Блеснула вспышка, и следующие пять минут Артем провел в полной темноте, беспомощно озираясь по сторонам.

— Извини, забыл предупредить... Проголодаешься — заходи, Катя тебя покормит, но времени сегодня у меня на тебя не будет. Тут у нас обостряется... У Антона ночью сын старший пропал. Он теперь всю станцию на уши поставит... Что за жизнь? Да, мне тут сказали, тебя утром нашли посреди платформы? Голова в крови? Случилось что?

— Не помню... Спьяну упал, наверное, — не сразу отозвался Артем.

— Да... Неплохо мы вчера посидели, — ухмыльнулся начальник. — Ладно, Артем, пора мне дела делать. Заходи попозже.

Артем сполз с табурета. Перед глазами у него стояло лицо маленького Олега. Старший сын Антона... Неужели он? Он вспомнил, как накануне тот крутил ручку своей музыкальной шкатулки, приложив ее к железу трубы, а потом сказал, что только малыши боятся, что их заберут мертвые, если ходить в туннели и слушать трубы. Артема захлестнул холодный ужас. Неужели это правда? Неужели это произошло из-за него? Он еще раз беспомощно оглянулся на Аркадия Семеновича, раскрыл было рот, но так ничего и не сказав, вышел наружу.

Вернувшись в свою палатку, Артем уселся на пол и некоторое время просидел молча, глядя в пустоту. Сейчас ему начало казаться, что, избрав его для этой миссии, кто-то неведомый одновременно проклял его: почти все, решившиеся разделить с ним хотя бы часть пути, погибали. Перед ним вереницей пронеслись образы людей, которые нашли свою смерть, ступая с ним по одной дороге. Бурбон, Михаил Порфирьевич и его внук, Данила... Хан пропал бесследно, да и спасшие Артема бойцы революционной бригады могли быть убиты в следующем же перегоне. Теперь Третьяк. Но маленький Олег?.. Нес ли Артем своим спутникам смерть, сам того не зная?

Не понимая толком, что делает, он вскочил, закинул за спину рюкзак и автомат, взял фонарь и вышел на платформу. Ноги сами понесли его к тому месту, где ночью на него напали. Подойдя ближе, он замер. Сквозь мутную пленку пьяной памяти на него смотрели мертвые, запавшие в глазницы зрачки. Он все вспомнил. Это был не сон.

Найти Олега! Во что бы то ни стало помочь командиру дозора разыскать его сына. Это его вина, вина Артема, он не усмотрел за мальчишкой, согласился играть в его странные игры с трубами, и вот теперь он здесь, в целости и сохранности, а мальчик исчез. И Артем был уверен, что он не убежал со станции сам. Этой ночью здесь произошло что-то нехорошее, необъяснимое, и Артем виноват дважды, потому что мог бы этому помешать, но не сумел.

Он осмотрел то место, где вчера в тенях таился жуткий пришелец. Там была свалена куча мусора, но, разворошив ее, Артем только вспугнул бродячую кошку. Безрезультатно обследовав платформу, он подошел к путям и спрыгнул на рельсы. Караульные на входе в туннель лениво оглядели его и предупредили, что в перегоны он может идти на собственный страх и риск и что никто там за него ответственности нести не будет.

На этот раз Артем пошел не по тому туннелю, где накануне дежурил с Мельником, а по второму, параллельному. Как и говорил командир дозорных, этот перегон тоже оказался завален приблизительно на таком же расстоянии до станции. В тупике размещался пост: железная бочка, служившая печью, и наваленные вокруг мешки. Рядом с ними на рельсах стояла ручная дрезина, груженная ведрами с углем. Сидевшие на мешках дозорные о чем-то шептались и при его приближении вскочили со своих мест, напряженно разглядывая Артема. Но потом один из них дал отбой, и остальные успокоились и расселись по-прежнему. Присмотревшись, Артем узнал в командире Антона и, поспешно пробормотав что-то неловкое, развернулся и зашагал назад. Лицо его горело; он не мог посмотреть в глаза человеку, который из-за него лишился сына. Артем брел понурившись, повторяя вполголоса: «Я тут ни при чем... Я не мог... Что я мог сделать?» Размазанное пятно света от его фонаря скакало в шаге перед ним.

Внезапно он заметил маленький предмет, сиротливо лежавший в тени между двух шпал. Даже издалека тот показался ему знакомым, и сердце заколотилось чаще. Нагнувшись, Артем подобрал с земли маленькую коробочку с торчащей из нее изогнутой ручкой. Он повернул рукоятку, и коробочка отозвалась дребезжащей тоскливой мелодией. Музыкальная шкатулка Олега. Брошенная или случайно оброненная им здесь совсем недавно.

Артем скинул рюкзак на том месте, где нашел шкатулку, и с удвоенным вниманием принялся исследовать стены туннеля. Неподалеку находилась дверка, ведущая в служебные помещения, но за ней Артем обнаружил только разоренный общественный сортир. Еще двадцать минут осмотра туннелей тоже ни к чему не привели. Вернувшись к рюкзаку, парень опустился на землю и прислонился спиной к стене, откинув голову назад и обессиленно уставившись в потолок. Спустя секунду он уже снова был на ногах, а луч фонаря, дрожа, обводил черную щель, едва заметную в потемневшем бетоне перекрытий. Щель неплотно прикрытого люка — именно над тем местом, где Артем подобрал с земли музыкальную шкатулку Олега. Однако о том, чтобы достать до люка, нечего было и думать: потолок находился на высоте трех с лишним метров.

Решение пришло почти мгновенно. Зажав в руке найденную коробочку и бросив на рельсах свой рюкзак, Артем кинулся обратно к дозорным. Он больше не боялся посмотреть в глаза Антону.

Чуть сбавив шаг на подходах к посту, чтобы дозорные не уложили его с перепугу, Артем приблизился к Антону и шепотом рассказал ему о своей находке. Через две минуты они под вопросительными взглядами остальных уже отъезжали от поста, поочередно работая рукоятями дрезины.

Лаз был довольно узкий, и в полный рост там было не выпрямиться. Он проходил параллельно туннелю в полутора метрах над потолком, и зачем его построили, Артем даже не мог себе представить. Для вытяжки? Для передвижения в аварийных ситуациях? Для крыс? Или его копали уже после того, как туннель был обрушен взрывом?

Дрезину остановили прямо под люком. Ее высоты как раз хватило, чтобы Артем, забравшись на плечи Антону, отодвинул крышку, пролез внутрь, а потом помог подтянуться напарнику.

Хотя тесный коридор уходил в обе стороны, Антон решительно двинулся в сторону Парка Победы. Через несколько секунд стало ясно, что он не ошибся: на полу в свете фонаря тускло блеснула продолговатая гильза — одна из тех, что Мельник подарил мальчишке накануне. Воодушевленный находкой, Антон перешел на рысь.

Они прошли еще метров двадцать, до того места, где лаз упирался в стену, а в полу чернел проем еще одного люка, тоже приоткрытого. Антон уверенно начал спускаться вниз. Еще до того, как Артем успел что-нибудь возразить, тот уже исчез. Из проема раздались грохот, чертыхания, а потом сдавленный голос сообщил:

— Осторожнее прыгай — здесь метра три высота. Погоди, я тебе фонарем посвечу.

Зацепившись руками за край, Артем повис и, качнувшись пару раз, разжал пальцы, стараясь попасть обеими ногами между шпал.

— Как мы обратно выбираться будем? — спросил он, выпрямляясь и отряхивая ладони.

— Придумаем как, — отмахнулся Антон. — Ты, главное, уверен, что тебе про мертвеца не показалось?

Артем пожал плечами. Несмотря на саднящий затылок, сама мысль, что прошлой ночью на Киевской на него напала какая-то нежить, на трезвую голову казалась абсурдной.

— До Парка Победы пойдем, — решил Антон. — Если тут и творится чертовщина, угроза может идти только оттуда. Ты и сам это чувствовать должен, ты же был у нас на станции.

— А почему вы вчера ничего нам не сказали? — спросил Артем, догоняя дозорного и стараясь идти с ним в ногу.

— Начальство не велело, — хмуро отозвался тот. — Семенович очень боится паники, сказал, слухи не распространять. За место свое дрожит. Но всему есть предел. Я уже давно ему говорил, что вечно он секрета из этого делать не сможет... Трое детей за последние два месяца пропали, четыре семьи сбежали со станции. Караульный наш с иглой этой в шее. Нет, говорит, паника начнется, контроль потеряем. Трус он... — Антон в сердцах сплюнул.

— А кто так иглой его?.. — Артем осекся на полуслове и остановился, застыл и Антон.

— Это еще что такое? Ты когда-нибудь такое видел? — озадаченно спросил дозорный.

Артем ничего не ответил. Он так и стоял, уставившись в пол и только поводя фонарем из стороны в сторону, чтобы лучше рассмотреть то, на что указывал дозорный.

На полу красовался гигантский рисунок, грубо сделанный белой краской поверх рельсов, шпал и грунта: извилистая линия, напоминающая ползущую змею или червяка, сантиметров в сорок толщиной и метров двух в длину. С одной стороны на ней виднелось утолщение, напоминавшее голову и придававшее ей еще большее сходство с огромным пресмыкающимся.

— Змея, — предположил Артем.

— Может, просто краску пролили? — попробовал шутить Антон.

— Нет, не просто. Голова вот... В ту сторону глядит. К Парку Победы ползет...

— Значит, нам с ней по пути...

Еще через несколько сотен метров их предположения подтвердились. Направление было правильным, их уверили в этом сразу три гильзы, брошенные посередине пути. Оба зашагали бодрее.

— Молодец парень! — с гордостью сказал Антон. — Надо же так придумать следы оставлять!

Артем кивнул. Гораздо больше его занимало то, как неизвестному существу удалось без шума забрать с собой еще живого, по всей видимости, мальчика. Было ли услышанное им в забытьи реальностью? Согласился ли Олег пойти со своим загадочным похитителем добровольно? Почему и для кого тогда он помечал свой путь?

Артем притих на несколько минут, замолчал и Антон. Сейчас, когда они просто шагали вперед, отсчитывая шпалы, а едкая темнота постепенно растворяла недавнюю радость и надежду, ему снова понемногу становилось страшно. Надеясь искупить свою вину перед мальчиком и его отцом, он позабыл про все предостережения и жуткие, пересказанные шепотом байки. Забыл и про приказ сталкера никуда не уходить с Киевской, а обязательно дожидаться его на станции. И если Антон рвался вперед, чтобы разыскать и вернуть сына, то зачем на зловещий Парк Победы шел Артем? Ради чего он пренебрегал собой и своей главной задачей? Он на секунду вспомнил странных людей с Полянки, которые говорили ему про судьбу. Отчего-то на душе полегчало. Правда, боевого настроя хватило минут на десять. Как раз до следующего знака, изображавшего змею.

Этот рисунок был вдвое больше прежнего, и это должно было убедить путников в том, что они идут в верном направлении. Однако Артем совсем не был уверен, что он этому рад.

Туннель казался бесконечным. Они все шагали и шагали, и времени, по расчетам Артема, прошло уже не меньше двух часов. Хотя могло и почудиться — Антон все больше молчал, а в темноте и тишине, как известно, минуты растягиваются, по крайней мере, вдвое.

На третью нарисованную гигантскую змею, которая в длину была уже более десяти метров, пришелся и звуковой рубеж: на этом месте Антон замер на месте, повернув ухо к туннелю, а вслед за ним прислушался и Артем. Из глубины перегонов толчками текли странные звуки; сперва он не мог распознать их, но потом понял: сопровождаемое глухими ударами барабанов песнопение, схожее с тем, которым отзывались на музыку из шкатулки трубы на Киевской.

— Недалеко уже, — кивнул Антон.

Время, и без того сочившееся неспешно, вдруг превратилось в желе и чуть совсем не остановилось: глядя на напарника, Артем с поразительной ясностью отдавал себе отчет в том, что кивает тот слишком резко, будто конвульсивно дергает головой, а после удивился, что подбородок Антона так и не вернулся в нормальное положение. И когда Антон начал мягко заваливаться вбок, до смешного напоминая набитое тряпьем чучело, Артем подумал, что может подхватить его, потому что времени на это предостаточно. Сделать это помешал легкий укол в плечо. Озадаченно посмотрев на саднящее место, Артем обнаружил впившуюся в куртку оперенную стальную иглу. Вытащить ее, как он собирался было сделать, у него не вышло: все тело окаменело, а потом вдруг словно исчезло. Ватные ноги подогнулись под тяжестью туловища, и Артем оказался на земле. Сознание при этом оставалось почти незамутненным, слух и зрение игла тоже пощадила, дышать стало хоть и сложнее, но много воздуха теперь ему уже и не было нужно. Однако пошевелить конечностями Артем не мог.

Рядом послышались шаги, стремительные и невесомые. Приблизившееся существо не могло быть человеком. Человеческие шаги Артем научился отличать давным-давно, в дозорах на ВДНХ: парные, тяжелые, зачастую громыхающие грубой подошвой кирзовых сапог — самой распространенной обуви в метро.

Видно по-прежнему было только часть шпалы и уходящий в обратном направлении, к Киевской, рельс. В нос ударил резкий, неприятный запах.

— Один, два. Чужие, лежат, — сказал кто-то сверху.

— Метко стреляю, далеко. Шея, плечо, — откликнулся другой.

Голоса были странные: лишенные интонаций, блеклые, они напоминали скорее монотонное гудение ветра в туннелях. Однако это были именно человеческие голоса и ничто другое.

— Есть, метко. Так хочет Великий Червь, — продолжил первый голос.

— Есть. Один — ты, два — я, несем чужих домой, — добавил второй.

Картинка перед глазами у Артема дернулась: его резко оторвали от земли. На какой-то момент перед глазами у него мелькнуло лицо: узкое, с темными провалами глазниц. Потом оба валявшихся на полу фонаря — его и Антона — погасли, наступила кромешная темнота. И только по приливам крови к голове Артем понял, что его грубо, как мешок, куда-то тащат.

Странный разговор тем временем продолжался, хотя фразы и перемежались теперь напряженным кряхтением.

— Игла-паралиш, а не игла-яд. Почему?

— Командир так приказывает. Жрец так приказывает. Великий Червь так хочет. Мясо хорошо хранить.

— Ты умный. Ты и жрец — други. Жрец учит.

— Есть.

— Один, два, враги приходят. Пахнет порох, огонь. Плохой враг. Как приходит?

— Не знаю. Командир и Вартан делают допрос. Я и ты ловим. Хорошо, Великий Червь радуется. Я и ты берем награду.

— Много есть? Ботинки? Куртка?

— Много есть. Куртка — нет. Ботинки — нет.

— Я — молодой. Враги ловлю. Хорошо. Много есть. На-гра-да... Радуюсь.

— Этот день — хорошо. Вартан приводит новый маленький. Я, ты — ловим враги. Великий Червь радуется, люди поют. Праздник.

— Праздник! Радуюсь. Танцы? Водка? Я танцеваю Наташа.

— Наташа и командир, танцуют. Ты — нет.

— Я — молодой, сильный, командир — много лет. Наташа — молодая. Я ловлю враги, храбрый, хорошо. Наташа и я, танцуют.

Вблизи послышались новые голоса, и спор оборвался. Артем догадался, что их принесли на станцию. Здесь было почти так же темно, как и в туннелях, на всю станцию горел только один маленький костерок, у которого их небрежно бросили на пол. Чьи-то стальные пальцы схватили его за подбородок и перевернули лицом вверх.

Вокруг стояли несколько людей невообразимо странного вида. Они были почти догола раздеты, а головы их были обриты наголо, но при этом, казалось, совсем не мерзли. На лбу у каждого виднелась волнистая линия, похожая на рисунки в перегоне. При небольшом росте выглядели они нездорово: впалые щеки, землистая кожа, но при этом излучали какую-то сверхчеловеческую силу. Артем вспомнил, с каким трудом Мельник нес раненого Десятого из Библиотеки, и сравнил это с тем, как быстро эти странные создания доставили их на станцию.

В руках почти у каждого из них была длинная узкая трубка. Приглядевшись, Артем с удивлением узнал в них пластмассовые оболочки, использовавшиеся для прокладки и изоляции пучков электрических проводов. На поясах висели огромные стальные штык-ножи, вроде бы от автоматов Калашникова старого образца. Все эти странные люди были приблизительно одинакового возраста, старше тридцати лет здесь не было никого.

Какое-то время их разглядывали молча, потом один из мужчин — с линией красного цвета и единственный, носивший бороду, — заключил:

— Хорошо. Радуюсь. Это враги Великого Червя, люди машин. Злые люди, нежное мясо. Великий Червь доволен. Шарап, Вован — храбрые. Я беру люди машин в тюрьму, провожу допрос. Завтра праздник, все добрые люди едят врагов. Вован! Какая игла? Паралиш? — уточнил он, видимо обращаясь к одному из тех, кто схватил Артема с Антоном.

— Есть, паралиш, — подтвердил коренастый мужчина с синей линией на лбу.

— Паралиш — хорошо. Мясо не портится, — одобрил бородатый. — Вован, Шарап! Бери врагов, иди со мной в тюрьму.

Перед глазами снова замельтешило, и свет стал удаляться. Рядом звучали новые голоса, кто-то нечленораздельно выражал свой восторг, кто-то жалобно выл, потом раздалось пение, низкое, на грани слышимости, и недоброе. Казалось, действительно поют мертвецы, и Артем вспомнил о байках, которые ходили вокруг Парка Победы. Потом его снова положили на землю, рядом швырнули Антона, и вскоре он впал в забытье.

...Что-то словно толкнуло его, подсказало, что надо скорее вставать. Потянувшись, он зажег фонарик, прикрывая его рукой, чтобы не так резало чувствительные спросонья глаза, осмотрел палатку (где автомат?!) и вышел на станцию. Он так соскучился по дому, но теперь, когда снова оказался на ВДНХ, совсем не был рад этому.

Закопченный потолок, покрытые пулевыми отверстиями и опустевшие палатки, тяжелая гарь в воздухе... Здесь, кажется, случилось что-то ужасное, и станция разительно отличалась от того, какой он ее помнил. Издалека, наверное, из перехода в другом конце платформы, слышались чьи-то дикие вопли, будто там кого-то резали.

Две аварийные лампы скудно освещали станцию, их слабые лучи с трудом пробивались сквозь ленивые клочья дыма. На всей платформе никого не было, только рядом с одной из соседних палаток играла на полу маленькая девочка. Артем хотел было узнать у нее, что здесь случилось и куда пропали остальные, но, завидев его, девочка начала громко плакать, и он отказался от своих намерений.

Туннели. Туннели от ВДНХ к Ботаническому Саду. Если обитатели его станции и ушли куда-то, то это могли быть только перегоны, ведущие к этому проклятому месту. Если бы остальные бежали в центр, к Ганзе, его и малышку не оставили бы здесь одних.

Спрыгнув на пути, Артем двинулся к черному кругу входа. Оружия нет, без оружия опасно, подумал он. Но терять нечего, а кроме того, он должен разведать обстановку. Вдруг черные сумели прорвать оборону? Тогда вся надежда только на него. Он должен узнать правду и сообщить ее южным союзникам.

Темнота обрушилась на него сразу за входом — стоило переступить черту, за которой заканчивалась станция, и начинался туннель. Вместе с тьмой пришел и страх. Впереди не было видно ровным счетом ничего, зато оттуда доносились отвратительные чавкающие звуки. Артем еще раз пожалел, что у него нет автомата, но отступать было поздно.

Издалека, а потом все ближе и ближе зазвучали шаги. Они словно надвигались, когда Артем шел вперед, и замирали, когда он останавливался. Когда-то с ним уже происходило подобное, но вот когда именно и как это было, он не мог вспомнить. Это было очень страшно — идти навстречу невидимому и неведомому... противнику? Предательски дрожащие колени мешали ему делать это быстро, а время было на стороне ужаса. По вискам струился холодный пот. С каждой секундой ему становилось все больше не по себе.

Наконец, когда шаги раздались уже метрах в трех от него, Артем не выдержал, и, спотыкаясь, падая и поднимаясь опять, бросился обратно на станцию. На третьем падении ослабевшие вконец ноги отказались держать его, и он понял, что смерть неминуема.

— ...Все на этом свете есть порождение Великого Червя. Когда-то весь мир состоял из камня, и не было в нем ничего, кроме камня. Не было воздуха, и не было воды, не было света, и не было огня. Не было человека, и не было зверя. Был только мертвый камень. И тогда в нем поселился Великий Червь.

— А откуда Великий Червь? Откуда приходит? Кто его родит?

— Великий Червь был всегда. Не перебивай. Он поселился в самом центре мира и сказал: этот мир будет моим. Он сделан из твердого камня, но я прогрызу в нем свои ходы. Он холоден, но я согрею его теплом своего тела. Он темен, но я освещу его светом своих глаз. Он мертв, но я населю его своими созданиями.

— Кто — создания? Что?

— Создания — это твари, которых Великий Червь выпустил из чрева своего. И ты, и я — все мы создания его. Так вот. И тогда сказал Великий Червь: все будет так, как я сказал, потому что этот мир отныне мой. И стал он грызть ходы через твердый камень, и размягчился камень в его утробе, слюна и сок смочили его, и камень стал живым, и стал родить грибы. И грыз Великий Червь камень, и пропускал его сквозь себя, и делал так тысячи лет, пока его ходы не прошли сквозь всю землю.

— Тысяча — что? Один, два, три? Сколько? Тысяча?

— У тебя десять пальцев на руках. И у Шарапа десять пальцев... Нет, у Шарапа двенадцать... Не годится. Скажем, у Грома десять пальцев. Если взять тебя, Грома и еще людей, чтобы всех вместе было столько, сколько у тебя пальцев, то у всех у них будет десять раз по десять. Это сто. А тысяча — это когда десять раз по сто.

— Много пальцев. Не могу считать.

— Неважно. Так вот. Когда в земле появились ходы Великого Червя, первая работа его была окончена. И тогда сказал он: вот, прогрыз я в твердом камне тысячи тысяч ходов, и рассыпался камень в крошку. И прошла крошка сквозь мою утробу, и пропиталась соком моей жизни, и сама стала живой. И раньше занимал камень все пространство в мире, а теперь появилось место пустое. Теперь есть место для моих детей, которых рожу. И вышли из его чрева первые создания его, имени которых сейчас не помнят. И были они большие и сильные, напоминая самого Великого Червя. И полюбил их Великий Червь. Но нечего им было пить, ибо в мире не было воды, и издохли они от жажды. И тогда Великий Червь опечалился. До тех пор неведома ему была печаль, ибо некого было любить ему, и одиночество ему не было известно. Но, создав новую жизнь, полюбил он ее, и трудно было расстаться с ней. И тогда Великий Червь стал плакать, и слезы его заполнили мир. Так появилась вода. И сказал он: вот, теперь есть и место, чтобы жить в нем, и вода, чтобы пить ее. И земля, напитанная соком моей утробы, живая, и родит грибы. Создам теперь тварей, порожу детей своих. Они будут жить в ходах, которые я прогрыз, и пить слезы мои, и есть грибы, взросшие на соке моей утробы. И побоялся он родить снова огромных созданий, себе подобных, ведь им могло не хватить места, и воды, и грибов. Сначала создал он блох, потом крыс, потом кошек, потом куриц, потом собак, потом свиней, потом человека. Но не случилось по замыслу его: стали блохи пить кровь, а кошки есть крыс, и собаки душить кошек, и человек убивать их всех и есть. И когда впервые человек убил и съел другого человека, понял Великий Червь, что дети его оказались недостойны его, и заплакал. И каждый раз, когда человек ест человека, Великий Червь плачет, и его слезы текут по ходам и затапливают их.

— Человек хороший. Мясо вкусное. Сладкое. Но есть можно только врагов. Я знаю.

Артем сжал и разжал пальцы на руках. Кисти были стянуты за спиной куском проволоки и сильно затекли, но, по крайней мере, они снова слушались. Даже то, что все тело болело, было сейчас хорошим знаком. Паралич от ядовитой иглы оказался временным. В голове крутилась дурацкая мысль о том, что он, в отличие от неизвестного рассказчика, понятия не имел, откуда в метро взялись куры. Не иначе, с какого-нибудь рынка торговцы успели притащить. Свиней из одного из павильонов ВДНХ привели, это он знал, а куры...

Он попытался оглядеться по сторонам, но вокруг стоял абсолютный, чернильный мрак. Однако неподалеку кто-то был. Вот уже полчаса, как Артем пришел в себя и, затаив дыхание, подслушивал странный разговор. У него постепенно начинало рождаться понимание того, куда он попал.

— Он шевелится, я слышу, — раздался хриплый голос, — я зову командира. Командир делает допрос.

Что-то прошуршало и стихло. Артем попробовал пошевелить ногами. Они тоже оказались скручены проволокой. Он попытался перекатиться на другой бок и уткнулся во что-то мягкое. Послышался протяжный, полный боли стон.

— Антон! Это ты? — прошептал Артем.

Ответа не последовало.

— Ага... Противники Великого Червя очнулись... — насмешливо отметил кто-то в темноте. — Лучше бы уж вы в себя не приходили.

Это был тот самый надтреснутый мудрый голос, который последние полчаса неторопливо вел повествование о Великом Черве и сотворении жизни. Сразу становилось ясно, что его обладатель отличается от остальных жителей станции: вместо примитивных рубленых фраз он говорил обычными, разве чуть напыщенными предложениями, да и тембр голоса у него был вполне человеческий, не то что у других.

— Кто вы? Отпустите нас! — с трудом ворочая языком, прохрипел Артем.

— Да-да. Именно так все и говорят. Нет, к сожалению, куда бы вы ни направлялись, ваше странствие окончено. Запытают и зажарят. А что поделаешь? Дикари... — равнодушно ответил голос из темноты.

— Вы... тоже в плену? — догадался Артем.

— Мы все в плену. Как раз вас сегодня освобождают, — хихикнул его невидимый собеседник.

Антон снова застонал, завозился на полу, промычал что-то невнятное, но в сознание так и не пришел.

— Да что это мы с вами в темноте сидим? Прямо как пещерные люди!

Чиркнула зажигалка и огненное пятно осветило лицо говорящего: длинную седую бороду, грязные, спутавшиеся волосы и серые насмешливые глаза, теряющиеся в сети морщин. На вид ему было не меньше шестидесяти лет. Он сидел на стуле по другую сторону железной решетки, разбивавшей комнату надвое. На ВДНХ тоже была такая: называлась она странно, «обезьянник», хотя обезьян Артем видел только в учебниках по биологии и детских книжках. На самом деле помещение использовалось как тюрьма.

— Никак не могу к чертовой темени привыкнуть, приходится этой дрянью пользоваться, — посетовал старик, прикрывая глаза. — Ну, и зачем вы сюда полезли? С той стороны места, что ли, не хватает?..

— Послушайте, — не дал договорить ему Артем. — Вы же свободны... Вы же можете нас выпустить! Пока не вернулись эти людоеды! Вы же нормальный человек...

— Разумеется, могу, — отозвался тот, — и, уж конечно, не стану. С врагами Великого Червя у нас никаких сделок.

— Какой еще Великий Червь? Да о чем вы говорите?! Я про него даже не слышал никогда, не то что быть его врагом...

— Неважно, слышали вы про него или нет. Вы пришли с той стороны, оттуда, где живут его враги, значит, вы можете быть только лазутчиками, — насмешливое дребезжание в голосе старика сменилось стальным лязгом. — У вас огнестрельное оружие и фонари! Чертовы механические игрушки! Машины для убийства! Какое еще доказательство нужно, чтобы понять, что вы — неверные, что вы — враги жизни, враги Великого Червя? — он вскочил со своего стула и подошел к решетке. — Это вы и такие, как вы, виноваты во всем!

Старик потушил перегревшуюся зажигалку, и в наступившей темноте стало слышно, как он дует на обожженные пальцы. Затем зазвучали новые голоса, шипящие и леденящие кровь. Артему стало страшно. Он вспомнил о Третьяке, убитом отравленной иглой.

— Пожалуйста! — горячо зашептал он. — Пока еще не поздно! Ну, зачем вам это?

Старик ничего не отвечал. Через минуту помещение наполнилась звуками: шлепками необутых ног по бетону, хриплым дыханием, свистом втягиваемого сквозь ноздри воздуха. Хотя Артем и не видел никого из вошедших, он чувствовал, что их здесь несколько, и все они внимательно изучают его, разглядывая, обнюхивая, слушая, как громко, на всю комнату, колотится сердце у Артема в груди.

— Люди огня. Пахнет порохом, пахнет страхом. Один — запах станции с той стороны. Другой — чужой. Один, другой — враги, — прошипел наконец кто-то.

— Пусть Вартан делает, — распорядился другой голос.

— Зажги огонь, — потребовал кто-то.

Снова чиркнула зажигалка.

В комнате, кроме старика, в руке которого трепыхался огонек, стояли трое обритых дикарей, прикрывавших ладонями глаза. Одного из них, коренастого и бородатого, Артем уже видел сегодня. Другой тоже показался ему странно знакомым. Глядя Артему прямо в глаза, он сделал шаг вперед и оказался у решетки. От него пахло не так, как от остальных: Артем уловил исходящий от этого человека еле заметный смрад разлагающейся плоти. Отвести взгляда от его глаз не получалось — как две воронки, они закручивали весь мир вокруг себя и затягивали внутрь. Артем вздрогнул: он понял, где видел это лицо раньше. Это было то самое создание, которое напало на него ночью на Киевской.

Артема охватило странное чувство, похожее на паралич, которым сковало его тело от укола ядовитой иглы, только на сей раз полностью обессиленным оказался его разум. Мысли остановились, и юноша застыл, покорно раскрыв свое сознание этому лишь напоминающему человека существу, которое молча пожирало его глазами.

— Через люк... Люк открытым остался... За мальчиком пришли. За сыном Антона. Которого украли ночью. Я во всем виноват, я ему вашу музыку слушать разрешил, через трубы... По дрезине влез. Больше никому не сказали. Вдвоем пришли. Не закрыли... — послушно отвечал Артем на вопросы, которые возникали у него в голове.

Сопротивляться или утаивать что-либо от беззвучного голоса, требовавшего от него отчета, было невозможно. За минуту допрашивавший Артема узнал все, что его интересовало. Он кивнул и отступил. Огонь погас. Медленно, словно чувствительность к затекшей во сне руке, к Артему начало возвращаться ощущение контроля над собой.

— Вован, Кулак — вернуться в туннель, в проход. Закрыть дверь, — приказал один из голосов, наверное, принадлежавший бородатому командиру. — Враги остаются здесь. Дрон охраняет врагов. Завтра праздник, люди едят врагов, почитают Великого Червя.

— Что вы сделали с Олегом? Что сделали с ребенком? — захрипел Артем им вслед.

Гулко хлопнула дверь.

Глава 17

ДЕТИ ЧЕРВЯ

Несколько минут прошли в полной тишине, и Артем, решивший, что их оставили одних, снова задергался, пытаясь хотя бы сесть. Слишком сильно скрученные ноги и руки затекли и болели. Артем вспомнил слова отчима, который объяснял ему однажды, что если оставить даже повязку или жгут слишком надолго, ткани могут начать отмирать. Хотя, подумалось ему, какая теперь разница?

— Враг, лежи тихо! — раздался вдруг голос. — Дрон плюет игла-паралиш!

— Не надо, — Артем послушно замер, — не надо стрелять.

У него мелькнула надежда: что, если, разговорившись со своим тюремщиком, он сможет убедить его помочь им выбраться отсюда? Но о чем можно разговаривать с дикарем, который вряд ли поймет и половину его слов?

— А кто это — Великий Червь? — спросил он первое, что ему пришло в голову.

— Великий Червь делает землю. Делает мир, делает человека. Великий Червь — все. Великий Червь — жизнь. Враги Великого Червя, люди машин — смерть.

— Я никогда о нем не слышал, — тщательно подбирая слова, произнес Артем. — Где он живет?

— Великий Червь здесь живет. Рядом. Вокруг. Все ходы Великий Червь копает. Человек потом говорит — это он делает. Нет. Великий Червь. Дает жизнь, забирает жизнь. Копает новые ходы, люди в них живут. Добрые люди почитают Великого Червя. Враги Великого Червя хотят убивать. Жрецы так говорят.

— Кто такие жрецы?

— Старые люди, с волосами на голове. Только они могут. Они знают, слушают желания Великого Червя, говорят людям. Добрые люди делают так. Плохие люди не слушают. Плохие люди враги, добрые их едят.

Вспомнив подслушанный разговор, Артем начал постепенно соображать, что к чему. Одним из таких жрецов был, верно, и рассказывавший легенду о Черве старик.

— Жрец говорит: нельзя есть людей. Говорит, Великий Червь плачет, когда один человек ест другого, — стараясь выражать свои мысли так же, как и дикарь, напомнил ему Артем. — Есть людей — против воли Великого Червя. Если мы здесь останемся, нас съедят. Великий Червь будет опечален, будет плакать... — осторожно добавил он.

— Великий Червь, конечно, будет плакать, — послышался из темноты насмешливый голос. — Но эмоции эмоциями, а белковую пищу в рационе ничем не заменишь.

Говорил тот самый старик, Артем сразу узнал его тембр и интонации. Он только не мог понять, находился ли тот в комнате все время или незаметно прокрался в нее только что. Как бы то ни было, надежды выбраться из клетки не осталось.

Потом Артему в голову пришла еще одна мысль, от которой его начало знобить. Какое счастье, что Антон до сих пор не очнулся и не слышит этого, подумал он.

— А ребенка? Детей, которых вы воруете? Вы их тоже едите? Мальчика? Олега? — глядя в темноту широко раскрытыми от ужаса глазами, почти беззвучно спросил он.

— Маленьких не едим, — отозвался дикарь, хотя Артем думал, что ответит старик. — Маленькие не могут быть злые. Не могут быть враги. Маленьких мы забираем, чтобы объяснить, как жить. Говорим про Великого Червя. Учим почитать.

— Молодец, Дрон, — похвалил жрец. — Любимый ученик, — пояснил он.

— Что случилось с мальчиком, которого украли прошлой ночью? Где он? Это ваше чудовище его утащило, я знаю, — сказал Артем.

— Чудовище? И кто же этих чудовищ наплодил?! — взорвался старик. — Кто наплодил этих немых, трехглазых, безруких, шестипалых, умирающих при рождении и неспособных размножаться? Кто лишил их человеческого обличья, пообещав им рай, и бросил подыхать в слепой кишке этого проклятого города? Кто в этом виноват и кто после этого настоящий монстр?

Артем молчал. Старик тоже ничего больше не говорил и только тяжело дышал, стараясь успокоиться. И в этот момент Антон наконец очнулся.

— Где он? — просипел он. — Где мой сын? Где мой сын?! Отдайте мне сына!

Он перешел на крик и, пытаясь освободиться, принялся кататься по полу, ударяясь то о прутья решетки, то о стену.

— Буйный, — прежним насмешливым тоном отметил старик. — Дрон, успокой его.

Послышался странный звук — как будто кто-то кашлянул или сильно выдохнул. Что-то коротко свистнуло в воздухе, и через несколько секунд Антон снова затих.

— Очень поучительно, — сказал жрец. — Пойду, приведу мальчика, пусть посмотрит на папу, попрощается. Хороший, кстати, мальчуган, папа может им гордиться — так славно сопротивляется гипнозу... — Он зашаркал по полу, удаляясь, скрипнула открывающаяся дверь.

— Не надо бояться, — неожиданно мягко сказал тюремщик. — Добрые люди не убивают, не едят детей врагов. Маленькие не грешат. Можно научить жить хорошо. Великий Червь прощает маленьких врагов.

— Боже мой, да какой Великий Червь? Это же полный абсурд! Хуже сектантов и сатанистов! Как вы в него верите? Его кто-нибудь видел когда-нибудь, вашего Червя? Ты его видел, что ли? — свою последнюю тираду Артем постарался произнести с сарказмом, но, лежа на полу со связанными руками и ногами, сделать это убедительно оказалось нелегко.

Как и в тот раз, когда он ждал казни в плену у фашистов, им стало овладевать равнодушие к собственной судьбе. Он положил голову на холодный пол и закрыл глаза, не рассчитывая на ответ.

— На Великого Червя нельзя смотреть. Запрет! — отрезал дикарь.

— Да не может такого быть, — нехотя отозвался Артем. — Нет никакого Червя... А туннели люди делали. Они все на картах обозначены... Там один даже круглый, где Ганза, такое только люди могут построить. Да ты, наверное, даже и не знаешь, что такое карта...

— Я знаю, — спокойно сказал Дрон. — Я учусь у жреца, он показывает. На карте много ходов нет. Великий Червь делал новые ходы, а на карте нет. Даже тут, у нас дома, есть новые ходы — священные, а на карте нет. Люди машин делают карты, думают, ходы копают они. Глупые, гордые. Ничего не знают. За это Великий Червь их наказывает.

— За что наказывает? — не понял Артем.

— За гор... гор-ды-ну, — тщательно выговорил дикарь.

— За гордыню, — подтвердил голос жреца. — Великий Червь сотворил человека последним, и был человек самым любимым детищем его. Ибо другим не дал разума, а человеку дал. Знал он, что разум — опасная игрушка, и потому наказал: живи в мире с собой, в мире с землей, в мире с жизнью и всеми тварями, и почитай меня. После этого ушел Великий Червь в самые недра Земли, но перед этим сказал: настанет день, и вернусь. Делай так, как если бы я был рядом. И люди послушались своего создателя и жили в мире с землей, которую он сотворил, и в мире друг с другом, и в мире с другими тварями, и почитали Великого Червя. И у них родились дети, и у их детей родились дети, и от отца к сыну, от матери к дочери передавали они слова Великого Червя. Но умерли те, кто своими ушами слушал наказ его, и умерли их дети, и сменилось много поколений, а Великий Червь все не возвращался. И тогда один за другим перестали люди соблюдать его заветы и делать, как он хотел. И появились те, кто сказал: Великого Червя не было никогда и нет сейчас. И другие ждали, что Великий Червь вернется и покарает их. Спалит их светом своих глаз, пожрет их тела и обвалит ходы, где они живут. Но Великий Червь не возвращался и только плакал о людях. И слезы его поднимались из глубины и подтапливали нижние ходы. Но те, кто отказался от своего создателя, сказали: нас никто не сотворил, мы были всегда. Прекрасен и могуч человек, не может он быть сотворен земляным червем! И сказали: вся земля наша, и была наша, и будет, и ходы в ней сделал не Великий Червь, а мы и предки наши. И зажгли огонь, и стали убивать созданий, которых создал Великий Червь, говоря: вот, вся жизнь, что вокруг, наша, и все здесь только, чтобы утолить наш голод. И создали машины, чтобы убивать быстрее, чтобы сеять смерть, чтобы рушить жизнь, созданную Великим Червем, и подчинить его мир себе. Но и тогда не поднялся он из дремучих глубин, куда ушел. И засмеялись они, и стали дальше делать против того, что говорил он. И решили, чтобы унизить его, построить такие машины, которые повторяли бы обличие его. И создали они такие машины, и зашли в их нутро, и смеялись: вот, сказали, теперь можем сами управлять Великим Червем, и не одним, а десятками. И бьет свет из их очей, и гремит гром, когда ползут, и люди выходят из чрева их. Создали мы Червя, а не Червь нас. Но и этого не хватило им. Росла ненависть в сердце их. Решили они сделать так, чтобы разрушить саму землю, где жили. И создали тысячи машин разных: исторгающих пламя, и плюющих железом, и рвущих землю на части. И стали уничтожать землю и все живое, что было в ней. И тогда не выдержал Великий Червь и проклял их: отнял у них самый ценный дар свой — разум. Овладело ими безумие, обратили они свои машины друг против друга и стали убивать один другого. И уже не помнили, зачем делают то, что делают, но не могли остановиться. Так покарал Великий Червь человека за гордыню.

— Но не всех? — спросил детский голос.

— Нет. Были те, кто всегда помнил о Великом Черве и почитал его. Отреклись они от машин и света и жили в мире с землей. Они спаслись, и Великий Червь не забыл верности их, и сохранил разум их, и обещал отдать им весь мир, когда враги его падут. И будет так.

— И будет так, — хором повторили дикарь и ребенок.

— Олег? — услышав в детском голоске что-то знакомое, позвал Артем.

Ребенок ничего не ответил.

— И по сей день враги Великого Червя живут в прорытых им ходах, потому что больше негде им укрыться, но продолжают боготворить не его, а свои машины. Терпение Великого Червя огромно, и хватило его на долгие века человеческих бесчинств. Но и оно не бесконечно. Предсказано, что, когда нанесет он последний удар по темному сердцу страны врагов, их воля будет сломлена, а мир достанется добрым людям. Предсказано, что пробьет час, и призовет Великий Червь на помощь реки, и землю, и воздух. И просядет толща земная, и ринутся потоки бурлящие, и будет темное сердце врага низвергнуто в небытие. И тогда наконец восторжествует праведный, и будет счастье доброму, и жизнь без болезней, и грибов досыта, и всякого скота в изобилии.

Загорелся огонек. Артему кое-как удалось опереться спиной о стену, и теперь ему не надо больше было мучительно выгибаться, чтобы удерживать в поле зрения людей по ту сторону решетки.

На полу посреди комнаты, спиной к нему, сидел по-турецки маленький мальчик. Над ним возвышалась иссохшая фигура жреца, освещенная пламенем зажатой в руке зажигалки. Дикарь с духовой трубкой в руках стоял рядом, прислонившись к дверному косяку. Все глаза были устремлены на старика, который только что закончил свое повествование.

Артем с трудом повернул голову и глянул на Антона, застывшего в той судорожной позе, в которой его настигла парализующая игла. Он уставился в потолок и не мог видеть сына, но наверняка все слышал.

— Встань, сынок, и посмотри на этих людей, — сказал жрец.

Мальчик тут же вскочил на ноги и повернулся к Артему. Это был Олег.

— Подойди к ним ближе. Узнаешь ли ты кого-нибудь из них? — спросил старик.

— Да, — утвердительно кивнул мальчик, исподлобья глядя на Артема. — Это мой папа, а с этим дядей мы вместе слушали ваши песенки. Через трубы.

— Твой папа и его друг — плохие люди. Они использовали машины и хотели унизить Великого Червя. Помнишь, ты рассказал мне и дяде Вартану, что делал твой папа, когда плохие люди решили разрушить мир?

— Да, — еще раз кивнул Олег.

— Скажи-ка нам это еще раз, — старик переложил зажигалку в другую руку.

— Мой папа работал в эрвэа. Ракетных войсках. Он был ракетчиком. Я тоже хотел стать как он, когда вырасту.

У Артема пересохло в горле. Как же он раньше не смог разгадать эту загадку? Вот откуда у мальчишки взялась та странная нашивка и вот почему он заявлял, что тоже ракетчик, как и убитый Третьяк! Совпадение было почти невероятное, на все метро людей, служивших в ракетных войсках, оставались единицы... И двое из них оказались на Киевской. Могло ли это быть случайностью?

— Ракетчиком... Эти люди сделали больше зла миру, чем все остальные, вместе взятые. Они направляли машины и устройства, которые сожгли и уничтожили землю и почти всю жизнь на ней. Великий Червь прощает многих заблудших, но не тех, кто отдавал приказы рушить мир и сеять в нем смерть, и не тех, кто выполнял их. Твой отец причинил невыносимую боль Великому Червю. Твой отец своими руками разрушал наш мир. Ты знаешь, чего он заслуживает? — голос старика сделался суровым, в нем снова зазвенела сталь.

— Смерти? — неуверенно спросил мальчик, оглядываясь то на жреца, то на своего отца, скрючившегося на полу обезьянника.

— Смерти, — подтвердил жрец. — Он должен умереть. Чем раньше умрут злые люди, сделавшие больно Великому Червю, тем скорее исполнится его обещание, и мир возродится и будет отдан добрым людям.

— Тогда папа должен умереть, — согласился Олег.

— Вот молодец! — старик ласково потрепал мальчика по голове. — А теперь беги, поиграй еще с дядей Вартаном и с ребятишками! Только, смотри, осторожней в темноте, не упади! Дрон, проводи его, а я тут посижу еще с ними. Возвращайся через полчаса с другими, и мешки захватите, готовить будем.

Свет погас. Стремительные шуршащие шаги дикаря и легкий детский топоток утихли в отдалении. Жрец кашлянул и сказал Артему:

— Я тут с тобой поболтаю немножко, если ты не против. У нас пленных обычно не берут, разве только детей, а то свои все чахлые и больные родятся... А взрослых все больше оглушенных приносят. Я бы и рад с ними поговорить, да и они сами, может, не прочь, только вот съедают их слишком быстро...

— Зачем вы тогда их учите, что есть людей — это плохо? — равнодушно спросил Артем. — Червь там плачет и прочее?

— Ну, как сказать... Это им на будущее. Вам, конечно, этого момента не застать, да и мне тоже, но сейчас закладывается основа будущей цивилизации: культуры, которая будет жить в мире с природой. Для них каннибализм — это вынужденное зло. Без животных белков, видишь ли, никуда. Но предания останутся, и когда прямая потребность убивать и жрать себе подобных пропадет, они должны прекратить это делать. Вот тогда Великий Червь и напомнит о себе. Жаль только, жить в эту пору прекрасную... — старик снова неприятно засмеялся.

— Знаете, я столько всего уже навидался в метро, — сказал Артем. — На одной станции верят в то, что, если глубоко копать, можно докопаться до ада. На другой, что мы уже живем в преддверии рая, потому что последняя битва добра и зла завершена и те, кто выжил, избраны для вхождения в Царство Божие. После этого история про вашего Червя уже как-то неубедительно звучит. Вы сами хотя бы в него верите?

— Какая разница, во что верю я или другие жрецы? — усмехнулся старик. — Жить тебе осталось немного, пару часов, так что расскажу-ка я тебе кое-что. Ни с кем не удается быть таким искренним, как с тем, кто все твои откровения унесет в могилу... Так вот, во что верю я сам, не важно. Главное, во что верят люди. Нелегко уверовать в бога, которого сам создал... — жрец ненадолго прервался, задумавшись, а потом продолжил: — Как бы тебе объяснить? Я когда студентом был, учил философию и психологию в университете, хотя тебе это вряд ли о чем-то говорит. И был у меня профессор: преподаватель когнитивной психологии, умнейший человек, так весь мыслительный процесс по полочкам раскладывал — любо-дорого послушать. Я тогда как раз, как и все остальные в этом возрасте, задавался вопросом: есть ли Бог, книги разные читал, разговоры на кухне до утра разговаривал — ну, как обычно. И склонялся к тому, что, скорее, все-таки нет. И как-то я решил, что именно этот профессор, большой знаток человеческой души, может мне на больной для меня вопрос ответить точно. Пришел к нему в кабинет, вроде как реферат обсуждать, а потом спрашиваю: а как по-вашему, Иван Михалыч, есть он все же, Бог-то? Он меня тогда очень удивил. Для меня, говорит, этот вопрос даже не стоит. Я сам из верующей семьи, привык к мысли, что он есть. С психологической точки зрения веру анализировать не пытаюсь, потому что не хочу. И вообще, говорит, для меня это не столько вопрос принципиального знания, сколько повседневного поведения. Моя вера не в том, что я искренне убежден в существовании высшей силы, а в том, что я выполняю предписанные заповеди, молюсь на ночь, в церковь хожу. Лучше мне от этого становится, спокойнее. Вот так-то, — старик замолчал.

— И что? — не выдержал Артем после минутной паузы.

— А то. Верю я в Великого Червя или не верю — не так уж важно. Но заповеди, вложенные в божественные уста, живут веками. Дело за малым: создать бога и научить его нужным словам. И поверь мне, Великий Червь — не хуже других богов и переживет многих из них.

Артем закрыл глаза. Ни Дрон, ни вождь этого удивительного племени, ни даже такие странные создания, как Вартан, наверняка не подвергали веру в Великого Червя ни малейшему сомнению. Для них это была данность, единственное объяснение того, что они видели вокруг, единственное руководство к действию и мерило добра и зла. Во что еще можно было верить человеку, в своей жизни никогда не видевшему ничего, кроме метро? Но было в легендах о Черве еще что-то, чего Артем пока не мог понять.

— Но почему вы их так настраиваете против машин? Что плохого в механизмах? Электричество, свет, огнестрельное оружие — как вы хотите, чтобы ваш народ выжил без этого? — спросил он.

— Что плохого в машинах?! — тон старика разительно переменился: фальшивое добродушие и терпение, с которыми он только что излагал свои мысли, улетучилось. — Ты же не собираешься за час до своей смерти проповедовать мне о пользе машин?! Да оглянись вокруг! Только слепец не заметит, что если человечество и обязано чему-то своим закатом, то только тому, что слишком полагалось на машины! Как ты смеешь заикаться о важной роли техники здесь, на моей станции? Ничтожество!

Артем никак не ожидал, что его вопрос, куда менее крамольный, чем предыдущий, о вере в Великого Червя, вызовет у старца такую реакцию. Не найдя, что ответить, он замолк. В темноте было слышно, как жрец тяжело дышит, шепча какие-то проклятия и стараясь успокоиться. Заговорил он только через несколько минут.

— Отвык с неверными разговаривать, — судя по голосу, старик снова взял себя в руки. — Заболтался я с вами, да молодежь что-то задерживается, мешки не несут, — надавив на слово «мешки», он выдержал артистическую паузу.

— Какие еще мешки? — поддался на уловку Артем.

— Готовить вас будут. Я ведь когда про пытки говорил, неправильно выразился. Великому Червю противна бессмысленная жестокость. Зачем пытать, если еще и вопрос задать не успеешь, а человек уже на него сам отвечает? Я имел в виду другое. Мы с коллегами, когда поняли, что каннибализм как явление здесь укоренился, и с ним уже ничего не сделаешь, решили, по крайней мере, позаботиться о кулинарной стороне вопроса. Вот и вспомнил кто-то, что корейцы, когда собак едят, кладут их живьем в мешок и палками насмерть забивают. Мясо от этого очень выигрывает. Мягкое становится, нежное. Кому множественные гематомы, так сказать, а кому отбивная. Так что не обессудьте. Я-то, может, и рад был бы сначала умертвить, а потом уже палками, но непременно надо, чтобы внутреннее кровоизлияние. Рецепт есть рецепт, — старик даже щелкнул зажигалкой, чтобы полюбоваться произведенным эффектом. — Однако что-то задерживаются, не случилось бы... — добавил он.

На середине фразы его прервал пронзительный визг. Послышались крики, беготня, детский плач, зловещий свист... На станции что-то происходило. Жрец беспокойно прислушался к шуму, потом потушил огонь и затих.

Через несколько минут на пороге загрохотали тяжелые башмаки, и низкий голос пророкотал:

— Есть кто живой?

— Да! Мы здесь! Артем и Антон! — что было сил закричал Артем, надеясь, что у старика за пазухой нет трубки с ядовитыми иглами.

— Здесь они! Прикрой меня и пацана! — крикнул кто-то.

Вспыхнул ослепительно яркий свет. Старец метнулся к выходу, но человек, загораживавший проход, сбил его с ног ударом по шее. Жрец коротко захрипел и упал.

— Дверь, дверь держи!

Что-то грохнуло, с потолка посыпалась известь, и Артем зажмурился. Когда он открыл глаза, в комнате уже стояли двое человек. Выглядели они весьма необычно — такого ему до сих пор видеть не доводилось.

Одетые в тяжелые длинные бронежилеты поверх подогнанной черной униформы, оба были вооружены необычными короткими автоматами с лазерными прицелами и набалдашниками глушителей. И без того внушительный вид дополняли массивные титановые шлемы с забралами, как у спецназовцев Ганзы, и непонятного назначения большие металлические щиты со смотровыми щелями. У одного за спиной виднелся ранцевый огнемет.

Они быстро осмотрели комнату, освещая ее длинным и невероятно сильным фонарем, по форме скорее напоминавшим дубинку.

— Эти? — спросил один из них.

— Они, — подтвердил другой.

Деловито оглядев замок на двери обезьянника, первый отошел назад, сделал несколько шагов и в прыжке ударил сапогом по решетке. Ржавые петли не выдержали напора, и дверь рухнула в полушаге от Артема. Человек опустился перед ним на одно колено и поднял забрало. Все стало на свои места: на Артема, прищурившись, смотрел Мельник. Широкий зазубренный нож скользнул по проводам, спутывавшим ноги и руки Артема. Потом сталкер в несколько ударов разрезал проволоку, которой был связан Антон.

— Живой, — удовлетворенно отметил Мельник. — Идти сможешь?

Артем закивал, но подняться на ноги не сумел. Занемевшее тело все еще почти не подчинялось ему.

В комнату вбежали еще несколько человек, двое из которых тут же заняли оборонительные позиции у дверей. Всего в отряде было восемь бойцов: они были одеты и экипированы почти так же, как и те, что ворвались в комнату первыми, но на нескольких были еще и длинные кожаные плащи, как у Хантера. Один из них опустил на землю ребенка, которого до этого зажимал под мышкой, прикрывая надетым на руку щитом. Тот сразу бросился в клетку и склонился над Антоном.

— Папа! Папа! Я специально им наврал, как будто я за них, правда! Я дяде показал, где ты! Извини, папа! Папа, не молчи! — мальчик еле сдерживал слезы.

Антон равнодушно глядел в потолок стеклянными глазами. Артем испугался, что вторая парализующая игла за день могла оказаться для командира дозора последней. Мельник положил указательный палец на шею распростертого на полу Антона.

— Порядок, — заключил он через несколько секунд. — Жив. Носилки сюда!

Пока Артем рассказывал про воздействие ядовитых игл, двое бойцов развернули на полу матерчатые носилки и погрузили на них Антона.

На полу завозился и забормотал что-то сбитый с ног старик.

— Это еще кто? — спросил Мельник, и, услышав от Артема объяснение, решил: — Берем с собой, будем им прикрываться. Как обстановка?

— Тихо все, — доложил державший входную дверь боец.

— Отходим к туннелю, из которого пришли, — объявил сталкер. — Должны вернуться на базу с раненым и заложником для допроса. На вот, — он кинул Артему автомат, — если все будет нормально, пользоваться не придется. У тебя даже брони нет, так что будешь оставаться под нашим прикрытием. За мальчишкой следи.

Артем кивнул и взял Олега за руку, еле оторвав ребенка от носилок, на которых лежал его отец.

— Строимся «черепахой», — отдал приказ Мельник.

Бойцы мгновенно образовали овал, выставив наружу сомкнутые щиты, над которыми виднелись только шлемы. Свободными руками четверо взялись за носилки. Мальчик и Артем оказались внутри строя, полностью прикрытые щитами. Пленному старику заткнули кляпом рот, связали за спиной руки и выставили его в голове построения. После нескольких крепких тычков он прекратил попытки вырваться и затих, угрюмо уставившись в пол.

Глазами «черепахи» служили двое первых бойцов, у которых были особые приборы ночного видения: они крепились прямо на шлем, так что руки оставались не заняты. По команде отряд пригнулся, прикрывая щитами ноги, и стремительно двинулся вперед.

Зажатый между бойцами, Артем тащил за руку не поспевавшего за ним Олега. Ему ничего не было видно, и о происходившем он мог судить только по отрывистым переговорам остальных.

— Трое справа... женщины, ребенок.

— Слева! В арке, в арке! Стреляют! — о железо щита зазвенели иглы.

— Снимай их!

Послышались ответные автоматные хлопки.

— Один есть... Двое есть... Двигаемся, двигаемся!

— Сзади! Ломов! — Снова выстрелы.

— Куда, куда? Там не пройти!

— Вперед, я сказал! Заложника держи!

— Черт, прямо рядом с глазами пролетело...

— Стой! Стой! Стоять!

— Что там?

— Все блокировано! Там их человек сорок! Баррикады!

— Далеко?

— Двадцать метров до них. Не стреляют.

— С боков заходят!

— Когда они успели баррикады построить?!

На щиты обрушился настоящий дождь игл. По сигналу все опустились на одно колено, так что теперь броня закрывала их целиком. Артем пригнулся, прикрывая мальчика. Носилки с Антоном поставили на пол, и теперь стрелков стало вдвое больше.

— Не отвечать! Не отвечать! Ждем...

— В сапог попало...

— Готовь свет... На счет три — фонари и огонь. У кого ПНВ — выбирайте цели сейчас... Раз...

— Как лупят...

— Два! Три!

Одновременно зажглись несколько мощных фонарей и заработали автоматы. Где-то впереди послышались крики и стоны умирающих. Потом стрельба неожиданно прекратилась. Артем прислушался.

— Вон, вон, с белым флагом... Сдаются, что ли?

— Прекратить огонь! Говорить будем. Заложника выставьте!

— Стой, падла, куда!.. Держу, держу! Шустрый старикан...

— У нас ваш жрец! Дайте нам уйти! — выкрикнул Мельник. — Дайте нам вернуться в туннель! Повторяю, дайте нам уйти!

— Ну, что там? Что там?

— Ноль реакции. Молчат.

— Да они вообще нас понимают?

— Ну-ка, посветите мне на него получше...

— Дайте глянуть...

Потом переговоры оборвались. Бойцы словно погрузились в раздумье — сначала те, что стояли впереди, потом затихли и прикрывавшие тыл. Наступила напряженная, нехорошая тишина.

— Что там? — спросил Артем тревожно.

Ему никто не ответил. Люди перестали даже шевелиться. Артем почувствовал, как мальчик сжал его ладонь своей вспотевшей от волнения ручонкой. Его трясло.

— Я чувствую... Он на них смотрит... — сказал он тихо.

— Заложника отпустить, — произнес вдруг Мельник.

— Отпустить заложника, — повторил другой боец.

Тогда Артем, не выдержав, разогнулся и посмотрел поверх щитов и шлемов — вперед, где в десяти шагах от них, в пересечении трех ослепительных лучей света стоял, не жмурясь и не прикрываясь руками, высокий сгорбленный человек с белой тряпкой в вытянутой узловатой руке. С этого расстояния лицо человека было видно очень хорошо... Слишком хорошо. Это было существо, похожее на Вартана, который допрашивал его несколько часов назад. Артем юркнул за щиты и привел свой автомат в боевую готовность.

Сцена, которую он только что видел, все еще стояла перед глазами. Одновременно жуткая и завораживающая, она вдруг на миг напомнила ему о старой книжке «Сказки и мифы древней Греции», которую он любил рассматривать, когда был маленьким. Одна из легенд рассказывала о чудовищном создании в получеловеческом обличии, взгляд которого превратил в камень многих отважных воинов.

Он перевел дух, собрал волю в кулак, запретив себе смотреть гипнотизеру в лицо, вскочил над щитами, словно чертик на пружине, и спустил курок. После странного, бесшумного боя, который вели между собой противники, вооруженные автоматами с глушителями и духовыми трубками, очередь «Калашникова», казалось, сотрясла своды станции.

Хотя Артем был уверен, что промахнуться с такого расстояния невозможно, случилось то, чего он боялся больше всего: непостижимым образом это создание угадало его движение, и как только голова Артема появилась над щитами, взгляд угодил в ловушку его мертвых глаз. Он успел нажать на спусковой крючок, но невидимая рука плавно отвела ствол в сторону. Почти вся очередь ушла мимо, и только одна пуля впилась существу в плечо. Оно издал режущий ухо гортанный звук и одним неуловимым движением кануло во тьму.

Есть несколько секунд, подумал Артем. Всего несколько секунд. Когда отряд Мельника прорывался на Парк Победы, на его стороне был элемент неожиданности. Но теперь, когда дикари организовали оборону и выставили вперед своих нелюдей, шанса преодолеть созданный ими заслон, кажется, не было. Единственным выходом оставалось бегство другим путем. В голове промелькнули слова тюремщика: со станции в неизвестном направлении уходят туннели, которых нет на карте метро.

— Здесь другие туннели есть? — спросил он у Олега.

— Там еще одна станция, за переходом, такая же как эта, как будто отражение в зеркале, — мальчик махнул рукой. — Мы там играли. Там еще туннели, как здесь, но нам сказали, туда ходить нельзя.

— Отступаем! К переходу! — стараясь понизить голос и подделаться под командный бас Мельника, заорал Артем.

— Какого черта?! — недовольно прорычал сталкер.

Он, кажется, приходил в себя. Артем схватил его за плечо.

— Скорее, у них там гипнотизер, — затараторил он. — Нам этот заслон не прорвать! Там другой выход есть, за переходом!

— Верно, она же двойная, эта станция... Отходим! — принял решение сталкер. — Держите баррикаду! Назад! Шагом, шагом!

Остальные медленно, словно нехотя, зашевелились. Подстегивая их новыми приказами, Мельник сумел заставить отряд перестроиться и начать отступление прежде, чем из темноты в них полетели новые иглы. Когда они стали подниматься по ступеням перехода, боец, шедший последним, вскрикнул и схватился за голень. Он еще переступал деревенеющими ногами несколько секунд, Артем видел это в отсветах фонаря. Но потом все тело раненого свела чудовищная судорога, его скрутило, словно отжатую после стирки тряпку, и он рухнул на землю. Отряд остановился. Под прикрытием щитов двое свободных бойцов бросились поднимать своего товарища с земли, но все было кончено. Его тело на глазах синело, а на губах выступила пена. Артем уже знал, что это означает, как знал это, похоже, и Мельник.

— Возьми его щит, шлем и автомат! Быстро! — приказал он Артему. — Отходим, отходим! — закричал он остальным.

Титановый шлем был перепачкан страшной пеной, и снимать его пришлось бы через голову мертвого. Артем так и не смог заставить себя это сделать. Ограничившись автоматом и щитом, он дал круговую очередь, надеясь отпугнуть растворившихся в темноте убийц, занял место в хвосте построения, укрылся щитом и двинулся вслед за остальными.

Они уже почти бежали. Потом кто-то бросил далеко вперед дымовую шашку, и, воспользовавшись неразберихой, отряд начал спускаться на пути. Удивленно вскрикнул и упал на землю еще один боец. Носилки с раненным Антоном нести теперь пришлось только троим. Показываться из-за щита Артем так и не решился и несколько раз стрелял назад наугад. Потом наступило странное затишье: в них больше не летели иглы, хотя, судя по шелесту шагов и голосов вокруг, преследование не прекратилось. Набравшись храбрости, Артем выглянул наружу.

Отряд находился в десятке метров от входа в туннель. Первые бойцы уже шагнули внутрь, двое, развернувшись, обшаривали лучами подступы и прикрывали остальных. Но потребности в этом не было: дикари, кажется, не собирались следовать за ними в туннели. Столпившись полукругом, опустив свои трубки и прикрываясь руками от слепящего света фонарей, они молча чего-то ждали.

— Враги Великого Червя, слушайте!

Из толпы выступил вперед тот самый бородатый вождь, который отдавал распоряжения во время допроса.

— Враги идут в священные ходы Великого Червя. Добрые люди не идут за вами. Сегодня туда идти запрет. Большая опасность. Смерть, проклятие. Пусть враги отдают старого жреца и уходят.

— Не отпускать, не слушать их, — немедленно распорядился Мельник. — Отходим.

Они осторожно продолжили движение. Артем и еще несколько бойцов, которые шли последними, отступали, пятясь и не спуская остающуюся позади станцию с прицела. Сначала за ними действительно никто не шел. Со станции доносились голоса: кто-то спорил, сперва негромко, потом перейдя на крик.

— Дрон не может! Дрон должен идти! За учителем!

— Запрет идти! Стоять! Стоять!

Черная фигура метнулась из темноты в лучи фонарей с такой скоростью, что попасть по ней было совершенно невозможно. Вслед за ней вдалеке показались и другие. Не успевая поймать в прицел первого дикаря, один из бойцов швырнул что-то вперед.

— Ложись! Граната!

Артем кинулся на шпалы лицом вниз, прикрывая руками голову, и раскрыл рот, как его учил отчим. Невообразимый грохот и оглушительная сила взрывной волны ударили по ушам, прижали его к земле. Еще несколько минут он лежал, открывая и закрывая глаза, пытаясь прийти в себя. В голове звенело, перед глазами кружились цветные пятна. Первым звуком, который дошел до его сознания, были неуклюжие, бесконечно повторяющиеся слова:

— Нет, нет, не стреляй, не стреляй, не стреляй, у Дрона нет оружия, не стреляй!

Он оторвал голову и осмотрелся. В перекрестье лучей, высоко подняв руки, стоял тот самый дикарь, что охранял их, пока они сидели в обезьяннике. Двое бойцов держали его на прицеле, ожидая приказов, остальные поднимались с земли и отряхивались. В воздухе висела тяжелая каменная пыль, со стороны станции полз едкий дым.

— Что, рухнуло? — спросил кто-то.

— От одной гранаты... На соплях все метро держится...

— Ну, зато уже не сунутся. Пока завал разберут...

— Этого связать и с собой. Уходим, времени нет, неизвестно, когда они там опомнятся, — распорядился подошедший Мельник.

Привал они сделали только через час. За это время туннель несколько раз раздваивался, и сталкер, шагавший впереди, делал выбор между ответвлениями. В одном месте в стенах виднелись огромные чугунные петли, когда-то, наверное, несшие на себе мощные ставни. Рядом с ними валялись обломки гермозатвора. Кроме этого, ничего интересного не попадалось: туннель был совершенно пуст, черен и безжизнен.

Шли медленно: у пленного старика заплетались ноги, и несколько раз он, споткнувшись, падал на землю. Дрон шагал нехотя и все время бормотал себе под нос что-то про запрет и проклятия, пока ему тоже не заткнули кляпом рот.

Когда сталкер разрешил наконец остановиться и разослал часовых с приборами ночного видения на пятьдесят метров в обе стороны, обессиленный жрец рухнул на пол. Дикарь, умоляюще мыча сквозь тряпку, добился того, чтобы конвоиры подвели его к старику и, опустившись перед ним на колени, скованными руками погладил его по голове.

Маленький Олег бросился к носилкам, на которых лежал его отец, и заплакал. Паралич у Антона прошел, но он все еще был в обмороке, так же, как после первого попадания иглы. Сталкер тем временем поманил Артема в сторонку. Тот больше не мог сдерживать любопытства.

— Как вы нас нашли? Я ведь уже думал, все, съедят, — признался он Мельнику.

— Да что вас искать-то было? Вы дрезину прямо под люком оставили. Дозорные ее через полчаса заметили, когда Антона к чаю не дождались. Просто сами туда не отважились соваться. Охрану выставили, начальнику доложили. Ведь ты меня совсем чуть-чуть не дождался. Потом я еще к Смоленской ушел, на базу, за подкреплением. По тревоге собирались, но на все время нужно. Пока еще экипироваться... Я только на Маяковской начал понимать, что к чему. Там похоже было: тоже обваленный боковой туннель, где мы с Третьяком разделились — по карте искали вход в Д-6. Метров на пятьдесят разошлись. Он, наверное, ближе к нему подобрался. Всего на три минуты отошел, кричу ему — он не отзывается. Подбегаю — лежит весь синий, вспух, губы этой дрянью обметаны. Тут уж было не до поисков. За ноги его взял и на станцию. Пока тащил, вспомнил Семеныча и его историю с отравленным часовым. Посветил на Третьяка — точно, игла в ноге. Тут все и начало становиться на места. Отправил тебе поскорее гонца, чтобы ты оставался на станции, дела уладил и вернулся. Но не успел.

— Неужели на Маяковской тоже они? — удивился Артем. — Но как же они туда с Парка Победы попадают?

— А вот так и попадают, — сталкер снял тяжелый шлем и поставил его на пол. — Ты меня, конечно, извини, но мы не только за тобой сюда пришли, но и на разведку. Я думаю, отсюда должен быть еще один выход в Метро-2. Через него эти твои людоеды до Маяковской и добрались. Там, кстати, та же история, что здесь: дети по ночам со станции исчезают. И вообще черт знает, где они еще шастают, а мы про них ни слухом, ни духом.

— То есть... вы хотите сказать... — сама мысль показалась Артему такой невероятной, что он не сразу осмелился произнести ее вслух. — По-вашему, вход в Метро-2 где-то здесь?

Неужели врата в Д-6, таинственную тень метро, находились совсем рядом с ними? Артему в голову полезли слухи, байки, легенды и теории о Метро-2, которых он успел наслушаться за свою жизнь. Чего стоила хотя бы вера в Невидимых Наблюдателей, о которой ему рассказали два его странных собеседника на Полянке! Он невольно огляделся по сторонам, словно рассчитывая увидеть незримое.

— Скажу тебе больше, — подмигнул ему сталкер. — Я думаю, мы уже в нем.

В это поверить было уже совсем невозможно. Попросив у одного из бойцов фонарь, Артем принялся исследовать стены туннеля. Он ловил на себе удивленные взгляды остальных, прекрасно понимая, что вид у него сейчас, должно быть, преглупый, но ничего не мог с собой поделать. Он и сам не до конца понимал, что рассчитывал увидеть, попав в Метро-2. Золотые рельсы? Людей, живущих, как жили прежде, не знающих об ужасах нынешнего существования, в сказочном изобилии? Богов? Он прошел от одного дозорного к другому, но, так ничего и не обнаружив, вернулся к Мельнику. Тот разговаривал с бойцом, охранявшим дикарей.

— Что с заложниками? В расход? — буднично поинтересовался конвоир.

— Сначала пообщаемся, — ответил сталкер.

Нагнувшись, он вытащил кляп изо рта старика, потом проделал то же со вторым пленным.

— Учитель! Учитель! Дрон идет с тобой! Я иду с тобой, учитель! — сразу же запричитал дикарь, раскачиваясь из стороны в сторону над стонущим жрецом. — Дрон нарушает запрет, Дрон готов умереть от руки врагов Великого Червя, но Дрон идет с тобой, до конца!

— Что там дальше? Что еще за червь? Какие еще священные ходы? — спросил Мельник.

Старик молчал. Испуганно оглянувшись на конвоиров, Дрон поспешно сказал:

— Священные ходы Великого Червя — запрет для добрых людей. Там Великий Червь может показаться. Человек может увидеть. Запрет смотреть! Только жрецы могут. Дрон боится, но идет. Дрон идет с учителем.

— Какой еще червь? — поморщился сталкер.

— Великий Червь... Создатель жизни, — объяснил Дрон. — Дальше священные ходы. Не каждый день можно ходить. Есть дни запрета. Сегодня день запрета. Если увидеть Великого Червя, станешь пепел. Если услышишь, станешь проклят, быстро умрешь. Все знают. Старейшины говорят.

— Там у них все, что ли, такие дегенераты? — сталкер оглянулся на Артема.

— Нет, — помотал головой тот, — со жрецом поговорите.

— Ваше преосвященство, — издевательски обратился Мельник к старику. — Вы меня извините, я, так сказать, старый солдат... Как бы это выразиться... Высоким языком не умею. Но тут где-то в ваших владениях есть одно место, которое мы ищем. Как бы доступнее... Там хранятся... Огненные стрелы? Гроздья гнева?

Он всматривался в лицо старика, надеясь, что тот отзовется на одну из его метафор, но жрец упорно молчал, угрюмо уставившись на него исподлобья.

— Горящие слезы богов? — под удивленными взглядами Артема и конвоиров продолжал изощряться сталкер. — Молнии Зевеса?

— Кончайте паясничать, — наконец презрительно оборвал его старик. — Нечего топтать трансцендентальное своими грязными солдатскими сапогами.

— Ракеты, — сразу перешел на деловой тон Мельник. — Ракетная часть в ближнем Подмосковье. Выход из туннеля от Маяковской. Вы должны понимать, о чем я говорю. Нам срочно надо туда, и вам лучше нам помочь.

— Ракеты... — медленно, словно пробуя слово на вкус, повторил старик. — Ракеты... Вам, наверное, лет пятьдесят, так? Вы еще помните. СС-18 на Западе назвали «Сатаной». Это было единственное прозрение слепой от рождения человеческой цивилизации. Неужели вам мало?! Вы уничтожили весь мир, неужели вам мало?!!

— Послушайте, ваше преосвященство, у нас на это нет времени, — оборвал его Мельник. — Даю вам пять минут, — он хрустнул костяшками, разминая ладони.

Старик скривился. Похоже, ни боевое облачение сталкера и его бойцов, ни плохо скрытая угроза в голосе Мельника не производили на него ни малейшего впечатления.

— А что, что вы мне можете сделать? — усмехнулся он. — Запытать? Убить? Сделайте одолжение, я все равно стар, а нашей вере не хватает мучеников. Так убейте же меня, как вы убили сотни миллионов других людей! Как вы убили весь мой мир! Весь наш мир! Давайте, нажмите на курок вашей чертовой машинки, как вы нажимали на курки и кнопки десятков тысяч разных смертоносных устройств!

Голос старика, сначала слабый и хриплый, быстро наливался сталью. Несмотря на спутанные седые волосы, связанные руки и небольшой рост, он больше не смотрелся жалко: от него исходила странная сила, каждое новое его слово звучало более убедительно и грозно, чем предыдущее.

— Вам не надо душить меня своими руками, вам даже не придется видеть моей агонии... Будьте вы прокляты со всеми вашими машинами! Вы обесценили и жизнь и смерть... Вы считаете меня безумцем? Но истинные безумцы — это вы, ваши отцы и ваши дети! Разве не было опасным сумасшествием стараться подчинить себе всю землю, накинув на природу узду, загнать ее до пены и судорог? А потом, из ненависти к себе и таким же, как вы, пытаться окончательно расправиться с ней? Где вы были, когда мир рушился? Видели ли вы, как это было? Видели ли вы то, что видел я? Небо, сначала плавящееся, а потом затянутое каменными облаками? Кипящие реки и моря, выплевывающие на берег сварившихся заживо созданий, а потом превращающиеся в морозное желе? Солнце, пропавшее с небосклона на долгие годы? Дома, в доли секунды обращенные в пыль, и живших в них людей, обращенных в пепел? Вы слышали их крики о помощи?! А умирающих от эпидемий и изувеченных излучением? Вы слышали их проклятия?! Посмотрите на него! — он указал на Дрона. — Посмотрите на всех безруких, безглазых, шестипалых! Даже те из них, кто приобрел новые способности, клеймят вас!

Дикарь упал на колени и с благоговением ловил каждое слово своего жреца. Артем и сам чувствовал в этот момент похожее желание. Даже конвоиры невольно сделали шаг назад, и только Мельник продолжал, прищурившись, смотреть старцу в глаза.

— Видели ли вы гибель этого мира? — продолжал жрец. — Понимаете ли вы, кто в ней повинен? Кто знает по именам тех, кто одним нажатием кнопки, даже не видя того, что творит, стирал с лица земли сотни тысяч людей? Превращал бескрайние зеленые леса в выжженные пустыни? Что вы сделали с этим миром? С моим миром?! Как вы посмели взять на себя ответственность за то, чтобы обратить его в ничто? Земля не знала большего зла, чем ваша адская машинная цивилизация, цивилизация, противопоставляющая неживые механизмы природе! Она сделала все возможное, чтобы окончательно подмять, сожрать и переварить мир, но зарвалась и истребила самое себя... Ваша цивилизация — это раковая опухоль, это огромная амеба, жадно всасывающая в себя все, что есть полезного и питательного вокруг и исторгающая только зловонные отравленные отходы. И теперь вам снова нужны ракеты! Вам нужно самое страшное оружие, созданное цивилизацией преступников! Зачем? Чтобы довершить начатое? Чтобы шантажировать последних выживших? Прорваться к власти? Убийцы! Я ненавижу вас, ненавижу вас всех! — в исступлении закричал он, потом закашлялся и замолк.

Никто не проронил ни слова, пока он не справился с кашлем и не продолжил:

— Но ваше время заканчивается... И пусть я сам уже не доживу до этого, но вам на смену придут другие, придут те, кто понимает губительность техники, те, кто сможет обходиться без нее! Вы вырождаетесь, и вам остается недолго. Как жаль, что я не увижу вашей агонии! Но мы взрастим сыновей, которые увидят! Человек раскается в том, что в гордыне своей уничтожил все, что было у него ценного! После веков обмана и иллюзий он наконец научится различать зло и добро, правду и ложь! Мы воспитаем тех, кто заселит землю после вас. А чтобы ваша агония не затянулась, мы скоро воткнем вам кинжал милосердия в самое сердце! В дряблое сердце вашей догнивающей цивизации... Этот день близится! — Он плюнул под ноги Мельнику.

Сталкер ответил не сразу. Он оценивающе разглядывал дрожавшего от ярости старика. Потом, скрестив руки на груди, заинтересованно спросил:

— И что же, вы выдумали какого-то червяка и насочиняли баек, только чтобы внушить вашим людоедам ненависть к технике и прогрессу?

— Молчите! Что вы знаете о моей ненависти к вашей треклятой, вашей дьявольской технике! Что вы понимаете в людях, в их надеждах, целях, потребностях?! Человеку не хватало именно такого бога... Такого, как мы создали! Если старые божества позволили человеку сорваться в пропасть и сами погибли вместе со своим миром, нет смысла их оживлять... В ваших словах я слышу это чертово высокомерие, это презрение, эту гордыню, которые и привели человечество на край пропасти. Да, пусть Великого Червя нет, пусть мы его выдумали, но у вас очень скоро будет возможность убедиться, что этот выдуманный подземный бог куда более могуществен, чем ваши небожители, эти идолы, сверзившиеся со своих тронов и разлетевшиеся на куски! Вы смеетесь над Великим Червем? Смейтесь! Но последними будете смеяться не вы!..

— Довольно. Кляп! — приказал сталкер. — Пока его не трогать, он нам еще может пригодиться.

Сопротивлявшемуся и выкрикивавшему проклятия старику снова запихнули в рот тряпку. Дикарь, которого на всякий случай держали за руки двое бойцов, никак не проявлял своего сострадания. Он стоял молча, его плечи были бессильно опущены, а потухший взгляд не отрывался от жреца.

— Учитель... Что значит: Великого Червя нет? — тяжело выговорил он наконец.

Старец даже не посмотрел на него.

— Что значит: учитель выдумал Великого Червя? — тупо произнес Дрон, качая головой из стороны в сторону.

Жрец не отвечал. Артему показалось, что на свою речь старик израсходовал всю жизненную энергию и волю и теперь, выплюнув наружу весь без остатка огонь ненависти и презрения, впал в прострацию.

— Учитель... Учитель... Великий Червь есть... Ты обманываешь! Зачем? Ты говоришь неправду — запутать врагов! Он есть... Есть!

Неожиданно Дрон начал глухо и жутко подвывать. В его полувое-полуплаче слышалось такое отчаяние, что Артему захотелось подойти к нему, чтобы утешить. Старец, кажется, уже попрощался с жизнью и потерял всякий интерес к своему ученику, его теперь тревожили совсем другие вопросы.

— Есть! Есть! Он есть! Мы его дети! Мы все его дети! Он есть, и был всегда, и будет всегда! Он есть! Если Великого Червя нет... Значит... Мы совсем одни....

С дикарем, предоставленным самому себе, творилось что-то жуткое. Дрон вошел в транс, мотая головой, словно надеясь забыть услышанное, выводя одну и ту же ноту, и капающие из его глаз слезы мешались с обильно стекавшей слюной. Он даже не делал попыток утереться, вцепившись руками в свой бритый череп. Конвоиры отпустили его, и он упал на землю, затыкая руками уши, ударяя себя по голове, расходясь все больше и больше, пока его тело не стало бесконтрольно выделывать дикие кульбиты, а крик не заполнил весь туннель. Бойцы попытались усмирить его, но даже пинки и удары могли только на секунду перебить и сдержать рвавшийся наружу из его груди вопль.

Мельник неодобрительно посмотрел на заходящегося в припадке людоеда, потом расстегнул набедренную кобуру, выдернул оттуда «Стечкин» с глушителем, навел его на Дрона и спустил курок. Тихо стукнул глушитель, и изгибавшийся на полу дикарь мгновенно обмяк.

Нечленораздельный крик, в котором он заходился, оборвался, но эхо еще несколько секунд повторяло его последние звуки, словно на миг продляя Дрону жизнь:

— Ииииииииииииииии....

И только сейчас до Артема начало доходить, что именно кричал перед смертью дикарь.

«Одни!»

Сталкер сунул пистолет обратно в кобуру. Артем почему-то не мог заставить себя поднять на него глаза, вместо этого рассматривая успокоившегося Дрона и сидящего неподалеку жреца. Тот никак не отреагировал на смерть своего ученика. Когда раздался пистолетный хлопок, старик чуть дернулся, потом мельком оглянулся на тело дикаря и снова равнодушно отвернулся.

— Идем дальше, — приказал Мельник. — На такой шум сюда сейчас полметро сбежится.

Отряд моментально построился. Артема поставили в хвост, на место замыкающего, снабдив мощным фонарем и бронежилетом одного из бойцов, который нес Антона. Через минуту они снялись с места и двинулись вглубь туннелей.

На роль замыкающего Артем сейчас не годился. Он с трудом переставлял ноги, запинаясь о шпалы и беспомощно оглядываясь на шагающих впереди бойцов.

В ушах все еще стоял предсмертный плач Дрона. Его отчаяние, разочарование и нежелание верить в то, что в этом страшном угрюмом мире человек остался совсем один, передалось Артему. Странно, но, только услышав вопль дикаря, полный безысходной тоски по нелепому, выдуманному божеству, он начал понимать то вселенское чувство одиночества, которое питало человеческую веру.

Ступая по пустому безжизненному туннелю, он и сам сейчас ощущал нечто подобное. Если сталкер оказался прав и они уже больше часа углублялись в недра Метро-2, то загадочное сооружение оказывалось простой инженерной конструкцией, давным-давно заброшенной хозяевами и захваченной полуразумными людоедами и их фанатичными жрецами.

Бойцы зашептались. Отряд вступал на пустую станцию крайне необычного вида. Короткая платформа, низкий потолок, толстенные колонны из железобетона и кафельные стены вместо привычного мрамора указывали на то, что от станции не требовалось, чтобы она радовала глаз, и единственное ее призвание заключалось в том, чтобы как можно надежней защитить тех, кто ею пользовался.

Потускневшие от времени бронзовые буквы на стенах складывались в непонятное слово «Совмин». В другом месте значилось «Дом Правительства РФ». Артем точно знал, что станции ни под одним из этих названий в обычном метро не было, и означать это могло только одно: они уже давно вышли за его пределы. Мельник, похоже, не собирался здесь задерживаться. Спешно осмотревшись вокруг, он негромко посовещался о чем-то со своими бойцами, и отряд двинулся дальше.

Артема заполняло странное чувство, которое ему вряд ли удалось бы выразить словами. ...Словно в подаренном ему отчимом на день рождения ярком свертке оказалась одна газетная бумага, а самого подарка найти так и не удалось.

Невидимые Наблюдатели на его глазах мертвели, превращались из грозной, мудрой и непостижимой силы в фантасмагорические античные скульптуры, иллюстрирующие древние мифы, крошащиеся от сырости и сквозняков туннелей. Заодно с ними в его сознании рассыпались шелухой и другие верования, с которыми ему пришлось столкнуться за это путешествие.

Перед ним раскрывалась одна из самых больших тайн метро. Он ступал по Д-6, названному кем-то из его собеседников Золотым мифом метрополитена. Однако вместо радостного волнения Артем испытывал непонятную горечь. Он начинал понимать, что некоторые тайны прекрасны именно потому, что не имеют разгадки, и что есть вопросы, ответов на которые лучше никому не знать.

Артем ощутил, как щеке стало холодно — в том месте, где дыхание туннелей прошлось по следу от ползущей вниз слезы. Он отрицательно покачал головой, совсем как это недавно делал пристреленный дикарь. Его начало знобить то ли от промозглого сквозняка, несущего запах сырости и запустения, то ли от пронзительного чувства одиночества и пустоты.

На долю секунды ему показалось, что все на свете вдруг потеряло смысл — и его миссия, и попытки человека выжить в изменившемся мире, и вообще жизнь во всех ее проявлениях. В ней не было ничего — только пустой темный туннель отмеренного каждому времени, по которому он должен вслепую брести от станции «Рождение» до станции «Смерть». Искавшие веру просто пытались найти в этом перегоне боковые ответвления. Но станций было всего две, и туннель строился только для того, чтобы их связать, поэтому никаких ответвлений в нем не было и быть не могло.

Когда Артем опомнился, оказалось, что он отстал от отряда на несколько десятков шагов. Что заставило его прийти в себя, он понял не сразу. Потом, оглядевшись по сторонам и прислушавшись, осознал: в одной из стен виднелась неплотно прикрытая дверь, через которую до него доносился странный нарастающий шум — чей-то глухой рокот или недовольное урчание. Его, наверное, совсем еще не было слышно, когда мимо двери проходили остальные. Но теперь не заметить этот шум становилось все сложнее.

Сейчас отряд оторвался от него уже, наверное, на сотню метров. Преодолев желание броситься вдогонку, Артем затаил дыхание, приблизился к двери и толкнул ее. За ней открывался довольно длинный и широкий коридор, оканчивавшийся черным квадратом выхода. Именно оттуда и долетал рокот, все больше напоминавший рев огромного животного.

Шагнуть внуть Артем так и не осмелился. Как завороженный, он стоял, уставившись в чернеющую пустоту выхода в конце коридора и прислушиваясь, пока рев не усилился многократно и в проеме не показалось в ярком луче фонаря что-то смутное, неимоверно огромное, неудержимо несущееся вперед, мимо открытого прохода — дальше.

Артем отпрянул, захлопнул дверь и бросился догонять отряд.

Глава 18

ВЛАСТЬ

Они уже успели заметить его отсутствие и остановились. Белый луч беспокойно шнырял по туннелю, и, попав в пятно света, Артем на всякий случай поднял вверх руки и крикнул:

— Это я! Не стреляйте!

Фонарь погас. Артем заспешил вперед, готовясь к тому, что ему сейчас устроят выволочку. Но, когда он добрался до остальных, Мельник только спросил его негромко:

— Ничего сейчас не слышал?

Артем молча кивнул. Ему не хотелось говорить о том, что он только что видел, к тому же у него не было уверенности, что ему все это не почудилось. С некоторых пор он привык к тому, что в метро к своим ощущениям надо относиться осторожно.

Что же это было? Так мог выглядеть проносящийся мимо поезд, но возможность эта исключалась: в метро уже десятки лет не было количества электроэнергии, необходимого для движения составов. Вторая возможность была еще более невероятна. Артем вспомнил про предостережения дикарей насчет священных ходов Великого Червя и про то, что нынешний день является запретным. Ничего другого в голову не приходило.

— Ведь поезда больше не ходят, правда? — спросил он сталкера на всякий случай.

Тот посмотрел на него недовольно.

— Какие еще поезда? Они тогда как остановились, так ни разу больше и не двигались, пока их по частям не растащили. Ты про эти звуки, что ли? Подземные воды, думаю. Тут же река рядом совсем. Мы под ней прошли. Ладно, черт с ним, есть проблемы поважнее. Еще неизвестно, как отсюда выбираться.

Настаивать на своем и укреплять сталкера во мнении, что он имеет дело с сумасшедшим, Артему совсем не хотелось. А так как вторая его гипотеза была еще безумней, он предпочел замолчать и больше не возвращаться к этой теме.

Река, наверное, и вправду была неподалеку. Мрачное безмолвие туннеля здесь нарушали неприятные звуки капающей воды и журчание тонких черных ручейков по краям рельсов. Стены и своды влажно поблескивали, их покрывал белесый налет плесени, тут и там попадались лужи. Воды в туннелях Артем привык бояться, и чувствовал он себя в этом перегоне совсем неуютно. Влага просачивалась в заброшенные и забытые человеком места: без ремонта и вечной борьбы с грунтовыми водами некоторые перегоны в метро давали течь. Отчим даже рассказывал ему о затопленных туннелях и станциях. По счастью, они лежали довольно низко или находились на отшибе, так что на всю ветку напасть не распространялась. Поэтому мелкие капли на стенах Артему казались предсмертной испариной покинутого в минуты агонии человека.

Впрочем, чем дальше они продвигались, тем суше становилось вокруг. Постепенно ручейки иссякли, плесень на стенах теперь попадалась все реже, а воздух стал чуть легче. Туннель спускался вниз, оставаясь все таким же пустым, и это не могло не настораживать. В который раз уже Артем вспоминал слова Бурбона, что пустой перегон — страшнее всего. Остальные, кажется, тоже это понимали и все чаще нервно оборачивались назад, натыкаясь на шедшего последним Артема, а, встретившись с ним глазами, поспешно отворачивались.

Они все время шли напрямик, не задерживаясь у отрезанных решетками боковых ответвлений и виднеющихся в стенах толстых чугунных дверей с колесами запоров. Только сейчас Артему стало ясно, каких же невообразимых размеров был лабиринт, вырытый в земляной толще под городом десятками поколений его обитателей. Метро, оказывается, было всего лишь частью сплетенной из бесчисленных ходов и коридоров, раскинувшейся в глубине гигантской паутины.

Некоторые из дверей, мимо которых шел отряд, были отворены. Заглядывающий в них луч фонаря на секунды возвращал к жизни призраки брошенных комнат, ржавых двухъярусных кроватей, проваливался в зевы извивающихся коридоров. Везде царило страшное запустение, и как Артем ни выискивал хотя бы малейшие следы человеческого присутствия, все было тщетно. Все это грандиозное сооружение было давным-давно покинуто и мертво.

Пожалуй, даже увидеть на полу чьи-нибудь истлевшие останки Артему сейчас было бы не так жутко.

Казалось, их марш-бросок продолжается бесконечно. Старик шел все медленнее, он выбивался из сил, и ни тычки в спину, ни матерная брань конвоиров уже не могли заставить его ускорить шаг. Привалов отряд не делал, и самая долгая остановка продолжалась полминуты — ровно столько, сколько потребовалось бойцам, которые тащили носилки с Антоном, чтобы сменить руки. Его сын держался на удивление стойко. И хотя было заметно, что Олег уже устал, он ни разу не пожаловался, а только упорно сопел, стараясь идти наравне со всеми.

Впереди оживленно заговорили. Выглянув из-за широких спин, Артем понял, в чем дело. Они вступали на новую станцию. Выглядела она почти так же, как и предыдущая: низкие своды, колонны, похожие на слоновьи ноги, крашенные масляной краской бетонные стены, отсутствие каких-либо декоративных элементов. Платформа была необычно широкая, и что находилось с другой ее стороны, толком разглядеть не получалось. На беглый взгляд, в ожидании поезда здесь могли бы разместиться не меньше двух тысяч человек. Но и здесь не было ни души, а последний поезд отправился в неизвестный пункт назначения так давно, что рельсы покрылись черной ржавчиной и прогнившие шпалы поросли мхом. Составленное из литых бронзовых букв название станции заставило Артема вздрогнуть. Это было то самое загадочное слово «Генштаб». Он сразу вспомнил и о военных в Полисе, и о нехороших огоньках, блуждавших в гиблом сквере у развороченных стен здания Министерства обороны.

Мельник поднял руку в перчатке. Отряд мгновенно замер.

— Ульман, за мной, — бросил сталкер и легко взобрался на платформу.

Здоровый, похожий на медведя боец, шагавший с ним рядом, подтянулся на руках и последовал за командиром. Мягкие звуки их крадущихся шагов тут же растворились в тишине станции. Остальные члены отряда, словно по команде, заняли оборонительную позицию, держа под прицелом туннель в обоих направлениях. Оказавшись в середине, Артем решил, что под прикрытием товарищей пока может успеть рассмотреть странную станцию.

— Папа не умрет? — он почувствовал, как мальчик потянул его за рукав.

Артем опустил глаза. Олег стоял, умоляюще глядя на него, и Артем понял, что тот готов расплакаться. Он успокаивающе покачал головой и потрепал мальчика по макушке.

— Это из-за того, что я рассказал, где папа работал? Его поэтому ранили? — спросил Олег. — Папа мне всегда говорил, чтобы я никому не болтал... — он всхлипнул. — Говорил, что люди не любят ракетчиков. Папа сказал, что это не стыдно, это не плохо, что ракетчики родину защищали. Что просто другие им завидуют.

Артем с опаской оглянулся на жреца, но тот, утомленный дорогой, сел на пол и уставил погасший взор в пустоту, не обращая никакого внимания на их разговор.

Через несколько минут вернулись разведчики. Отряд сгрудился вокруг сталкера, и тот кратко ввел остальных в курс дела:

— Станция пуста. Но не заброшена. В нескольких местах — изображения их червя. И еще... Нашли схему, на стене от руки нарисована. Если ей верить, эта ветка идет к Кремлю. Там центральная станция и пересадка на другие линии. Одна из них отходит в направлении Маяковской. Придется двигаться туда, путь должен быть свободен. В боковые проходы соваться не будем. Вопросы?

Бойцы переглянулись между собой, но никто ничего не сказал.

Зато старик, безучастно сидевший до этого на земле, при слове «Кремль» забеспокоился, завертел головой и начал что-то мычать. Мельник нагнулся и вырвал у него изо рта кляп.

— Не надо туда! Не надо! Я не пойду к Кремлю! Оставьте меня здесь! — забормотал жрец.

— В чем дело? — недовольно спросил сталкер.

— Не надо к Кремлю! Мы туда не ходим! Я не пойду! — как заведенный, повторял старик, мелко трясясь.

— Ну, вот и замечательно, что вы туда не ходите, — отозвался сталкер. — По крайней мере, ваших там не будет. Туннель пустой, чистый. Я в боковые перегоны не собираюсь. По мне лучше так, напролом, через Кремль.

В отряде зашептались. Вспомнив зловещее свечение на кремлевских башнях, Артем понял, почему не только жрец боялся там показываться.

— Все! — оборвал ропот Мельник. — Двигаемся вперед, времени нет. У них сегодня запретный день, в туннелях — никого. Неизвестно, когда он закончится, но нам тогда придется туго. Поднимайте его!

— Нет! Не ходите туда! Не надо! Я не пойду! — старик, казалось, совсем обезумел.

Когда к нему подошел конвоир, жрец неуловимым змеиным движением вывернулся у него из рук, потом с притворной покорностью замер под наведенными дулами автоматов и вдруг коротко дернул связанными за спиной руками.

— Ну и пропадайте! — его торжествующий смех через несколько секунд превратился в захлебывающийся хрип, тело вывернула судорога, а изо рта обильно пошла пена. Конвульсия свела мышцы его лица в безобразную маску, тем более ужасную, что провал рта на ней изгибался уголками вверх. Это была самая страшная улыбка, которую Артему доводилось видеть в своей жизни.

— Готов, — сообщил Мельник.

Он приблизился к упавшему на землю старику и, поддев его носком ботинка, перевернул. Жесткий, словно окоченевший, труп тяжело поддался и перекатился лицом вниз. Сначала Артем подумал, что сталкер сделал это, чтобы не видеть лица мертвого, но потом понял настоящую причину. Фонарем Мельник осветил перетянутые проволокой запястья старика. В кулаке правой руки тот сжимал иглу, воткнутую в предплечье левой. Как жрец исхитрился это сделать, где ядовитое жало было спрятано у него все это время и почему он не воспользовался им раньше, Артем понять не мог. Он отвернулся от тела и закрыл ладонью глаза маленького Олега.

Отряд застыл на месте. Хотя приказ двигаться был отдан, никто из бойцов не шелохнулся. Сталкер оценивающе оглядел их. Можно было представить, что творилось у бойцов в головах: что же такое ждало их в Кремле, если заложник предпочел покончить с собой, лишь бы туда не идти?

Не тратя времени на убеждения, Мельник шагнул к носилкам со стонущим Антоном, нагнулся и взялся за одну из ручек.

— Ульман! — позвал он.

После секундного колебания широкоплечий разведчик занял место у второй ручки носилок. Подчиняясь неожиданному импульсу, Артем подошел к ним и схватил заднюю ручку. Рядом с ним встал кто-то еще. Не говоря ни слова, сталкер распрямился, и они двинулись вперед. Остальные последовали за ними, и отряд снова образовал боевое построение.

— Тут недалеко уже осталось, — тихо сказал Мельник. — Сотни две метров. Главное, переход на другую линию найти. Потом — до Маяковской. Что дальше, не знаю. Третьяка нет... Придумаем что-нибудь. Теперь у нас одна дорога. Сворачивать нельзя.

Его слова о дороге всколыхнули что-то в Артеме, он снова вспомнил про свой путь. Задумавшись, он не сразу осознал, о чем говорил Мельник до этого. Но как только упоминание сталкера о погибшем Третьяке дошло до занятого другим сознания, он встрепенулся и громко прошептал ему:

— Антон… Раненый… он ведь в РВА служил… Он ведь ракетчик! Значит, мы еще сможем! Сможем?

Мельник недоверчиво оглянулся через плечо, потом посмотрел на распростертого на носилках командира дозора. Тот, кажется, был совсем плох. Паралич у Антона уже давно прошел, но теперь его терзал горячечный бред. Стоны сменялись обрывками фраз, неясными, но яростными приказами, отчаянной мольбой, всхлипыванием и бормотанием. И чем ближе они подходили к Кремлю, тем громче делались выкрики раненого, тем напряженнее он выгибался на носилках.

— Я сказал! Не спорить! Они идут… Ложись! Трусы… Но как же… как же с остальными?! Никто не сможет там, никто! — доказывал Антон своим товарищам, которых видел только он один.

Его лоб покрылся испариной, и Олег, бежавший рядом с носилками, воспользовался короткой заминкой, пока бойцы меняли руку, и промокнул отцу лоб тряпкой. Мельник посветил на командира дозора, словно пытаясь понять, сумеет ли он прийти в себя. Стало видно, как тот стискивает зубы, как беспокойно мечутся под веками глазные яблоки. Кулаки его были сжаты, а тело рвалось то в одну, то в другую сторону. Брезентовые ремни не давали Антону вывалиться, но нести его становилось все сложнее.

Еще через полсотни метров Мельник поднял ладонь вверх, и отряд снова остановился. На полу белел грубо намалеванный знак: привычная уже извилистая линия упиралась утолщением головы в жирную красную черту, отсекавшую лежавший впереди участок перегона. Ульман присвистнул.

— Загорелся красный свет, говорит — дороги нет, — нервно засмеялся кто-то сзади.

— Это для червяков, нас не касается, — отрезал сталкер. — Вперед!

Однако теперь они продвигались вперед еще медленнее. Мельник, надвинув на глаза прибор ночного видения, занял место во главе отряда. Но спешить они перестали не только из осторожности. На станции «Генштаб» туннель стал забирать вниз еще круче, и хотя он оставался все таким же пустым, от Кремля поползла незримая, но осязаемая дымка чьего-то присутствия. Обволакивая людей, она наделяла их уверенностью, что там, в черной беспросветной глубине, скрывается нечто необъяснимое, огромное и злое. Это не было похоже на ощущения, которые Артему доводилось испытывать до сих пор: ни на темный вихрь, преследовавший его в перегонах на Сухаревской, ни на голоса в трубах, ни на порожденный и подпитываемый людьми суеверный страх перед туннелями, ведущими к Парку Победы. Все сильнее чувствовалось, что на сей раз за тревогой этой прячется что-то… неодушевленное, но все же живое.

Артем посмотрел на дюжего бойца, шедшего по другую сторону носилок, которого сталкер называл Ульманом. Ему вдруг страшно захотелось поговорить, неважно о чем, лишь бы услышать человеческий голос.

— А почему у Кремля звезды на башнях светятся? — вспомнил Артем терзавший его вопрос.

— Кто тебе сказал, что они светятся? — удивленно ответил боец. — Ничего такого там нет. На самом деле с Кремлем так: каждый что хочет, то и видит. Некоторые говорят, что и самого-то его уже давно нет, просто Кремль любой надеется увидеть. Хочется же верить, что самое святое осталось цело.

— А что с ним произошло? — спросил Артем.

— Никто не знает, — отозвался разведчик, — кроме твоих людоедов. Я молодой еще, мне тогда лет десять было. А те, кто воевал, говорят, что Кремль не хотели разрушать и сбросили на него какую-то секретную разработку... Биологическое оружие. В самом начале. Ее не сразу заметили и даже тревогу не объявили, а когда поняли, что к чему, уже поздно было, потому что эта разработка там всех сожрала, да еще и из окрестностей народу засосала. Живет себе за стеной до сих пор и чудесно себя чувствует.

— А как она... засасывает? — Артем не мог отделаться от видения: мерцающих нездешним светом звезд на верхушках кремлевских башен.

— Знаешь, было насекомое такое — муравьиный лев? Копало в песочке воронки, а само залезало на дно и рот раскрывало. Если муравей мимо пробегал и случайно на край ямки наступал, все. Конец трудовой биографии. Муравьиный лев шевелился, песок ко дну сыпался, и муравей прямо вниз, ему в пасть падал. Ну, вот и с Кремлем то же. Стоит на край воронки попасть, затянет, — ухмыльнулся боец.

— А почему люди сами внутрь идут? — настаивал Артем.

— А я откуда знаю? Гипноз, наверное... Вон, возьми хотя бы этих твоих людоедов-иллюзионистов. Как мозги морозят! А ведь, пока сам не увидишь, не поверишь. Так бы мы и остались там...

— Так что же мы к нему тогда в самое логово идем? — недоуменно спросил Артем.

— Это не ко мне вопросы, а к начальству. Но я так понимаю, что надо снаружи быть и на башни со стенами смотреть, чтобы оно тебя сцапало. А мы вроде внутри уже... Куда здесь смотреть-то?

Мельник обернулся и сердито шикнул на них. Говоривший с Артемом боец тут же осекся и замолчал. И стало слышно то, что заглушал звук его голоса: идущее из глубины, нехорошее, негромкое... булькание? Урчание? Достаточно было один раз уловить этот звук, вроде и не предвещающий ничего страшного, но какой-то настойчивый и неприятный, как забыть о нем более не получалось.

Они прошли мимо тройных, устроенных друг за другом, мощных гермоворот. Все створки были гостеприимно распахнуты настежь, и тяжелый железный занавес поднят к потолку. «Двери,— подумал Артем. — Мы на пороге».

Стены вдруг расступились, и они оказались в мраморном зале, настолько просторном, что луч мощных фонарей еле добивал до противоположной стены, превращаясь в рассеянное бледное пятно. Потолок, в отличие от других секретных станций, здесь был высокий, его держали мощные, богато украшенные колонны. Сверху свисали почерневшие от времени массивные золоченые люстры, все еще отзывавшиеся на свет фонаря кокетливым блеском.

В нескольких местах стены были покрыты огромными мозаичными панно, изображавшими одетого в пиджак немолодого человека с бородкой и большой залысиной и улыбающихся ему людей в рабочей форме, молодых девушек в скромной одежде и легких белых косынках, военных в старомодных фуражках, несущиеся по небу эскадрильи истребителей, ползущие строем танки и наконец сам Кремль.

Названия у этой удивительной станции не было, но именно его отсутствие лучше всего давало понять, куда они попали.

Колонны и стены были покрыты густым, чуть ли не сантиметровым, слоем серой пыли. Очевидно, нога человека не ступала сюда десятилетиями; жутковато было и догадываться о причине того, почему это место избегали даже бесстрашные дикари.

Дальше на пути стоял необычный поезд. У него было всего два вагона, но зато тяжело бронированных, выкрашенных в защитный темно-зеленый цвет. Окна заменяли узкие, напоминавшие бойницы щели, закрытые затемненным стеклом. Двери — по одной в каждом вагоне — были заперты. Артему подумалось, что хозяевам Кремля, может быть, действительно так и не удалось воспользоваться своим тайным путем для бегства.

Они выбрались на платформу и остановились.

— Так вот оно как здесь... — Сталкер задрал голову к потолку, насколько позволял шлем. — Сколько уже сказок слышал... А ведь все не так...

— Куда дальше? — спросил у него Ульман.

— Понятия не имею, — признался Мельник. — Надо осмотреться.

На этот раз он не стал покидать отряд, и люди медленно двинулись все вместе. Станция все же чем-то напоминала обычную: по краям платформы здесь так же были проложены два пути. Они ограничивали помещение слева и справа, а с обоих концов продолговатый зал заканчивался двумя остановившимися навеки эскалаторами, уходящими в величественные круглые арки. Тот, что находился ближе к их отряду, вел наверх, другой нырял на еще совсем уж невообразимую глубину. Где-то здесь, наверное, был и лифт — вряд ли у прежних обитателей Кремля были, как у простых смертных, лишние минуты, чтобы неспешно ползти вниз на эскалаторе.

Зачарованное состояние, в котором находился Мельник, передалось и остальным. Пытаясь дотянуться лучами до высоких сводов, разглядывая бронзовые скульптуры, установленные посреди зала, любуясь великолепными панно и поражаясь величественности этой станции, настоящего подземного дворца, они даже перешли на шепот, чтобы не нарушать его покоя. Восхищенно озираясь по сторонам, Артем совершенно позабыл и об опасностях, и о покончившем с собой жреце, и о дурманящем сиянии кремлевских звезд. Мысль в голове оставалась только одна: он все пытался себе представить, как несказанно прекрасна эта станция должна быть в ярком свете роскошных люстр.

Они приближались к противоположному концу зала, где начинались ступени уводящего вниз эскалатора. Артем попробовал вообразить, что скрывается там, внизу. Может быть, еще одна, дополнительная станция, составы с которой отправлялись прямиком в секретные бункеры на Урале? Или пути, ведущие в бесчисленные коридоры вырытых еще в незапамятные времена подземелий и казематов? Глубинная крепость? Стратегические запасы оружия, медикаментов и продовольствия? Или просто бесконечная двойная лента ступеней, уходящих вниз, сколько хватает глаз? Не здесь ли располагалась та самая глубокая точка метро, о которой говорил Хан?

Артем специально будоражил свою фантазию самыми невероятными картинами, оттягивая тот момент, когда, подойдя к краю эскалатора, он наконец увидит, что же находится внизу на самом деле. Поэтому у поручней он оказался не первым. Тот боец, который рассказывал ему только что про муравьиного льва, добрался до арки раньше. Вскрикнув, он испуганно отпрянул назад. А через мгновение настала и очередь Артема.

Медленно, словно некие сказочные существа, дремавшие сотни лет, а потом разбуженные и разминающие затекшие от векового сна мышцы, оба эскалатора пришли в движение. С натужным старческим скрипом ступени поползли вниз, и что-то в этой картине было невыразимо жуткое... Что-то здесь не сходилось, не соответствовало тому, что Артем знал и помнил про эскалаторы. Он чувствовал это, но ему никак не удавалось ухватить за хвост скользкую тень понимания.

— Слышишь, как тихо? Это ведь его не мотор двигает... Машинное отделение не работает, — помог ему Ульман.

Конечно же, дело было именно в этом. Скрип ступеней и скрежетание несмазанных шестерней — вот и все звуки, которые издавал оживший механизм. Все ли? Артем снова услышал отвратительное бульканье и чавкание, которое долетало до него в туннеле. Звуки шли из глубины, оттуда, куда вели эскалаторы. Он набрался смелости и, приблизившись к краю, осветил наклонный туннель, по которому все быстрее ползла черно-бурая лента ступеней.

На какой-то миг ему показалось, что тайна Кремля раскрылась перед ним. Он увидел как сквозь щели между ступенями проступает что-то грязно-коричневое, маслянистое, перетекающее и однозначно живое. Короткими всплесками оно чуть вылезало из этих щелей, синхронно приподнимаясь и опадая по всей длине эскалатора, насколько Артем мог его разглядеть. Но это было не бессмысленное пульсирование. Все эти всплески живого вещества, несомненно, были частью одного гигантского целого, которое натужно двигало ступени. А где-то далеко внизу, на глубине в несколько десятков метров, это же грязное и маслянистое привольно растеклось по полу, вспухая и сдуваясь, перетекая и подрагивая, издавая те самые странные и омерзительные звуки. Арка представилась Артему чудовищным зевом, своды эскалаторного туннеля — глоткой, а сами ступени — жадным языком разбуженного пришельцами грозного древнего божества.

А потом его сознания словно коснулась, поглаживая, чья-то рука. И в голове стало совсем пусто, как в туннеле, по которому они сюда шли. И захотелось только одного — встать на ступени и не спеша поехать вниз, где его наконец ждет умиротворение и ответ на все вопросы. Перед его воображаемым взором снова вспыхнули кремлевские звезды...

— Артем! Беги! — по щекам хлестнула, обжигая кожу, перчатка.

Он встрепенулся и обомлел: бурая жижа ползла вверх по туннелю, разбухая на глазах, разрастаясь, пенясь, как выкипевшее свиное молоко. Ноги не слушались, и проблеск сознания был совсем коротким: невидимые щупальца всего на миг выпустили его рассудок, чтобы тут же снова цепко ухватить его и повлечь обратно во мглу.

— Тащи его!

— Пацана сначала! Да не плачь...

— Тяжелый... А еще тут этот, раненый...

— Брось, брось носилки! Куда ты с носилками!

— Погоди, я тоже залезу, вдвоем проще...

— Руку, руку давай! Да скорей же!

— Матерь Божья... Уже вылезло...

— Затягивай... Не смотри, не смотри туда! Ты меня слышишь?

— По щекам его! Вот так!

— Ко мне! Это приказ! Расстреляю!..

Мелькали странные картинки: зеленый, усеянный заклепками бок вагона, почему-то перевернутый потолок, потом изгаженный пол... темнота... снова зеленая броня... потом мир прекратил раскачиваться, успокоился и замер. Артем приподнялся и осмотрелся вокруг.

Они сидели кругом на крыше бронированного состава. Все фонари были отключены, горел только один, маленький, карманный, лежавший в центре. Его света не хватало, чтобы увидеть, что творится в зале, но слышно было, как со всех сторон что-то клокочет, бурлит и переливается.

К его разуму кто-то снова осторожно, как бы пробуя на ощупь, прикоснулся, но он встряхнул головой, и морок рассеялся.

Он оглядел и механически пересчитал ютившихся на крыше членов отряда. Сейчас их было пятеро, если не считать Антона, который так и не пришел в себя, и его сына. Артем тупо отметил, что один боец куда-то пропал, потом его мысли опять замерли. Как только в голове опустело, рассудок снова начал сползать в мутную пучину. Бороться с этим в одиночку было трудно. Мельком осознав происходящее, Артем постарался уцепиться за эту мысль; необходимо было думать о чем угодно, только чтобы не оставлять свой рассудок незанятым. С остальными, видимо, происходило то же самое.

— Вот что с этой дрянью под облучением случилось... Точно говорили, биологическое оружие! Но они сами не думали, что такой кумулятивный эффект получится. Хорошо еще, оно за стеной сидит и в город не вылезает... — говорил Мельник.

Ему никто не отвечал. Бойцы затихли и слушали рассеянно.

— Говорите, говорите! Не молчите! Эта сволочь вам на подкорку давит! Эй, Оганесян! Оганесян! О чем думаешь? — тормошил сталкер одного из своих подчиненных. — Ульман, мать твою! Куда смотришь? На меня смотри! Не молчите!

— Ласковая... Зовет... — сказал богатырь Ульман, хлопая ресницами.

— Какая еще ласковая! Не видел, что с Делягиным стало? — сталкер с размаху заехал бойцу по щеке, и осоловелый взгляд того прояснился.

— За руки! Всем за руки взяться! — надрывался Мельник. — Не молчите! Артем! Сергей! На меня, на меня смотрите!

А в метре внизу клокотала, кипела страшная масса, которая, кажется, заполнила собой уже всю платформу. Она становилась все настойчивее, и выдерживать ее напора они уже не могли.

— Ребята! Пацаны! Не поддавайтесь! А давайте... хором! Споем! — одергивая своих солдат, развешивая им пощечины или почти нежными касаниями приводя в чувство, не сдавался сталкер. — Вставай, страна огромная... Вставай на смертный бой! — хрипя и фальшивя, затянул он. — С фашистской силой темною... С прокля-я-ятою ордоой...

— Пусть я-арость благородная.... Вскипа-ает, как волна, — подхватил Ульман.

Вокруг поезда забурлило с удвоенной силой. Артем подпевать не стал: слов этой песни он не знал, и вообще ему подумалось, что про темную силу и вскипающую волну бойцы запели неспроста.

Дальше первого куплета и припева никто, кроме Мельника, слов не знал, и следующее четверостишие он пел в одиночку, грозно сверкая глазами и не давая никому отвлечься:

Как два-а различных по-олюса,
Во всем враждебны мы!
За све-е-ет и мир мы боремся,
Они — за царство тьмы...

Припев на этот раз пели почти все, даже маленький Олег пытался вторить взрослым. Нестройный хор грубых, прокуренных мужских голосов зазвучал, отдаваясь эхом, в бескрайнем мрачном зале. Звук их пения взлетал к высоким, украшенным мозаикой сводам, отражался от них, падал и тонул в кишащей внизу живой массе. И хотя в любой другой ситуации эта картина — семеро здоровых мужиков, забравшихся на крышу состава и распевающих там, держась за руки, бессмысленные песни — показалась бы Артему абсурдной и смешной, сейчас она больше напоминала леденящую сцену из ночного кошмара. Ему нестерпимо хотелось проснуться.

Пусть я-а-арость благоро-о-о-одная
Вскипа-а-а-ает, как волна-а-а-а.....
Идет война народная,
Свяще-е-е-нная война-а-а!

Сам Артем, хотя и не пел, прилежно открывал рот и раскачивался в такт музыке. Не расслышав слова в первом куплете, он решил даже было сначала, что речь в ней идет то ли о выживании людей в метро, то ли о противостоянии черным, под натиском которых скоро должна была пасть его родная станция. Потом еще в одном куплете проскользнуло про фашистов, и Артем понял, что речь идет о борьбе бойцов Красной бригады с обитателями Пушкинской...

Когда он оторвался от своих размышлений, то обнаружил, что хор затих. Может, следующих куплетов не знал уже и сам Мельник, а может, ему просто перестали подпевать.

— Ребята! А давайте хотя бы «Комбата», а? — пытался уговорить своих бойцов сталкер. — Комбат-батяня, батяня-комбат, ты сердце не прятал за спины ребят... — начал он было, но потом и сам примолк.

Отряд охватило нехорошее оцепенение. Бойцы начали разжимать руки, и круг распался. Молчали все, даже все время бредивший и бормотавший до этого Антон. Чувствуя, как в возникающую в голове пустоту заливается теплая и мутная жижа безразличия и усталости, Артем старался вытолкнуть ее, думая о своей миссии, потом рассказывая про себя детские стишки, сколько помнил, потом просто повторяя: «Я думаю, думаю, думаю, ко мне не пролезешь...»

Боец, которого сталкер назвал Оганесяном, вдруг встал со своего места и распрямился во весь рост. Артем равнодушно поднял на него глаза.

— Ну, мне пора. Бывайте, — попрощался тот.

Остальные тупо посмотрели на товарища, ничего не отвечая, только сталкер кивнул ему. Оганесян подошел к краю и без колебаний шагнул вперед. Он совсем не кричал, но внизу послышался неприятный звук, смесь всплеска с голодным урчанием.

— Зовет... Зове-ет... — нараспев сказал Ульман и тоже начал подниматься.

В голове Артема заклинание —«Я думаю, ко мне не пролезешь!» — застряло на слове «я», и теперь он просто повторял, сам не замечая, что делает это во весь голос: «Я, я, я, я, я». Потом ему сильно, непреодолимо захотелось посмотреть вниз, чтобы понять, так ли уродлива колыхавшаяся там масса, как ему показалось вначале. А вдруг он ошибся? Вспомнилось снова и о звездах на кремлевских башнях, далеких и манящих...

И тут маленький Олег легко вскочил на ноги и, коротко разбежавшись, с веселым смехом бросился вниз. Живая трясина внизу негромко чавкнула, принимая тело мальчика. Артем понял, что завидует ему, и тоже засобирался следом. Но через пару секунд после того, как масса сомкнулась над головой Олега, может, в тот самый момент, когда она отбирала у него жизнь, его отец закричал и очнулся.

Тяжело дыша и загнанно оглядываясь по сторонам, Антон поднялся и принялся трясти остальных, требуя от них ответа:

— Где он? Что с ним? Где мой сын?! Где Олег? Олег! Олежек!

Мало-помалу лица бойцов стали обретать осмысленное выражение. Начал приходить в себя и Артем. Он уже не был уверен, что действительно видел, как Олег спрыгнул в бурлящую массу. Поэтому отвечать ничего не стал, только попробовал успокоить Антона, который, кажется, неведомым образом почувствовал, что случилось непоправимое, и все больше расходился. Зато от его истерики оцепенение окончательно спало и с Артема, и с Мельника, и с остальных членов отряда. Им передалось его возбуждение, его злобное отчаяние, и незримая рука, властно удерживавшая их сознание, отдернулась, словно обжегшись, о кипевшую в них ненависть. К Артему, да, кажется, и ко всем остальным, наконец вернулась та способность здраво мыслить, которая — теперь он это понимал — пропала уже на подходах к станции.

Сталкер сделал несколько пробных выстрелов в клокочущую массу, но результата это не дало. Тогда он заставил бойца, вооруженного огнеметом, снять ранец с горючим с плеч и кинуть его по сигналу как можно дальше от состава. Приказав двум другим освещать место падения ранца, он изготовился к стрельбе и дал отмашку. Раскрутившись на месте, боец швырнул ранец и сам чуть было не полетел вслед за ним, еле удержавшись на краю крыши. Ранец тяжело взлетел в воздух и начал падать метрах в пятнадцати от состава.

— Ложись! — Мельник подождал, пока тот коснулся маслянистой шевелящейся поверхности, и спустил курок.

Последние секунды полета ранца Артем наблюдал, растянувшись на крыше. Как только раздался хлопок выстрела, он спрятал лицо в сгиб локтя и что было сил прижался к холодной броне. Взрыв был мощный: Артема чуть не сорвало с крыши, состав качнулся. Сквозь зажмуренные веки пробилось грязно-оранжевое зарево расплескавшегося по платформе пылающего горючего.

С минуту ничего не происходило. Хлюпанье и чавканье трясины не ослабевало, и Артем приготовился уже к тому, что совсем скоро она оправится от досадной неприятности и снова начнет обволакивать его разум.

Но вместо этого шум стал постепенно отдаляться.

— Уходит! Оно уходит! — прямо у него над ухом радостно заорал Ульман.

Артем поднял голову. В свете фонарей было отчетливо видно, как масса, занимавшая недавно чуть ли не весь огромный зал, съеживается и отступает, возвращаясь к эскалаторам.

— Скорее! — Мельник вскочил на ноги. — Как только оно сползет вниз, все за мной — вон в тот туннель!

Артем удивился, откуда у Мельника взялась вдруг такая уверенность, но спрашивать не стал, списав прежнюю нерешительность Мельника на дурман. Сейчас сталкер полностью преобразился: это опять был трезвый, стремительный и не терпящий возражений командир отряда.

Раздумывать не только не было времени, но и не хотелось. Единственное, что сейчас занимало Артема, это как можно скорее унести ноги с проклятой станции, пока странное существо, обитавшее в подвалах Кремля, не опомнилось и не вернулось, чтобы сожрать их. Станция больше не казалась ему удивительной и прекрасной: теперь все здесь было враждебным и отталкивающим. Даже рабочие и крестьянки глядели на него разгневанно с настенных панно, а те, что все еще улыбались, делали это натянуто и приторно.

Спрыгнув кое-как на платформу, они бросились к противоположному концу станции. Антон полностью пришел в себя и бежал наравне с остальными, так что отряд теперь ничто не задерживало. Через двадцать минут безумной гонки по черному туннелю Артем начал задыхаться, да и остальные тоже стали уставать. Наконец сталкер позволил им перейти на быстрый шаг.

— Куда мы идем? — догнав Мельника, спросил Артем.

— Думаю, мы сейчас под Тверской улицей... Скоро к Маяковской должны выйти. Там разберемся.

— А как вы узнали, в какой туннель нам идти? — поинтересовался Артем.

— На карте было обозначено, которую мы на Генштабе нашли. Но я об этом только в последний момент вспомнил. Верь—не верь, как на станцию вступили, все из головы вылетело.

Артем задумался. Выходило, что его восторг от кремлевской станции, от картин и скульптур, от ее простора и величия был как бы и не его? Не был ли это морок, навеянный страшной сущностью, притаившейся в Кремле?

Потом он вспомнил про отвращение и страх, которые ему стала внушать станция, когда дурман рассеялся. И у него зародилось сомнение, что эти чувства тоже принадлежали ему. Может быть, точно так же, как до этого он передал им восхищение и стремление задержаться на станции подольше, «муравьиный лев» заставил их почувствовать неодолимое желание бежать оттуда сломя голову, когда они причинили ему боль?

Какие чувства вообще принадлежали самому Артему и зарождались в его голове? Отпустило ли чудовищное создание его разум сейчас или это оно продолжает диктовать ему мысли и внушать переживания? В какой момент Артем попал под его гипнотическое влияние? Да чего уж там, был ли он хоть когда-либо свободен в своем выборе? И вообще, мог ли его выбор быть свободным? Артему снова вспомнилась беседа с двумя странными жителями Полянки.

Он оглянулся: в двух шагах за ним шел Антон. Он больше не приставал ни к кому с вопросом о том, что стало с его сыном, — кто-то уже сказал ему. Лицо его застыло и омертвело, взгляд был обращен внутрь. Понимал ли Антон, что они были всего в шаге от спасения мальчика? Что его смерть стала нелепой случайностью? Но именно она спасла жизнь остальным. Случайность или жертва?

— Вы знаете, мы ведь все, наверное, только благодаря Олегу спаслись. Это из-за него вы... очнулись, — не уточняя, как именно это случилось, сказал юноша Антону.

— Да, — безразлично согласился тот.

— Он нам сказал, что вы в ракетных войсках служили. Стратегических.

— Тактических, — отозвался Антон. — «Точка», «Искандер».

— А системы залпового огня? «Смерч», «Ураган»? — чуть задержавшись, спросил сталкер, слышавший их разговор.

— Тоже могу. Я сверхсрочником был, нас и этому учили. Да и сам всем интересовался, все хотел попробовать. Пока не увидел, к чему это приводит.

В его голосе не было ни малейших признаков заинтересованности, как не было и обеспокоенности по поводу того, что оберегаемый им секрет стал известен посторонним. Отвечал он коротко, механически.

Мельник, кивнув, снова оторвался от них, уйдя вперед.

— Нам очень нужна ваша помощь, — осторожно пробуя почву, сказал Артем. — Понимаете, у нас на ВДНХ происходят страшные вещи... — начал он.

И сразу же осекся: после виденного им за последние сутки то, что происходило на ВДНХ, уже не так пугало, не казалось чем-то исключительным, способным сломить метро и окончательно истребить человека как биологический вид. С этой мыслью Артем справился, напомнив себе, что она снова может быть не его, а навязанной извне.

— Там у нас с поверхности проникают такие твари... — продолжил он, собравшись.

Но Антон жестом остановил его.

— Просто скажи, что надо сделать, я сделаю, — бесцветно произнес он. — У меня теперь время есть... Как я домой вернусь без сына?

Артем суетливо кивнул и отошел от дозорного, оставив его наедине с самим собой; чувствовал он себя сейчас погано: вымогать помощь у человека, который только что лишился ребенка... По его, Артема, вине лишился...

Он снова нагнал сталкера. Тот явно пришел в хорошее расположение духа: оторвавшись от растянувшегося цепочкой отряда, он напевал себе что-то под нос и, увидев Артема, улыбнулся ему. Прислушавшись к мелодии, которую Мельник пытался воспроизвести, Артем узнал ту самую песню про священную войну, которую пели на крыше состава.

— Знаете, я сначала решил, что это про нашу войну с черными песня, — поделился он; — а потом понял, что она про фашистов. Это кто сочинил, коммунисты с Красной Линии?

— Этой песне лет сто уже, если не сто пятьдесят, — покачал головой Мельник. — Ее сначала для одной войны сочинили, потом под другую приспособили. Она тем и хороша, что под любую войну подходит. Сколько человек будет жить, всегда будет мнить себя силой света, а врагов считать тьмой.

«И думать так будут по обе стороны фронта», добавил про себя Артем. Значит ли это... — его мысль снова метнулась к черным. Может ли это означать, что для них злом и тьмой являются люди, скажем, жители ВДНХ? Артем спохватился и запретил себе думать о черных как об обычных противниках. Стоит только приотворить им дверь сочувствия, и их уже ничем не сдержишь...

— Вот ты про эту песню заговорил, что она на все времена, — неожиданно произнес Мельник, — и мне что в голову пришло. У нас такая страна, что в ней, по большому счету, все времена одинаковы. Такие люди... Ничем их не изменишь. Хоть кол на голове теши. Вот, казалось бы, и конец света уже настал, и на улицу без костюма радиационной защиты не выйти, и дряни всякой развелось, которую раньше только в кино можно было увидеть... Нет! Не проймешь! Такие же. Иногда мне кажется, что и не поменялось ничего. Вот, в Кремле сегодня побывал, — криво усмехнулся он, — и думаю: в принципе, и там ничего нового. То же самое творится, что и раньше. Я даже теперь не очень-то и уверен, когда нам эту заразу забросили: тридцать лет назад или триста.

— А разве триста лет назад такое оружие было уже? — засомневался Артем, но сталкер ничего не ответил.

Изображения Великого Червя на полу встречались им два или три раза, но ни самих дикарей, ни каких-либо следов их недавнего присутствия заметно не было. И если после первого рисунка бойцы насторожились, перегруппировавшись так, чтобы было удобнее обороняться, то после третьего напряжение спало.

— Не соврали, значит, и вправду сегодня святой день, на станциях сидят, в туннели не выходят, — с облегчением заметил Ульман.

Сталкера занимало другое. По его расчетам выходило, что место, где был выход в метро и начинался перегон, ведущий к ракетной части, должно находиться совсем близко. Каждую минуту сверяясь с перерисованным от руки планом, он рассеянно повторял:

— Где-то тут... Не это? Нет, угол не тот, да и где гермозатвор? Уже должны бы подходить...

В конце концов, они остановились на развилке: налево был забранный решеткой тупик, в конце которого виднелись остатки гермоворот, справа, насколько хватало света фонарей, уходил в перспективу прямой туннель.

— Оно! — определил Мельник. — Приехали. По карте все сходится. Там, за решеткой — обвал, как на Парке Победы. И ход должен быть, у которого Третьяка сняли. Так... — Подсвечивая план карманным фонариком, он размышлял вслух: — От этой развилки перегон прямиком к тому дивизиону идет, а этот — к Кремлю, мы оттуда пришли, правильно.

Потом вместе с Ульманом он пролез за решетку, и минут десять они бродили по тупику, осматривая с фонарем стены и потолок.

— Порядок! Есть проход, на этот раз в полу, крышка круглая такая, на канализационный люк похожа, — сообщил вернувшийся сталкер. — Все, мы на месте. Привал.

Как только, сбросив рюкзаки, все расселись на земле, с Артемом произошло что-то странное: несмотря на неудобное положение, его мгновенно сморил сон. То ли сказалась накопленная за последние сутки усталость, то ли яд от парализующей иглы все еще продолжал действовать, давая побочные эффекты.

Артем снова увидел себя, просыпающегося, в палатке на ВНДХ. Как и в предыдущих снах, на станции было мрачно и безлюдно. Не отдавая себе до конца отчета в том, что все это ему только снится, Артем все же наперед знал, что с ним сейчас произойдет. Привычно уже поздоровавшись с игравшей девочкой, он не стал ее ни о чем расспрашивать, вместо этого прямиком направившись к путям. Отдаленные крики и мольбы о пощаде его почти не испугали. Он знал, что навязчивый сон видится ему в который раз по другой причине. И причина эта скрывалась в туннелях. Он должен был раскрыть природу угрозы, разведать обстановку и сообщить о ней союзникам с юга. Но как только его окутала тьма туннеля, уверенность в себе и в том, что он знает, зачем находится здесь и как ему поступать дальше, испарилась.

Ему снова стало страшно, совсем как когда он в первый раз вышел за пределы станции в одиночку. И точь-в-точь, как в тот раз, пугала его даже не сама темнота и не шорохи туннелей, а неизвестность, невозможность предугадать, какую опасность таят в себе следущие сто метров перегона.

Смутно, как о событиях, случившихся с ним в прошлой жизни, вспоминая, как поступал в предыдущих снах, он все же решил не поддаваться на этот раз страху, а идти вперед, пока не встретится лицом к лицу с тем, кто кроется во мраке, поджидая его.

Навстречу ему кто-то шел. Не спеша, с той же скоростью, с которой продвигался вперед Артем, но не его трусливыми, крадущимися шажками, а уверенной тяжелой поступью. Юноша замирал, переводя дыхание,— останавливался и тот, другой. Артем дал себе зарок: на этот раз не бежать, что бы ни случилось. Когда до скрытого темнотой двойника оставалось, судя по звуку, метра три, колени у Артема уже не просто дрожали, а ходили ходуном, но он все же нашел в себе силы сделать еще один шаг. Но, почувствовав кожей лица легкое колебание воздуха оттого, что кто-то приблизился к нему вплотную, Артем не выдержал. Взмахнув рукой, он оттолкнул невидимое существо и бросился бежать. На этот раз он не споткнулся и бежал невыносимо долго, час или два, но родной станции не было и в помине, не было никаких станций, вообще ничего, только бесконечный темный туннель. И это оказалось еще страшнее.

— Эй, хватит дрыхнуть, летучку проспишь, — толкнул его в плечо Ульман. — И как у тебя получается? — завистливо добавил он.

Артем встряхнулся и виновато посмотрел на остальных. Судя по всему, забылся он лишь на несколько минут. Отряд сидел кругом, в центре которого расположился с картой Мельник, показывая и объясняя.

— Вот, — рассуждал он, — до места назначения, наверное, километров двадцать будет. Это ничего, если быстрым шагом и без препятствий, за полдня успеть можно. Военная часть находится на поверхности, но под ней бункер, и туннель ведет к нему. Однако времени думать нет. Нам придется разделиться. Проснулся? Ты возвращаешься в метро, Ульмана к тебе приставлю, — сказал он Артему, — я с остальными ухожу к ракетному дивизиону.

Артем открыл было рот, собираясь протестовать, но сталкер прервал его нетерпеливым жестом. Наклонившись к сваленным в кучу рюкзакам, Мельник принялся распределять снаряжение.

— Вы берете два защитных костюма, у нас остаются четыре — неизвестно, как там получится. Плюс рации, одну вам — одну нам. Теперь инструктаж. Идете на Проспект Мира. Там вас должны ждать, я отправил гонцов, — он посмотрел на наручные часы. — Ровно через двенадцать часов подниметесь на поверхность и ловите наш сигнал. Если все в порядке и мы в эфире, следующая стадия операции. Задача — подобраться к Ботаническому Саду как можно ближе и залезть повыше, чтобы помогать нам наводить и корректировать огонь. Площадь поражения у

«Смерчей» ограниченная, сколько там осталось ракет, неизвестно. А сад немаленький. Ты не бойся, — успокоил он Артема, — это все Ульман делать будет, ты там так, за компанию. Польза от тебя, конечно, тоже есть: по крайней мере, знаешь, как эти черные выглядят. Я думаю, — продолжил он, — Останкинская башня для наведения очень даже подходит. У нее есть такое утолщение посередине: в этом набалдашнике ресторан был. Там еще подавали крошечные бутербродики с икрой по заоблачным ценам. Но люди туда не из-за них ходили, а из-за вида на Москву. Ботанический сад оттуда — как на ладони. Попробуйте на башню попасть. Не получится на башню, рядом стоят многоэтажные дома, белые такие, буквой П, судя по рапортам, почти необитаемые. Так... Это вам карта Москвы, это — нам. Там уже все по квадратам разбито. Просто смотрите и передаете. Остальное — за нами. Ничего сложного, — заверил он. — Вопросы?

— А если у них там нет никакого гнезда? — спросил Артем.

— Ну, на нет и суда нет, — сталкер хлопнул ладонью по карте. — Да, у меня тут для тебя сюрприз, — добавил он, подмигнув Артему.

Заглянув в свой ранец, Мельник извлек оттуда белый полиэтиленовый пакет с истершейся цветной картинкой на боку. Артем развернул его и достал паспорт, выправленный на в меру потрепанном бланке, и детскую книжку с вложенной в нее заветной фотографией, которую он нашел в заброшенной квартире на Калининском. Сорвавшись вслед за Олегом, он оставил свои сокровища на Киевской, а Мельник не поленился забрать их и нес с собой все это время. Сидевший рядом Ульман недоуменно посмотрел на Артема, потом на сталкера.

— Личные вещи, — с улыбкой развел руками Мельник.

Артему вдруг захотелось сказать ему что-нибудь теплое и доброе, но тот уже поднимался со своего места, раздавая приказания идущим с ним бойцам.

Он приблизился к погруженному в свои мысли Антону.

— Удачи! — Артем протянул дозорному руку.

Тот молча кивнул, надевая на спину рюкзак. Глаза у него были совсем пустые.

— Ну, все! Прощаться не будем. Засекайте время! — сказал Мельник.

Он развернулся и, больше не говоря ни слова, пошел прочь.

Глава 19

ПОСЛЕДНИЙ БОЙ

Вдвоем отодвинув тяжелый чугунный блин, закрывавший лаз, они начали спускаться вниз. Узкая вертикальная шахта была сложена из бетонных колец, в каждом из которых торчала металлическая скоба.

Как только они остались вдвоем, Ульман переменился. С Артемом он общался короткими, односложными фразами, главным образом отдавая приказы или предостерегая. Как только крышка люка была снята, он велел Артему потушить фонарь и, надвинув на глаза прибор ночного видения, первым нырнул внутрь.

Ползти вниз, цепляясь за скобы, Артему пришлось вслепую. Он не очень хорошо понимал, к чему все эти предосторожности, ведь после Кремля они не встретили на своем пути никакой опасности. В конце концов Артем решил, что сталкер дал Ульману какие-то особые инструкции, а может, оставшись без командира, тот просто начал с удовольствием исполнять его роль сам.

Боец хлопнул Артема по ноге, дав знак остановиться. Артем послушно замер, ожидая, пока тот объяснит ему, в чем дело. Но вместо объяснений снизу послышался мягкий удар — это Ульман спрыгнул на пол, — а через несколько секунд раздались тихие хлопки выстрелов.

— Можешь слезать, — громким шепотом разрешил Артему напарник, и внизу зажегся свет.

Когда скобы закончились, он отпустил руки и, пролетев метра два, приземлился на цементный пол. Поднялся, отряхнул руки и огляделся по сторонам. Они находились в коротком, шагов на пятнадцать, коридоре. С одной его стороны в потолке зияло отверстие лаза — оттуда они и выбрались, а с другой в полу виднелся еще один люк, с такой же чугунной рифленой крышкой. Рядом с ним в луже крови лежал ничком мертвый дикарь, даже после смерти сжимавший в руке свою духовую трубку.

— Проход охранял, — тихо отозвался Ульман на вопросительный взгляд Артема, — но заснул. Не ждал, наверное, что с этой стороны кто-то полезет. Ухом на люк лег и задремал.

— Ты его... во сне? — уточнил Артем.

— А что? Не по-рыцарски? — фыркнул Ульман. — Ничего, будет знать, как спать при исполнении. И потом, он все равно плохим человеком был: священного дня не соблюдал. Было же сказано: в туннели не соваться.

За ноги оттащив тело в сторону, Ульман открыл люк и опять погасил фонарь.

На этот раз шахта была совсем короткая и вела в заваленное хламом служебное помещение. Лаз полностью скрывала от чужих глаз гора металлических листов, шестеренок, рессор и никелированных поручней — деталей хватило бы на целый вагон. Они были беспорядочно нагромождены друг на друга до самого потолка и держались лишь каким-то чудом. Между этой кучей и стеной оставался узкий проход, но протиснуться сквозь него, не задев и не обрушив на себя всю гору железа, было почти невозможно.

Засыпанная грунтом до середины дверь из помещения вела в необычный квадратный туннель. Слева перегон обрывался: там то ли был завал, то ли в этом самом месте работы по прокладке путей почему-то прекратили. Направо он выводил в туннель стандартный, круглый и широкий. Сразу чувствовалось, что граница между двумя переплетающимися между собой подземными мирами пересечена. Здесь, в метро, даже дышалось иначе: воздух был хоть и сырым, но не таким мертвенным и застоявшимся, как в тайных ходах Д-6.

Встал вопрос, куда идти дальше. Двигаться наобум они не решились — в этом перегоне могла находиться погранзастава Четвертого Рейха. От Маяковской до Чеховской, судя по карте, пешком было всего минут двадцать. Покопавшись в пакете со своими вещами, Артем нашел окровавленную карту, которая ему досталась от Данилы, и по ней определил верное направление.

Не прошло и пяти минут, как они уже были на Маяковской. Усевшись на скамью, Ульман с облегченным вздохом снял с головы тяжелый шлем, вытер рукавом раскрасневшееся мокрое лицо и запустил пятерню в ежик русых волос. Несмотря на могучее телосложение и повадки матерого туннельного волка, лет Ульману, кажется, было ненамного больше, чем Артему.

Пока искали, где купить еды, Артем успел осмотреть станцию. Сколько прошло времени с тех пор, как он ел в последний раз, Артем уже и сам не знал, но живот у него подвело нешуточно. Припасов у Ульмана с собой никаких не было: собирались они в спешке и брали только необходимое.

Маяковская обстановкой и духом напоминала Киевскую. От когда-то изящной и воздушной станции осталась только мрачная тень. На этой наполовину разоренной станции люди ютились в драных палатках или прямо на платформе, стены и потолок были покрыты подтеками и разводами от просачивающейся воды. Горел один небольшой костерок на всю станцию — топить было нечем. Обитатели Маяковской переговаривались между собой совсем тихо, словно у постели умирающего.

Однако и на этой задыхающейся станции нашелся магазин: залатанная трехместная палатка с выставленным у входа раскладным столиком. Ассортимент был небогат: ободранные крысиные тушки, засохшие и сморщившиеся грибы, доставленные сюда невесть когда, и даже нарезанный квадратиками мох. Рядом с каждым товаром гордо стоял ценник — придавленный гильзой обрывок газетной бумаги с ровными, каллиграфически прописанными цифрами.

Покупателей кроме них почти не было, только худосочная ссутулившаяся женщина, державшая за руку маленького мальчика. Ребенок потянулся к лежавшей на прилавке крысе, но мать одернула его:

— Не трожь! Мы на этой неделе уже ели мясо!

Мальчик послушался, но надолго забыть о тушке у него не вышло. Как только мать отвернулась, он снова попробовал добраться до мертвого зверька.

— Колька! Я тебе что сказала? Будешь плохо себя вести, за тобой бесы из туннелей придут! Вот Сашка твой мамку свою не слушался — его и забрали! — забранила его женщина, в последний момент успев отдернуть от прилавка.

Артем с Ульманом никак не могли решиться. Артему начало казаться, что он вполне может потерпеть до Проспекта Мира, где хотя бы грибы будут посвежее.

— Может, крыску? Зажариваем в присутствии клиента, — с достоинством предложил плешивый хозяин магазина. — Сертификат качества! — загадочно добавил он.

— Спасибо, я уже пообедал, — поспешил отказаться Ульман. — Артем, что ты там хотел? Только мох не бери, от него в кишечнике четвертая мировая начинается.

Женщина осуждающе покосилась на него. В руке у нее было всего два патрона, которых, судя по ценникам, хватало как раз только на мох. Заметив, что Артем смотрит на ее скромный капитал, женщина спрятала кулак за спину.

— Нечего здесь! — злобно огрызнулась она. — Сам покупать не собираешься, так и вали отсюда! Не все миллионеры! Чего пялишься?

Артем хотел ответить, но засмотрелся на ее сына. Тот был очень похож на Олега:такие же бесцветные хрупкие волосы, красноватые глаза, вздернутый нос. Мальчик взял большой палец в рот и стеснительно улыбнулся Артему, глядя на него чуть исподлобья.

Тот почувствовал, как помимо его воли губы расползаются в улыбке, а глаза набухают слезами. Женщина перехватила его взгляд и взбеленилась.

— Извращенцы лешие! — сверкая глазами, взвизгнула она. — Пойдем, Коленька, сынок, домой! — она потащила мальчика за руку.

— Подождите! Постойте!

Артем выдавил из запасного рожка своего автомата несколько патронов и, догнав женщину, отдал их ей.

— Вот... Это вам. Коле вашему.

Та недоверчиво взглянула на него, потом ее рот презрительно скривился.

— Что же ты думаешь, за пять патронов такое можно? Чтобы своего ребенка?!

Артем не сразу понял, что она имела в виду. Наконец до него дошло, и он раскрыл было рот, чтобы начать оправдываться, но так и не сумел ничего произнести, а просто стоял, хлопая глазами. Женщина, довольная произведенным эффектом, сменила гнев на милость.

— Ладно уж! Двадцать патронов за полчаса.

Оглушенный, Артем потряс головой, развернулся и чуть ли не бегом бросился прочь.

— Жлоб! Ладно, давай хотя бы пятнадцать! — прокричала ему вслед женщина.

Ульман стоял все там же, беседуя о чем-то с продавцом.

— Ну, так как насчет крыски, не надумали? — учтиво поинтересовался хозяин палатки, завидев возвращающегося Артема.

«Еще немного, и меня вырвет»,— понял Артем. Потянув Ульмана за собой, он заспешил с этой Богом забытой станции.

— Куда так торопимся? — спросил тот, когда они уже шагали по туннелю в направлении Белорусской.

Стараясь справиться с подступающим к горлу комом, Артем рассказал, что произошло. На Ульмана его история особого впечатления не произвела.

— А что? Жить как-то надо, — отозвался он.

— Зачем такая жизнь вообще нужна? — Артема передернуло.

— У тебя есть предложения? — Ульман пожал широкими плечами.

— Да в чем смысл такой жизни? Цепляться за нее, терпеть всю эту грязь, унижения, детьми своими торговать, мох жрать, ради чего?..

Артем осекся, вспомнив Хантера, как тот говорил про инстинкт самосохранения, про то, что будет изо всех сил, по-звериному бороться за свою жизнь и за выживание остальных. Тогда, в самом начале его слова зажгли в Артеме надежду и желание бороться, как та лягушка, своими лапками сбившая молоко в крынке, превратив его в масло. Но сейчас почему-то более верными казались слова, произнесенные отчимом.

— Ради чего? — передразнил его Ульман. — Ты что же, парень, «ради чего» живешь?

Артем пожалел, что вообще ввязался в этот разговор. Бойцом Ульман, надо отдать ему должное, был отменным, но собеседником казался не особо интересным. И спорить с ним по поводу смысла жизни Артему виделось делом бесполезным.

— Да, лично я — «ради чего», — угрюмо ответил он, не выдержав.

— Ну, и ради чего? — рассмеялся Ульман. — Ради спасения человечества? Брось, это все ерунда. Не ты спасешь, так кто-нибудь другой. Я, например, — он осветил фонарем свое лицо так, чтобы Артему было его видно, и состроил героическую гримасу.

Артем ревниво посмотрел на него, но ничего не сказал.

— И потом, — продолжил боец, — не могут же все ради этого жить.

— И как тебе она, жизнь без смысла? — Артем постарался задать этот вопрос иронично.

— Как это без смысла? У меня он есть — тот же, что и у всех. И вообще, поиски смысла жизни обычно приходятся на период полового созревания. Так что у тебя, кажется, затянулось.

Его тон был не обидным, а озорным, так что надуваться Артем не стал. Вдохновленный успехом, Ульман продолжал разглагольствовать:

— Я себя хорошо помню, когда мне семнадцать было. Тоже все пытался понять: как, да зачем, да какой смысл? Потом это проходит. Смысл, брат, в жизни только один: детей сделать и вырастить. А там уж пускай они этим вопросом мучаются. И отвечают на него, как могут. На этом-то мир и держится. Вот такая теория, — он снова засмеялся.

— А со мной ты тогда зачем идешь? Жизнью рискуешь? Если ты не веришь в спасение человечества, то что? — спустя некоторое время спросил Артем.

— Во-первых, приказ, — строго сказал Ульман. — Приказы не обсуждаются. Во-вторых, если ты помнишь, детей недостаточно сделать, их надо вырастить. А как я их буду растить, если их ваша шушера с ВДНХ сожрет?

От него исходила такая уверенность в себе, своих силах и своих словах, его картина мира была так соблазнительно проста и слаженна, что Артему не захотелось с ним больше спорить. Наоборот, он почувствовал, что боец вселяет и в него уверенность, которой ему не хватало.

Как и говорил Мельник, туннель между Маяковской и Белорусской оказался спокойным. Правда, что-то ухало в вентиляционных шахтах, но зато мимо пару раз прошмыгнули вполне нормальных размеров крысы, и Артема это успокоило. Перегон был на удивление коротким — не успели доспорить, как впереди показались огни станции.

Соседство с Ганзой сказывалось на Белорусской самым положительным образом. Это было видно сразу, хотя бы по тому, что, по сравнению с Маяковской или Киевской, она довольно хорошо охранялась. За десять метров до входа был сооружен блокпост: на мешках с грунтом стоял ручной пулемет, а сторожевой наряд состоял из пяти человек.

Проверив документы (вот и пригодился новый паспорт), у них вежливо спросили, не из Рейха ли они будут. Нет-нет, заверили Артема, против Рейха здесь никто ничего не имеет, станция торговая, соблюдает полный нейтралитет, здесь в конфликты между державами — так начальник караула называл Ганзу, Рейх и Красную Линию — не вмешиваются.

Прежде чем продолжать свой путь по Кольцу, Артем с Ульманом решили все же отдохнуть и перекусить. Сидя в богатой и даже с некоторым шиком обставленной закусочной, в придачу к превосходно приготовленной и при этом совсем недорогой отбивной Артем получил полную информацию о Белорусской. Сидевший за столом напротив круглолицый блондин, представившийся Леонидом Петровичем, за обе щеки уплетал грандиозных размеров яичницу с беконом, а когда у него освобождался рот, с удовольствием рассказывал о своей станции.

Жила Белорусская, как выяснилось, за счет транзита свинины и курятины. По ту сторону Кольца — ближе к Соколу и даже к Войковской, хотя та уже находилась в опасной близости к поверхности, — располагались огромные и очень успешные хозяйства. Километры туннелей и технических перегонов были превращены в нескончаемые животноводческие фермы, которые кормили всю Ганзу, заодно поставляя продовольствие и Четвертому Рейху, и на вечно полуголодную Красную Линию. Кроме того, жители Динамо унаследовали у своих предприимчивых предшественников склонность к портняжному мастерству. Именно там шили те самые куртки из свиной кожи, которые Артем видел на Проспекте Мира.

Никакой внешней опасности с этого конца Замоскворецкой линии не существовало, и за все годы жизни в метро ни Сокол, ни Аэропорт, ни Динамо никто ни разу не разорял. Ганза на них не претендовала, довольствуясь возможностью собирать пошлину с переправляемого товара, а заодно представляла им защиту от фашистов и красных.

Жители Белорусской почти поголовно были заняты торговыми делами. Фермеры с Сокола и портные с Динамо редко задерживались здесь, чтобы собственноручно сбыть свой товар: барышей с оптовых поставок им хватало с головой. Подвозя партии свинины или живых кур на дрезинах и вагонетках на человеческой тяге, люди с той стороны, как их здесь называли, сгружали добро — для этих целей на платформах даже были установлены особые подъемные краны, — рассчитывались и отбывали домой.

Жизнь на станции бурлила. Бойкие торговцы (на Белорусской они почему-то звались «менеджерами») носились от «терминала» — места разгрузки — к складам, позвякивая мешочками с патронами, раздавая указания жилистым грузчикам. Тележки с ящиками и свертками на хорошо смазанных колесах катились бесшумно к рядам прилавков, или к границе Кольца, откуда товар брали ганзейские купцы, или к противоположному краю платформы, где дожидались отгрузки своих заказов эмиссары Рейха.

Фашистов здесь было немало, но не рядовых, а в основном офицеров. Однако вели они себя совсем иначе: хоть и нагловато, но в рамках приличий. На смуглых брюнетов, которых хватало среди местных торговцев и грузчиков, они неприязненно косились, но порядки свои диктовать не решались.

— У нас ведь тут и банки... От них, из Рейха, многие к нам приезжают вроде бы как за товарами, а на самом деле — сбережения вложить, — поделился с Артемом его собеседник. — Поэтому они нас трогать вряд ли станут. Мы им как бы Швейцария, — добавил он непонятно.

— Хорошо у вас тут, — на всякий случай вежливо заметил Артем.

— Да что мы все о Белорусской... Сами-то вы откуда будете? — ради приличия спросил наконец Леонид Петрович.

Ульман притворился, что, будучи слишком увлеченным своей отбивной, не услышал вопроса.

— Я с ВДНХ, — оглянувшись на него, ответил Артем.

— Что вы говорите! Какой ужас! — Леонид Петрович даже отложил вилку и нож. — Там, говорят, дела совсем плохи? Я слышал, они уже из последних сил оборону держат. Половина станции погибла... Это правда?

У Артема кусок застрял в горле. Что бы ни случилось, он должен попасть на ВДНХ, повидаться со своими, может быть, в последний раз. Как он мог терять сейчас драгоценное время на еду? Отодвинув тарелку, он попросил счет и, невзирая на протесты Ульмана, потащил его за собой — мимо устроенных в проемах арок прилавков с мясом и одеждой, мимо сваленных в кучи товаров, мимо приценивающихся челноков, снующих грузчиков, чинно прохаживающихся фашистских офицеров — к отгороженному металлической оградой переходу на Кольцевую линию. Над входом было вывешено белое полотнище с коричневой окружностью посередине, и двое автоматчиков в знакомом сером камуфляже проверяли документы и досматривали вещи.

Артему еще ни разу не удавалось проникнуть на территорию Ганзы с такой легкостью. Ульман, дожевывая кусок отбивной, порылся в кармане и предъявил пограничникам неприметного вида ксиву. Те без разговоров отодвинули секцию ограждения, пропуская их внутрь.

— Что это за корочки? — полюбопытствовал Артем.

— Так... Орденская книжка к медали «За заслуги перед Отечеством», — отшутился Ульман. — Перед нашим полковником все в долгу.

Переход на Кольцо представлял собой странную смесь крепости и торговых складов. Вторая граница Ганзы начиналась за мостиками над путями: там были возведены настоящие редуты с пулеметами и даже огнеметом. А дальше, рядом с памятником,— мудрого вида бронзовый бородатый мужик с автоматом, хрупкая девушка и мечтательный парень при оружии (наверное, основатели Белорусской или герои борьбы с мутантами, подумал Артем) — размещался целый гарнизон, не меньше двадцати солдат.

— Это из-за Рейха, — объяснил Артему Ульман. — С фашистами так: доверяй, но проверяй. Швейцарию они, конечно, не трогали, но Францию под себя подмяли.

— У меня пробелы с историей, — смущенно признался Артем. — Отчим учебника за десятый класс так и не смог найти. Зато я про Древнюю Грецию немного читал.

Мимо солдат тащилась бесконечная цепочка похожих на муравьев грузчиков с тюками за плечами: Ганза жадно всасывала в себя почти всю продукцию Сокола, Динамо и Аэропорта. Движение было хорошо налажено: по одному эскалатору носильщики спускались вниз с грузом, по другому — поднимались налегке. Третий был предназначен для остальных прохожих.

Внизу, в стеклянной будке, сидел автоматчик, следивший за эскалатором. Он еще раз проверил у Артема с Ульманом документы и выдал им бумажки со штампом «Временная регистрация — транзит» и датой. Путь был свободен.

Эта станция тоже называлась Белорусской, но разница с ее радиальным двойником была разительной: как между разделенными при рождении близнецами, один из которых попал в королевскую семью, а другого подобрал и вырастил бедняк. Все благополучие и процветание той, первой, Белорусской меркло в сравнении с кольцевой станцией. Она блистала отмытыми добела стенами, завораживала замысловатой лепниной на потолке и слепила неоновыми лампами, которых на всю станцию горело всего три, но и их света хватало с избытком.

На платформе вереница грузчиков распадалась на две части: одни шли к путям сквозь арки налево, другие — направо, скидывая свои тюки в кучи и бегом возвращаясь за новыми.

У путей были сделаны две остановки: для товаров, где был установлен небольшой кран, и для пассажиров, где стояла билетная касса. Раз в пятнадцать-двадцать минут мимо станции проезжала грузовая дрезина, оборудованная своеобразным кузовом — дощатым настилом, на который грузили ящики и тюки. Помимо трех-четырех человек, стоявших за рукоятями дрезины, на каждой был еще и охранник.

Пассажирские приходили реже — Артему с Ульманом пришлось ждать больше сорока минут. Как объяснил им билетер, маршрутки ждали, пока наберется достаточно людей, чтобы не гонять рабочих зря. Но само по себе обстоятельство, что где-то в метро до сих пор можно купить билет — по патрону за каждый перегон — и проехать от станции к станции, как тогда, Артема совершенно зачаровало. Он даже на некоторое время позабыл обо всех своих бедах и сомнениях, а просто стоял и наблюдал за погрузкой товаров, представляя, до чегоже прекрасна была жизнь в метро раньше, когда по путям ходили не ручные дрезины, а огромные сверкающие поезда.

— Вон ваша маршрутка едет! — объявил билетер и зазвонил в колокольчик.

К остановке подкатила большая дрезина, к которой была прицеплена вагонетка с деревянными лавками. Предъявив билеты, они уселись на свободные места. Подождав еще несколько минут и набрав недостающих пассажиров, трамвай двинулся дальше.

Половина скамеек была расположена так, что пассажиры сидели лицом вперед по направлению движения, а половина — назад. Артему досталось место против хода состава, Ульман сел на оставшееся место — к нему спиной.

— Почему так странно сиденья расставлены, в разные стороны? — спросил Артем у своей соседки, крепкой бабки лет шестидесяти в дырявом шерстяном платке. — Неудобно ведь.

— А как же? — всплеснула руками та. — Что же ты, туннель без присмотру оставишь? Легкомысленные вы, молодые! Вон позавчера, не слыхал, чего было? Вот такущая крыса, — бабка развела руки, насколько хватило, — выпрыгнула из межлинейника, да пассажира и утащила!

— Да не крыса это была! — вмешался, обернувшись, мужичок в стеганом ватнике. — Мутан это был! На Курской, у них мутаны очень лезут...

— А я говорю, крыса! Мне Нина Прокофьевна говорила, соседка моя, что я, не знаю, что ли? — возмутилась бабка.

Они еще долго спорили, но Артем к их разговору больше не прислушивался. Мысли снова вернулись к ВДНХ. Для себя он уже твердо решил, что до того, как поднимется на поверхность, чтобы вместе с Ульманом отправиться к Останкинской башне, обязательно попытается прорваться на свою родную станцию. Как убедить в этой необходимости напарника, он пока не знал. Но в его груди копошилось нехорошее предчувствие, что последняя возможность увидеть свой дом и любимых людей предоставляется ему сейчас, до того, как он поднимется наверх. И упустить ее никак нельзя — кто знает, что будет потом? Хоть сталкер и говорил, что ничего сложного в их задании нет, сам Артем не очень-то верил, что когда-либо еще встретится с ним. Однако перед тем как начать свой, может быть, последний подъем наверх, он обязательно должен хоть ненадолго вернуться на ВДНХ.

Звучит-то как... ВДНХ... Мелодично, ласково. Так бы слушал и слушал, подумал Артем. Неужели правду говорил случайный знакомый на Белорусской, и станция действительно вот-вот падет под натиском черных, а половина ее защитников уже погибла, пытаясь предотвратить неминуемое? Сколько же он отсутствовал? Две недели? Три? Он закрыл глаза, пытаясь представить себе любимые своды, элегантные, но сдержанные линии арок, ажурную ковку медных вентиляционных решеток между ними, ряды палаток в зале: вот эта — Женькина, а сюда, поближе, — его.

Дрезину мягко покачивало в такт убаюкивающему стуку колес, и Артем сам не заметил, как его потянуло в сон. Ему опять снилась ВДНХ.

...Он больше ничему не удивлялся, не прислушивался и не пытался понять. Цель его сна была не на станции, а в туннеле, он точно помнил это. Выйдя из палатки, Артем сразу направился к путям, спрыгнул вниз и пошел на юг, к Ботаническому саду. Кромешная темнота уже не пугала его, страшило другое: предстоящая встреча в туннеле. Кто его ждал там? В чем был смысл этого события? Почему ему никогда не хватало смелости выдержать до конца?..

Его двойник наконец появился в глубине туннеля — мягкие уверенные шаги постепенно приближались, как и в предыдущие разы, начисто лишая Артема решимости. Однако на этот раз он держался лучше: хоть колени и задрожали, Артем смог унять озноб и дотерпеть до того момента, как поравнялся с невидимым созданием. Покрываясь холодным липким потом, сдержался и не бросился бежать, когда легчайшее колебание воздуха подсказало ему, что таинственное существо находится в считаных сантиметрах от его лица.

— Не беги... Посмотри в глаза своей судьбе... — прошептал ему на ухо сухой шелестящий голос.

И тут Артем вспомнил — да как же он мог забыть об этом в прошлых кошмарах,— что в кармане у него лежит зажигалка. Нашарив пластмассовый корпус, он чиркнул кремнем, готовясь увидеть того, кто с ним разговаривал.

И тотчас же онемел, почувствовав только, как его ноги врастают в землю.

Рядом с ним неподвижно стоял черный. Широко открытые темные глаза без зрачков искали его взгляда.

Артем громко, что было силы, закричал.

— Маменьки грешные! — бабка держалась за сердце, тяжело дыша. — Перепугал-то как, ирод!

— Вы простите. Он у нас того... Нервный, — извинялся, обернувшись, Ульман.

— Что ты хоть там увидел, оглашенный? — из-под полуприкрытых опухших век бабка стрельнула любопытным взглядом.

— Сон... Кошмар приснился, — ответил Артем. — Извините.

— Сон?! Ну вы, молодые, впечатлительные, — и она снова принялась охать и ругаться.

На этот раз, как ни странно, проспал Артем довольно долго — пропустил даже остановку на Новослободской. И не успел он вспомнить, что же такое важное понял в конце своего кошмара, как маршрутка прибыла на Проспект Мира.

Обстановка здесь разительно отличалась от сытого благополучия Белорусской. Делового оживления на Проспекте Мира не было и в помине, зато сразу бросалось в глаза большое число военных: спецназовцев и офицеров с нашивками инженерных войск. С другого края платформы, на путях, стояли несколько охраняемых грузовых мотодрезин с загадочными ящиками, укрытыми брезентом. В зале, прямо на полу, сидели около полусотни кое-как одетых людей с огромными баулами, потерянно озираясь по сторонам.

— Что здесь происходит? — спросил Артем Ульмана.

— Это не здесь происходит, это у вас, на ВДНХ, — ответил тот. — Видно, собираются туннели взрывать... Если черные с Проспекта Мира полезут, Ганзе не поздоровится. Наверное, готовят превентивный удар.

Пока они переходили на Калужско-Рижскую линию, Артем смог убедиться, что догадка Ульмана, скорее всего, верна. Спецназ Ганзы орудовал и на радиальной станции, где он вообще не должен был появляться. Оба входа в туннели, ведущие на север, к ВДНХ и Ботаническому Саду, были отгорожены. Здесь кто-то на скорую руку устроил блокпосты, дежурство на которых несли ганзейские пограничники. На рынке почти не было посетителей, половина прилавков пустовала, люди тревожно перешептывались, словно над станцией нависла неотвратимая беда. В одном углу толпились несколько десятков человек, целые семьи с тюками и сумками. Цепочка очереди извивалась вокруг столика с надписью «Регистрация беженцев».

— Подожди меня здесь, я пойду нашего человека поищу. — Ульман оставил его у торговых рядов и исчез.

Но у Артема были свои дела. Спустившись на рельсы, он подошел к блокпосту и заговорил с хмурым пограничником.

— К ВДНХ еще можно пройти?

— Пока пускаем, но ходить не советую, — отозвался тот. — Что, не слышал, что там творится? Какие-то упыри лезут, да так, что не остановить. У них там чуть не вся станция полегла. Там, видно, здорово припекает — уж если наше скупердяйское начальство решило им боеприпасы безвозмездно поставлять, только чтобы те до завтра продержались...

— А что завтра будет?

— Завтра все к чертям взорвем. На триста метров от Проспекта в обоих туннелях заложим динамит — и все, не поминайте лихом.

— Но почему вы просто им не поможете? Неужели у Ганзы сил недостает?

— Тебе же говорят — там упыри. Так все ими и кишит, никакой подмоги не хватит.

— А что с людьми с Рижской? С самой ВДНХ?! — Артем не верил своим ушам.

— Мы их еще несколько дней назад предупредили. Вон, идут к нам потихоньку — Ганза принимает, у нас тоже не звери. Но лучше бы поторопились. Как время выйдет, так и привет. Так что ты постарайся поскорее обернуться. Что у тебя там? Дела? Семья?

— Все, — ответил Артем, и пограничник понимающе кивнул.

Ульман стоял в арке, тихонько переговариваясь с высоким молодым человеком и строгим мужчиной в кителе машиниста и при полных регалиях начальника станции.

— Машина наверху, бак залит. У меня тут на всякий случай еще рации и защитные костюмы, и еще «Печенег« с СВД, — парень указал на две больших черных сумки. — Подниматься можно в любой момент. Когда нам надо наверх?

— Сигнал будем ловить через восемь часов. К тому времени уже должны быть на позиции, — ответил Ульман. — Гермозатвор работает? — обратился он к начальнику.

— В порядке, — подтвердил тот. — Когда скажете. Только людей надо будет отогнать, чтобы не перепугались.

— У меня все. Значит, отдыхаем часиков пять, и потом — полный вперед, — подвел итог Ульман. — Ну что, Артем? Отбой?

— Я не могу, — отведя напарника в сторону, сказал ему Артем. — Мне обязательно надо сначала на ВДНХ. Попрощаться и вообще посмотреть. Ты был прав, они все туннели от Проспекта Мира будут взрывать. Даже если мы живыми оттуда вернемся, я своей станции больше не увижу. Мне надо. Правда.

— Слушай, если ты просто наверх идти боишься, к черным своим, так и скажи, — начал было Ульман, но, встретив Артемов взгляд, осекся. — Шутка. Извини.

— Правда, надо, — повторил Артем.

Он не сумел бы объяснить этого чувства, но знал, что на ВДНХ он все равно пойдет — любой ценой.

— Ну, надо так надо, — растерянно отозвался боец. — Обратно вернуться ты уже не успеешь, особенно если там с кем-то прощаться собираешься. Давай так сделаем: мы отсюда по Проспекту Мира на машине поедем с Пашкой — это тот, с баулами. Раньше собирались прямиком к башне, но можем сделать крюк и заехать к старому входу в метро ВДНХ. Новый весь разворочен, ваши должны знать. Будем тебя там ждать. Через пять часов пятьдесят минут. Кто не успел, тот опоздал. Костюм взял? Часы есть? На, возьми мои, я с Пашки сниму, — он расстегнул металлический браслет.

— Через пять часов пятьдесят минут, — кивнул Артем, сжал Ульману руку и бросился бежать к блокпосту.

Увидев его снова, пограничник покачал головой.

— А в этом перегоне больше ничего странного не происходит? — вспомнил Артем.

— Ты про трубы, что ли? Ничего, залатали кое-как. Говорят, голова только кружится, когда мимо проходишь, но чтобы умирали, такого нет, — ответил пограничник.

Артем кивком поблагодарил его, зажег фонарь и шагнул в туннель.

Первые десять минут в голове суматошно крутились какие-то мысли: об опасности лежащих впереди перегонов, о продуманном и разумном устройстве жизни на Белорусской, потом о «маршрутках» и настоящих поездах. Но постепенно темнота туннеля высосала из него эти лишние, суетно мелькающие картинки и обрывки фраз. Сначала наступили спокойствие и пустота, потом он задумался о другом.

Его странствие подходило к концу. Артем и сам не смог бы сказать, сколько времени он отсутствовал. Может быть, прошло две недели, может, больше месяца.

Каким простым, каким коротким казался ему путь, когда он, сидя на дрезине на Алексеевской, разглядывал в свете фонарика свою старую карту, пытаясь наметить дорогу к Полису... Перед ним тогда лежал неведомый мир, о котором ему достоверно ничего не было известно, и поэтому можно было выстраивать маршрут, задумываясь о продолжительности дороги, а не о том, во что она превращает идущих по ней путников. Жизнь предложила ему совсем другой вариант, запутанный и сложный, смертельно опасный, и даже случайные попутчики, разделявшие с ним небольшие отрезки его пути, часто платили за это жизнью.

Артем вспомнил Олега. У каждого есть свое предназначение, говорил ему на Полянке Сергей Андреевич. Не могло ли быть так, что предназначением этой короткой детской жизни оказалось страшная, нелепая погибель ради спасения нескольких других людей? Во имя продолжения их дела?

Почему-то Артему стало холодно и неуютно. Принять такое предположение означало принять эту жертву, поверить в то, что его избранность позволяет ему продолжать свой путь за счет чужих жизней, страданий... Что же, топтать других, ломать, калечить их судьбы только для того, чтобы выполнить свое предназначение?!

Олег, конечно, был слишком мал еще, чтобы задаваться вопросом о том, зачем он появился на свет. Но если бы ему пришлось над этим размышлять, вряд ли он согласился бы с такой участью. Конечно, мальчику хотелось бы рассчитывать на более осмысленную и значительную роль в этом мире... И уж если жертвовать своей жизнью, чтобы спасти чужие, то только принимая на себя этот крест сознательно и добровольно.

Перед глазами встали лица Михаила Порфирьевича, Данилы, Третьяка. За что они погибли? Почему сам Артем выжил? Что дало ему эту возможность, это право? Артем пожалел, что рядом с ним сейчас нет Ульмана, который одной насмешливой репликой рассеял бы его сомнения. Разница между ними была в том, что путешествие по метро заставило Артема увидеть мир словно сквозь многогранную призму, а Ульмана его суровая жизнь научила глядеть на вещи просто: через прицел снайперской винтовки. Неизвестно, кто из них двоих был прав, но поверить в то, что на каждый вопрос может быть всего один, единственно верный ответ, Артем уже не мог.

Вообще в жизни и особенно в метро все было нечетким, изменяющимся, относительным. Сначала ему объяснил это Хан на примере станционных часов. Если такая основа восприятия мира, как время, оказалась надуманной и условной, то что же говорить о других непреложных представлениях о жизни?..

Все: от голоса труб в туннеле, через который он шел, и сияния кремлевских звезд до вечных тайн человеческой души — имело сразу несколько объяснений. И особенно много ответов было на вопрос «зачем?». Встретившиеся Артему люди, от каннибалов с Парка Победы до бойцов бригады имени Че Гевары — знали, что на него ответить. Свои ответы были у всех: у сектантов и у сатанистов, у фашистов и у философов с автоматами, вроде Хана. Именно поэтому Артему было так трудно выбрать и принять лишь единственный из них. Получая каждый день по новому варианту ответа, Артем не мог заставить себя поверить в то, что именно этот — истинный, потому что назавтра мог возникнуть другой, не менее точный и всеобъемлющий.

Кому верить? Во что? В Великого Червя — людоедского бога, скроенного по образу электропоезда и заново населяющего живыми существами бесплодную выжженную землю; в гневного и ревнивого Иегову; в его тщеславное отражение — Сатану; в победу коммунизма во всем метро; в превосходство курносых блондинов над курчавыми смуглыми брюнетами?.. Что-то подсказывало Артему, что никакого различия между всем этим не было. Любая вера служила человеку только посохом, который поддерживал, не давая оступиться и помогая подняться на ноги, если люди все же спотыкались и падали. Когда Артем был маленьким, его рассмешила история отчима про то, как обезьяна взяла палку в руки и стала человеком. С тех пор, видно, смышленая макака уже не выпускала этой палки из рук, из-за чего так и не распрямилась до конца, — думал Артем.

Он понимал, почему и зачем человеку нужна эта опора. Без нее жизнь становилась пустой, как заброшенный туннель. В ушах Артема все еще отдавался отчаянный крик дикаря с Парка Победы, понявшего, что Великий Червь — всего лишь выдумка жрецов его народа. Нечто похожее Артем чувствовал и сам, узнав, что Невидимых Наблюдателей не существует. Но ему отказ от Наблюдателей, Червя и других богов метро давался намного легче.

В чем же дело? Значит ли это, что он не такой, что он сильнее, чем остальные? Артем понял, что лукавит. Палка была и у него в руках, и он должен набраться смелости, чтобы признать это.

Опорой ему служило сознание того, что он выполняет задание огромной важности, что на кон поставлено выживание всего метро и что эта миссия не случайно была поручена именно ему. Сознательно или нет, Артем во всем искал доказательств тому, что он избран для исполнения этого задания, но не Хантером, а кем-то или чем-то большим. Уничтожить черных, избавить от них родную станцию и близких людей, помешать им разрушить метро — это была задача, достойная того, чтобы стать стержнем жизни. И все, что с Артемом случилось во время его странствий, доказывало только одно: он не такой, как все. Ему уготовано что-то особенное. Именно он должен стереть в порошок, истребить нечисть, которая в противном случае сама расправится с остатками человечества. Пока он шел по этому пути, верно истолковывая посылаемые ему знаки, его воля к успеху побеждала реальность, играя со статистическими вероятностями, отводя пули, ослепляя чудовищ и врагов, а союзников заставляя появляться в нужное время в нужном месте. Как иначе понять, почему Данила отдал ему план расположения ракетной части, а сама эта часть чудом не была уничтожена десятки лет назад? Как еще объяснить то, что, вопреки здравому смыслу, он встретил одного из немногих, а может, единственного выжившего ракетчика на все метро? Артемово личное Провидение вкладывало ему в руки могучее орудие и посылало ему человека, помогающего нанести смертельный удар по необъяснимой и беспощадной силе, сокрушить ее? Как иначе истолковать все чудесные спасения Артема из самых отчаянных ситуаций? Пока он верил в свое предназначение, он был неуязвим, хотя шедшие рядом с ним люди гибли один за другим.

Мысли Артема соскользнули на сказанное Сергеем Андреевичем на Полянке про судьбу и сюжет. Тогда эти слова толкнули юношу вперед, словно новая, смазанная пружина, вставленная в изношенный, проржавевший механизм заводной игрушки. Но вместе с тем, они чем-то были ему неприятны. Может, тем, что эта теория лишала Артема свободной воли, и если бы он теперь принимал решение, то сделал бы это, не следуя собственной прихоти, но покоряясь сюжетной линии своей судьбы. А с другой стороны, как можно было после всего произошедшего с ним отрицать существование этой линии? Теперь он не мог уже больше поверить в то, что вся его жизнь — только цепь случайностей. Слишком много уже пройдено, и с этой колеи нельзя сойти просто так. Если он зашел так далеко, то вынужден идти и еще дальше — такова неумолимая логика избранного пути. Сейчас уже поздно сомневаться. Он должен идти вперед, даже если это означает нести ответственность не только за собственную жизнь, но и за жизни других. Все жертвы не напрасны, он должен их принимать, он обязан пройти свой путь до конца и завершить то, ради чего он оказался в этом мире. Это и есть его судьба.

Как же ему раньше не хватало этой ясности в мыслях! Он-то все время сомневался в своей избранности, отвлекался на глупости, колебался, а ответ всегда был рядом. Прав был Ульман: усложнять жизнь ни к чему.

Теперь Артем шел, бодро печатая шаг. Никакого шума из труб он так и не услышал; в туннелях до самой ВДНХ вообще не встретилось ничего опасного. Однако все время Артему попадались люди, идущие к Проспекту Мира: он двигался против потока несчастных, загнанных, бросивших все и бегущих от опасности. Они озирались на него, как на сумасшедшего: он один шел в самое логово ужаса, в то время как остальные старались покинуть проклятые места. Ни у Рижской, ни у Алексеевской дозоров не было. Погрузившись в свои мысли, Артем сам не заметил, как подошел к ВДНХ, хотя и прошло не меньше полутора часов.

Ступив на станцию и оглядевшись вокруг, он невольно вздрогнул — до того она напоминала ему ту ВДНХ, которую он видел в своих кошмарах. Половина освещения не работала, в воздухе стоял запах пороховой гари, где-то в отдалении слышались стоны и надрывный женский плач.

Артем взял автомат в руки и двинулся вперед, осторожно огибая арки и внимательно присматриваясь к теням. Похоже было, что черным удалось, по крайней мере один раз, прорвать заслоны и добраться до самой станции. Часть палаток была разметана, в нескольких местах на полу виднелись засохшие следы крови. Кое-где еще жили люди, иной раз сквозь брезент даже просвечивал фонарик.

Из северного туннеля доносилась отдаленная стрельба. Выход в него был перекрыт горой мешков с грунтом высотой в человеческий рост. Три человека прижимались к этому брустверу, наблюдая за туннелем сквозь бойницы и держа подходы на прицеле.

— Артем? Артем! Ты здесь откуда? — окликнул его знакомый голос.

Обернувшись, он заметил Кирилла — одного из членов отряда, с которым он в самом начале своего путешествия выбирался с ВДНХ. Рука у Кирилла была на перевязи, а волосы на голове казались всклокоченными еще больше, чем обычно.

— Вот, вернулся, — неопределенно ответил Артем. — Как вы тут держитесь? Где дядя Саша, где Женька?

— Женька! Хватился... Убили его, неделю назад уже, — мрачно сказал Кирилл.

Сердце у Артема ухнуло вниз.

— А отчим?

— Сухой жив-здоров, командует. В лазарете сейчас, — Кирилл махнул рукой в направлении лестницы, ведущей к новому выходу со станции.

— Спасибо! — Артем бросился бежать.

— А ты-то где был? — вдогонку ему закричал Кирилл.

«Лазарет» выглядел зловеще. Настоящих раненых здесь было немного — всего человек пять, большую часть пространства занимали другие пациенты. Спеленутые, как младенцы, и упрятанные в спальные мешки, они были уложены в ряд. У всех были широко распахнуты глаза, а из приоткрытых ртов неслось бессвязное мычание. Присматривала за ними не сиделка, а автоматчик, державший в руках склянку с хлороформом. Время от времени один из спеленутых начинал ерзать по полу, подвывая и передавая свое возбуждение остальным, и тогда охранник прикладывал ему к лицу пропитанную снотворным марлю. Сон не приходил и глаза не закрывались, но человек на некоторое время затихал, успокаивался.

Сухого Артем увидел не сразу: тот сидел в служебном помещении, обсуждая что-то со станционным врачом. Выходя, он натолкнулся на Артема и обомлел.

— Ты живой... Артемка! Жив... Слава богу... Артем! — забормотал он, трогая Артема за плечо, словно желая убедиться, что тот и вправду стоит перед ним.

Артем крепко обнял его. Он-то, как маленький, в глубине души боялся, что вернется сейчас на станцию, а отчим начнет ругать: мол, куда подевался, какая безответственность, сколько можно вести себя, как мальчишка... Вместо этого Сухой просто прижал его к себе и долго не отпускал. Когда отцовские объятия наконец разжались, Артем посмотрел в его сверкнувшие от набежавшей слезы глаза, и ему стало стыдно.

Коротко, не пускаясь в описания своих приключений, он рассказал отчиму, где пропадал и что успел сделать за это время, объяснил, почему вернулся. Тот только качал головой и ругал Хантера. Потом опомнился, сказав, что о мертвых — или хорошо, или ничего. Впрочем, что именно случилось с Охотником, он не знал.

— А у нас тут видишь, что творится? — голос Сухого опять затвердел. — Каждую ночь они так и валят, никаких патронов не хватает. Пришла дрезина с Проспекта Мира с припасами, но это так, семечки.

— Они туннель взрывать хотят у самого Проспекта, чтобы полностью отрезать и ВДНХ, и остальные станции, — сообщил Артем.

— Да... Это они грунтовых вод боятся, поэтому близко к ВДНХ не решаются. Но надолго это не поможет. Черные себе другие входы найдут.

— Когда ты отсюда уходить будешь? Уже мало времени остается. Меньше суток, тебе же надо все подготовить...

Отчим окинул его долгим взглядом, словно проверяя.

— Нет, Артем, у меня отсюда уже дорога только одна, и она не к Проспекту Мира. У нас здесь раненых тридцать человек, что мы их, одних бросим? И потом, кто будет оборону держать, пока я стану спасать свою шкуру? Как это я подойду к человеку и скажу ему: вот ты остаешься здесь, чтобы сдержать их и умереть, а я пошел? Нет... — он вздохнул. — Пусть взрывают. Сколько продержимся, столько и продержимся. Умирать тоже надо человеком.

— Я тогда с вами останусь, — сказал Артем. — Они там с ракетами и без меня справятся, какая от меня польза. Так хоть вам помогу...

— Нет-нет, тебе обязательно надо идти, — испуганно перебил его Сухой. — У нас и гермозатвор в полном порядке, работает еще, и эскалатор цел, к выходу пробраться сможешь быстро. Ты должен пойти с ними, они ведь там даже не знают, с кем имеют дело!

Артем засомневался, не отсылает ли отчим его со станции, просто чтобы спасти ему жизнь. Он попробовал возразить, но Сухой и слушать ничего не хотел.

— В твоем отряде только ты один знаешь, как черные умеют сводить с ума, — он указал на спеленутых раненых.

— Что с ними?

— В туннелях стояли, не выдержали. Этих еще успели оттащить, и то хорошо. А скольких черные прямо живьем порвали! Невероятная силища. Самое главное, когда они подходят и выть начинают, мало кто выдерживает, ну, ты сам помнишь. Наши добровольцы себя наручниками приковывали, чтобы не сбежать. Вот, кого успели отцепить, тут лежат. Раненых мало, потому что черные если достанут, то выкрутиться уже трудно.

— Женьку... достали? — сглотнув, спросил Артем.

Сухой кивнул. Дознаваться подробнее Артем не решился.

— Пойдем, пока затишье, — пользуясь его замешательством, поспешил предложить Сухой, — поговорим, чаю выпьем, у нас еще остался. Есть хочешь?

Отчим обнял его и повел в комнату начальства. Артем потрясенно озирался по сторонам: никак не мог поверить, что за три недели его отсутствия ВДНХ могла так измениться. Уютная, обжитая раньше станция навевала сейчас тоску и отчаяние. Хотелось поскорее отсюда сбежать.

Сзади громыхнул пулемет. Артем схватился за оружие.

— Это они для отстрастки, — остановил его Сухой. — Самое страшное через пару часов начнется, я уже чувствую. Черные волнами идут, недавно только одну отбили. Ты не бойся, если что серьезное начнется, наши сирену заведут — объявят общую тревогу.

Артем задумался. Его сон с походом в туннель... Сейчас это было невозможно, да и реальная встреча с черными вряд ли закончилась бы так же безобидно. Что уж и говорить о том, что Сухой никогда не позволит ему войти в туннель в одиночку. От безумной мысли пришлось отказаться. У него есть дела поважнее.

— А я ведь знал, что мы с тобой еще увидимся, что ты придешь, — уже в комнате начальства, наливая чай, сказал Сухой. — К нам неделю назад приходил человек, тебя искал.

— Какой человек? — насторожился Артем.

— Он сказал, ты с ним знаком. Высокий такой, худой, с бородкой. Как-то его звали странно, на Хантера похоже.

— Хан? — удивился Артем.

— Точно. Сказал мне, что ты еще вернешься сюда, и так уверенно, что я сразу успокоился. И еще кое-что тебе передал.

Сухой достал бумажник, в котором у него хранились одному ему понятные записи и предметы, и извлек оттуда сложенный вчетверо листок. Развернув бумагу, Артем поднес ее к глазам. Это была короткая, всего в одно предложение записка. Написанные небрежным летящим почерком слова поставили его в тупик.

«Тот, у кого хватит храбрости и терпения всю жизнь вглядываться во мрак, первым увидит в нем проблеск света»

— А больше он ничего не передавал? — недоуменно спросил Артем.

— Нет, — ответил Сухой. — Я думал, это закодированное послание. Человек все-таки специально шел сюда для этого.

Артем пожал плечами. Половина всего, что говорил и делал Хан, казалась ему полной бессмыслицей, зато другая заставляла по-иному взглянуть на мир. Как знать, к какой части относилась эта записка?

Они еще долго пили чай и беседовали. Артем не мог отделаться от чувства, что видит отчима в последний раз, и словно старался наговориться с ним на всю жизнь вперед...

Потом пришло время уходить.

Сухой дернул за рычаг, и тяжелый заслон со скрежетом приподнялся на метр. Снаружи хлынула застоявшаяся дождевая вода. Стоя по щиколотку в тине, Артем улыбнулся Сухому, хотя на глаза наворачивались слезы. Он уже собрался прощаться, но в последний момент вспомнил о самом главном. Достав из рюкзака детскую книгу, он отыскал страницу с заложенной фотографией и протянул снимок отчиму. Сердце его тревожно заколотилось.

— Что это? — удивился тот.

— Узнаешь? — с надеждой спросил Артем. — Посмотри получше. Это не моя мать? Ты же видел ее, когда она меня тебе отдала.

— Артем... — Сухой грустно улыбнулся, — я и лица-то ее почти не разглядел. Там темно очень было, а я все на крыс смотрел. Не помню я ее совсем. Тебя хорошо запомнил, как ты тогда меня за руку схватил и совсем не плакал, а ее — нет. Извини.

— Спасибо. Прощай, — Артем совсем было хотел сказать «папа», но в горле встал ком. — Может, еще встретимся...

Он натянул противогаз, нагнулся, проскользнул под занавесом и побежал вверх по расшатанным ступеням эскалатора, бережно прижимая к груди помятую фотографию.

Глава 20

РОЖДЕННЫЕ ПОЛЗАТЬ

Эскалатор казался просто бесконечным.

Ступать по нему приходилось медленно и очень осторожно, ступени скрипели и стучали под ногами, а в одном месте неожиданно подались вниз, так что Артем еле успел отдернуть ногу. Повсюду валялись замшелые обломки крупных веток и небольшие деревца, которые занесло сюда, наверное, еще тогда, может быть, взрывом. Стены поросли вьюнком и мхом, а сквозь дыры в пластиковом покрытии боковых барьеров виднелись заржавленные части механизма.

Назад он ни разу не оглянулся.

Вверху все было черно. Ничего приятного это не предвещало: вдруг павильон станции обвалился и ему не удастся преодолеть завалы? Если же дело просто в безлунной ночи, хорошего тоже мало: при слабой видимости наводить огонь ракетной батареи будет непросто.

Но чем меньше оставалось до конца эскалатора, тем ярче становились блики на стенах и пробивавшиеся сквозь щели тонкие лучики. Выход в наружный павильон был действительно перекрыт, но не камнями, а поваленными деревьями. После несколько минут поисков Артем обнаружил среди них узкий лаз, через который еле-еле смог протиснуться.

В крыше вестибюля зияла огромная, почти во весь потолок, пробоина, через которую внутрь падал бледный лунный свет. Пол был тоже завален сломанными ветвями и даже целыми деревьями, примятыми и образовывавшими настоящий настил. У одной из стен Артем заметил несколько странных предметов: утопающих в хворосте больших, в человеческий рост, кожистых темно-серых шаров. Выглядели они отталкивающе, и подходить к ним ближе Артем побоялся. На всякий случай выключив фонарь, он выбрался на улицу.

Верхний вестибюль станции стоял посреди скопления развороченных остовов некогда изящных торговых павильонов и киосков. Впереди виднелось громадное здание странной вогнутой формы, одно из крыльев которого было наполовину снесено. Артем осмотрелся: Ульмана и его товарища нигде не было видно, должно быть, они задерживались по пути. У него оставалось немного времени, чтобы изучить окрестности.

На секунду затаив дыхание, он прислушался, пытаясь уловить раздирающий душу вопль черных. Ботанический сад находился не так далеко отсюда, и Артем не мог понять, почему эти твари до сих пор не добрались до их станции по поверхности.

Все было тихо, лишь где-то вдалеке подвывали дикие собаки, жалобно, тоскливо, словно плача. Однако и с ними Артему встречаться совсем не хотелось: если им удалось выжить на поверхности все эти годы, что-то должно было их отличать от обычных собак, которых держали жители метро.

Отойдя чуть дальше от входа на станцию, он обнаружил еще одну странность: павильон опоясывала неглубокая, грубо прорытая канава. Ее, словно крошечный крепостной ров, заполняла стоячая темная жидкость. Перепрыгнув через канаву, Артем подошел к одному из киосков и заглянул внутрь.

Тот был совершенно пуст. На полу валялось битое бутылочное стекло, все остальное было вынесено подчистую. Он обследовал еще несколько других ларьков, пока не наткнулся на один, обещавший быть интереснее прочих. Внешне он напоминал крошечную крепость: это был куб, сваренный из толстых листов железа, с совсем крохотным окошком из зеркального стекла. Вывеска над окном гласила: «Обмен валюты».

Дверь была заперта на необычный замок, отпиравшийсяне ключом, а правильной цифровой комбинацией. Подойдя к окошку, Артем попытался открыть его, но у него ничего не вышло. Зато он заметил на подоконнике почти стершуюся за долгие годы надпись. Укрепленный киоск заинтриговал его, и, забыв об осторожности, Артем включил фонарь.

Он с трудом смог прочитать корявые, как если бы их выводили левой рукой, буквы: «Похороните по-человечески. Код 767». И как только он понял, что это могло означать, как в вышине раздалось гневное верещание. Артем сразу узнал его: точно так же кричали летающие чудовища над Калининским.

Он поспешно потушил фонарь, но было поздно: клич послышался снова, теперь прямо над головой. Артем судорожно огляделся по сторонам, ища, куда спрятаться. Пожалуй, единственным выходом было проверить его догадку.

Нажав кнопки с цифрами в нужной последовательности, он потянул ручку на себя. Мысль оказалась верной: внутри замка раздался глухой щелчок, и дверь с трудом поддалась, дьявольски скрипя ржавыми петлями. Артем пролез внутрь, заперся и снова включил свет.

В углу, привалившись спиной к стене, на полу сидела высохшая мумия женщины. В одной руке она сжимала толстый фломастер, в другой — пластиковую бутылку. Оклеенные линолеумом стены были сверху донизу исписаны аккуратным женским почерком. Сквозь толстое стекло окошка просматривалось пространство перед входом на станцию. На полу валялись пустая пачка таблеток, яркие обертки от шоколада, железные банки из-под газировки, в углу стоял приоткрытый сейф. Трупа Артем не испугался, только ощутил, как накатила жалость к неизвестной девушке. Ему почему-то показалось, что это была именно девушка.

Снова послышался крик летучей бестии, а потом на крышу обрушился мощный удар, от которого киоск заходил ходуном. Артем упал на пол, выжидая. Атаки не повторялись, визг раздосадованной твари стал отдаляться, и он решился встать на ноги. По большому счету, в своем укрытии он мог прятаться сколько угодно: оставался же в неприкосновенности труп девушки все это время, хотя охотников полакомиться им вокруг наверняка хватало. Можно было, конечно, попытаться убить или хотя бы ранить чудовище, но тогда пришлось бы выходить наружу. А если он промахнется или бестия окажется закована в броню, на открытой местности второго шанса ему уже не представится. Разумнее будет дождаться Ульмана. Если тот еще жив.

Чтобы отвлечься, Артем начал читать надписи на стенах.

«...Пишу, потому что скучно и чтобы не сойти с ума. Уже три дня сижу в этом ларьке, на улицу выйти боюсь. На моих глазах десять человек, которые не успели добежать до метро, задохнулись и до сих пор лежат прямо посреди улицы. Хорошо, успела прочитать в газете, как проклеивать скотчем швы. Жду, пока ветер отнесет облако, писали, что через день опасности уже не будет.

9 июля. Пробовала попасть в метро. За эскалатором начинается какая-то железная стена, не могла поднять, сколько ни стучала, никто не открыл. Через 10 минут мне стало очень плохо, вернулась к себе. Вокруг много мертвых. Все страшные, раздулись, воняют. Разбила стекло в продуктовой палатке, взяла шоколад и минералку. От голода теперь не умру. Почувствовала себя ужасно слабой. Полный сейф долларов и рублей, а делать с ними нечего. Странно. Оказывается, просто бумажки.

10 июля. Продолжили бомбить. Справа, с проспекта Мира, целый день слышался страшный грохот. Я думала, никого не осталось, но вчера по улице на большой скорости проехал танк. Хотела выбежать и привлечь внимание, но не успела. Очень скучаю по маме и Леве. Целый день рвало. Потом уснула.

11 июля. Мимо прошел страшно обожженный человек. Не знаю, где он прятался все это время. Он непрерывно плакал и хрипел. Было очень страшно. Ушел к метро, потом слышала громкий стук. Наверное, тоже стучался в эту стену. Потом все затихло. Завтра пойду смотреть, открыли ему или нет».

Палатку сотряс новый удар — чудовище не желало отступаться от своей добычи. Артем пошатнулся и чуть было не повалился на мертвое тело, еле сумел удержаться, схватившись за прилавок. Пригнувшись, подождал еще минуту, потом продолжил читать.

«12 июля. Не могу выйти. Бьет дрожь, не понимаю, сплю я или нет. Сегодня час разговаривала с Левой, он сказал, что скоро женится на мне. Потом пришла мама, у нее вытекли глаза. Потом снова осталась одна. Мне так одиноко. Когда уже все закончится, когда нас спасут? Пришли собаки, едят трупы. Наконец, спасибо. Рвало.

13 июля. Еще остаются консервы, шоколад и минералка, но уже не хочу. Пока жизнь вернется в свою колею, пройдет еще не меньше года. Отечественная война шла 5 лет, дольше ничего не может быть. Все будет хорошо. Меня найдут.

14 июля. Больше не хочу. Больше не хочу. Похороните меня по-человечески, не хочу в этом проклятом железном ящике... Тесно. Спасибо феназепаму. Спокойной ночи».

Рядом были еще какие-то надписи, но все больше бессвязные, оборванные, и рисунки: чертики, маленькие девочки в больших шляпах или бантах, человеческие лица.

«Она ведь всерьез надеялась, что кошмар, который ей довелось пережить, скоро кончится, — подумал Артем. — Год-два, и все вернется на круги своя, все будет, как прежде. Жизнь продолжится, и о случившемся все забудут. Сколько лет прошло с тех пор? За это время человечество только отдалилось от возвращения на поверхность. Могла ли она помыслить, что выживут только те, кто тогда успел спуститься в метро, и немногие счастливчики, которым, в нарушение инструкций и уставов, открывали двери в последующие несколько дней?»

Артем подумал о себе. Ему и самому всегда хотелось верить, что однажды люди смогут подняться из метро, чтобы снова жить как прежде, чтобы восстановить величественные здания, воздвигнутые их предками, и поселиться в них, чтобы не щурясь смотреть на восходящее солнце, чтобы дышать не безвкусной смесью кислорода и азота, процеженной через фильтры противогаза, а с наслаждением глотать воздух, напоенный ароматами растений... Сам он не знал, как они раньше пахли, но это должно было быть прекрасно, особенно цветы, про которые вспоминала его мать.

Но, глядя на высохшее тело неизвестной девушки, которая так и не дождалась заветного дня, когда кошмар кончится, он стал сомневаться, что сам сможет до него дожить. Чем его надежда увидеть возвращение прежней жизни отличается от ее уверенности в том, что это непременно случится, и уж никак не позже, чем через пять лет? За годы существования в метро человек не накопил сил, чтобы с триумфом подняться вверх по ступеням сияющего эскалатора, ведущего к былой славе и великолепию. Напротив, он измельчал, привык к темноте и тесноте. Большинство уже позабыло за ненадобностью о некогда абсолютной власти человечества над миром, другие продолжали тосковать по нему, третьи прокляли. За кем из них было будущее?

Снаружи раздался гудок, и Артем бросился к окну. На пятачке перед киосками стояла машина крайне необычного вида. Ему уже и раньше случалось глядеть на автомобили: сначала в далеком детстве, потом на картинках и фотографиях в книгах и, наконец, во время своего предыдущего подъема на поверхность. Но ни один из них так не выглядел.

Здоровенный шестиколесный грузовик был выкрашен в красный цвет. За его просторной, с сидениями в два ряда, кабиной размещался металлический фургон, вдоль борта шла белая линия, а на крыше громоздились какие-то трубы. Там же были установлены две круглых склянки, в которых вертелись, мигая, синие лампы.

Вместо того, чтобы выбираться из киоска, он посветил через стекло фонарем, ожидая ответного сигнала. Фары грузовика вспыхнули и погасли несколько раз, и Артем уже хотел выходить, но не успел: сверху стремительно спикировали одна за другой две огромные черные тени. Первая ухватилась когтями за крышу и попыталась поднять машину вверх, но такая ноша была ей не по силам. Приподняв кузов машины на полметра от земли, чудище оторвало обе трубы, недовольно крикнуло и бросило их вниз. Вторая тварь с визгом ударила автомобиль сбоку, рассчитывая перевернуть его.

Дверца распахнулась, и на асфальт спрыгнул человек в защитном костюме с громоздким пулеметом в руках. Подняв ствол вверх, он выждал несколько секунд, видимо подпуская монстра поближе, а потом дал очередь. Сверху послышалось обиженное верещание. Артем поспешно открыл замок и выбежал наружу.

Одно крылатое чудовище описывало широкий круг метрах в тридцати над их головами, готовясь снова напасть, другого пока нигде не было видно.

— Давай в машину! — крикнул человек с пулеметом.

Артем бросился к нему, вскарабкался в кабину и уселся на длинном сиденье. Пулеметчик прицельно выстрелил еще несколько раз, потом вскочил на подножку, влез в салон и захлопнул за собой дверь. Машина взревела, резко стартуя с места.

— Голубей кормишь? — прогудел Ульман, глядя на Артема сквозь окошки противогаза.

Артем ожидал, что летающие твари будут их преследовать, но вместо этого, пролетев за автомобилем еще метров сто, создания вернулись назад, к ВДНХ.

— Гнездо защищают, — определил боец. — Слышали про такое. Они бы просто так на машину не напали — не их размер. Где у них там оно, интересно?

Артем вдруг понял и где чудовища свили себе гнездо, и почему рядом с выходом с ВДНХ не отваживалось показываться ни одно живое существо, включая, видимо, и черных.

— Прямо в павильоне нашей станции, над эскалаторами, — сказал он.

— Да? Странно, обычно они повыше, на домах гнездятся, — отозвался боец. — Наверное, другой вид. Да... Извини, что задержались.

В костюмах и с громоздким вооружением в кабине автомобиля оказалось все же тесновато. Заднее сиденье было занято какими-то рюкзаками и баулами. Ульман уселся с краю, Артем оказался в центре, а по левую руку от него, за рулем, сидел Павел, ульмановский товарищ с Проспекта Мира.

— Что извиняться? Не по своей воле, — сказал водитель. — Что-то полковник не предупреждал нас о том, во что проспект Мира, в смысле, улица, от Рижской и дальше, превратился. Такое впечатление, что по нему каток прошел. Уж почему этот мост не до конца обвалился, я не знаю. Там даже спрятаться негде было, еле от собак оторвались.

— Собак еще не видел? — спросил Ульман.

— Слышал только, — откликнулся Артем.

— А мы вот поглядели на них, — выворачивая руль, сказал Павел.

— Ну, и как? — поинтересовался у него Артем.

— Ничего хорошего. Бампер оторвали и чуть колесо не прогрызли, прямо на ходу. Отстали, только когда Петро вожака из СВД снял, — кивнул тот на Ульмана.

Ехать было нелегко: земля оказалась изрыта траншеями и ямами, асфальт растрескался, и дорогу приходилось тщательно выбирать. В одном месте они затормозили и минут пять пытались переехать через гору бетонных обломков, оставшихся от рухнувшей автомобильной эстакады. Артем смотрел в окно, сжимая в руках автомат.

— Хорошо идет, — похвалил автомобиль Павел. — А говорили, выдохнется соляра, выдохнется... Ничего, наши химики и не такое видали. Недаром Полис защищаем. Есть и от очкариков польза.

— Где вы его нашли? — спросил Артем.

— В депо стоял, сломанный. Не успели его починить, чтобы по пожарам ездить, пока Москва догорала. Пользуем теперь его время от времени, не по назначению, конечно, а так.

— Понятно, — Артем снова отвернулся к окну.

— Повезло нам с погодой, — Павлу, кажется, хотелось поговорить, — ни облачка на небе. Это хорошо, с башни будет далеко видно, если получится на нее забраться.

— Я уж лучше туда, наверх, чем по домам ходить, — кивнул Ульман. — Полковник, правда, говорил, что в них почти никто не живет, но мне слово «почти» отчего-то не нравится.

Машина повернула влево и покатила по прямой широкой улице, надвое разбитой газоном. Слева шел ряд почти не пострадавших кирпичных домов, справа тянулся мрачный, черный лес, подступавший к самой проезжей части. В нескольких местах могучие корни прорывали дорожное полотно, и их приходилось объезжать. Но на все это Артем успел глянуть лишь мельком.

— Вот она, красавица! — восхищенно сказал Павел.

Прямо перед ними подпирала небосклон Останкинская башня, на сотни метров возвышаясь гигантской булавой, грозящей давно поверженным врагам. Это была совершенно фантастическая конструкция, ничего похожего Артем никогда не видел даже на картинках в книгах и журналах. Отчим, конечно, рассказывал про некое циклопическое сооружение, находившееся всего в двух километрах от их станции, но даже по его рассказам Артем не мог себе представить, насколько оно его потрясет.

Всю оставшуюся часть пути он сидел, приоткрыв от удивления рот, и пожирал глазами грандиозный силуэт башни. Он ощущал сейчас странную смесь восторга при виде этого творения человеческих рук и горечи от окончательно укрепившегося понимания, что тем больше никогда не будет под силу создать что-либо подобное.

— Она все это время совсем рядом была, а я и не знал... — он попытался облечь свои терзания в словесную форму.

— Если не подниматься, вообще много чего не поймешь в этой жизни, — отозвался Павел. — Ты хоть знаешь, почему ваша станция так называется — ВДНХ? Это означает — Великие Достижения Нашего Хозяйства, вот почему. Это там такой огромный парк был со всякими животными и растениями. И вот что я тебе скажу: вам крупно подфартило, что «птички» свили гнездо прямо на входе на вашу станцию. Потому что некоторые из этих достижений под рентгеновскими лучами так распустились, что их теперь даже прямое попадание из гранатомета не берет.

— Но ваших пернатых друзей они уважают, — добавил Ульман. — Это, так сказать, ваша крыша.

Оба засмеялись, а Артем, даже не став поправлять Павла насчет названия своей станции, снова уставился на башню. Присмотревшись, он заметил, что громадная конструкция чуть накренилась, но, очевидно, снова обрела хрупкое равновесие и удержалась от падения. Как она выстояла в аду, творившемся здесь десятилетия назад? Соседние дома были полностью или частично сметены, но башня гордо высилась посреди этой разрухи, словно была заговорена от вражеских бомб и ракет.

— Интересно, как она выдержала, — пробормотал Артем.

— Не хотели ломать, наверное, — предположил Павел. — Ценная инфраструктура все-таки. Раньше она ведь еще на четверть выше была, и сверху был шпиль острый. А сейчас, видишь, почти сразу за смотровой площадкой обрывается.

— Да зачем ее щадить... Разве им уже не все равно было? Я вот боюсь, чтобы как с Кремлем не вышло... — засомневался Ульман.

Промчавшись через ворота за стальные прутья ограды, машина подъехала к самому основанию телебашни и остановилась. Ульман взял прибор ночного видения с автоматом и спрыгнул на землю. Через минуту он дал отмашку: все спокойно. Павел тоже вылез из кабины и, открыв заднюю дверцу, принялся вытаскивать наружу рюкзаки со снаряжением.

— Сигнал через двадцать минут должен быть, — сказал он.

— Попробуем отсюда поймать, — Ульман нашел ранец с радиопередатчиком и начал собирать из составных секций длинную полевую антенну.

Вскоре ус рации достигал уже шести метров в длину и лениво раскачивался на несильном ветру. Усевшись за передатчик, боец приложил к голове наушник с микрофоном и стал вслушиваться в эфир. Потянулись долгие минуты ожидания.

На миг их накрыла тень «птеродактиля», но, выписав пару кругов над их головами, монстр скрылся за домами — видимо, одной стычки с вооруженными людьми ему хватило для того, чтобы запомнить опасного врага и научиться его остерегаться.

— А как они вообще выглядят, эти черные? Ты же у нас по этой части специалист, — спросил у Артема Павел.

— Страшно очень выглядят. Как... люди наоборот, — попытался описать тот. — Полная противоположность человека. Да уже из самого названия ясно: черные — они и есть черные.

— Надо же... И откуда они взялись? Ведь никто о них раньше и не слышал. Что у вас об этом говорят?

— Мало ли о чем в метро никогда не слышали, — Артем поспешил перевести разговор на другую тему. — Вот про людоедов с Парка Победы раньше хоть кто-нибудь знал?

— Это правда, — оживился водитель. — Людей с иголками в шее находили, а кто это делал, сказать никто не мог. А что поделаешь? Метро! Это надо ведь, бред какой — Великий Червь! Но эти ваши черные все-таки откуда...

— Я его видел, — перебил его Артем.

— Червя? — недоверчиво спросил тот.

— Ну, или что-то похожее на него. Может быть, поезд. Огромное, ревет так, что уши закладывает. Разглядеть как следует не успел — он мимо промчался.

— Нет, поезд это не может быть... На чем они ездить будут? На грибах? Поезда от электричества работают. Знаешь, что это напоминает? Буровую установку.

— Почему? — опешил Артем.

Про буровые установки он слышал, но мысль, что Великий Червь, грызущий новые ходы, про которые говорил Дрон, может оказаться такой машиной, ему в голову раньше не приходила. И разве вся вера в Червя не строилась на отрицании машин?

— Ты только Ульману про буровую установку не говори и полковнику тоже: они меня все помешанным из-за нее считают, — попросил его Павел. — Дело вот в чем. Я раньше в Полисе информацию собирал, выслеживал всяких шпиков, короче, занимался диверсантами и внутренней угрозой. И как-то раз мне попался один старичок, который уверял, что в одном закутке, в туннеле рядом с Боровицкой, все время шум слышно, как будто за стеной буровая машина работает. Я бы, конечно, его самого сразу в сумасшедшие определил, но он раньше был строителем и в таких штуках разбирался.

— И кому может понадобиться там рыть?

— Понятия не имею. Старик все бредил, что какие-то злодеи хотят туннель к реке прокопать, чтобы весь Полис смыло, а он их планы вроде как подслушал. Я сразу кого надо предупредил, но только мне никто не поверил. Бросился искать этого старичка, чтобы предъявить им в качестве свидетеля, но он, как нарочно, куда-то запропастился. Может, провокатор. А может, — Павел осторожно посмотрел на Ульмана и понизил голос, — действительно слышал, как военные что-то секретное роют. И старичка моего заодно зарыли, чтобы меньше слушал, что за стенкой творится. Ну, я с тех пор и ношусь с идеей о буровой установке, а меня из-за этого за психа держат. Чуть стоит что сказать — сразу насчет установки подкалывать начинают.

Он замолчал, испытующе глядя на Артема: как тот отнесется к его истории? Тот неопределенно пожал плечами: дескать, почему бы и нет.

— Ни черта не слышно, пустой эфир! — зло бросил подошедший Ульман. — Не берет отсюда, зараза! Надо выше подниматься: Мельник, наверное, слишком далеко.

Артем и Павел тут же засобирались. Думать о других объяснениях того, почему группа сталкера не выходит на связь, никто не хотел. Ульман раскрутил по секциям антенну, убрал рацию в рюкзак, взвалил на плечо пулемет и первым зашагал к застекленному вестибюлю, который прятался за могучими опорами телебашни. Павел вручил один баул Артему, сам взял ранец и винтовку, хлопнул дверцей машины, и они пошли вслед за Ульманом.

Внутри было тихо, грязно и пусто: люди, видно, однажды бежали отсюда впопыхах и уже больше никогда не возвращались. Луна удивленно смотрела сквозь битые пыльные стекла на перевернутые скамейки и разбитую стойку кассы, на пост милиции с остатками забытой в спешке фуражки и разломанные турникеты на входе, освещала выведенные по трафарету инструкции и предостережения для посетителей телебашни.

Включили фонари и, немного поискав, нашли выход на лестницу. Никчемные лифты, которые раньше могли доставить людей наверх меньше чем за минуту, стояли на первом этаже с дверями, распахнутыми бессильно, как челюсти паралитика.

Теперь группе предстояло самое сложное: Ульман объявил, что подниматься придется на высоту в триста с лишним метров.

Первые двести ступеней дались Артему легко — за недели странствий по метро ноги привыкли к нагрузкам. На триста пятидесятой стало пропадать ощущение, что он продвигается вперед. Винтовая лестница неутомимо бежала вверх, и никакой разницы между этажами не ощущалось. Внутри башни было сыро и холодно, взгляд соскальзывал с голых бетонных стен, редкие двери были раскрыты настежь, открывая вид на брошенные аппаратные.

Через пятьсот ступеней Ульман разрешил сделать первый привал, и тогда Артем понял, до чего же устали его ноги. На отдых боец отвел всего пять минут — он боялся пропустить тот момент, когда сталкер попытается связаться с ними.

После восьмисотой ступени Артем сбился со счета. Ноги налились свинцом, и каждая теперь весила втрое больше, чем в начале подъема. Самым сложным было оторвать ступню от пола — он, словно магнит, тянул ее обратно. Глаза заливал пот, и серые стены плыли, словно в тумане, а коварные ступени стали цеплять его ботинки. Остановиться и отдохнуть он не мог: позади него напряженно пыхтел Павел, который к тому же нес в два раза больше груза, чем Артем.

Еще минут через пятнадцать Ульман снова дал им отдышаться. Он и сам уже выглядел уставшим, его грудь тяжело вздымалась под бесформенным защитным костюмом, а руки шарили по стене в поисках опоры. Достав из ранца флягу с водой, боец сперва протянул ее Артему.

В противогазе был предусмотрен специальный клапан, сквозь который проходил катетер: через него можно было всасывать воду. Головой Артем понимал, как хочется пить остальным, но он так и не смог заставить себя оторваться от резиновой трубки, пока не осушил флягу наполовину. После этого он осел на пол и закрыл глаза.

— Давай, еще недолго! — прокричал Ульман.

Он рывком поставил Артема на ноги, взял у него баул, взвалил себе на плечи и двинулся вперед.

Сколько продолжалась последняя часть подъема, Артем не помнил. Ступени и стены слились в одно мутное целое, лучи и пятна света из-за мутных разводов на обзорных стеклах выглядели как сияющие облака, и какое-то время он отвлекал себя тем, что любовался их радужными переливами. Кровь молотком стучала в голове, холодный воздух раздирал легкие, а лестница все не кончалась. Артем несколько раз садился на пол, но его поднимали и заставляли идти.

Ради чего он это делает?

Чтобы жизнь в метро продолжалась? Да.

Чтобы на ВДНХ и дальше растили грибы и свиней, и чтобы там мирно жили его отчим и Женькина семья, чтобы незнакомые ему люди вновь поселились на Алексеевской и на Рижской, и чтобы не затихала беспокойная торговая суета на Белорусской. Чтобы брамины разгуливали в своих халатах по Полису и шуршали книжными страницами, постигая древние знания и передавая их следующим поколениям. Чтобы фашисты строили свой рейх, отлавливая расовых врагов и запытывая их до смерти, и люди Червя похищали чужих детей и поедали взрослых, а женщина на Маяковской и дальше могла торговать своим маленьким сыном, зарабатывая себе и ему на хлеб. Чтобы на Павелецкой не прекращались крысиные бега, а бойцы революционной бригады продолжали свои нападения на фашистов и смешные диалектические споры. И чтобы тысячи людей по всему метро дышали, ели, любили друг друга, давали жизнь своим детям, испражнялись и спали, мечтали, боролись, убивали, восхищались и предавали, философствовали и ненавидели, и чтобы каждый верил в свой рай и свой ад...

Чтобы жизнь в метро, бессмысленная и бесполезная, возвышенная и исполненная света, грязная и бурлящая, бесконечно разная и именно потому такая волшебная и прекрасная, человеческая жизнь продолжалась.

Он думал об этом, и в его спине как будто проворачивался огромный заводной ключ, который подталкивал его к тому, чтобы сделать еще шаг, а за ним еще и еще. Благодаря ему и вопреки всему остальному он и продолжал передвигать ноги.

И вдруг все оборвалось. Они вывалились в просторное помещение — широкий круглый коридор, замыкавшийся кольцом. Внутренняя стена его была облицована мрамором, отчего Артем сразу почувствовал себя как дома, а внешняя...

За внешней, совершенно прозрачной, сразу начиналось небо, а где-то далеко-далеко внизу были рассыпаны крошечные домики, разрезанные дорогами на кварталы, чернели пятна парков и огромные провалы воронок, виднелись прямоугольнички уцелевших высотных зданий...

Отсюда просматривался весь бескрайний город, серой массой уходивший к темному горизонту. Артем съехал на пол, привалившись к стене, и долго-долго смотрел на Москву и на медленно розовеющее небо.

— Артем! Вставай, хватит сидеть! Вот, помоги-ка, — тряхнул его за плечо Ульман.

Боец вручил ему большой моток проволоки, и Артем непонимающе уставился на него.

— Не ловит эта треклятая антенна, — Ульман указал на скрученный шестиметровый штырь, валявшийся на полу. — Будем рамовой пробовать. Вон там дверь на технический балкон, который этажом ниже. Выход как раз со стороны Ботанического сада. Я пока на рации буду сидеть, выйдите с Пашкой наружу, он антенну разматывать будет, ты его подстрахуешь. Давайте поживее, а то уже светать скоро начнет.

Артем кивнул. Он вспомнил, зачем он здесь, и у него открылось второе дыхание. Кто-то подкрутил невидимый ключ в его спине, и внутренняя пружина снова начала разворачиваться. До цели оставалось совсем немного. Он взял проволоку и двинулся к балконной двери.

Створка не поддавалась, и Ульману пришлось всадить в нужную секцию целую очередь, пока изъеденное пулями стекло не треснуло и не рассыпалось. Мощный порыв ветра чуть не сбил их с ног. Артем шагнул на балкон, огороженный решеткой высотой в человеческий рост.

— На вот, посмотри на них, — Павел протянул ему полевой бинокль и махнул рукой в нужном направлении.

Артем приник к окулярам и долго бесцельно водил взглядом по приблизившемуся городу, пока Павел не навел его на нужное место.

Ботанический сад и ВДНХ срослись в одну темную, непроходимую чащобу, среди которой высились облупленные белые купола и крыши павильонов Выставки. В этом дремучем лесу оставалось всего две прогалины — узенькая дорожка между главными павильонами («Главная аллея», — боязливо прошептал Павел) и это.

Прямо посреди Сада образовалась огромная проплешина, словно даже деревья брезгливо отступали от невиданной язвы. Это было зрелище странное и отталкивающее: не то городище, не то гигантский животворящий орган, пульсирующий и подрагивающий, раскинувшийся на несколько квадратных километров.

Небо постепенно окрашивалось в утренние цвета, и эту жуткую опухоль становилось видно все лучше: опутанная жилками живая пленка, вылезающие из выходов-клоак крохотные черные фигурки, деловито копошащиеся, как муравьи... Именно муравьи, а их городище-матка напоминало Артему громадный муравейник. И одна из тропок шла — он сейчас хорошо видел это — к стоявшему на отшибе белому круглому строению, точь-в-точь напоминавшему вход на станцию ВДНХ. Черные фигурки добирались до дверей и пропадали. Их дальнейший путь Артем знал слишком хорошо.

Они действительно были совсем рядом, а не пришли откуда-то издалека. И их действительно можно было уничтожить, просто уничтожить. Теперь главное, чтобы Мельник не подвел. Артем вздохнул с облегчением. Почему-то ему вспомнился черный туннель из собственных снов, но он тряхнул головой и принялся разматывать шнур.

Балкон опоясывал башню по периметру, но сорокаметрового провода не хватило, чтобы сделать полный круг. Привязав конец к прутьям решетки, они стали возвращаться назад.

— Есть! Есть сигнал! — радостно заорал Ульман, завидев их. — Вышли на связь! Полковник матерится, спрашивает, где мы раньше были, — он приложил наушник к голове, прислушался и добавил: — Говорит, все даже лучше, чем думали, четыре установки нашли, все в отличном состоянии, их законсервировали... В масле, под брезентом... Говорит, Антон — молоток, со всем разобрался. Скоро готовы будут. Надо координаты сообщить. Привет тебе передает, Артем!

Павел развернул большую, расчерченную на квадраты карту местности и, глядя в бинокль, начал надиктовывать координаты, а Ульман повторял их в микрофон своей рации.

— Саму станцию тоже на всякий случай запечатаем, — боец сверился с картой и назвал еще несколько цифр.

— Все, координаты ушли, теперь они наводить будут. — Ульман снял наушник и потер лоб. — На это еще время уйдет, твой ракетчик там один на всех. Но это ничего, подождем...

Артем взял бинокль и опять вылез на балкон. Что-то тянуло его к этому мерзкому муравейнику, какое-то непонятное гнетущее чувство, неосязаемая и невыразимая тоска, словно грудь сдавило что-то тяжелое, не давая вдохнуть глубоко. Перед глазами снова встал черный туннель — да вдруг так ясно, так четко, как Артем не видел его даже в неотступно преследовавшихего кошмарах. Но теперь можно было не бояться: этим упырям оставалось недолго хозяйничать в его снах.

— Все, полетело! Полковник говорит, ждите привета! Сейчас мы этих ваших сук черных поджарим! — завопил Ульман.

И именно в этот момент город под ногами исчез, кануло в темную бездну небо, стихли радостные крики за спиной — остался только один пустой черный туннель, по которому Артем столько раз брел навстречу... чему?

Время загустело и застыло.

Он достал из кармана пластмассовую зажигалку и чиркнул кремнем. Маленький веселый огонек выскочил наружу и заплясал на фитиле, озаряя пространство вокруг себя.

Артем знал, что увидит, и понимал, что теперь уже не должен страшиться этого, поэтому он просто поднял голову и заглянул в огромные черные глаза без белков и зрачков. И услышал.

— Ты — избранный!

Мир перевернулся. В этих бездонных глазах он вдруг за доли секунды увидел ответ на все, что оставалось для него непонятным и необъясненным. Ответ на все его сомнения, колебания, поиски.

И ответ этот оказался совсем не таким, как Артем думал всегда.

Провалившись во взгляд черного, он вдруг увидел вселенную его глазами.

Возрождающаяся новая жизнь, братство и единение сотен и тысяч отдельных разумов, но не растворяющее границы между ними, а сопрягающее мысли всех участвующих сущностей в единое целое...

Упругая черная кожа, отталкивающая губительные лучи, позволяющая с легкостью перенести и палящее солнце и январские морозы, тонкие гибкие телепатические щупальца, способные и ласково гладить любимое создание, и больно жалить врага, полная невосприимчивость к боли...

...Черные были истинным венцом разрушенного мироздания, фениксом, восставшим из пепла человечества. И они обладали разумом — любознательным, живым, но, к несчастью, настолько не похожим на людской, что никакой возможности наладить контакт не было. До него, до Артема.

Глазами черных он увидел людей: озлобленных, загнанных под землю грязных ублюдков, огрызавшихся огнем и свинцом, уничтожавших парламентеров, которые направлялись к ним с песней мира — а у них вырывали белый флаг и его древком пробивали им же глотку.

Потом Артем постиг их нарастающее отчаяние от невозможности установить связь, достичь взаимопонимания, потому что в глубине, в нижних ходах сидят неразумные, взбесившиеся твари, которые уничтожили свой мир, продолжают грызню между собой и скоро вымрут, если их не перевоспитать. Черные предпринимают новую попытку протянуть людям руку помощи, а они снова вцепляются в нее с такой ненавистью, что вызывают теперь опасение. И желание избавиться от этих озлобленных как бродячие псы, но дьявольски смышленых созданий, пока им не стало тесно в нижних ходах и они не выплеснулись из них на поверхность.

Но все это время продолжаются отчаянные поиски хотя бы одного из загнанных — того, кто сможет стать толмачом, мостиком между двумя мирами, который переведет обеим сторонам смысл поступков и желаний каждого, который объяснит людям, что им нечего бояться, и поможет черным общаться с ними. Потому что людям и черным нечего делить. Потому что они — не соперничающие за выживание виды, а два организма, предназначенные природой для симбиоза. И вместе — с человеческим знанием техники и истории отравленного мира, со способностью черных противостоять его угрозам, — они могут вывести человечество на новый виток, и остановившаяся Земля, скрипнув, продолжит вращение вокруг своей оси. Потому что черные — это тоже часть человечества, новая его ветвь, зародившаяся здесь, на останках сметенного войной мегаполиса.

Черные — порождение последней войны, они — дети этого мира, лучше приспособленные к новым условиям игры. Как и многие другие существа, появившиеся после, они ощущают не только привычными человеку органами, но и щупальцами сознания.

Артем вспомнил загадочный шум в трубах, дикарей, завораживающих взглядом, штурмующую рассудок отвратительную массу в сердце Кремля... Человек не был способен справиться с их воздействием на разум, но черные были словно созданы для этого. Только им был нужен партнер, союзник... Друг. Кто-то, кто поможет наладить связь с их оглохшими и ослепшими старшими братьями — людьми.

И вот тогда начался долгий, терпеливый поиск Посредника, увенчавшийся удачей, восторгом, потому что такой толмач, избранный, был найден. Но еще до того, как контакт с ним был установлен, он исчез. Щупальца Общего ищут его повсюду, иногда захватывая, чтобы начать общение, но он тоже боится, вырывается и убегает. Его приходится поддерживать и спасать, останавливать, предупреждать об опасности, подталкивать и снова вести домой, туда, где связь с ним будет особенно сильна и чиста. Наконец, контакт становится вполне устойчивым: каждый день, иногда по нескольку раз удается сблизиться с избранным, и тогда он делает еще один робкий шаг к пониманию своей задачи. Своей судьбы. Он всегда был предназначен именно для этого, ведь даже саму дорогу в метро, к людям, черным открыл не кто иной, как он.

Артем хотел было задать им тревоживший его вопрос: что же случилось с Хантером? Но мысль эта закружилась в вихре новых невероятных ощущений и, как ни пытался он ее удержать, выскользнула, канула в бурлящий водоворот переживаний и сгинула в нем без следа. Через мгновенье он и не помнил уже, что собирался дознаваться, какая судьба постигла Охотника.

Теперь его больше ничто не отвлекало от главного, и он снова раскрыл свой разум их разуму.

Артем стоял сейчас на грани осознания чего-то невероятно важного — он уже испытывал это чувство в самом начале своего похода, когда сидел у костра на Алексеевской. Это было именно оно — ясное ощущение, что километры туннелей и недели блужданий снова вывели его к потайной дверце, открыв которую он обретет понимание всех тайн вселенной и вознесется над убогими человеками, выдолбившими свой мирок в неподатливой мерзлой земле, зарывшимися в него с головой. Он мог отворить дверцу уже в тот раз, и все его нынешнее странствие было бы ни к чему. Но тогда он попал к этой двери случайно, заглянул в замочную скважину и отпрянул, испугавшись увиденного. А теперь его долгий путь заставлял Артема без колебаний распахнуть ее и предстать перед светом абсолютного знания, который хлынет наружу. И пусть свет ослепит его: глаза будут неуклюжим и никчемным инструментом, годным лишь для тех, кто ничего в своей жизни не видел, кроме закопченных сводов туннелей и замызганного гранита станций.

Артем должен был только протянуть руку навстречу поданной ему ладони — пусть страшной, пусть непривычной, обтянутой лоснящейся черной кожей, но, несомненно, дружеской. И тогда дверь откроется. И все будет по-другому. Перед ним распахнулись необозримые новые горизонты, прекрасные и величественные. Сердце заполнила радость и решимость, и была только капелька раскаяния в том, что он не смог понять всего этого раньше, что он гнал от себя друзей и братьев, тянувшихся к нему, рассчитывавших на его помощь, его поддержку, потому что только он один во всем мире может это сделать.

Он взялся за ручку двери и потянул ее вниз.

Сердца тысяч черных далеко внизу вспыхнули радостью и надеждой.

Тьма перед глазами рассеялась и, приникнув к биноклю, он увидел, что сотни черных фигурок на далекой земле замерли. Ему показалось, что все они сейчас смотрят на него, не веря, что столь долго ожидаемое чудо свершилось и конец бессмысленной братоубийственной вражде положен.

В эту секунду первая ракета молниеносно прочертила огненно-дымный след в небе и ударила в самый центр городища. И сразу алеющий небосклон располосовали еще три таких же метеора.

Артем рванулся назад, надеясь, что залп еще можно остановить, приказать, объяснить... Но тут же сник, понимая, что все уже произошло.

Оранжевое пламя захлестнуло «муравейник», вверх взметнулось смоляное облако, новые взрывы окружили его со всех сторон, и он сдулся, рухнул, испустив усталый предсмертный стон. Его заволокло густым дымом горящего леса и плоти. А с неба все падали и падали новые ракеты, и каждая смерть отдавалась тоскливой болью в душе Артема.

Он отчаянно пытался нащупать в своем сознании хотя бы след того присутствия, которое только что так приятно наполняло и согревало его, которое обещало спасение ему и всему человечеству, которое придавало смысл его существованию... Но от него ничего не осталось. Сознание было как заброшенный туннель метро,совершенной пустоты которого не дает разглядеть только царящая в нем кромешная тьма. И Артем четко, остро почувствовал, что уже никогда там не возникнет свет, которым он сможет озарить свою жизнь и найти в ней дорогу.

— Как мы славно их взгрели, а? Будут знать, как к нам с мечом! — потирал руки Ульман. — А, Артем? Артем!

Весь Ботанический сад, а заодно и ВДНХ превратились в одно страшное огненное месиво, огромные клубы жирного черного дыма лениво поднимались в осеннее небо, и багровое зарево чудовищного пожара мешалось с нежными лучами восходящего солнца.

Артему стало невыносимо душно и тесно. Он взялся за противогаз, сорвал его и жадно, полной грудью вдохнул горький холодный воздух. Потом вытер выступившие слезы и, не обращая внимания на окрики, стал спускаться по лестнице вниз.

Он возвращался в метро.

Домой.

КОНЕЦ

Эпилог

ЕВАНГЕЛИЕ ОТ АРТЕМА

Мне в лицо летят белые полиэтиленовые пакеты.

Я отлепляю их от окуляров противогаза и отпускаю — и пакеты, подхваченные ветром, плывут по воздуху дальше, похожие на медуз.

Настоящих животных тут не водится — ни обычных, ни даже приноровившихся к радиации уродов.

На километры вокруг нет ни единого живого листка, ни травинки... Только сажа и оплавленное железо, угли и бетонная труха. Если ветер и приносит семена каких-то растений, то, падая в про́клятую здешнюю почву, они не могут прижиться и высыхают.

И даже пакеты, остановившись тут передохнуть, несутся дальше.

Сюда я прихожу каждый день и давно потерял счет дням, которые провел здесь.

Я облачаюсь в тяжелый костюм радиационной защиты, надеваю противогаз, беру оружие — и отправляюсь в путь вверх по эскалатору. Сперва меня провожали странными взглядами: в них было и снисхождение, и восхищение, и издевка. Сейчас все привыкли и перестали обращать на меня внимание. И мне так удобней.

Не знаю, что я ищу на этом пепелище. Возможно, и ничего не ищу — говорят же, что убийц тянет вернуться на место преступления, так не в этом ли все дело?

Одно точно: мне не отыскать тут ни прощения, ни надежды.

Я загребаю сапогом грязь, ворошу палкой оплавленные железяки.

Вместо прощения мне — сажа. Вместо надежды — угли.

И я буду приходить сюда, пока мои ноги будут меня носить.

* * *

Они вышли встречать меня как героя.

Опаленные, окровавленные, оборванные. Я спустился с изуродованной бомбами бетонной телебашни, но они глядели на меня так, будто я сошел с небес.

Мне хотелось сдохнуть, и я содрал со своего лица противогаз. Я вдыхал воздух — запретный, отравленный, — который так давно мечтал попробовать на вкус. И не чувствовал его вкуса.

Я брел по мертвой улице, надеясь, что меня сожрут до того, как я вернусь ко входу в метро. Но твари, которые еще недавно хотели моей крови, теперь брезговали ею.

А когда я достиг метро, там уже ждала толпа.

Они поднялись наверх, несмотря на табу, чтобы самим увидеть землю, которую я отвоевал у демонов для их детей. И когда они поняли, что я дышу стылым воздухом поверхности без противогаза, некоторые тоже стали стаскивать с себя резиновые маски. Им казалось, моя победа уже вернула им потерянный когда-то мир. Они не знали, что час назад я уничтожил их последний шанс на спасение. И я не стал им об этом говорить.

Среди тех, кто поднялся наверх приветствовать меня, была женщина с ребенком. Неужели ей не было страшно за малыша? Наверное, было. Но ведь еще несколько часов назад она точно знала, что умрет. И все, кто поднялся на поверхность, все эти изможденные люди готовились умереть. Они остались на осажденной станции, потому что им некуда было бежать, остались, чтобы оборонять ее до конца — неминуемого и скорого. Боятся ли помилованные только что смертники заболеть? Нет, они ничего не боятся.

Эти люди не знали, что я лишь заменил вынесенный им смертный приговор на пожизненное заключение.

Мальчик, который сидел на руках у матери, тоже стащил с себя самодельный противогаз и махал им мне.

— Артем! Артем! Снег!

С неба медленно опускались жирные серые хлопья, припорашивая грязную бурую землю, черный рассохшийся асфальт. Я подставил им ладонь, растер их пальцами.

— Ура! Снег! — все кричал мальчишка.

— Это пепел, — сказал ему я.

* * *

Я трус и поэтому буду героем.

Я никогда не решусь рассказать им, что случилось на самом деле. Если я расскажу, мне не поверят — или решат, что черные смогли овладеть моим разумом.

Про меня уже слагают легенды, и вроде бы какой-то старик даже пишет книгу: паренек с окраинной станции отправился в поход через все метро, чтобы спасти свой дом и все человечество от вторгшихся с поверхности демонов... Закалившись в боях и став мужчиной, он сумел отыскать завещанное предками грозное оружие и уничтожить злобных тварей. Пытаясь уберечься, они запустили свои щупальца в его сознание, но парень выдержал это последнее испытание, преодолел последний соблазн — выстоял и победил...

Наши дети забудут письмо, дети их детей не будут помнить букв. Книгу о метро будет некому читать, но пока обитающие в туннелях пещерные люди не разучатся говорить, они будут пересказывать друг другу эту легенду — у костра, догладывая кости своих врагов. В мифах дикарей-людоедов я навечно останусь героем. Наказание мне за мое малодушие.

Когда меня спрашивают, с чего все началось, я говорю им: все началось в тот день, когда мы открыли гермоворота на Ботаническом саду. Мы — я и двое моих друзей. Мы были детьми и не ведали, что творим. Да, мы нарушили запрет, но какой мальчишка не нарушает запретов?

Кто придумал отправиться на мертвую станцию, кто подначивал остальных? Не помню, отвечаю я. То ли Виталик-Заноза, то ли Женька.

Я вру.

Вру легко, потому что слов моих не проверить: ни Виталика больше нет, ни Женьки. Да и были бы они живы — прикрыли бы меня. Как я всегда прикрывал их.

Нет, все началось не в ту минуту, когда многотонные створы ворот сдвинулись с места и поползли со скрежетом, открывая нам дорогу в преисподнюю, а демонам — путь в метро.

Был совсем другой день: солнечный и прозрачный, теплый и свежий, полный невероятных и чудесных запахов, которые я не могу вспомнить и знаю лишь, что ничего подобного с тех пор не ощущал.

— Ну, Артемка, — улыбнулась мне мама, — сегодня едем гулять в Ботанический сад! Хочешь?

— Хочу! — выкрикнул я. — Хочу!

Я помню, как мы ехали в полупустом вагоне: был выходной. Помню, как поднимались по короткому эскалатору наверх. Как выходили из просторного стеклянного павильона на зеленую улицу. Как летели легкие облака над моей головой по бесконечному небу, и как дышал мне в лицо чуть прохладный ветер. У выхода из метро обнаружился киоск с мороженым, и мы встали в очередь.

— Тебе пломбир в стаканчике или «Лакомку» с шоколадом?

— Плонбир! «Лакомку»! В стаканчике!

— Надо выбрать, — строго сказала мама. — Все сразу нельзя. У тебя и так диатез!

— А давай ты возьмешь «Лакомку», а я — в стаканчике! — схитрил я. — И я у тебя попробую! А ты у меня!

— Ну хорошо, — рассмеялась мама.

Даже если бы я съел оба мороженых сразу, ничего бы со мной не случилось. Сладкого в моей жизни с тех пор больше почти не было.

Потом мы вошли в сам Сад и гуляли до обеда по широким путаным аллеям. Заблудившись, случайно попали в затерянный в одном из укромных уголков громадного парка японский садик. Пруд с кувшинками, через воду проброшены утлые мостки, и удивительные оранжевые птицы тихо плывут по темной глади...

Удивительно, сколько всего я помню. Сколько всего лишнего и ненужного. А главного никогда не мог вызвать в своей памяти: ее лицо.

Лицо моей мамы.

Не знаю, почему и кем не разрешено мне видеть снова ее глаза, ее улыбку, ее волосы. Только я никогда не был готов смириться с этим запретом. И сколько помню себя, мечтал вернуться в тот день — к шепчущим аллеям, к оранжевым уткам, к нагретому асфальту, на который сквозь прорехи в листве льется солнце. К маме.

Но мир, в который мне было так нужно, сгинул без возврата, утащив за собой в небытие и мою мать. Не осталось от него ничего, кроме того дня, да еще двух-трех небрежных эскизов в моей памяти: вечер в нашей квартире, уютный свет от лампы, тепло...

Вспомнить бы только ее лицо. Как она смотрела на меня. Как шептала мне, чтобы я ничего не боялся. Как подмигивала мне. Я за это готов был душу отдать. Всегда был готов. Я и отдал.

Настал Судный день. Праведников и грешников призвали, чтобы воздать им по делам их. А мы спрятались от бога в метро, убереглись от его очей, и ему стало лень выковыривать нас из нор. Потом он занялся другими делами или умер, а нас забыли на использованной и выброшенной Земле. И мы полетели на ней в никуда.

Человечество казнили, а мы вдвоем оказались среди тех, кому дали отсрочку. Ей — слишком короткую, мне — слишком долгую.

Маму сожрали крысы. Этого дня я не помню. Но если меня избавили от этого воспоминания в обмен на воспоминание о летнем утре в Ботаническом саду, я готов меняться обратно. Слышите?..

Меня подобрал человек, который думал усыновить меня. Только вот я не был готов стать ему сыном. Мы сблизились, но остались чужими. Между нами была моя мать, которую он не успел вытащить из крысиной лавы. С которой я не решился погибнуть вместе. Я никогда его ни в чем не упрекал, но и простить не мог.

Я был как отломанная ветка — меня приматывали к другому дереву, надеясь привить, но не получалось: место разлома прижгли, и живые клетки по краю все отмерли. Сколько ни прижимай, не срастется.

Так мы и существовали вместе: он был бобылем, а я — сиротой.

Ее лица я не видел даже во сне. Тот день с оранжевыми утками и мороженым видел часто, а маму — нет. Силуэт, голос, смех... Протяни руки — уворачивается, рассеивается; не обнять, не удержать.

* * *

Это я их подбил идти на станцию Ботанический сад. Конечно я. Одному было страшно, да я бы и не добрался один: кто-то должен был отвлекать дозорных в северном туннеле, иначе нас поймали бы за шкирку на первом же блокпосту.

Я шел туда, чтобы подняться наверх. Не знаю, что я рассчитывал увидеть на поверхности: не далекий летний день, и не небо цвета летчицких лычек; не работающий до сих пор против всех законов Вселенной киоск с мороженым, и не пляшущих на тротуаре солнечных зайчиков.

Возможно, где-то внутри того пацана, внутри чумазой обритой матрешки с заржавленной двустволкой в руках сидела другая матрешка — счастливый и запросто верящий в чудеса трехлетний мальчонка, перемазанный пломбиром. И он надеялся повидаться там, наверху, со своей мамой, которая оставила его и по которой он очень соскучился. С тех пор на меня один за другим наросли новые слои — будто годовые кольца на дереве. Пацан с двустволкой залез внутрь застенчивого прыщавого подростка-книгочея, тот — в наивного и тоскующего по приключениям юнца, а сейчас все они заперты в уродливую матрешку обожженного и обжегшегося человека без возраста. Этот последний кокон с меня уже не снять, его не расколоть и не разбить; теперь я такой. Но я-то знаю, что где-то глубоко внутри меня, за многими годовыми кольцами, все еще прячется тот трехлетний мальчик. Прячется и надеется.

Ребятам я предложил поиграть в сталкеров, и этого оказалось достаточно, чтобы они пошли со мной.

На станции Ботанический сад было черно и пусто, пол был усеян обломками чьих-то жизней: порванными палатками, сломанными куклами, битой посудой... Шныряли крысы, догрызая все, что могли переварить. В воздухе висела удушливая пыль, впитывающая все звуки, и пахло безнадегой. Думаю, если ад — настоящий ад — и существует, то выглядит он наверняка именно так, как выглядел тогда Ботанический сад.

Открыть гермоворота тоже предложил я. Виталик был уже достаточно напуган этой проклятой станцией, и даже Женька засомневался, когда я взялся за рычаги. Но я был слишком близко к своей цели, к тому дню, к тому миру, чтобы остановиться.

Разумеется, теперь я всегда говорю, что лезть наверх придумал Женька. Если не верите мне, спросите у него сами.

Механизм хандрил, но все еще работал.

— За мной! — У меня в руках была двустволка, у Женьки — фонарик.

Подняться в верхний вестибюль станции по шатким ступеням, поросшим мерно дышащим мхом, храбрости достало всем. Но дальше наш отряд распался. Виталик так и не отважился выйти наружу. Женька сделал несколько шагов и замер. А меня ноги понесли вперед.

Ночное небо было обнажено и сияло тысячами звезд, но я пришел не за ним.

А за чем тогда?

Сначала я неуверенно озирался по сторонам, сличая полуразложившуюся обезображенную Землю со своими дымчатыми прекрасными воспоминаниями и светлыми снами, будто на опознании тела разбившегося знакомого. Потом наконец уцепился за какое-то сходство и зашагал вперед быстрее...

...завернул за угол...

По одну сторону от меня черепами многоглазых мутантов скалились брошенные многоквартирные дома. С другой — полмира отвоевала разросшаяся чащоба Ботанического сада, которой ядерная война пошла лишь на пользу. Ветер носил по воздуху белые полиэтиленовые пакеты. Говорят, пакетам нужно пятьсот лет, чтобы разложиться... Неподалеку кто-то истошно выл, будто его сжигали живьем; но мне сейчас было не до того.

— Артем! Ты куда?! Артем!

Я даже не оглянулся — а Женька, самый верный мой друг, побоялся идти за мной.

...еще сто метров...

И вдруг я уткнулся в тот самый киоск мороженого — когда-то размалеванный всеми цветами радуги, а потом выстиранный злыми дождями и обесцвеченный ночной тьмой. Окна его были выбиты, нутро выпотрошено и изгажено. Он ссутулился и весь скукожился, напоминая тот волшебный яркий шатер удовольствий из моего прошлого не больше, чем раковый больной — себя прежнего.

Я притронулся к нему рукой. Зажмурился, стараясь представить себе, что мама предлагает мне выбрать что-то одно — «Лакомку» или пломбир. Прошептал: «Пожалуйста-пожалуйста-пожалуйста!»

И понял, что не вспомню ее. Даже если отправлюсь сейчас в дремучие заросли Сада, отыщу те самые аллеи, тот пруд, те мостки — и выживу... Ничего не получится.

И мне стало так одиноко, как никогда не было.

Но я все равно продолжал стоять у брошенного киоска, будто просто ждал, пока подойдет моя очередь за мороженым. Хотя знал, что она не подойдет никогда.

Я был сиротой. Я был один во всем мире.

Наверное, данная мне отсрочка закончилась именно тогда. Я ничего не услышал — эти твари передвигались удивительно бесшумно. Но каким-то звериным чутьем — от жизни в метро оно обостряется — я почувствовал их присутствие и открыл глаза.

Стая бродячих псов, изъязвленных и ободранных... Я был взят в кольцо и прижат к киоску, бежать мне было некуда, да я бы и не успел. Глядя в их глаза, я понимал: мне не напугать их и не приручить. В то время поверхность не кишела еще всей больной и уродливой жизнью, которая расплодилась там сейчас. Псам повезло, что они учуяли меня. Теперь им надо было поскорей меня схарчить, прежде чем голод заставил их рвать глотки друг другу.

— Стреляй! — откуда-то крикнул мне Женька. — У тебя же ружье!

Я очнулся и, наставив двустволку на самую крупную зверюгу, потянул спусковой крючок. Боек щелкнул негромко. Выстрела не было. Я дернул второй — осечка. Видно, патроны отсырели. Перезарядить было нечем.

Один из псов повернулся к Женьке.

— Уходи! — сказал я. — Только не беги, а то на тебя первого нападут...

И Женька стал отходить — спиной назад, не спуская глаз с тварей. А я остался и смотрел на него.

— Я сейчас... Я вернусь! С подкреплением! — бормотал Женька.

Было очень хорошо ясно, что не успеет он привести никакое подкрепление. Он это знал, и я знал. Когда я просил его уйти, во мне копошилась мыслишка: а вдруг он не сбежит? Вдруг что-то придумает?! И когда он все-таки послушался меня, стало обидно.

Тот зверь, которому я собирался картечью снести башку, сделал шаг вперед, задрал морду к звездам и хрипло взвыл. Стая поползла ко мне, прижимаясь к корке асфальта, готовясь прыгать.

И тут над черным лесом, над растерзанными домами, надо всей окоченевшей планетой раздался вдруг такой вой, от которого захотелось не бежать даже, а упасть лицом в землю и лежать тихонько, шепотом умоляя о пощаде. Я прежде такого не слышал.

Один из псов молча метнулся на меня.

* * *

Они стояли внизу, у гермоворот, и спорили. Им не хватило ни мужества, чтобы выглянуть и убедиться, что меня разорвали в клочья, ни трусости, чтобы бежать к своим родителям на ВДНХ. Им ведь было куда бежать.

— Как это? — вылупился на меня Женька.

Я пожал плечами.

— Сколько времени меня не было?

— Минут пятнадцать... Как... Как ты от них?.. Артем...

— Не помню. — Я снова втянул голову. — Всего пятнадцать минут?

Мне казалось — весь наш поход, и ржавый выцветший киоск, и собачья охота — все это случилось вчера. Будто я целую ночь проспал.

— Артем! — настойчиво повторил Женька. — Чего ты улыбаешься?! Что случилось?!

Но у меня не было ответа. Я не помнил.

И вспомнил лишь много лет спустя.

* * *

Конечно, я ненавидел черных. Все ненавидят черных.

Когда я шел через свою родную станцию, замызганную кровью, устланную мычащими безумцами, связанными по рукам и ногам, я думал только о мести. Когда я услышал, что Женьку убили, я расстался с последними сомнениями. Мне захотелось спалить их логово дотла. Выжечь вместе с Ботаническим садом, в который я уже все равно никогда не смогу вернуться.

В тех легендах, которые досужие трепачи пересказывают друг другу сегодня, черным приписывают совершенно невероятную мощь и злобу. Вот они уже разрывают дозорных голыми руками, сворачивают шеи, того и гляди начнут пить человеческую кровь. Врут, все врут. На самом деле все куда страшней.

На самом деле черные не убили ни единого человека. Они даже к ним не притронулись. Все те, кто погиб, погибли от рук своих товарищей. А черные просто свели тех с ума. Никто не способен остаться собой, когда черные приближаются. И никто не помнит, кем он был, пока черные находились рядом. Конечно, когда приступ заканчивается и ты видишь перед собой своего друга с вырванным кадыком, самое простое и самое логичное — решить, что это сделало черное чудовище. Решить так и поверить в это.

Так-то оно так. Да только это чудовище вылезло из тебя самого, а сделав дело, забралось обратно. Об этом лучше не знать. Все, кто успевал с этим чудовищем хоть на миг пересечься, не могли больше без смирительной рубашки.

Я знаю лишь одного человека, который попытался без нее обойтись. Он думал, бронежилет куда крепче стянет тело, из которого заместить человека рвался монстр. Верил, что тесный титановый шлем помешает кому-то чужому забраться в его голову...

Но сейчас речь не о нем.

И нет никого, кто при виде черных не испытывал бы ужас и омерзение. Эти создания были обратным от нас. Увидеть черного — все равно что увидеть человека, вывернутого наизнанку — наружу пульсирующим красным мясом и подрагивающими органами. Не из-за их телесного устройства — труп черного можно смело поковырять палкой и пнуть его мертвую голову ногой, не опасаясь, что тебя вытошнит; тут другое. Тут именно их *живое присутствие*. И чем ближе они подходят к тебе, тем сильней отвращение и пронзительней страх. Кажется — если это исчадие ада прикоснется к тебе, то с его прикосновением в твою душу — не мозг, а именно душу — высадится некий паразит, лишай или грибница, и душа твоя покроется гнойными язвами, почернеет и иссохнет, но не исчезнет, а продолжит питать собой этого паразита — пока ему это будет угодно... Хотя разным людям кажется разное.

Поэтому нет ничего более естественного и нормального, чем желать уничтожить каждую из этих кошмарных тварей: это единственный способ избавиться от страха, иначе тот будет преследовать тебя до могилы.

И когда мне в руки было вложено оружие возмездия, которое мы вырвали из истлевших костлявых пальцев наших мертвых предков, я знал, что делать. И сделал что должно.

Ракетам потребовалось меньше минуты, чтобы покрыть расстояние между чудом уцелевшей в Последней войне базой и чудом зародившимся на разоренной планете новым видом разумной жизни. Но была и еще одна минута — до того, как ракетчикам передали координаты цели.

Эта минута для меня стала вечностью.

* * *

— Я не помню, — сказал я Женьке. — Отстань!

Когда мы вернулись домой, нас, конечно, допрашивали. Но мы молчали.

Женька и Виталик забыли о том, что я подговорил их идти на Ботанический сад, а я забыл, что они струсили и бросили меня на поверхности одного. Я больше не спрашивал Женьку, почему он послушался меня и оставил на съедение бродячим собакам, а он меня — каким образом я от них вырвался. И все мы молчали о том, что, со всех ног убегая с «Ботанического», мы оставили открытым гермозатвор.

Мы пытались вернуть его на место вручную, но он шел очень тяжело. А потом я сказал: «Да ладно, черт с ним!» Виталик и Женька поглядели на меня так — не то осуждающе, не то благодарно — и бросили ржавую железяку. Мы все стали соучастниками этого преступления, но «Да ладно!» сказал я.

Почему? Может, потому что я забыл не все?

Потому что частицы произошедшего возвращались ко мне? Пытались вырваться из подвалов сознания, в которые я их запер и держал, просачивались в мои сны, возникая незваными и необъяснимыми ассоциациями в моей голове, заставая меня врасплох?

Я не разрешал себе помнить, что случилось, потому что это было очень странно — и наверняка запретно. А уж когда черные стали спускаться в метро, беспрепятственно проходя через открытые нами ворота... Вот тогда мне сделалось действительно не по себе.

Тот старик, что якобы пишет обо мне книгу... Я довольно подробно рассказывал ему о многих своих снах, описывал некоторые кошмары. Но никогда я не говорил с ним о том видении, которое посещало меня чаще всего. Может быть, потому что я подозревал: это не сон.

...Громадный пес прыгает на меня, метя желтыми клыками прямо мне в горло. Остальные готовятся броситься, как только вожак собьет меня с ног. Я умру через миг: мое время кончилось.

И вдруг летящая на меня туша обмякает — прямо в воздухе — и безвольно, кулем рушится на землю в шаге от меня. Стая поджимает хвосты, скулит, ползет назад... Я оборачиваюсь и вздрагиваю.

За моим плечом — громадная черная тень. Меня охватывает дикий, непередаваемый ужас — но тут мне на темя ложится... рука?

Секунда, другая — я пытаюсь вырваться, но длинные стальные пальцы ухватили мой череп слишком сильно. Я понимаю: конец.

И вдруг боль и страх отступают, растворяются, как кусок сахара в чае.

Псы бегут; один из них гадит под себя, у другого — конвульсии. Но меня они уже не занимают. Не пытаясь больше высвободиться из захвата, я медленно поднимаю взгляд на удивительное создание, которое держит меня за душу.

Черный...

Он стоит на двух ногах, и он на две головы выше самого высокого взрослого из всех, кого я видел. Кожа его — черней туннельной тьмы, а в немигающих круглых глазах нет белков. Но в них куда больше разума, чем у многих счастливых обладателей белков и миндалевидного разреза.

Нет сомнений: это не зверь, не чудовище.

Передо мной — человек.

И своими странными глазами он заглядывает прямо в меня. И видит все: тот Ботанический сад, в который я хотел попасть, и тот, в котором чуть не очутился, очередь за мороженым в еще живой, цветущий киоск, и бегущие по небу легкие облачка, и оранжевых уток на пруду, и мою маму. Он видит ее смерть, и мои скитания по пустым туннелям, и мою тоску, и мое одиночество, и неспособность прижиться к другому существу моего вида.

Перед ним — черный. Смешной, маленький, неправильный и неуклюжий. Дурацкого цвета. Чужой на этой земле и во всем мире. Брошенный и не умеющий ни за кого зацепиться. Сирота.

И он жалеет меня. Жалеет и благословляет...

На долю мига вместо его громадного темного силуэта я вижу...

Маму. Она улыбается, и шепчет мне что-то ласковое, и ерошит мои волосы. Протягивает мне мороженое — пломбир. Шелестят над головами листья, летят по небу серебристые облака, люди смеются... Все, как было тогда.

Когда я пришел в себя, лицо ее вспомнить уже не смог, и во всех моих снах я его с тех пор не видел. Но знаю наверняка: черный мне его показал. И мне тогда почудилось, что он не изображает ее лицо, не напяливает мне на потеху ее маску, а словно... словно пускает в себя ненадолго ее неприкаянную сущность, разрешает ей воплотиться в нем на несколько секунд — на одно короткое свидание с сыном. Так медиумы впускают в себя вызванных духов.

Я почувствовал, что меня... усыновили. А потом снова остался один.

На прощание мне было сказано: «Ты — первый».

Но когда я вернулся к своим, от увиденного мной в памяти осталось не больше, чем от волшебного сна после пробуждения. И совсем скоро оно выветрилось из моей головы совсем. Так мне казалось.

— Чего ты улыбаешься?! — подозрительно спросил Женька.

Я уже и сам не знал.

Мне было двадцать четыре, когда черные вспомнили обо мне. Поздно — меня уже воспитали люди. Слушая первые истории о том, как рвущиеся с поверхности ужасающие твари живьем сжирают наших дозорных — друзей моего приемного отца, отцов моих товарищей, — я догадывался, что в детстве со мной на самом деле произошло что-то нехорошее, запретное, постыдное. Что те сны, в которых мне иногда напоминали о случившемся, надо гнать от себя; и раз уж черные демоны способны завладевать взрослыми людьми — будто надевая тряпичных петрушек себе на пальцы, — то распотрошить разум ребенка им и вовсе не доставит никаких сложностей.

Я хотел бежать с ВДНХ, именно потому что обрывки, осколки той судьбоносной ночи все еще всплывали в моем сознании. Потому что я боялся, как бы черные не превратили меня в куклу, не подняли бы меня однажды из постели и не заставили перерезать своих спящих друзей или военачальников станции.

Хантер считал, что я был от природы неуязвим перед воздействием черных. Правда же была в том, что в детстве я получил прививку — и, неся в своей душе частицу их души, перестал чувствовать боль и страх, когда они пытались говорить со мной. У меня потому и появился к ним иммунитет, потому что они были во мне. Но если бы я признался в этом Хантеру, он задушил бы меня прямо там же, несмотря на долгую и крепкую дружбу с моим отчимом. Я бы и сам себя порешил, будь я похрабрей.

Но я был трусом, и я бежал. Предложение Хантера я принял главным образом для того, чтобы исчезнуть с ВДНХ. Думал, что могу спрятаться от черных, удрать от своей судьбы. Когда же я расхрабрился, моего мужества хватило лишь на то, чтобы заткнуть их голоса в своей голове системой залпового огня.

Трусом был, трусом остался.

* * *

В канонической версии легенды об Артеме говорится: черные попытались заговорить с нашим героем, когда пуск ракет уже был произведен.

Зачем я это всем рассказываю?

Чтобы снять с себя ответственность? Чтобы убедить весь свет, а за ним и себя, что я все равно ничего не мог сделать? Что, когда я наконец все осознал, было уже слишком поздно?

Да. Говорят, если постоянно повторять ложь, в какой-то момент сам начинаешь в нее верить...

На это и уповаю. Где еще мне искать облегчения?

Я прозрел еще до того, как координаты «муравейника» черных были переданы на базу. Известно, что сообщили мне черные: о том, что шли к нам с миром, о возможности симбиоза, о желании и неумении найти общий язык с загнанными в норы огрызками человечества. О том, что мое истинное предназначение — в том, чтобы стать толмачом между двумя видами и остановить бойню.

Я обычно упираю на «остановить бойню» — так концовка легенды становится открытой, и каждый понимает ее в меру своей ожесточенности. Большинство убеждено, что черные просто пытались завладеть мной, чтобы отвратить свою гибель. Сомневающиеся допускают, что черные все же не собирались пожирать всех людей до единого. А я... Я умываю руки.

Все было так. Но и было и еще кое-что.

Первое, что я увидел там, на башне, было ее лицо. Лицо моей матери.

И я уверен — они показали мне его вовсе не для того, чтобы шантажировать меня. Просто... Это был как бы привет... Блудный сын перестал прятаться и отпираться, разжал кулаки — и родители распахнули ему объятия. Вот что это было. А потом для меня снова устроили тот далекий день. Но он сошел не только на окрестности Ботанического сада — он настал для всего мира. Стоя на смотровой площадке Останкинской башни, я остолбенело и восхищенно озирался по сторонам — и видел не выморенный чумой и войной город, не мертвые ракушки домов и не вывороченные кишки улиц. Я созерцал Москву живую, бурлящую, зеленую!

И я убежден — мне показали ее не потому, что я так мечтал взглянуть на нее. Они хотели сказать — мы можем все это вернуть, вы и мы. Вместе.

И у меня все еще был шанс все остановить. Была еще минута. Объяснить все остальным в моем отряде, скинуть передатчик с башни, да что угодно!

А я? Я умыл руки.

Одни вычислили и сообщили координаты цели, другие нажали кнопки, выпуская ракеты... Я один не был ни в чем виноват. Я просто стоял и смотрел. А потом спустился с башни — и меня встретили как героя.

* * *

Не могу больше вспомнить ее лицо.

Теперь мне осталось только одно — каждый день возвращаться на пепелище. Я приходил туда вчера, и позавчера, и за день до этого — и так весь последний год; я бреду туда сегодня, и завтра тоже пойду.

Это не ритуал, это не моя работа, не мой долг.

Просто что-то внутри толкает меня каждое утро, какая-то неясная тоска гонит меня — собираться, напяливать на себя пудовые доспехи химзащиты, требовать, чтобы мне открыли гермозатворы, упрямо карабкаться вверх по эскалатору, выбираясь на поверхность с пятидесятиметровой глубины, тащиться по пустынным улицам — чтобы добраться досюда.

Раньше это место называлось Ботаническим садом.

Теперь тут только сажа и угли, и одни полиэтиленовые пакеты парят над черной пустошью. Когда мы все наконец передóхнем — а я отвожу человечеству от силы лет двести, белые пакеты еще несколько веков будут носиться над землей. Возможно, все, что останется от нашей цивилизации, от нашего мира — эти пакеты, наши нетленные испражнения. Лучший памятник нам, ничтожествам.

Сейчас у меня довольно много свободного времени, примерно вечность, так что возможностей обдумать, как же так все получилось, хватает. И у меня есть маленькая теория: черные не были демонами. Напротив, они были посольством ангелов, отправленных нам во спасение — и в испытание. Если бы мы сумели побороть зверя в себе, если бы смогли разглядеть белоснежные перья под их черными шкурами, найти способ говорить с ними, несмотря на боль и омерзение, — мы прошли бы испытание и вымолили прощение за то, что уничтожили мир, который не создавали.

А мы не смогли.

Я не смог. Я!

И вот я, как про́клятый, как заведенный, вышагиваю по разоренным дорогам, иду на свою вахту — в Ботанический сад. Это не мое наказание и не моя епитимья. Просто я не могу иначе, а зачем я это делаю — не могу понять. Не хочу признать.

Я ворошу длинной палкой давно погасшие угли, приподнимаю куски железа. Думаю, я просеял уже все это гиблое поле и, так ничего и не обнаружив, просто принялся за работу во второй раз. А потом и в третий.

Что я ищу?

Зеленый росток? Или хотя бы кость чужого существа, которое захотело меня — одинокого мальчишку — принять, усыновить? Или тень от деревьев, которые росли тут в день, когда мама повела меня гулять в Ботанический сад? Прощение? Надежду?

Сажа и угли. Угли и сажа.

Я сажусь прямо наземь — плевать, что грунт фонит.

По самой земле, кувыркаясь, несется пакет — и, добравшись до меня, облепляет мое лицо. Закрывает окуляры противогаза и так висит, словно приросший. Я не отдираю его — у меня нет сил. Нет сил жить.

Но налетает новый порыв, и пакет уносит куда-то вверх и вдаль.

Я все еще смотрю на свои сапоги.

Хорошо бы удавиться.

Я наконец набираюсь достаточно злости и отчаяния, чтобы пойти домой — слушать мифы о своем подвиге и подбрасывать еще деталей. Такое мне наказание.

И...

Господи...

Я закрываю и открываю глаза, пытаюсь ущипнуть себя через серую слоновью кожу противогаза... Нет, он не исчезает.

Стекла мигом запотевают, и я срываю маску к чертовой матери — как тогда, на башне.

Он все еще стоит на том же месте.

И тогда, забыв обо всем, загребая своими тяжелыми сапожищами, я неуклюже, трудно бегу к нему, запинаясь об оплавленные железные трубы, рамы...

Я не знаю, что сказать ему. Не знаю, как вообще с ним говорить...

Но я найдусь, я придумаю!

Пусть только это будет не мираж и не морок.

Я подхожу к нему все ближе... Не знаю, откуда он тут взялся, и не хочу спрашивать, чтобы не спугнуть чудо. Я просто верю в него, а вера — это когда не задаешь вопросов.

Он поворачивается ко мне.

Непропорционально длинные руки, огромные темные глаза без белков и зрачков, лоснящаяся черная кожа... Он совсем еще маленький, еле достает мне до живота и смотрит на меня — снизу вверх. Кажется, что в его глазах — пустота, но...

Я сбрасываю перчатку и осторожно притрагиваюсь обнаженной ладонью к его темени. Боюсь напугать его или сделать больно.

И понимаю: он — один во всем мире.

У него есть только я.

Литературно-художественное издание

Дмитрий Алексеевич Глуховский

Метро 2033

Роман

Редакционно-издательская группа
«Жанровая литература»

Зав. группой *М.С. Сергеева*
Руководитель направления *А.А. Клемешов*
Редактор *Л.В. Смирнова*

Подписано в печать 07.08.19 г.
Формат 70x90 1/16. Усл. печ. л. 28,08.
Доп. тираж 20 000 экз. Заказ № 7093.

Общероссийский классификатор продукции
ОК-034-2014 (КПЕС 2008); 58.11.1 — книги, брошюры печатные

Произведено в Российской Федерации
Изготовлено в 2019 г.
Изготовитель: ООО «Издательство АСТ»

ООО «Издательство АСТ»
129085, г. Москва, Звёздный бульвар, дом 21, строение 1, комната 705, пом. I, 7 этаж.
Наш электронный адрес: **www.ast.ru**
E-mail: zhanry@ast.ru

«Баспа Аста» деген ООО
129085, Мәскеу қ., Звёздный бульвары, 21-үй, 1-құрылыс, 705-бөлме, I жай, 7-қабат.
Біздің электрондық мекенжайымыз: www.ast.ru
E-mail: zhanry@ast.ru

Интернет-магазин: www.book24.kz
Интернет-дукен: www.book24.kz
Импортёр в Республику Казахстан ТОО «РДЦ-Алматы».
Қазақстан Республикасындағы импорттаушы «РДЦ-Алматы» ЖШС.
Дистрибьютор и представитель по приему претензий на продукцию в Республике Казахстан:
ТОО «РДЦ-Алматы»

Қазақстан Республикасында дистрибьютор
және өнім бойынша арыз-талаптарды қабылдаушының
өкілі «РДЦ-Алматы» ЖШС, Алматы қ., Домбровский көш., 3«а», литер Б, офис 1.
Тел.: 8(727) 2 51 59 89,90,91,92
Факс: 8 (727) 251 58 12, вн. 107; E-mail: RDC-Almaty@eksmo.kz
Өнімнің жарамдылық мерзімі шектелмеген.

Өндірген мемлекет: Ресей
Сертификация қарастырылмаған

Отпечатано в филиале «Тульская типография» ООО «УК» «ИРМА».
300026, Россия, г. Тула, пр. Ленина, 109.

ISBN 978-5-17-114425-8